KB096246

비련의 시나리오 온라인: Slow fantasy

2

비련의 시나리오 온라인:Slow fantasy 2

발　행 | 2024년 05월 22일
저　자 | 장성우(살생금지)
펴낸이 | 한건희
펴낸곳 | 주식회사 부크크
출판사등록 | 2014.07.15.(제2014-16호)
주　소 | 서울특별시 금천구 가산디지털1로 119 SK트윈타워 A동 305호
전　화 | 1670-8316
이메일 | info@bookk.co.kr

ISBN | 979-11-410-8601-5

www.bookk.co.kr

비련의 시나리오 온라인: Slow fantasy 2

장성우(살생금지) 장편 판타지 소설

목차

작가의 말

비련의 시나리오 온라인, 2권입니다.

음…

편집을 하다보니까. 좀 길어졌군요. 원래 종이책은… 인쇄 따위의 사정이 있어서…

두 권 반 정도의 분량을 한 권에 집어넣으려 했는데….

하다보니 700페이지가 넘어버렸습니다. 600페이지 조금 넘게 만들려 했는데 이렇게 됐군요. 아무튼.

읽으실만하다면, 더할 나위 없는 기쁨일 겁니다.

조금 심심해 보일 수도 있지만. 가끔 지나친 자극에 질려버린 사람들은 이런 부류를 도리어 즐기기도 하는 법이죠. 그런 분들이 읽으시라고 쓰는 거기도 하고….

네. 2권이고… 현재 전자책 기준으로는 21권 발매를 하고 있어서…. 그리고 완결까지 얼마나 남았는지는 정확히 셀 수 없어서… 일단 종이책으로, 이런 식으로, 10여 권 근처 까지는 낼 것 같습니다.

즐겁기는 한데. 어서 완결을 내고 다른 소설을 또 써서

내고 싶군요. 네.

1권에서 설명드렸듯. 가상현실 게임에 대한 이야기입니다. 결국 그런 건 세상에 없으니. 현실에 사는 우리들에게는, 그냥 게임에 몰입한 어느 사람의 이야기일 뿐이죠.

공감이 갈 수 있다면 좋겠고.

뭐 그렇습니다. 공감을 강요하는 강요마 따위는 아닙니다.

부디 즐겨주시죠. 가격은… 최대한 낮춘다고 낮췄는데 뭐…. 비쌀 지도 모르겠습니다.

다들 좋은 하루들 되시고…. 2권 시작합니다.

24.5.20. 저자, 장성우:살생금지 올림

21. 로멜리아Romellia

둔중한 마차가 슬쩍 움직이지 않았을까, 싶었다. 마차는 선회를 하다가 실패한 모양새로 골목의 대부분을 틀어막고 있었다.
반대편까지 이어지는 골목길이 길다. 누군가 들어오지도 않고, 반대 방향이나 제냐가 들어온 입구에서 나타난다고 하더라도 깨나 뛰어와야 하는 거리였다.

양 옆으로는 벽돌집. 그 아래 골목 길도 벽돌로 이루어진 포장 도로. 금속 장식이 붙고 화려한 색으로 디자인의 품격을 더한 마차를 밟아 밀며 그가 포탄처럼 쏘아졌다. 아래 대각선으로 날아간 제냐는 순식간에 거한 한 명의 근처에 닿게 된다.
사람의 모습이라기보단 날린 돌멩이처럼 탄력적으로 뛴 제냐의 손에 어느새 '대거'가 들려 있었다. 비스트 슬레이어는 주로 인벤토리에 넣어둘 때가 잦다. 대거는 허벅지 홀더에 적당히 끼워두고 아무 때고 쓰고는 했다.

황야 지룡의 발톱 대거. 유용하게 쓰고 있었고, 인챈트를 해서 붉은 기가 도는 검날에 열기와 함께 독이 발려 있었다. 쏘아진 화살을 사람이 채 쳐내지 못하듯, 불한당들의 우두머리처럼 생겨서 아가씨들에게 가장 먼저 다가가던 검은 머리의 거인이 제냐를 받아들였다.

제냐는 넓은 품으로 그를 받아주는 거한에게 친절하게 독날을 선사했다. 대거의 이빨이 백 수십 키로는 나갈 듯한 거한의 뱃거죽을 길게 그었다. 그 시작지는, 목 근처였다. 사람의 몸을 따라 붓으로 그림을 그리듯 이어낸 그 궤적에 거한의 눈동자가 핑글핑글 돌았다.

자신이 받아들인 상처를 제대로 인식하지 못하고 있는 중이었다. 곧이어 격통이 있었고, 그 그어진 선에서 빛의 입자가 쏟아져나온다. 제냐는 쿵! 하고 땅바닥에 내려앉으며 그런 일격을 날린 뒤 거한의 몸에 툭, 붙었다. 그 뱃살에 손과 어깨를 대며 한 번 밀착하고는 그대로 그 몸을 따라 빙글 돌았다. 기둥을 붙잡고 도는 감각이었다. 빠르게 움직이기 위해 관성을 한 번 죽이는 동작이다.

직진이 아니라 방향 전환이 목적이라면 이전의 관성이 빠르게 죽을수록 다음 동작으로의 쿨타임이 짧아진다.

두터운 거한. 그 키가 제냐보다 훨씬 컸다. 2m에 달하는 듯하다. 보호구에 가까워 보이는 가죽 옷을 걸쳤는데, 안쪽으로 티셔츠다.

반팔 티셔츠와 반팔 재킷을 걸친 꼴이다. 팔꿈치 아래나 목덜미 부근은 그대로 맨 살이 노출되어 있었다.

북슬북슬한 검은 털이 잔뜩 나 있었다. 하체는 깨나 질겨 보이는 가죽 바지를 입었다. 신발이 검붉고 밑창이 두터운 종류로 위협적이다. 누군가를 차서 그 피가 새어들기라도 했나.

제냐는 그렇게 관찰하며 돌았다. 거한의 몸뚱이는 거의 오크가 생각날 수준이었다.

그리고 오크라고 한다면, 그가 최근에 가장 많이 상대한 부류이며 또 잘 잡아낼 수 있는 놈들이었다.

그는 손을 짚으며 기둥 주위를 돌듯 거한을 가운데 두고 돌았고, 그 사이에 반대쪽 손에 들린 대거로 더 선을 만들었다. 'ㅏ'자 형으로 베어버린 거한은 비명을 지르고 싶은 심정이 되었고, 그 고개를 돌려 제냐를 찾았지만 이미 치명상을 입고 난 뒤였다.

둔한 동작으로 손을 들어 제냐를 치려고 했다. 제냐는 조금 더 돌아 거한이 도는 방향 반대로 도망쳤고, 한 두 호흡 뒤에는 차라리 거리를 벌려버렸다.

그 사이에 대거가 그은 흔적이 많다. 거한은 순식간에 빛의 입자를 철철 흘리는 몸이 되었고, 골목길에 그 거구로부터 쏟아지는 빛이 웅덩이를 이룰 것 같은 기세다.

골목 벽에 기대어 앉은 노인은 눈을 크게 떴다. 헝클어진 짧은 흰 머리가 그의 시야를 가렸으나 눈 앞에서 일어나는 놀라운 일을 가릴 수는 없었다.

마차와 골목 벽 사이의 코너에 몰려 오들오들 떨고 있던 두 여인, 소녀 하나와 아가씨 하나도 드레스 풍의 고급스런 옷소매를 제 손으로 꼭 쥐고 얼굴을 가리면서도 그 모습을 지켜보았다.

갑자기 나타난 청년 하나가 그들을 구해주고 있었다. 눈으로 잘 쫓기 힘들 정도의 검술 실력을 가지고 말이다.

거한을 제외하고 그를 바라보는 '적' 포지션의 인물들은 다섯이 더 있었다. 하나같이 눈빛이 매섭다. 이런, 이건 계획된 범죄였나?

싶은 생각이 제냐의 머릿속에 들었다. 어설픈 깡패 놈들이라면 제냐 정도의 실력을 보였을 때 혼비백산을 했을 것이다.

순식간에 당해버린 거한의 모습에서 그다지 수준 높은 적이 아니란 건 알았으나 적들의 마인드 셋Mind set(ting)은 제법 정련된 느낌이 있었다.

이 골목을 거닐다가 우발적으로 범죄를 친 게 아니라, 누군가의 사주라도 받고 움직이는 놈들처럼도 보인다. 정확한 목적이 있어서 하필 이 귀족가의 자제들로 보이는 자들을 노리는 것이다.

어쨌든, 진한 희귀 퀘스트의 향기를 맡으며 제냐는 마저 달렸다.

오크들을 상대할 때와 마찬가지의 움직임이지만, 그 때보다는 훨씬 상황이 쉽다. 상대방은 짐승도, 야성을 가진 괴물도 아니었으며 몸집도 그와 비슷했다. 최초에 물리친 거한은 오크와도 비견될 만한 덩치였으나 전투와 전쟁에 익숙한 자는 아니었던 모양이다. 그토록 쉽게 당했으니.

나머지 놈들도 그처럼 쉽게 당해준다면 제냐로서는 편하다. NPC들에게도 대강의 레벨 수치는 붙일 수 있었다. 그들의 레벨을 플레이어들이 알아낼 방법은 없었지만, 행동을 보고 스텟을 추산하며 그로 인한 강함을 다시 레벨로 환산하는 방식이었다.
별다른 고도의 스킬도 없는, 다시 말해 그럴싸한 직군을 가지지 않은 놈들이길 바란다. 죽어가는 거한을 뒤로 두고 제냐가 달려들었다.

좁은 골목길에서 몇 명의 남자가 난전을 벌인다면 시야의 어지러움이 심하리라. 제냐는 별로 불만이 없는 환경이었다. 자신 외에는 전부 적이라고 생각하고 대거를 휘두르면 될 뿐이다. 황야 지룡의 발톱이라고 이름 붙은 대거는 제냐의 손에서 정말 발톱처럼 움직였다. 밝은 베이지 색 톤으로 형성된 도시의 건물들이다. 그 사이에 바닥은 회색, 흰색, 검은색 따위가 여기저기 섞여 있는 벽돌 바닥이고.

제냐가 뛴다. 앞에는 다섯 명이 불규칙적으로 서로 거리를 띄운 채 있었다. 앞서 한 놈을 만났다. 손에 중검을 들고 있었다. 무거운 검이 아니라, 소검과 대검 사이. 한손검 정도 길이. 잘 갈아진 양날검이었다.

그것을 든 갈색 머리의 백인 사내가 '어어어…'하며 손을 들어올렸다. 느리게라도나마 검으로 다가오는 물체를 베어보려는 수작이다.

제냐에게 닿기에는 기술도 근력도, 뭣도 없는 동작이었다. 캉! 하고 새된 소리가 난다. 다가가는 속도 그대로 대거의 날이 느릿하게 휘둘러지는 중검을 쳐냈다. 거한을 기둥처럼 잡고 돈 것같이, 자신과 비슷한 체격의 사내의 품으로 돌아 들어갔다.

과일 열매를 돌려 깎는 기술과 비슷하다. 제냐는 그대로 대거의 첨단을 상대의 복부 근처에 바짝 갖다 대고 찔렀다. 감촉이 둔하게 느껴진다. 그리고 상대 몸에 칼날이 들어간 상태를 유지하며 뒤로 이동한다.

원기둥의 지름 중 반이 깎여나갔다. 기둥이 아니라 사람의 몸통이었고, 그대로 상대는 절명했다. 쏟아지는 빛의 입자가 튀지 않을까 생각하며 제냐는 그보다 빨리 다음 상대에게 달려간다.

"으아아악!"

이제 상대는 비명을 지르고 있었다. 제냐보다 키가 조금 크고 백인. 수염이 났고 머리는 짧은 편이다. 살집이 있고 소매가 없는 셔츠에 아까의 거한처럼 팔없는 재킷을 외투로 걸쳤다. 레더 아머다. 허벅지 부근에도 뭘 찼다. 빈틈이 훤히 드러나는 동작에, 저 정도 보호구를 차고 있다면 어디를 벨 지 고른 뒤에 천천히 요리할 수 있을 정도였다.

제냐는 그대로 손도끼를 든 놈에게 다가갔고, 놈이 손도끼를 비명과 함께 집어던졌다. 다가가는 속도를 줄이지 않고 대거를 역수로 쥔 뒤 아래로 세웠다. 양 손으로 손잡이를 꾹 말아 쥐며 날아드는 손도끼에 정확히 가져다댄다.

쾅! 하는 감각이 손에 느껴졌다. 그대로 흘렸다. 조금 아래를 향해 빙글빙글 돌며 다가온 도끼를 오른쪽으로 흘려 보내자 얼마간 더 날아 바닥에 떨어졌다. 묘기에 가까운 움직임이다. 현실에서 이런 동작을 낼 수 있는 인간은 없다고 해도 좋았다.

시도조차 어렵거니와 근력의 문제도 있다. 단검으로 손도끼라고는 해도 묵직한 쇳덩이의 투척을 막는 일은 사람이 할 짓은 아니다.

붉은 칼날을 가진 대거, 지룡의 발톱 대거가 강력한 도구인 것도 한 몫을 한다. 이가 나가는 구석은 전혀 없다. 제냐는 붉고 독기 서린 이빨을 그대로 멈추지 않고 다가가 들이밀었다. 제냐의 근처로 나머지 놈들이 차마 다가오지 못했다.

한 호흡에 한 명씩 절명을 시키고 있는 적을 실전에서 바라보는 것은, 괴물이나 귀신과 마주하는 일보다도 지독한 것이었다.
현실감이 넘치는 형태로 구현된 자신의 죽음을 바라보는 것과도 같다. 무기를 잃은 놈이 제대로 자세를 잡고 제냐에게 달려들기도 전에 그가 달려가서 앞차기를 먹였다.

신발 끝을 세우며 그대로 찔러 넣는 프론트 킥이 그보다 키가 큰 사내의 명치에 정확히 박혀 들어갔다. 무게와 돌진력을 실어 꾸욱 누르자 상대는 컥,

하는 신음과 함께 숨을 쉬지 못하며 상체를 접었다. 제냐는 역수로 칼날을 쥔 오른주먹을 그대로 가져다 댔다. 턱을 긁듯이 쳐서 날리는 주먹이었는데, 그 주먹의 옆에는 대거의 날이 있다.

그것이 그대로 목덜미와 하관을 깊이 베었고, 사내는 다시 일어서지도 말을 하지도 못했다.

목줄기가 베인 상대는 어마어마한 양의 빛의 입자를 토해낸다. 제냐는 서둘러 몸을 굽히며 자리를 피했으나 등께에 얼마간 묻었다. 나머지가 세 놈이었다. 제냐가 왼쪽으로 방향을 틀어 바라본 자리에 두 명이 있고, 몸을 돌렸으니 이제 그의 뒤쪽 방향이 된 곳에 하나가 더 있었다.

눈 앞에 보이는 두 놈다 눈빛이 흔들린다.

제냐보다는 체격 조건이 좋은 불량배들이었고, 각기 레더 아머와 커다란 도끼. 그리고 한 손 양날검을 쥐고 있었다. "흠." 제냐는 그 와중에 입으로 소리를 냈다. 발이 멈출 필요는 없다. 도끼를 지닌 놈이 조금 더 앞에 튀어나와 그와 가까웠다. 제냐는 쿵, 하고 벽돌 바닥을 차서 제 몸을 날렸다.

순식간에 다가오는 대시에 놈이 혼비백산하며 뒤로 물러섰다. 발까지 꼬이는지 뒤로 넘어졌다. 못 보여줄 꼴이었다. 두려움은 싸움의 승률을 획기적으로 낮춘다.

제냐는 빈틈이 훤히 드러나는 상대의 안면을 바라보고, 그냥 그대로 단검을 홱, 어깨를 서서 던졌다. 단검 투척 스킬이 적용된 동작으로, 빛살처럼 날아간 대거가 상대의 목덜미를 꿰었다.

사내는 말도 하지 못하고 게임 오버를 당했다. 게임 내의 인물이었으므로, 캐릭터에 몰입해서 말한다면 그것이 곧 죽음이다. 제냐는 손에 아무것도 들지 않았다.

그것을 기회라고 생각했는지, 나름 대담함을 발휘한 나머지 한 놈이 그에게 다가왔다. 제냐의 앞에 있는, 한손 검을 든 놈이다.

길고 고불거리는 갈색 머리를 가졌고 20대 중후반 정도로 보였다. 피부나 행색이 지저분하고 거칠다. 어디 뒷골목의 양아치처럼도 보였다. 어금니를 꽉 깨물고 달려드는 기세는 각오를 단단히 한듯한 모습이다.

제냐는 중얼거리지도 않았고, 그대로 서서 기다렸다. 다만 오른 손바닥을 쫙 펴며 무방비하게 서 있었다. 한 호흡이 채 지나기 전에 그의 손 앞에 파이어 볼이 형성되었다.

붉은 기운이 구를 이루고 구는 화염처럼 이글거린다. 주변의 온도가 급격하게 달라지지는 않는다. 쓸데없이 소모되는 열량을 만들기보다 파이어 볼의 위력 형성에 더 큰 에너지를 쏟기 위해서, 정신력 에너지를 컨트롤하기 때문이다.

제냐는 다가오는 놈을 향해 손바닥을 폈다. 놈이 주춤거리며 돌진을 멈추지만 이미 늦었다. 제냐는 속으로 '발사'라고 생각했다. 의지력에 따라 파이어 볼이 날았고,

허공을 지났고,

화살보다 빠른 속도로 상대의 안면을 날려버렸다.

폭발력마저 가지고 있던 것은 별다른 특성도 고레벨도 없던 인간형 조무래기 NPC에게 막대한 신체 손상을 가져다 주었다.

그대로 게임 오버를 당했고, 다른 당한 자들의 시신이 아직 남아있는 와중에 파이어 볼을 맞은 사내는 전신이 빛의 입자로

변해 곧 사라지고 말았다.

제냐는 그동안 완성한 기감을 사용해 주변 반경을 살피고 있었다. 뒤에도 눈이 있었다는 이야기다. 들쥐의 눈과 매의 눈. 두 종류의 스킬을 모두 익히고 기력술을 단련했다. 본격적인 원시나 근접전에서의 사각이 커버가 되는 상황이다.

그의 뒤, 열 걸음이 조금 안되게 떨어져 있던 사내는 중년 정도로 보이는 탄탄한 체격의 전사다. 손에는 창을 하나 들고 있었고, 다른 이들보다 가장 그럴듯한 갑주를 입고 있었다.

단연 강력해 보이는 거한을 처음에 끝냈기에 사실 눈이 가지 않았는데, 생각해보니 갑주를 가장 좋은 걸로 입고 있다면 저 놈이 대장일 수도 있었다.

제냐는 고개를 갸웃거리면서 몸을 돌렸다.

갈색 가죽 장화가 벽돌 바닥을 꾸욱 누르면서 빙글 몸이 돌아간다. 제냐가 검은 눈동자를 빛내며 입을 열었다.

“파이어 볼.”

그가 굳이 발음하며 스킬을 발동한 건 상대에게 협상을 요구하기 위해서였다.

협상 테이블에 올라갈 것은 상대의 목숨과, 제냐가 필요로 하는 모든 정보들의 무상 제공이다. 제냐가 걸어야 하는 건 그 파이어 볼로 상대의 대가리를 날려버리지 않는 것 뿐이었다.

제냐가 말했다.

"자, 얘기 좀 나눠봅시다. 암살자 양반."

깡패 무리들치고는 움직임이 조금 계획적이었다. 깡패의 수준을 벗어나는 강함은 없었지만. 누군가에게 사주를 받고 일을 벌이는 놈들이라면 암살자라는 호칭이 어색하지 않으리라.

제냐의 말에 당시 가장 멀쩡한 가죽 갑옷으로 온 몸을 가리고, 얼굴에 흉터가 있던 선이 굵은 사내는 입을 떡 벌리며 어쩔 줄을 모르더니 도주를 시도했다.

제냐는 그 등 뒤에 파이어 볼을 기어코 맞추어서, 상대의 전신을 화상으로 만들어놓은 뒤에야 여러가지 이야기를 들을 수 있었다.
전의를 상실한 깡패 두목을 두고, 그리고 죽을 위기에 처해 있었던 귀족가의 인원들을 모아 그는 퀘스트를 진행시켰었다.

*

그 때의 상황으로 인해 얻은 것이 지금 그가 읽고 있는 책이었다.

"흠……."

나름대로 재미는 있었다. 필력이 그리 나쁘지도 않았고.
소설책이라고 친다면 말이다. 삽화도 풍부하게 들어가 있고.
게임 내의 세세한 설정을 파는 일을 그가 주도적으로 하지는 않지만.
이렇게 기회가 생겼을 때 읽는 걸 못견딜 정도로 싫어하지도 않는다.

사락거리며 질감이 좋은 두께감의 종이를 계속 넘긴다. 책을 읽는 건 아주 빠른 편이었다. 어린 시절부터 책을 좋아했으니까.
내용을 전부 외워서 시험을 봐야 하는 경우도 아니었고, 단지 읽기만 하면 되었다.

'책'은 소녀로부터 받은 것이었다.

소녀.

그가 구해줬던 세슈칸 어느 골목길에서의 그 사람들 말이다. 그 자리엔 화려하게 조각되었으며 멋들어진 흑마 두 마리가 매인 마차와, 그로부터 나왔을 인물들이 있었다.

죽어가던 노인, 쓰러진 두 청년. 그리고 제냐와 비슷해 보이는 나이대의 젊은 아가씨와 많이 쳐줘야 10대 중반 정도로 보이는 소녀.

어느 귀족가에서 나왔소 하고 광고라도 하듯이 거창한 차림새를 입은 자들이었다. 엎드러진 두 청년은 다소 평범한 복색이었지만.

그런 귀족가의 인원들이 왜 세슈칸 골목 한 구석에서 습격을 당하고 있었느냐, 하는 이야기는 꽤나 긴 사연이었다.

사락.

제냐는 얼마 남지 않은 책의 페이지를 넘겼다.

옛날 화풍으로 그려진, 그리고 변색된 물감이 세월을 느끼게 해주는 듯 보이는 '성'이 있었다. 넘겨진 페이지에는 말이다.

성벽과 내부의 성채 모두 회색질의 돌로 쌓아 만든 듯한 그림이다.
그 터치가 아주 세밀하고, 크기를 느낄 수 있게끔 그려져 있어서 가만히 들여다보면 웅장한 느낌마저 준다. 너른 평원에 세워진 성.

그림속 성의 꼭대기에는 깃발이 하나 달려 있다. 웅크린 사자. 마치 먹잇감을 노리는 듯 발을 굽히고 눈빛을 빛내고 있는 사자의 형상 주위로 붉은 원, 푸른 테두리, 녹색 배경의 깃발이었다. 사자가 원 안에 들어가 있었다. 원을 대각선으로 질러가는 검의 문양이 더해져 있다.

금빛 손잡이가 달린 바스타드 소드였다.

보통 어떤 집단, 가문의 위세나 그 대단한 용맹함을 자랑하는 깃발 따위엔 사자의 형상이 자주 들어간다. 그리고 그 때 사자의 모습은 아마 맹수의 기세가 가장 잘 표현되는 자세일 테였고.

사납게 울부짖거나 앞 발을 한껏 들어올려 제 몸을 크게 만든 사자가 아닌 웅크린 모습이 다소 눈에 띈다.

절제된 공격성과 철두철미함을 나타낸다고 볼 수도 있겠지만, 누군가가 폄하한다면 겁먹은 꼴이라고 놀릴 수도 있는 모습이기에, 전투의 기세를 살리기 위해 내걸곤 하는 깃발에 저런 그림을 그리진 않는다.

제냐가 나무 테이블에 앉아 입을 열었다. 그는 여관에 있을 때도 불편해 보이도록 방호구를 모두 차고 있는 모습이다.

불편함은 그리 크지 않다. 캐릭터의 근력 수치가 오를수록 특별하게 무겁게 만들어진 장비가 아니라면 큰 부담이 아니었으니.

게다가 어느 정도, 계속해서 불편함과 부하가 걸리는 환경을 추구하는 게 비련의 시나리오에서 올바른 플레이 방법이고 육성법이다.

비련의 시나리오에서 가장 빠르게 스펙Spec을 올리려면 군인처럼 구는 것이 가장 좋은 방법이다. 캐릭터를 효율적으로 혹사시키는 것 말이다.

너무 심하게 굴리다가 HP를 관리하지 못하고 그대로 게임 오버가 되어버려선 안되겠지만. 가능한 다량의 고생을 경험하는 일이 도움이 된다.

제나는 쩝, 하고 입맛을 다셨다.

허기가 약간 느껴지는 것 같다. 시나리오 온라인 내에서 다양한 감각들은 한계 범위 내에서 현실과 흡사하다. 똑같다고 말해도 과언이 아닐 정도로.

허기가 극심해지고, 장시간 영양분을 섭취하지 않는다면 부상을 당한 것처럼 체력 포인트가 줄기도 한다. 그 이전에 먼저 컨디션이 떨어지는 일도 있다.

관련한 특수 스킬이나 아이템 효과 따위를 보유했다면 그로부터 보다 자유로울 수도 있었지만.

책을 마저 읽고 일어설까, 잠깐 아래 내려가서 식사라도 하고 올까. 제나는 고민하며 탁자를 조금 두드렸다.

그림을 유심히 살피다 다음 페이지로 넘겼다.

*

성.

그리고, 웅크린 사자.

그건 산슈카 왕국 '로멜리아Romellia' 가문의 상징이었다.

세슈칸과 산슈카. 이름의 유사함에서 알 수 있듯이, 세슈칸은 산슈카 왕국의 영토이다. 오래 전부터 영토였고, 아직까지도 그렇다.
세슈칸을 다스리는 영주는 '작힘Jakkhim'이라는 가문의 가주였고, 곧 작힘 백작이었다.

일반적으로 게임을 플레이하는 게이머들은 낮은 레벨대에서 영주급의 인사들과 마주칠 일이 거의 없다.
보통 그런 일이 본격적으로 시작되는 건 못해도 100 이상의 일이다.
스텟 포인트가 50언저리에서 놀기 시작하는 때.

지금 제냐의 레벨은 35였고, 스텟은 모두 30을 넘겼다. 높은 수치는 30대 중후반에 머무르고 있다. 레벨보다 스텟이 높다는 건 놀라운 일이었고, 그런 상태는 물론 레벨이 올라갈수록 유지하기 어렵고 힘들다.

스텟이 증가하기 위해 요구되는 경험치가 기하급수적이기 때문이다. 근력 운동을 한다고 하더라도 아무리 과부하를 걸어도 오랜 시간이 요구된다.

20에서 10때의 두 배, 30에서 네 배.

20후반부에서 순식간에 차고 올라 원점 기준으로 6, 7배 정도의 위력을 낼 수 있는 셈이었다.

이미 초인이라고 봐도 좋을 정도다. 그를 지고 달렸던 코미어 또한 스텟들이 30을 채 넘지 못했다. 그 정도만 하더라도 장정을 등에 업은 채 질주를 할 수 있었는데.

최태현은 30 언저리에서 놀고 있었다. 제냐에 비해서는 다소 부족하다. 대신 다양한 스킬과 금전을 이용해 채워낸 아이템들도 전투력을 보강한다. 실전에서 싸우면 여전히, 좋은 호적수이며 까다로운 상대가 되리라.

어쨌든, 둘 다 모두 세슈칸에서 다양한 의뢰를 처리하면서 영주의 신변에 대해 고민을 해 볼 위치들은 아니다.

대도시의 영주급들과 관련된 퀘스트라면 마을 단위 퀘스트를 넘어서 지역간 퀘스트로 이어지는 교두보에 있는 것들이고, 그들보다 더 노련하며 강력한 플레이어들이 선점했기에 말이다. 이미 훌륭하게 NPC들의 사연과 고민을 해결해주고 있었기에 NPC들의 수요가 아래 급의 플레이어들에게까지 내려올 일이 별로 없다.

제냐가 만난 건, 적당한 공급자를 찾지 못한 수요자였다.

금박 장식으로 위세를 드러내는 듯한 마차를 타고 가던 인물들.

그들은 '로멜리아' 가문의 일원들이었다.

버젓한 이름이 있고 멋들어진 장식과 복색으로 신분을 드러내고 있으니 아주 고귀한 위치인가 싶었지만, 그보다는 조금 상황이 안 좋은 인간들이었다.

산슈카 왕국에서 로멜리아 가문이 차지하는 위치는 상당히 주요한 부분이었다.

예전에.

역사가 오래된 왕국에서 로멜리아 가는 중기 이후부터, 지금으로 치면 백작가 이상의 작위를 유지하며 핵심 지역의 영지를 다스리는 영주로서 그 위세를 보여왔다.

후기로 가면서 후작위까지 올랐고, 나라의 갖은 대신들과 대등하게 국사를 논하고 왕의 신임을 받아왔다. 로멜리아 가의 가주들은 말이다.

길고 긴 산슈카의 역사에선 천 여년 전의 이야기가 '후기'에 속한다.

산슈카의 제국기에 로멜리아 가는 국가 확장의 기틀을 마련한 공신가로서 공작가에 오르고 왕의 곁에서 그 권세를 누린다.

산슈카의 번영을 상징하는 듯 핵심적인 위치의 인물들로 늘 가문의 구성원들이 자리했다.

그러나 산슈카의 번영을 뜻했던 로멜리아 가는 마찬가지로, 산슈카의 몰락과 함께 그 높은 자리에서 내려왔다.

주변국들의 맹렬한 저항을 받고, 또 중부에 위치한 넓은 국토 내에서 다양한 변란이 일어나며, 귀족가들의 이해 관계가 달랐기에 내부적인 정쟁마저 심각해졌다.

콘란드 대륙 중심지에 위치한 산슈카 국 주변으로 적들이 무수하게 생겨났다. 문화와 문명의 발전은 적국의 발전 역시 포함하고 있는 것이었고, 답보 상태이거나 혹은 힘이 쪼개어져 약화되고 있던 제국에게 그건 치명적인 변화였다.

로멜리아는 나라의 중심지에서 여전히 왕을 보필하며 자신들의 명맥을 이어갔지만, 공신가로서 충성을 다하던 그 가풍이 도리어 이른 몰락을 가져왔다.

누구보다 앞서서 전쟁터에서 싸우던 구성원들이 죽어갔고, 패퇴를 거듭하며 제국은 왕국의 크기로까지 줄어든다.

나라 전체의 크기가 줄어들자 나라를 갈라 먹고 있던 귀족들은 죽어서 사라진 자들도 있었고, 그 전에 적국과 결탁을 해서 나라를 팔아먹은 자들도 있었다.

로멜리아는 본국에 충성을 다했지만 끝이 좋지 않았다. 공신가를 경쟁자로 생각하던 국내의 귀족들이 도리어 그들에게 이빨을 디밀었다. 자신들이 영토를 잃고 입지가 불안정해지자 만만한 상대를 찾은 셈이다.

내전과 자연재해. 주변국들의 연합과 침략. 그 사이에 내부 정쟁과 음모에 휘말려 로멜리아 가문은 역사 속으로 거진 사라졌다.

산슈카의 번영기를 상징하는 로멜리아의 깃발과, 그 거대한 석조

성 역시 말이다.

가문이 완전히 사라져 명맥이 끊어지지는 않았다. 어쨌거나 그 후예가 제냐의 앞에 있었으니 말이다.

골목. 아직 그 자리를 벗어나지 못하고 전투의 후처리를 위해 애쓰고 있던 와중이었다.

독에 당했는지 제대로 정신을 못차리는 두 청년에게 해독 포션을 억지로 먹였다. 아가리를 벌리고 고개를 젖힌 뒤 그냥 처넣었다. 건장한 자들이니 어떻게든 되리라. 해독 포션은 플레이어들에게 효과가 있듯 NPC들에게도 똑같이 효력을 보였다. 초록빛과 푸른빛이 섞여 있는 포션 두 통을 그렇게 소비하고, 붉은 물약을 노인의 몸에 온통 뿌렸다.

정확히는 그의 몸에서 빛의 입자로 뒤덮힌 곳들을 위주로. 몸통, 팔 다리 이곳저곳에서 빛이 흘러나오고 있었고 붉은 물약이 덮자 그 기세가 주는 듯했다.

그리고 노인의 레벨이나 HP량을 제대로 알지는 못하지만 일단 제냐가 먹는 수준의 붉은 물약을 그 입에 꽂아 넣어 마시게 했다.

붉은 물약이 곧바로 외상을 치유해주지는 않지만, 상처의 악화를 막아줄 수는 있었다. HP의 감소가 멈춘다는 것은 곧 죽지는 않는다는 말이다. 아무리 치명적인 부상을 입고 있더라도.

치명상에 준하는 상황에서 HP감소를 완벽하게 멈추려면 정말 고급의 HP회복 아이템이 필요하기는 하다.

다행히 노인의 상처가 그 정도는 아니었고, 제냐는 충분한 양의 물약을 갖고 있었다.

그 위에 대강 몇 가지 회복류 아이템으로 응급조치를 해보았다. 자상으로 추정되는 곳에 붉은 물약으로 도배를 하고 깨끗한 면포를 감쌌다. 그렇게 대강이나마 조치를 취하는 것도 효과가 있는 일이다.

회복을 위해서는 치료 계열의 초상 스킬을 보유한 힐러Healer를 찾아야 했다. 플레이어 중에도 있었고, NPC중에도 있다.

초상 스킬이 아니라면 약재를 사용하거나 외과 수술이 가능한 부류를 찾아야 했고. 그가 머물고 있는 거리에서 중요한 가게 따위의 위치는 알고 있었다. 제냐는 노인을 이끌고 외과 진료를 보는 병원으로 데려가야겠다고 생각했다.

일단 부상자들의 응급 처치를 마치고 제냐가 아가씨를 쳐다봤다.

다시 보니, 그림으로 그린듯한 미인임을 조금 더 잘 알 수 있었다. 현실에서 이런 미모를 가진 사람을 만나기가 쉬울까. 비련의 시나리오 내에서 NPC들의 외형은 다른 모든 물질과 마찬가지로 시스템AI가 만들어내는 조형물에 불과하다.

인위적인 의도로 인해 지어진 미녀가 가련한 표정을 지어 보이며 눈꺼풀을 떨었다.

풍성한 외견의 드레스를 입은 미인이다. 그대로 파티장에 들어간다고 해도 손색이 없으리라. 뛰는 건 고사하고 걷는 것도 불편해보였다. 에메랄드 빛이 옅게 돌고 있는 고급스런 디자인이다. 소녀와 청년기의 여인 모두 고불거리는 블론드 헤어를 길게 기르고 있었다.

노인과 엎어져서 정신을 못 차리고 있는 두 청년까지 모두 백인이다.

중부 대륙의 인종은 다양하다.

콘란드 대륙 전토로 보면 당연히 더 그럴 것이고.

산슈카 왕국의 영토 내에도 흑인과 백인, 황인종이 모두 섞여 있었다.

왕국 내 주류 인종은 백인이었다. 유럽 계열의, 흔히 상상하는 그런 말이다. 피부가 희고 체격이 조금 큰 편인듯 하다.

여인이었지만 제나에 비해 그다지 작지도 않았다.

가는 선의 이목구비가 그를 처다봤다.

제냐는 일단 벌어진 상황, 조금 더 임무 수행을 위한 자세한 정보를 듣기 원했다.

뒷전에 넘어뜨려 둔 적대 NPC 한 놈은 희미한 의식을 갖고 있었다. 제냐가 이쪽을 선택했으니, 우호적 NPC가 된 이 귀족 일당의 이야기를 듣다 궁금한 점이 있으면 깨워서 신문하면 되리라.

아가씨가 말했다.

"감…… 감사합니다."
"별말씀을요, 아가씨. 무사해 보이니 다행일 따름입니다. 그런데…"

제냐가 말끝을 흐린다.

아가씨의 뒤켠에는 그녀보다 작은 소녀가 움찔거리며 그를 쳐다보고 있다. 겁에 질려 한 번 패닉 상태에 빠졌던 듯한 기색이다. 지금 정보를 들을 수 있는 건 아가씨, 소녀, 그리고 눈을 뜨고 있는 노인. 마지막으로 골목에 엎드린 채 등판에 화상을 입어 떨고 있는 깡패 두목이다.

제냐는 깡패가 움직이는 기색을 기감으로 확인하면서 그녀에게 말을 이어 걸었다.

“어찌 된 영문인지 혹시 제가 자세히 들을 수 있겠습니까? 누군가의 도움이 간절히 필요한 상황이라면, 이야기를 한 번 들어보고 싶군요.”

그의 말에 아가씨가 표정이 조금 밝아졌다. 등을 기대고 있던 노인 역시 마찬가지였다. 그는 떨리고 불안한 음색으로 말했다. 노인.

“고… 맙네. 아가씨들을 지켜주어서……. 부끄럽게도 이 내가 뒷거리의 치들에게 당하다니……. 이 은혜는 평생 잊지 않을 걸세….”

노인의 가는 목소리다. 제냐가 그를 바라보며 말했다.

“별 일 아니었습니다. 저에겐 그다지 힘든 일도 아니었고요. 거기다가, 우리는 혹시 구면이 아닙니까?”

제냐가 문득 말했다.
문득 떠오른 생각 때문이었다.

세슈칸으로 오는 길. 그는 그 인적 드문 황야의 가도에서 어느 마차가 달리는 것을 보았다. 그가 두 발로 세슈칸까지 여행하던 와중에 그 옆을 지난 마차다.

워낙 눈에 띌 정도로 고급스러운 마차나 흑마, 그 앞에 타고 있던 젊은 마부를 기억한다.

마부의 인상착의가 그렇게 특이하지는 않았으므로 정확한 기억은 아니었지만. 아까 몸을 뒤집어 물약을 마시게 한 청년이 개중 하나였던 것 같다.

제나는 의외로 순간적인 기억력이 괜찮았다.

그리고, 그 마차의 창문 틈새로 보았던 인형같던 꼬맹이를 기억한다.

눈이 있는 사람이라면 인상적으로 느낄 수 밖에 없는 외모였다. 금을 실처럼 녹이고 짜서 만들어낸 듯한 머릿결. 일부러 조형한 듯 보이는 인형같은 외모.

몸집이 작은 백인 소녀의 얼굴이 바로 저기에 있다.

사실 곧장 기억이 난 건 아니었다. 마차를 보고, 여기에 있는 인물들의 얼굴을 자세히 뜯어보고, 조금 더 생각을 하다가 떠올랐다.

당시에는 대륙 내에 존재하는 다른 무수한 NPC들과 마찬가지로 여겼고, 아무런 감흥도 없었다. 이렇게 다시 보니 퀘스트의 단초로서 존재하는 자들이었다. 이런 인연이 흔하지는 않다. 무작위 난수로 진행되는 시나리오 내부에서 말이다.

그것도 아니라면 혹시 제냐가 인지하지 못하는 새 어떤 퀘스트 트리거Trigger를 발동시켰을까.

그가 알 수 있는 종류는 아니었다. 그리고 아마 그러지 않으리라 추측한다. 그 짧은 사이에 뭔가를 할 수는 없었다. 시나리오 온라인 내부적으로도, 아마 우연이 아닐까.

제냐가 이들과 엮일만한 일은 그저 같은 타이밍에 같은 길을 지났다는 것 뿐이었다.

그가 아니더라도 그 날 그 시간대에 가도를 지나던 플레이어는 더 있었을지 모르고. 마차가 그보다 빨랐으니 앞서가던 행인들과 여러번 마주쳤다고 해도 이상한 일은 아니었다.

결정적이라고 할만한 요소는 없었다.

제냐의 말에 노인이나 아가씨는 알아듣지 못했다.

그런데 소녀가 그의 얼굴을 기억하는 모양이었다, 놀랍게도.

“어.”

말이 없이 웅크린 기색으로 있던 작은 꼬맹이가 제냐의 얼굴을 보고 소리를 냈다. 한 순간이었지만 눈이 마주친 장면을 떠올린 모양이다. 노인이 그 모습에 갸우뚱거렸다.

“꼬마 아가씨가 기억하는 모양입니다. 저도 저 마차와 소녀를 기억하고요. 세슈칸으로 향하는 가도에 있던 행인이었습니다.
정말 별 일은 아니지만. 대충 인연이라고 해두죠.
어떻게 된 일입니까?”

제냐가 물어보면서, 아가씨와 노인을 번갈아 처다보았다.

“……”

노인이 그 말에 잠시 골몰하는 듯 하다 입을 연다.

“…우리는 로멜리아 가문의 일원들이라네.”
“로멜리아요?”

그게 무슨 말이람.

제냐는 딱히 게임 세부 설정에 빠삭하지는 않다. 다양한 퀘스트의 상세를 담고 있는 공략본을 미리 읽고 플레이하는 부류도 아니었고.
비련의 시나리오를 아주 깊이 파는 자들은 별에 별 설정들을 다 익히고 있고, 세계관 내에서 발생하는 다양한 사건들을 이미 알고 있는 일을 대하듯이 처리하는 작자들마저 개중에 있었다.

뭔가 유명한 가문인 모양이다. 제냐는 고개를 끄덕거리며 경청했고, 노인이 힘겹게 말을 이어나갔다.

간신히 죽지 않을 정도로만 회복한 노인이 긴 이야기를 시작하는 모습이 안쓰럽기는 했으나, 딱히 아가씨나 소녀가 말을 이어받지는 않았다. 노인이 사연을 풀었다.

“……

내 이름은 줄리앙 리스트라네.”

세바스찬이 아니었군. 그는 왜인지 ‘집사’라고 하면 흔하게 생각나는 이름을 속으로 들먹였다. 제냐의 마음을 읽지는 못하므로, 노인은 대꾸없이 자신의 말을 한다.

“우리는 로멜리아 가문에 속한 자들로… 오래 전의 약속을 따라 이곳에 왔다네.

세슈칸.

산슈카 왕국의 주요 영지였으며, 아직도 대도시로서 대귀족이 다스리게 되는 이 도시는 옛날 로멜리아 가문의 영토였지.

본질적으로 모든 영토는 폐하의 것이긴 하네만, 봉신으로서 적법한 권리를 인정받아 예전 로멜리아 가문은 대륙 중부의 대국에서 상당한 땅덩이를 대신해서 다스리고 있었어.

세슈칸 역시 개중 하나였고…

혹시 산슈카 왕국이 예전에는 제국이었다는 사실을 알고 있나?

콘란드 대륙 중부의 맹자였던 산슈카 제국… 그 제국이 맹위를 떨칠 때 같이 힘을 더했던 가문이 바로 로멜리아라네.

역대의 가주들 중 가장 높이 올라간 작위가 공작 위였지.

벌써 역사서에만 기록된 아주 옛날 이야기가 돼버리긴 했지만….

어쨌든 유서깊은 고국古國인 산슈카 국과 명맥을 같이하는 로멜리아 가문은 마찬가지로 오랜 역사를 지녔네.

저기에 계신 금발의 두 아가씨께서 그 가문의 적통이시고.

어린 아가씨가 아드리안 로멜리아, 그리고 어엿하게 자란 분이 헤슈나 로멜리아이시지.

세슈칸에서 멀리 떨어진 곳에 로멜리아 가문의 본거지가 아직 멀쩡하게 살아 있다네. 이곳보다는 훨씬 작은 도시이며 산슈카 국에서도 변경에 가깝지만… 어쨌든 남작 위를 가지고 영주로서 살아가고 있지.

그러나 최근 로멜리아 가의 가주께서 돌아가신 일이 벌어졌네. 비극이었지.”

제냐는 퀘스트 로그Log를 읽는 기분으로 고개를 주억거리며 이야기를 듣고 있었다. 그러던 와중에 노인, 줄리앙이 고개를 아래로 내리며 잠시 흐느낀다.

헝클어진 머리가 그의 어깨가 들썩일 때마다 같이 흔들렸다.

상처보다도 더 깊은 것이 마음에 남은 상흔이나 비극에 대한 기억일 테다.

제냐는 잠시 기다렸다.

기감으로 여전히 보고 있는데, 깡패 두목은 일어설 생각을 하진 않고 있었다. 제법 눈치가 좋은 놈이다.

등을 돌리고 있더래도 놈이 몇 걸음 더 가기 전에 파이어 볼을 먹여 주거나 뛰어가 잡아서 상상하기 싫은 꼴로 만들어줄 수 있었다.

그 정도 감각은 있는 놈인 듯했다. 제냐와 압도적인 전투력 차이로 제 패거리가 다 당한 것이 그가 섣불리 움직이지 못하도록 막는 억제 요인이 되는 모양이다.

줄리앙이 다시금 의무적으로 말을 이어나갔다.

생각보다 조금 더 정통적인 상황의 퀘스트인 모양이었다. 기반을 잃고, 명예와 전통, 그리고 혈맥만이 남은 유구한 귀족가.

저 집단의 정신은 자본을 모두 잃었어도 여전히 형형하게 남아 있는 것인 모양이지.

그리고 그런 자들의 복귀를 위해서 플레이어가 힘써야 하는 상황이고.

지푸라기라도 잡고 싶은, 아주 간절한 상황인 모양이다. 상처 입은 늙은 노인이 쉴 새 없이 말을 토해내면서 소상하게 제냐에게 정보를 전달하는 걸 보면 말이다.

"……크. 그, 미안하네.

…계속해서 말하자면. ……작년 초 남작 님께서 돌아가셨네. 원인은 불명이지만 의심가는 부분들은 있어. 주변에 로멜리아 가문을 오랫동안 시기해 온 작자들이 있으니.

로멜리아는 위세는 작아도 그 유명세와 전통만은 어떤 가문이 따라올 수 없지.

여러가지 떠도는 헛소문들 중에는 로멜리아 가가 쇠락하는 동안에도 여전히 남겨두었던 가문의 재화나 보물이 있다는 이야기지.

고국의 역사를 그대로 이어 따라온, 로멜리아라는 집단의 정수를 품고 있는 무엇 말이야.

그네들은 아마도 남작 님을… 암살하고 남작 가를 들쑤시려는 셈이었겠지.

인접한 몇 개 영지에서 불온한 움직임이 있다는 첩보를 받았네.
로멜리아 가의 명맥을 지키기 위해 충성을 다하는 자들이 아직 남아 있었지.
눈이 홱까닥 돌아버린 미치광이들이 그 순간 어떻게 굴 지 알 수가 없어서… 나는 일단 급한대로 아가씨들을 모시고 나섰네."

줄리앙의 고개가 힘겹게 움직여서, 그의 기준에서 오른 쪽에 있는 아가씨들을 처다보았다. 개중 작은 아가씨, 아드리안의 모습을 살피며 그가 입을 연다.

"그저 세슈칸에 야유회를 떠난다는 말로 둘러댔었지만…
이제는 그럴 수가 없게 되었군.
아무튼.
……우리가 이 곳에 온 목적은 간단하네.
세슈칸은 예전에 로멜리아 가가 맹주로서 다스리던 여러 중부 지역의 영토들 중 한 곳이며, 가장 중심지가 되는 장소라네.

로멜리아의 옛 흔적이나 어떤 숨겨진 보물이나 언약이 있다면 가장 남아있을 만한 곳이지.
가주님의 마지막 말씀이 그것이셨네.
세슈칸의 작힘 가를 찾아라. 영주 성의 비밀 창고에 로멜리아의 복권을 도울만한 귀물이 있다.

또한, 로멜리아 가가 쇠락하기 전에 세슈칸의 영토를 맡게 될 이에게 약속을 받아둔 것이 있다.

로멜리아의 금목걸이를 가져다 보여주어라. 작힘 가가 약속을 이어받았다면 내치지 않고 자신들이 해야 할 일을 해주리라."

"……."

흐음.

제냐는 턱을 슬쩍 쓸었다. 노인의 이야기는 대강 요약하자면 간단한 것이었다.

위세를 잃어버린 로멜리아 가는 존속이 어려울 정도의 위협을 당하게 되었다.

산슈카 왕국은 그럭저럭 잘 살고 있고 또 국력도 괜찮은 중견의 강대국이라고 보았는데 내부 사정은 여러모로 개판인 모양이었다.

내부에서 영주나 귀족 급의 인원들이 이런 꼴을 당하다니 말이다.

왕은 뭘 하는가, 궁금해졌지만 딱히 알 길은 없었다. 말했듯 게임 내 설정의 자세한 부분까지 파고들지는 않는다.

또한 비련의 시나리오는 현재진행형으로 바뀌고 있는 시나리오이며 영화여서, 그 세부설정을 알기 위해서는 주기적인 공부가 필요하다.

……전공 공부도 손을 놓은 지 꽤 되었는데 비련의 시나리오의 역사와 정세 공부를 그 정도로 한다고?

제냐로서는 고개가 절로 저어지는 부분이다.

어쨌든, 왕이 뭘 하든 이 가문은 예전에 그들이 융성했을 때 남겨둔 저축금을 까먹으려고 이 곳에 온 모양이었다.

그 저축을 맡아 줄 친우가 여전히 약속을 기억하고 있느냐, 혹은 그 저축이 멀쩡하게 형태를 유지하고 있느냐는 불확실한 문제였지만.

그들 가문의 위세를 다시금 보여줄만한 어떤 강력한 힘이 필요한 시점이었다. 울타리가 되어주던 가주가 죽고, 그 딸들을 지키기 위해서 노인이 고생을 했겠지.

제냐는 고개를 끄덕거렸다.

대강 퀘스트의 내용은 알게 되었다. 세슈칸의 영주, 작힘 백작과 그 일족들을 만나 무언가 얘기를 풀어보면 되나보다.

그는 조금 더 상세한 내용에 빠트린 게 없는지, 도움이 될 만한 다른 팁이 없는지 알기 위해 아가씨들에게 물었다.

아드리안과 헤슈나, 두 아가씨가 알고 있는 것은 대동소이했다.

그들이 현재 처한 상황도 그러했고. 헤슈나는 가문의 역사나 줄리앙이 언급한 세슈칸의 보물에 대해서 알고 있는 듯했지만 아드리안은 별로 아는 게 없는 마냥 딴청을 피워댔다.

제냐가 깡패들에 대해서 물었다. 그들의 사정은 알았다. 그런데 저 놈들에게 이 골목에서 위협을 당하고 있던 이야기는 또 무엇인가.

"…글쎄……."

노인이 말끝을 흐렸다. 그가 이번에는 엎어진 깡패 두목을 쳐다보았다. 그들 무리의 청년들은 끙끙 앓으면서 아직 의식을 차리지 못했다. 노인에 비해 외상은 그렇게 심하지 않은 듯하다.

일이 벌어진 모양에서 추리하건데, 위협적인 두 사내를 먼저 독극물로 무력화시키고 노인을 핍박한 듯했다.

깡패들은 보통 이렇게 전문적이고 교활하게 움직이지 않는다. 되는대로 살아온 인생이니, 되는대로 구르는 것이 그들이 일을 저지르는 방식이다.

누군가 머리가 되는 놈이 숨어 있을 테다. 독극물을 준 자도 따로 있을 것이고.

노인, 줄리앙이 입을 열었다.

"그건 우리도 정확히 알 수 없구만. 다만,

작힘 가의 영지이니 작힘 백작과 관련이 있으리라는 짐작만 할 뿐이야.

혹시나,

로멜리아 가에 전해지는 보물이 가주께 들은대로의 약속을 어길만큼 귀한 물건이라면

그걸 맡아두던 자들이 변심했어도 이상하진 않지.

세슈칸에 들어와서 혹시나 몰라 조심을 하긴 했네.

우리가 움직이는 걸 누구한테 알리지도 않았고. 도시 내부에 들어와서도 눈에 띄지 않는 장소를 위주로 거처를 옮기면서 작힘과 닿을 방법을 찾던 중이었지.

정식으로 방문을 하니 작힘 백작은 부재중이라는 핑계로 몇 번이고 만나주질 않더군.

그렇게 세슈칸에서 조심스레 떠돌고 있을 때 나타난 게 저 자들이라네."

"흐음."

제냐가 알았다는 듯이 고갤 끄덕인다. 다음 이야기는 알고 있는 자에게 물어봐야겠다.

그가 몸을 돌려 깡패 두목을 바라보았다.

레더 아머는 파이어볼의 기세에 타들어가 검게 그슬렸다. 등판을 비롯해서 전신에 화염으로 열상을 입은 듯 하다.
찬 골목 바닥에서 그 열기를 식히려는 듯 엎드려 움찔거리는 놈의 뒤로 저벅이며 간다.

“Ⅳ.”

인벤토리를 열어 능숙한 손놀림으로 푸른 인터페이스 윈도우의 목록 중 붉은 물약 하나를 긁어내듯 골랐다. 손가락으로 꺼내는 그 제스처가 푸른 창에 평면적 그림으로 있던 것이 볼록 튀어나오며 입체적인 물건이 된다.

다른 이가 보면 허공에서 물건을 꺼내드는 것으로 인지하리라. NPC들은 플레이어들이 사용하는 일종의 초상 스킬로 대강 인식한다.
한 손으로 붉은 물약을 쥐었다. 손바닥에 들어오는 아담한 크기의 목이 긴 유리병 모양이다. 실제로 유리는 아니었고.

뚜껑을 돌려 깠다. 잠겨 있던 것이 병뚜껑처럼 까락, 하고 뜯겼다. 적당히 옆에 버린다. 제냐는 그대로 뒤집어 붉은 내용물을 엎드린 깡패 두목의 다 타버린 등판에 부었다.

등 쪽의 방어구는 전면에 입은 것보다 조금 부실했다. 파이어볼은 급조하다시피 만든 것이라 해도 그의 방어력을 훨씬 웃도는 것이었고.

아마 깨워서 일으켜도 제대로 말을 할 수 있을 상태는 아니리라.

다행히,

적에 대한 치료를 해줄 때는 붉은 물약의 HP감소 저지 효과가 더 쓸만했다. 쓸데없이 힘을 되찾으면 반항을 하거나 도주를 시도할 지도 몰랐다.

깡패 두목은 생각보다 보는 눈이 있는지 조심스러운 것 같았지만. 괜히 힘을 더해줘서 좋을 게 없다. 어차피 제냐는 한 쪽을 선택했고, 그가 선 쪽의 적대적 인물일 뿐이었으니.

주룩, 하고 물병의 아구에서 흘러나온 붉은 물줄기가 금세 깡패의 몸에 닿아 물방울이 튀었다. 사방으로 튀며 흩어지는 그것이 등줄기를 감싼다. 파이어볼이 그랬던 것처럼 붉다. 다만 포상 스킬과 달리 물약은 액체였고 시원하다.

상처의 악화를 막아주는 신묘한 효과마저 있었다.

깡패 두목은 갑작스런 물줄기에 부르르, 떨더니 조금씩 정신을 차리는 것 같다.

사실 완전히 기절하지 않은 걸 안다. 제냐의 기감은 수준급이었다. 그의 스킬 레벨 치고는 말이다.

HP가 반절 이상 한 번에 닳아서 쇼크 직전까지 갔던 모양이긴 한데.

체력 포션을 부어주었으니 잠깐 살만은 할 것이다.

제냐는 툭,

화상이 그리 심하지 않은 부위를 발끝으로 차며 불렀다. 엎드린 상대의 볼이었다.

“어이, 일어나 보쇼.”

제냐의 두드림에 문이 열리듯 상대가 이제 막 의식을 차린 척하며 고개를 돌려 위를 슬쩍 ㅊ처다보았다.

화상으로 인해 벌겋게 달아오른 얼굴이 볼만하다. 눈썹도 그을렸고, 머리털도 대부분이 날아간 꼴이다.

제냐는 자세한 이야기를 듣기 원했다.

“아는 것 있으면 말하고, 없으면 동료들의 곁으로 가시고.”

‘파이어 볼.’

일부러 작게 중얼거린 제냐다. 그가 허공을 향해 오른 손바닥을 들어보이며 말하자 붉은 화염이 다시 모여든다.

파이어 볼을 다시 형성하지는 않았다. 완전하게 만들어버리면 다시 해체하는 데에도 MP가 소모된다.

이미 물리적으로 발현된 현상을 없애는 일이기에, 그것 역시 MP를 소모하는 일이었다.

다행히 캐스팅 되기 전의 불줄기로 요란스레 휘도는 꼴을 보여주었더니 깡패가 정직함에 대해 조금 다시 생각해 본 모양이었다.

그가 벌겋게 달아오른 안면에서 유일하게 멀쩡해 보이는 눈알을 굴리다가 입을 열었다. 다급한 톤의, 낮은 목소리였다.

"그, 잠, 잠깐 얘기하겠소……."

"어. 시간 많아. 천천히 얘기해."

툭, 하고 제냐가 그의 어깨 부근을 발끝으로 쳤다. 으윽! 신음을 흘리며 그가 몸을 돌려 일어나려 한다. 그 과정에서 힘이 빠졌는지 등판이 바닥에 한 번 닿아 쓸렸다. 깡패가 신음 소리를 참으면서 자세를 일으켰다. 바닥에 주저 앉은 꼴로 짧은 대담임 시작되었다.

"이름, 소속, 나이, 성장배경, 근황, 범죄 동기. 모두 말해라."

깡패는 그 서슬퍼런 말투에 제냐를 올려다보다가, 무겁고 천천히 고개를 끄덕거렸다. 그의 입술이 열렸다.

***

22. 메리골드

그래서 지금 왜 책을 읽고 있느냐.

턱.

제나는 책을 덮었다.

얼마 남지 않았었다. 몇 페이지 정도. 집중력이 닳아 없어지는 것 같다.

잠깐 몸을 움직이고 식사도 좀 하고. 재정비를 하고 다시 와야 할 것 같았다. 저녁은 먹고 게임에 로그인한 상태다.

실제 육신이 뻐근한 지는 모르겠다.

근육 결림이나 현실 신체에 이상이 있으면 게임 내에서도 알람이 울린다. 그의 신체는 편안하게 캡슐 침대형 기기에서 쉬고 있는 모양이다.

게임 내의 캐릭터는 허기를 조금 느꼈다.

덮은 책의 하드 커버에는 고서에 어울리는 글씨체가 두껍게 제목을 알리고 있었다.

'콘란드 중부에서 산슈카와 로멜리아가 미친 영향에 대하여.'

길다란 제목이 멋들어진 글씨체로 휘갈겨 적혀 있다.

정말로 휘날리게 적은 것은 아니고, 그런 멋을 낸 것 뿐으로 글자 자체는 정확하게 읽을 수 있다. 눈을 한 번 깜박이는 것으로 번역되기 이전의 원문을 읽을 수 있었는데, 영어의 필기체처럼 부드러운 곡선이 한 번 끊어지지 않고 주욱 이어지는 모양새다.

다시 눈을 깜박이면 한글로 돌아왔다.

한글 역시, 서예가가 써 내려간 글씨처럼 힘있고 선이 정확하다.

그는 지푸라기라도 잡는 심정으로 책을 읽는 중이었다. 퀘스트에 있어서 그가 해야 할 행동은 두꺼운 책을 다 읽는 것 뿐이었지만.

맥락 상 필요한 정보는 정해져 있다.

'로멜리아 가의 잃어버린 가보'.

그 보물이 무엇이며 또 정확히 어디에서 찾을 수 있는가. 그 단서를 알기 위해서 이런저런 책들을 뒤지는 것이다.

퀘스트 일람에는 단순히 해당 서적을 읽으라고 되어 있지만 대강 감이 있다면 알 수 있다. 퀘스트의 다음 진전을 위해 키 포인트가 되는 정보를 얻지 못하면 퀘스트는 진행되지 않는다.

꼭 그것을 제냐가 주도적으로 할 필요는 없었지만. 나름대로 머리는 굴려보고 또 애는 써봐야 했다. 그게 시나리오에 연기자로 투입된 플레이어의 올바른 자세이리라.

일단은, 노인이 단서이자 근거라면서 건네 준 책을 파보는 게 가장 가능성 높은 행동이다.

오래되었고, 역사가 느껴지는 듯 고급스런 재질로 만들어진 양장본은 노인 줄리앙이 준 것이었다.

작고하신 전 로멜리아 남작이 그에게 생전 마지막으로 맡겼던 물건이라고 한다. 그 책과 함께 로멜리아의 가보를 약속에 따라 반환받고, 그것을 밑천삼아 가문의 중흥을 일으키라고 명했다면서.

줄리앙 리스트는 책을 받아든 이래 쭉 읽어왔지만 별다른 정보를 얻지 못했다. '보물'의 형태에 대해서도 크게 짐작가는 것이 없었고.

그림에 그려진 로멜리아 가의 주요 영토는 세슈칸 시가 맞았다. 거대한 도시와 성. 산슈카의 제국기 때는 로멜리아 가문이 다스리던 땅이다.

회색 석재로 지어진 거대하고 웅장한 성은 지금도 도시 중심부에 남아 있다.

지금은 작힘 가의 깃발이 걸리고, 작힘 백작이 영주이자 성주로서 머물고 있는 건축물이었다.

산슈카의 흥망성쇠와 함께 전쟁사가 담겨져 있었고, 로멜리아 가의 영웅들이 그 전쟁들에서 어떤 역할을 했는지 일화들이 소상하게 적혀 있는 책이었다.

로멜리아의 부흥기를 이끌던 영웅들의 전투상에서 그 보물의 흔적을 찾아보려 했지만 딱히 그럴싸한 것이 없었다.

어떤 전쟁 영웅이 쓰던 칼, 혹은 보호갑, 혹은 장신구의 형태로 거대한 초상력을 품고 있는 아티팩트?

가문의 보물이자 마을급 고유 퀘스트의 키 아이템이며, 고래로부터 이어져 온 어떤 가문이 일어설 수 있을 정도의 힘이라면 적어도 4급 아이템 수준은 될 것 같았다.

아이템의 급수는 오로지 희소성만을 따지며 그 강력함과 정확히 비례하지는 않지만, 지나치게 강력한 물건들이 많은 것 역시 게임의 균형을 무너뜨리는 일이다.

이렇다할 정보가 없을 때 아이템의 가치를 판가름할 기준이 되어줄 순 있었다.

그 물건이 자체적인 물리력을 가지고 있을 경우도 있고, 혹은 어떤 증표로서 다른 권력을 유용할 수 있게끔 해주는 열쇠일 수도 있었다.

어느 쪽이든 보통 귀한 물건은 아니다. 전자의 경우라면 진지하게 플레이어들도 탐내볼 만한 물건일 수도 있었고.

책에 있으리라는 '단서'는 파악하지 못했다.

단순히 상징적이고 강력한 아이템인 것 외에, 그것이 후대로 전해졌다는 한 문장이라도 서술이 붙어 있어야 생각해볼 만한데.

그런 단초가 붙은 물건이 책에는 없었다. 아직 끝까지 못 보고 몇 페이지가 남은 점도 마음에 걸리긴 한다.

제냐는 방문을 열고, 단출하지만 깔끔하게 정리된 목재 실내를 걸어 아래로 내려간다. 삐걱거리는 소리가 나지만 먼지는 별로 없다. 튼튼하기도 했고.

1인실 내의 여러 가구들도 사용감이 많지만 깨끗하게 청소되어 있었고 하나하나 쓸 때 구조가 잘 잡혀 있는지 안정감이 있고 단단한 느낌이 들었다. 솜씨 좋은 장인이 만들어 낸 목재 가구들인 모양이다.

이 여관 건물 자체또한 그렇고.

여관 건물 자체라.

“…….”

제냐는 무의식중에 턱을 손으로 쓰다듬으며 3층에서 1층으로 이어지는 계단을 계속 내려갔다. 삐걱거리며 오른발이 계단 하나를 더 내려갔을 때 알람이 하나 떴다.

반투명하게 그의 시야 전방에 위치하는 텍스트 메세지 창이었다. 제냐는 그것을 응시했고, 초점이 맞자 조금 더 선명하게 드러나며

예, 아니오의 두 표시가 나타난다. 제냐가 시선으로 '예'를 클릭하자 메세지의 내용이 보였다. 아니오를 클릭하거나 시선을 다른 곳에 맞추면 알림창은 곧바로 사라진다.

전투 중에는 방해가 되지 않도록 아예 알림창이 뜨지 않게 설정하는 것 역시 가능했고.

[이번 주는 내가 좀 바쁠 것 같은데. 같이 사냥하는 건 나중으로 미루죠. 각자 열심히 합시다. 회사에 대량 발주가 들어와서 적어도 며칠은 저녁 없는 삶 실천해야 할 것 같습니다. 미안합니다.]

개멋진나 최, 최태현의 메세지였다.

둘은 보통 정기적으로 함께 파티 퀘스트를 잡아 와서 해결하는 루틴을 반복하고 있었다. 한 번 달성하고 나면 하루 이틀은 개인 시간과 정비 시간을 보내고, 다시 괜찮은 의뢰를 최태현이 물어 오면 해결한다.

근래에 다이어 울프 무리 사냥을 한 이후 각자 플레이를 하고 있었는데 삼일 만에 온 메세지다.

딱히 약속을 한 것도 아니었고, 의무도 없었지만 정기적으로 움직이던 차에 변동이 생기니 신경이 쓰여 언질을 준 모양이었다.

게임은 게임에 불과했고. 바깥 일이 바쁘다면 언제든지 변동될 수 있는 사항이다. 제냐는 발화 방식으로 메세지를 입력했다.

여관의 계단에는 아직 아무도 없다.

그가 몇 가지 버튼을 클릭하며 조작한 뒤 답장 창을 띄웠다.

"고생하십쇼. 혼자 잘 놀고 있겠습니다."

그 다음 마찬가지로 시선을 움직여 조작하니 메세지가 전송되었다.

그는 조명이 닿지 않는 그늘진 계단을 내려가 1층에 닿았다.

시끌벅적하던 소리가 커진다. 한낮.

식당을 겸하는 여관에는 손님이 많았다. 모두가 우락부락하거나, 또 다양한 꼴들을 하고 있었다. 아이만한 크기의… 아이부터 레드 오크가 아닌가 싶은 수준의 거구까지.

신체 변환은 얼굴과 마찬가지로, 어느 정도까지만 가능하다. 체격 역시 포함된다.

그러나 그것은 최초의 캐릭터 설정이며 게임 내에서 다양한 경험을 하다보면 캐릭터의 외향은 현실의 자신과 많이 달라지게 되어 있었다.

얼굴 외모만은 건드릴 수 없었지만 근력 수치가 높아지고 거대한 근육이 붙어 체구 자체가 달라지는 일도 있다.

갖가지 아이템과 초상 스킬 중에는 반영구적으로 키를 늘이거나 줄이는 종류가 있기도 했고.

'변신술' 스킬이 떡하니 초상 계열 중에 자리하고 있는 것처럼 임시로 외향을 완전히 바꾸는 일은 얼마든지 가능했다.

거기다 몇 가지 특수한 퀘스트를 깨고, 남모를 특별한 플레이 스타일로 게임을 즐기다보면 다양한 종족으로 중간에 갈아타는 것 역시 가능하다.

어디까지나 '선'이나 인류 연합에 포함되는 한도 내에서의 변환이다. 제냐가 알고 있는 바로는.

종족이 변환될 때는 이전까지 쌓아왔던 스펙들이 전부 무효화된다.

그럼에도 불구하고 바꾸는 이유는, 스텟이 기본적으로 원초적인 10만큼의 수치에 대한 곱셈이라고 했을 때 10의 위력인 x가 크기 때문이었다.

기본값이 크면 이후 배율이 높아졌을 때 위력이 훨씬 증가한다.

여태까지 게임을 플레이하면서 갈아 넣었던 수많은 시간과 노력들을 포기하고서라도, 다른 종족으로 시작하는 것이 훨씬 효율적이리라 생각하기에 바꾸는 경우가 많았다.

비련의 시나리오 내의 설정에서 아무런 특징이 없는 '인간'보다 어디 한 구석이 뛰어난 존재들이 그런 여타 종족들의 특징이었다.
전체적으로 보았을 때 '인류'라는 테두리 내에 있으니 많은 부분들은 동질성을 형성하긴 하지만.

엘프Elf들은 예전부터 이어져 내려오는 흔한 판타지 장르 속 모습처럼 귀 끝이 가늘고 뾰족했다. 숲과 자연과 어우러지는 신비로운 분위기를 풍기고 있었으며 키가 큰 편이다.
팔다리가 길고 가늘지만 근육이 있어 힘이 약하지도 않다.
체력적으로도 아무런 특징이 없는 인간에 비해 강하다. 같은 치명상을 당하더라도, 외부 조건의 차이가 없다면 엘프가 더 오래 버틴다. 게임 오버까지의 지연 시간이 길다는 말이다.

치료 조치를 취할 수 있는 여유 시간이 길다는 뜻이었고, 게임의 전체적 난이도가 내려가는 수준의 특징이었다.
비단 엘프만 그런 것은 아니었고, 대개의 종족들이 약간씩은 인간보다 더 강력하며 게임으르 풀어나가기 수월했다.

아무나 그런 특수 종족으로의 변환을 해낼 수 있는 건 아니었다.

적어도 희귀나 고유 이상의 퀘스트들을 연달아 깨내고, 개중에서도 종족 변환과 관련이 있는 시나리오의 갈래를 따라가 여러 역경을 이겨내는 플레이어들이 닿는 지점이다. 적어도 중수 이상.

레벨로 치면 100근처에서 그 이상일 테다.

그런 소수의 특수 종족들과, 육체적 단련과 여러 종의 아이템으로 다소 달라지는 경우와, 또 현실에서 이미 다양한 체격을 갖고 있던 온갖 인간들이 모여들게 되므로 시나리오 온라인 내의 인간군상은 참으로 다양했다.

왁자지껄하게 사내건 여인이건 모험자로 다니는 티를 내며 여관의 내부 자리를 그득그득 매우고 있는 홀.

그런 곳의 한 구석에 앉아 제냐는 조용히 종업원을 불러 음식을 시켰다. 투숙객들이 가장 자주 먹고는 하는 '된장밥 고기볶음'이었다.

현대에서 다양한 음식과 문화들을 레퍼런스로 삼아 비련의 시나리오가 만들어졌다. 게다가 주 개발진들이 한국 출신의 인간들이었다는 사실은 이런 데서 간혹 드러난다.

뜬금없이 친숙한 물질들이 여기저기 숨어 있는 것이다. 오랜 시간 다양한 문화가 자생했으리라 보는 콘란드 대륙이니 굳이 서양종의 식재와 방식으로 만들어진 음식만 있는 것은 도리어 어색하긴 하다.

그럼에도 된장을 보고 처음 그것을 시켰던 제냐는, 한국의 된장찌개 맛을 제대로 아는 양반이 만들었구나 하는 사실을 알 수 있었다.

맛있었으니까.

백반집 어느 솜씨 좋은 아주머니가 장인 정신으로 끓여낸 듯한 그런 된장찌개에 밥을 자작하게 말아서 나오는 음식이다. 그 위에 따로 고기 볶음을 고명으로 푸짐하게 올려서 나온다.

일반적인 된장찌개에서 약간은 다른 형태지만 맛은 정확히 그것이있다. 아마 한국인이나 동양권이 아니면 어색할 수도 있는 음식이다. 제냐로서는 아주 다행이었다. 중부 지방, 세슈칸에 그런 음식 아이템이 있다는 게.

여러 군데 음식점을 둘러봤지만 비단 이 여관에서만 파는 것은 아니었고, 다양한 곳에서 동양풍의 음식들을 팔고 있었다. 개중에 많은 비율을 차지하는 것이 한식에서 파생된 다양한 요리들이다.

왜소하고 나이 어린 종업원이 금방 그에게 찌개밥을 가져다 주었다. 구수한 냄새가 일품이다.

여관댁 내외의 아들처럼 보이는 작은 소년은 똘망똘망한 눈에 흑발을 찰랑거리면서 홀을 누비는 일꾼이다. 열 서너살 즈음 되어 보인다. 어른들의 우렁우렁한 목소리와 말투에도 전혀 기죽지 않고 제 일을 훌륭하게 해내는 모습이 대견하다.

그래봐야 AI지만.

그럼에도 불구하고, AI역시 세상 어딘가에 존재하는 저런 소년을 모델로 삼거나, 혹은 그런 인간상이 제법 괜찮다는 사상 하에 빚어진 피조물이다.

소년은 허상이지만 그 너머에 있는 진상을 비춰보는 느낌으로, 흐뭇함을 가져본다고 딱히 이상한 일은 아닐 것이다.

거울 속의 잔상과 크게 다르지 않은 존재인 소년의 꿋꿋함을 보고 그런 마음을 가질 수 없다면, 세상에 존재하는 무수한 소설과 창작류들 역시 결국 무의미한 것이 되리라.

닿지 않아도 절대적인 어떤 가치가 있다는 사실을, 끊임없이 되뇌고 서로 확인해 나가면서 지어지는 게 세상 모든 창작물들의 의미였다. 작가들의 생각이었고.

어쨌건 제냐는 한구석에서, 홀쪽을 바라보는 자리에 앉아 된장밥을 떠먹었다. 스푼과 함께 포크가 나왔다. 젓가락이 있어줘야 할 것 같지만. 굳이 말을 하지 않으면 보통 스푼과 포크를 준다. 곁들여먹을 반찬도 따로는 없다.

대강 찌개밥 안에 모든 종류가 들어가 있어서 아쉽지는 않다. 야채도 푸짐하게 있고, 고기 고명도 왕창 올라갔다. 대략 대륙 주화로 동전 반 닢 정도의 가격이었다. 약 2젠 정도 한다.

1젠이 3,000원 정도였으니 5-6,000원 정도 하는 셈이었다.
정확한 주화와 젠의 환율을 따지고 가치를 나누자면 동전 반 닢이
2젠보다 약간 떨어지는 시세였으니.

동전 1닢이 대략 4젠 정도 한다.
은전 1닢이 약 6, 70젠 정도의 가치를 지녔다.

동전 반 닢은 따로 통용되는 주화 단위였고, 실제로 반쪽짜리
동전이 화폐로 쓰이고 있다. 조폐국에서 완성본을 만들어낸 뒤
다시 반으로 가른다고 한다. 깔끔하게 쪼갤 실력이 있다면,
구리판을 딱 반으로 나누어서 본인이 사용해도 큰 문제는 없었다.
일률적으로 세로선을 기준으로 좌우로 이등분 하는 것이
규칙이었다.

"음."

우물거리며 밥을 퍼먹었다.
게임 내에서 불편하게 밥을 먹고 있는 것도 참 우스운 일이다.
이마저도 게임 컨텐츠의 일환이라고는 하지만.
현실에서 식도락을 즐길 수 없는 경우에는 게임 내에 들어와서
즐기는 일도 많을 듯했다.

그 밖에도 장애를 가졌다거나, 바깥에 나갈 수 없는 특별한 신변

사정이 있는 사람들이 영화를 보듯 바깥 경치를 구경하기 위해 들어오는 일들 역시 많으리라.

사람은 꿈을 꾸는 것만으로도 조금 더 수명이 느는 경우가 있었다.

단순히 꿈만으로도 스트레스 지수가 내려가는 것 역시 사실이고.

닿을 수 없는 것을 간접 체험하는 것만으로도 삶에 어느 정도 도움이 될 지 모른다. 무엇이든 용법에 달린 일이니. 같은 물질도 정확한 지혜와 지식 하에 쓰이면 약이 되고, 오남용을 하면 독이 된다.

초고기능의 가상 세계 시뮬레이터 역시 그럴 지 모른다.

제냐는 된장의 짭짤함과, 적당한 구수함과 풍미, 입 안에서 가득 씹히는 야채의 질감과 고기 덩이를 맛보면서 그런 생각을 했다.

그건 그렇고…….

정말로 시끄럽군.

제냐는 반쯤 뜬 눈으로 이리저리 둘러보았다. 홀을 바라보고 앉은 자리이니 어쩔 수 없이 자연스럽게 그렇게 된다. 테이블에 맞을까 싶은 수준의 근육질 거구 아저씨도 있다. 호쾌하게 제 몸을 드러내놓고, 방어구만 헐겁게 채워 입고 바지만 입었다.

황야의 토질처럼 보이는 누런 피부는 멀리서도 거친 질감에, 여기저기 흉터들이 있다.

비련의 시나리오에는 '흉터'가 있다. 캐릭터들은 기본적으로 자가 치유되지만 그 흔적이 남을 때가 있다. 주로 HP가 20%대 이하로 내려갔을 때 얻는 치명상들에 대해 흉터가 생긴다.

보통 그런 극악의 상황에서 1%단위의 HP 손실이 오는 데미지를 입으면 육신에 상흔이 남는다고 알고 있었다.

그리 비싸지 않은 방법이나 어렵잖은 수단으로 캐릭터 신체에 남은 흉터를 지울 수 있다는 것도 알고 있다.

그럼에도 불구하고, 가끔 어떤 터프 가이들은 마치 훈장처럼 자신의 상처를 남겨두곤 한다.

한 번의 게임 오버가 영원한 게임에서의 아웃Out을 뜻하는 시나리오 온라인에서, 흉터가 많다는 건 그만큼 하드하고 터프하게 게임을 즐겼다는 증거다.

대부분의 플레이어들은 반절 근처까지만 가도 전투 불능 상태로 보고 안전 지대로 돌아오고자 한다.

물론 그럴 수 없는 상황들 또한 많다.

세상 모든 일이 마음대로 될 수 없듯, 비련의 시나리오 온라인 역시 마음대로 되지 않는다.

공략법을 보고 따라가는 입장의 유저들이 아니라 그것을 만들어내야 하는 위치에 있는 고레벨 플레이어들은 난관을 제 몸으로 직접 뚫어야 하는 상황에 놓인다.

예상하지 못한 위험을 현장에서 맞닥뜨리면 플레이어는 전진하던가, 후퇴하던가 택해야 할 것이다.

퇴로마저 막힌 때에 도전하기 위해 전진을 선택한 게이머들 중, 실력과 운이 따르는 자들이 살아남는다.

꼭 그런 최전선에 위치한 플레이어들이 아니라 하더라도 게임 오버의 위기에 처하는 자들은 많긴 하지만.

누군가는 실력이 없거나 멍청한 방식으로 플레이를 했다고 할 지 모르지만 어떤 이들은 누구보다 게임을 게임답게 진지하게 즐겨낸 흔적을 게임 내의 몸뚱이에 새기고 있는 걸지도 모른다.

외관이 꼭 그 내용물과 비례하는 것은 아니다.

누구보다 사내다움을 강조할 것처럼 생겨서 남성적인 강인함은 별로 갖추지도 못한 인간들도 있고.

그러나 대강 지켜보건데, 저 볼드Bald 헤어의 구릿빛 거한은 일류 전사같은 풍취를 내고 있기는 했다.

제냐의 자리로부터 대각선으로 몇 미터. 홀의 중앙부에 위치한 테이블의 앉은 사내다. 극동아시아, 혹은 중앙아시아 정도의 인종으로 보이는 그는 부리부리한 눈을 빛내며 테이블에 팔짱을 끼고 앉았다.

상처를 내기도 어려울 것처럼 보이는 그 질긴 피부에 커다란 자상의 흔적들이 여럿이다. 다 드러난 팔께에도 많았고, 방어구 사이로 언뜻 보이는 몸통에도 그렇다.

얼굴 부위에는 별다른 상처가 없이 멀끔했는데, 그 스스로 지웠을 수도 있고. 아니면 얼굴만 잘 피하며 플레이를 했을 수도 있고.

대형종 괴수의 발톱에라도 당했을 것 같은 느낌인데…

늘 그렇듯 보이는 게 전부는 아니니.

만약 저런 백전연마의 전사같은 꼴을 하고 흉터는 어딘가에서 위장 스킬로 외관을 꾸민 것이라면 참 볼만하기는 하겠다.

그 정도로 흉흉한 기세의 사내다. 나이는 제냐보다는 훨씬 많은, 30대 중반 이상으로 보인다.

그런 거한의 맞은 편. 원형 탁자의 반대편에 반대급부로 작은 몸집을 한 인종이 앉아 있었다. 홀을 여기저기 돌아 다니는 식당 아들내미와 비교해도 그리 다르지 않은 크기다.

성인 중에도 유달리 작은 자들이 있기는 하다. 더군다나 여성이라면 더 그럴 수 있었고. 제냐가 앉은 자리에서 그가 고개를 돌리고 있으면 잘 보이지는 않는다. 그, 인지 그녀, 인지 정확하게는 모른다.

붉은 단발 머리를 하고 있었고, 거한과 달리 제대로 된 복식의 긴팔 긴바지에 경갑옷을 착용하고 있다.

여기저기 꼼꼼하게 수납된 모험용 아이템들은 멀리서 보아도 준비가 잘 된 모험자처럼 보이게 하는 효과가 있다.

세슈칸엔 완전 초보자보단 중급자들이 훨씬 많기도 하지만. 개중에서도 플레이어 개인이 꼼꼼하고 노련해보이는 분위기가 있었다.

어디까지나 잘 손질되었고, 언제든 꺼내기 쉬워 보이게 하나하나 계산적으로 배치된 듯한 무구류들 때문에 드는 생각이다.

그 붉은 단발 머리 위에는 둥근 귀가 떡하니 튀어나와 있었다. 머리 위로 튀어나온 동물 귀라는 게 참……. 어떤 바보들의 로망을 자극하는 면이 있는 것 같기는 하다.

저런 류의 특수 종족이 있을 수도 있지만, 대개는 그렇게 특별한 루트의 플레이를 하지 못한다. 외형 변신(환상)을 익혀서 자신이 원하는 식으로 캐릭터 디자인을 하는 게 가장 흔한 수단이었고, 혹은 그 외의 아이템을 사용해서 평범한 인형 신체에 악세서리처럼 다양한 모양을 다는 것이 또다른 방법이다.

아이템 중에는 '동물 귀'라는 시리즈도 있었다. 코스프레 하기를 좋아하는 인종들의 취미를 만족시키기 위한 아이템이었고, 수요에 비해서는 조금 부족한 공급량이라 약간 발품을 팔아야 얻을 수 있는 물건이다.

거기다 남다른 취향적 세밀함을 가진 인간들이라면, 제 마음에 꼭 맞는 것을 얻기 위해 그 이상의 노력도 불사한다.

이런 곳에 야수성과 짐승의 강력함을 특별하게 닮은 '수인' 종족의 플레이어가 있을 리는 없다. 세슈칸은 대도시였으나 그런 특이성을 가진 플레이어의 숫자는 한 줌에서 다시 한 줌을, 그리고 그 짓을 몇 번 반복하고 걸러내서 있을까 말까한 수준이다.

흔하게 만날 수 있는 이들은 아니었다.

중수급에서 상위권, 혹은 고수라 불리는 세 자리수 이상 레벨의 플레이어들과 교류가 생긴다면 조금 더 흔히 만날 수 있기는 할 테였다.

대머리 거한과 붉은 단발머리 동물귀 말고도 특색있는 자들은 많았다. 현실에서 만나기 힘들 듯한 비주얼들이다. 말했듯 게임 내에서 허용하는 외견 변화가 플레이어들에게 많은 영향을 미치는 것 같았다.

한낮이었으나 마치 휴일 전 날 밤 술집이라도 찾아온듯한 소란스러움이다.

그가 묵고 있는 여관은 세슈칸의 해당 거리에서 요리를 잘한다고 알려진 곳인 모양이었다. 많은 플레이어들이 한 끼를 때우기 위해, 이곳을 들리고 사람들로 가득 차 붐비고 있었다.

제냐는 기계적으로 숟가락을 들어 두꺼운 쇠그릇에 담겨 나온 된장밥을 퍼먹었다. 겉을 만져보면 따스한 느낌이 나는 것이, 보온이 잘 되는 듯한 용기다. 여기저기 사람들은 보며 밥을 먹다가 대머리 거한과 눈이 마주쳤다.

시끄러운 사람들 속에서 또 떠들며 요란스럽게 몸동작을 하는 인간들 속에서 집중력을 가지기란 쉬운 일이 아니었는데.

용케도 그 어지러운 광경 속에서 구석에 박혀 있는 제냐의 얼굴을 인식한 모양이다.

그리 길지 않은 교차였고, 만일 저 터프 가이가 제 생김새만큼이나 공격적이라면 귀찮은 일이기에 눈을 피했다. 슬쩍 피한 자리에는 다른 이가 제냐를 바라보고 있었다.

붉은 단발 머리.

제법 미녀, 라기보다는 소녀였다. 둥근 곰인지 너구리인지 뭔지 모를 종류의 귀를 달아둔.

쫑긋거리며 움직이는 그것은 갈색 배경에 흰색과 검은 줄무늬가 있는 것이었다. 단발 사이로 보이는 틈새에는 평범한 사람의 귀가 달려 있었다.

코스프레나 설정 놀이에 심취하는 작자들은 자신만의 특별함을 추구하며, 외형 변신의 하급 스킬로 실제 귀를 감추는 경우도 있었다. 그 정도는 아니었던 모양이다.

드러난 얼굴과 전면을 보니 여성이었다. 외견으로 보면 십대 후반 정도 되어 보인다. 앳된 얼굴에 붉은 눈동자가 똘망하게 빛난다. 외국인…… 유럽 계열일까. 햇살이 언제나 쨍쨍한 근처 기후에도 전혀 변색되지 않은 흰 피부다. 선이 곱고 올망졸망하게 생겼다.

제냐는 일, 이 초 정도 그들을 바라보다가 시선을 거두었다.

거대한 고양이 모습으로 달리던 코미어처럼, 갑자기 부닥치는 경우도 있긴 했지만 기본적으로 플레이어와 많이 얽혀서 좋은 일은 없었다.

그러니까… 계산 밖의 상황에서 말이다.

그건 현실의 대도시에서 모르는 사람과 말을 하게 되는 일과 마찬가지로, 비련의 시나리오 내에도 비슷한 비율로 성격이 이상한 놈들이 많았으니 하는 이야기였다.

사람 간의 시비는 별 것 아닌 일로도 일어나고 이루어진다. 굵어 부스럼 만들 것 없다. 멀쩡히 있다가 지나치게 오래 응시를 하면 먼저 공격적으로 나왔다고 느끼는 부류도 있었다.

제냐는 멀리로 시선을 두며, 여관 식당 홀의 창문을 처다봤다. 입구는 어느 황야나 사막 배경의 도시를 영상 따위로 접하면 보게 되는 스윙 도어라 인도 쪽의 풍경이 그대로 보이고 있었다.

이 순간에도 누군가가 들어왔다가 나갔다가.

쉼없이 문을 치고 들락거리며 여관 '금잔화'의 성황을 전시하고 있었다.

잠시 먼 배경을 보고 다시 다 먹어가는 국밥에 시선을 두는 제냐에게 말을 걸어오는 목소리가 있었다.

"저기……."

어설픈 말투의 목소리에 제냐가 고개를 슬쩍 들었다.

까무잡잡한 얼굴.

그것이 가장 먼저 보이고 든 생각이었다. 흑인은 아니었다. 그저 누런 피부를 진한 갈색 수준으로 태닝을 한 동양계의 인간이었다.

체격은 제냐와 비슷하거나 조금 더 작다. 나이 역시 그래 보인다.

백발을 길게 늘어뜨리고, 붉은 입술로 우물거리며 말을 하는 20대 정도의 아가씨가 테이블 바로 앞에 서서 말을 건다.

“…….”

제나는 굳이 대답하지 않고 멀뚱히 처다봤다. 자신에게 용건이 있을 일이 딱히 없다. 제나는 뭔가를 가지고 있지도 않고, 엮일 거리를 만들어낸 적도 없었다. 그녀가 구석에 위치한 원형 테이블, 그 근처의 의자를 슬쩍 끌며 말했다.

동양계로 보이지만 한국인인 지는 잘 모른다. 일본, 중국, 대만. 뭐 어느 쪽일 수도 있고 아예 아시아 인종이면서 다른 나라 국적인 사람도 많다.

어쨌건 훌륭하고 대단한 비련의 시나리오의 통역 시스템은 그녀의 말을 잘 전달해주었다. 토씨나 뉘앙스 하나 놓치지 않고.

NPC들이 듣기에는, 대륙에서 가장 흔히 쓰이는 중부 대륙어로 들릴 것이다. 아마.

몇 종류의 언어군이 있었고, 약간씩의 차이는 있으나 사투리 정도의 차이로 그 지역 언어군 내에서는 통한다. 중부와 북부, 남부와 서부가 있었다. 개중에서도 중부 대륙어는 대륙 전역으로 봤을 때 가장 흔하게 통용된다. 사람 수가 많아서, 다른 지방에서도 심심찮게 들을 수 있다.

산슈카 왕국의 언어 또한 그쪽 계열이었고.

문자엔 조금 더 특색이 있는 편이라 지역군 내에서도 각지의 문자들을 읽으려면 스킬들을 익혀야 했다. 말 역시, 중부에서 서부, 남부, 북부 등으로 본거지를 옮기면 해당하는 언어들을 스킬의 형태로 습득해야 했고.

가끔 판타지의 설정과 재미를 진하게 느끼고 싶어하는 자들은 번역 기능을 조절해서, 비련의 시나리오 내에서 설정해 둔 가상 언어의 발음을 현실 언어와 같이 듣거나 한다.

이따금씩 판타지 언어만 들으며 플레이를 해보는 영상이 인터넷 따위에 올라 사람들의 흥미를 끌기도 했다.

어쨌든 제냐는 한국말만 하면 되고, 그 이상 고민해보지는 않았다. 아직.

"혹시, 여기 앉아도?"

아.

무슨 말을 하는가 했다. 제냐는 대충 고개를 끄덕거렸다. 하기야 사람이 이렇게 많으니. 이런 구석 자리로도 앉을 곳을 찾아 올 수 있었다.

제냐의 끄덕거림에 그녀가 조심스레 의자를 끌며 앉았다.

자연스레 국밥에 고개를 처박고 마저 먹었다.

그녀는 심지어 이미 서빙된 음식을 제 손으로 들고 먹을 곳을 찾고 있었다. 사람이 많고 바쁘다보면 그럴 수도 있는가보다.

달칵. 하고 단단한 소재의 나무 식기나 쇠그릇 따위가 테이블에 올려진다. 흘긋 봤을 때 야채와 고기가 풍성하게 있는 샐러드였다. 내용물이 보울Bowl에 한가득 들었다는 점에서 충분히 든든한 한 끼 식사처럼 보인다.

그러거나 말거나.

제냐는 식사를 마저했다. 웅성거리는 소리는 목재 건물 내에서 여기저기 반향되어서 귀를 울린다. 시끄러운 곳을 딱히 싫어하거나 못 견디는 편은 아니었으나, 지금은 해야 할 일이 있었다.

올라가서 퀘스트와 관련된 역사책을 마저 읽어야 했다.

쇠그릇의 밑바닥까지 수저로 박박 긁어서 마무리하고, 그릇에 식기를 담아 들며 제냐가 일어섰다.

그녀가 마찬가지로 식사에 집중하다가 제냐를 처다봤다. 제냐 역시 그녀를 봤지만,

뭐 딱히 할 말도 없었고 인연도 없다. 이런 대도시에서 지나가는 모든 인간에게 관심을 두었다가는 몇 걸음도 제대로 가기가 힘들 테다.

제냐는 시끄럽고, 기분 좋고, 잔뜩 들뜬 주정뱅이나 모험가들의 노랫소리와 비명소리처럼 들리는 수다를 뒤로 하며 계단을 올랐다.

오르기 전에 홀과 주방을 잇는 데스크에 식기를 올려 놓는 건 이 가게의 법칙이었고.

제냐가 계단 위로 다시 사라지고 나서, 얼마 지나지 않아 똘망한 총기를 눈으로 빛내는 소년이 나와 식기들을 가지고 주방으로 다시 들어갔다.

서버Server가 좀 많아도 좋을 것 같은데.
아직까지는 용케 소년 혼자 해내고 있었다.

*

다시 책상에 앉은 제냐는 책을 펴들었다.

잠깐 여관의 화장실에 들러 입가심을 하고, 세수를 한 뒤에 말이다.

책은 얼마 남지 않았다.

로멜리아 가의 부흥기가 다 지나고, 쇠락기와 그 마지막

전언들을 담는 내용들이다.

산슈카 왕국 역시 흥망성쇠 중 '망'을 다루는 시간대였고.

산슈카 제국의 번영을 질시했던 주변국들은 준비를 단단히 해서 대국을 침략했고, 이미 내부가 썩어들어가던 산슈카는 그 침략을 견딜만한 저력이 부족했다.

외부에서 충격이 들어옴과 동시에 내부의 곪아가던 문제들이 터져나오며 나라의 무너짐을 가속화했다.

귀족들이 산슈카의 이름 아래 모이기를 거부했고, 시민들도 제 살 길을 찾았다.

민족의 자긍심이나 역사, 혹은 그들 스스로의 충절을 지키기 원하는 소수의 집단들이 한 곳에 모여 결사 항전을 했다.

도리어 독기를 품은 소수 정예가 되자 이미 제국의 대부분을 거덜낸 주변국들 역시 얻을 것이 적어졌다.

완전히 멸망시키기 위해서 그들이 흘려야 하는 피와, 그 조그마한 부위를 얻어 그들이 누릴 안락함을 비교했을 때 전자가 너무 무겁게 느껴졌다.

제국은 초토화되었고, 그 땅 위에 살아가던 사람들은 국적을 바꾸었다.

군인들은 치열하게 싸웠으나 민간인들의 피해가 무자비한 정도까지는 가지 않았다.

물론, 중세와 그 이전을 모티브로 하고 있는 시나리오 온라인 내이다보니, 야만의 시대다운 참상이 그대로 드러나기는 했지만.

집요하고 또 의도적으로 학살을 자행하지는 않았다는 말이었다.

어차피 땅이건 사람이건, 안정적으로 전쟁에서 승리할 수만 있다면 결국 자국의 이익으로 귀속되는 재산과 같은 것이었다.

얼마 지나지 않아 제 것이 될 재물을 불태우는 인간이 없었다.

그런 논리에 의해서 착실하게, 또 역사적으로는 다소 조용하게.

산슈카 제국이 멸망했고, 몇 남지 않은 국토 내의 영지들을 중심으로 현재의 산슈카 국, 산슈카 왕국이 형성되었다.

웅크린 사자.

산슈카의 번영을 위해서 언제나 준비하며 또 시기가 오면 뛰쳐나갔던 충성스런 로멜리아 가문은 지금의 세슈칸을 비롯해 몇 개 영지의 영주로 바뀌었고.

가문의 저력과 용사들은 지난 전투에서 대부분 사라져버리고 말았다.

그 말미 즈음을 장식하는 전쟁이 '중부 아들란 평야 전투'였다.

세슈칸에서 그리 멀지 않은 황무지 지역이 그 시기에는 풀이 자라 있는 초원이었고, 국경 인근까지 진격을 해 온 연합군들을 산슈카 국의 마지막 남은 용사들이 격퇴하는데 성공한다.

연합군의 수 만 대군 역시 하고자 하면 얼마든지 전투를 지속할 수 있었지만, 결사항전을 하는 데다가 예상 외로 뛰어난 용맹함을 보이는 산슈카의 정예 부대의 기세에 질려 떠나버리고 만다.

몇 없는 토지를 마저 얻기 위해서 잔뜩 독이 오른 짐승의 숨을 끊을 자가 연합군에 없었던 탓이다.
전쟁이라는 건 어찌 되었든 기세 싸움인 면이 컸고, 임하는 각오에 따라 얼마든지 결과가 뒤집히기도 한다.
이미 얻고자 했던 것들을 대강 얻은 배부른 자들과 목숨을 바쳐 자신들의 집과 땅, 아녀자와 아이를 지켜야 하는 늑대들이 싸움이 될 리가 없었다.

말했듯 싸움은 기세였고, 상처를 두려워하고 지나치게 아파하는 무른 살을 가졌다면 자신의 덩치가 얼마나 크든 작은 이빨

하나에도 맞서지 못하고 길을 돌아서 갈 테다.

역사책인지 동화책인지 소설책인지, 장르를 잘 알 수 없는 책에 상세하게 숫자마저 기록되어 있었다.

마지막 평야에서의 전투는 70,000과 12,000의 싸움이었다.

로멜리아 가의 마지막 공작이었던 존 로멜리아가 그 자리에서 장렬하게 전사했다. 홀로 수 백 이상의 적병을 베어 넘긴 전설적인 검사였고, 당시에 그가 입고 있던 갑옷이나 칼 등은 아직까지도 산슈카 왕국의 보물 중 하나로 어딘가 보관되고 있다고 한다.

뛰어난 무장이나 혹은 대신들이 많이 나왔던 로멜리아 가문.

그 연대기를 읽으면서 제냐는 '아티팩트' 쪽으로 생각을 하며 문장들을 뒤졌다.

오랜 시간이 지나도 여전하게 제 구실을 하는 물건이며, 한 가문의 중흥이 시작될 만큼 대단한 의미와 위력을 가진 물건이라면 종류가 극히 제한된다.

비련의 시나리오 온라인 내부이고, 게임 속의 스토리이니 아무래도 초상 스킬과 얽혀 있는 아티팩트를 생각할 수 밖에 없었다.

강력한 인챈트로 막대한 초상력과 내장된 초상 스킬이 있는

'아티팩트Artifact'는 여러 아이템들 중에서 늘 가장 귀중한 취급을 받고 고레벨 플레이어라 할지라도 탐을 내는 물건이었다.

그 아이템에 걸려 있는 초상 스킬의 위력과 수준에 따라서 다시 등급이 나눠지지만, 기본적으로 어느 정도 이상의 가치를 보장 받는다.

황야 지룡의 발톱 대거, 역시 열기를 띈다는 점에서 초상력이 포함되어 있었지만 본격적으로 아티팩트라 분류되는 수준은 아니었다.
온전한 초상 스킬 하나의 분량이 들어갔다고 하는 아티팩트는 조금 더 복잡 다단한 술식이 내장된 것들이다.

칼날에서 열기를 띄는 정도에서 그치지 않고, 그 열기를 제어해서 강력한 파이어 볼을 형성해낼 수 있다면 아티팩트의 일종이라고 취급받으리라.
열량을 그러모으는 것 역시 파이어 볼 스킬의 일부라고 볼 수 있었지만 어디까지나 일부였다. 유저들이 논하는 아티팩트는 거기에 부여된 종류가 조금 더 완성된 스킬에 가까운, 그리고 만드는 데 많은 공이 드는 물건들이다.

같은 계열의 초상 스킬이라고 하더라도 스킬 등급에 따라 다르다. 일반, 희귀, 유일, 전설. 그리고 다시 똑같은 스킬이라 하더라도 스킬의 숙련도에 따라 위력은 천차만별이다. 1단계와 10단계는 거의 다른 스킬이 아닌가, 싶을 정도의 위력적 차이였다.

현재까지 확인된 숙련도 최상급은 12단계로, 그랜드 마스터의 단계였다. 스킬을 익히면 가장 첫 단계는 물론 1단계로, '끔찍한Terrible'이라는 수식어로 표현되는 수준이었고.

일반 스킬이라 하더라도 마스터 즈음 되면 여느 상위 스킬 못지않은 위력 보정이 있었다. 거기다 게이머 개인의 숙련도로 적재적소에 활용하는 노하우가 상당하다면, 전체적인 전투력은 도리어 다량의 일반 스킬이 높은 숙련도로 있는 쪽이 더 나을 수도 있었다.

결국 스킬이란 건 도구였고, 중요한 건 플레이에서 그 도구들을 게이머가 어떻게 다양하게 늘어놓고 골라 쓰느냐, 였으니.

인챈트에 들어가는 스킬 역시, NPC이든 게이머이든 사용자가 사용하는 스킬처럼 상태가 달랐다. 1단계의 파이어 볼이 들어갈 수도 있고, 12단계의 파이어 볼이 아이템에 삽입되어 기능할 수도 있었다.

당연히 고등급, 고단계의 스킬이 내장된 것이 강력하다.

아티팩트에는 스킬 정보와 스킬을 사용할 수 있는 초상력 배터리가 함께 들어가야 했는데, 그것들은 초상력- 곧 정신력 에너지를 담기 좋은 소재들로 만들어져 있다.

비련의 시나리오 온라인 세계 내에 존재하는 대부분의 물질들은 정신력 에너지를 담기에 좋다. 개중에서 더 뛰어난 것이 있었고, 아주 희소하며 남다른 효율을 자랑하는 것도 물론 있었다.

최상급의 아티팩트란 높은 수준의 제작 스킬을 가진 장인이 아이템을 만들고, 뛰어난 스킬과 인챈트 능력을 겸비한 인챈터가 스킬을 부여했고, 또 초상역학 적으로 봤을 때 가치 높은 소재로 이루어진 물건이었다.

사락.

손 끝에서 느껴지는 탄탄한 종이의 질감이 있었다.

거칠하고, 변색되어 낡은 티가 났지만 오래 가는 재질로 지어진 듯 종이가 찢어질 것 같은 느낌은 별로 없었다.

소재의 문제도 있었고 또 보존을 위한 특별한 초상 스킬이 걸린 물건일 지도 모른다.

제냐는 결국 그렇게 여러 상념을 하며, 또 나름의 추리를 하고 탐구를 하면서 책을 끝까지 다 보았다.

마지막 페이지가 넘어갔다.

별다른 소득은 없었다.

미간 부분을 오른 손가락으로 문질러 퀘스트 인터페이스 창을 켰다.

['로멜리아 가의 숨겨진 보물' - 줄리앙 리스트로부터 건네 받은 책을 1회독 하시오. 1/1]

눈으로 주욱 읽어 내려가면서, 정독했다. 책을 읽는 속도는 빠른 편이었다.

줄리앙을 비롯해 로멜리아 가의 인원들은 제냐가 데려간 병원에 들렀다가, 근처 고급 숙소에 묵고 있는 걸로 안다.
돈이 부족해 보이는 양반들은 아니었다. 몰락할 지경이라고는 하나 귀족이었고, 비상시 쓸 여유 자금 정도는 넉넉히 가진듯 했다.

별로 눈에 띄고 싶어 하지 않는 것 같았지만. 그리고 세슈칸이라는 도시 내에서 은근한 위험마저 느끼고 있는 것 같지만.
어쩔 수 없다.
피하고 싶어도 다가오는 위험들은 있었고.

제냐가 보유하고 있던 여러 포션들을 무더기로 건네준 것이 그들의 마음의 안심이 조금은 되었을까.

AI에 불과한 NPC들이었지만, 이것이 '시나리오'라는 이름의 게임이었고 또 정교하게 만들어진 극이다 보니 몰입하는 건 어쩔 수 없었다.

여관의 홀에서 일하던 똘망한 꼬맹이를 보며 느꼈던 것처럼. 소설을 보며 감동을 느끼지 못한다면 결국 자신의 문제였다.

누군가 지어 만든 인형이라 할 지라도, 그 너머에 있는 절대적인 가치관에 공감한다면 마음은 동하게 되어 있었다.

그렇지 않다면, 현실의 인간을 보더라도 싸늘한 심정을 느낄 수도 있는 게 세상이다.

늘 눈에 보이는 것보다는 그 너머의 가치를 좇아 살아야, 간신히 사람답게 살 수 있는 법이었다.

1등의 등 뒤를 바라보고 달리는 주자의 한계가 언제나 2등이듯.

1등을 하기 위해선 그 너머에 시선을 두어야 한다.

제나는 퀘스트를 해나가면서 극에 몰입했다. 자신의 역할이었다.

살 곳을 찾아 도망쳐 온, 몰락한 귀족가의 후예들. 그리고 그들을 우연히 만난 세슈칸의 모험가. 선의로 그들에게 손을 내밀고, 앞으로도 도와줄 용의가 있는 솜씨 좋은 검사.

그게 그가 들어간 상황이었고 맡은 바였다.

한 번 시작했으면 어쨌든 끝까지, 제대로 한다.

그게 인생이든 게임이든 제냐가 즐기는 법이었다. 끝은 보아야지 않겠는가. 어떤 식으로든.

책을 다 읽었고 우려하던 대로 별다른 정보는 얻질 못했다.

다음 진행을 위해서는, 일단 줄리앙을 만나봐야 하리라.

독에 당했던 두 청년도 정신을 차렸고, 줄리앙 역시 돈을 내고 초상 스킬을 보유한 힐러에게 치료를 받아 병상에서 금방 일어난 것으로 안다.

그들이 경계를 하며 주의를 기울인다면 갑작스럽게 변고를 당한다거나 하는 식으로 퀘스트가 급전개 되지는 않으리라. 제냐 역시도 별 이유 없이 비극을 보는 걸 좋아하진 않았고.

그가 창가 자리에서 일어섰다. 한낮의 오후, 에서 시간이 조금 지났다. 여전히 해가 비쳤으나 구름이 꼈는지 약간 흐린 티가 난다.
저녁까진 시간이 남았지만 슬슬 다가오고 있었다. 조금 오버를 한다면 이른 저녁을 먹을 수도 있는 시간이었다.

그는 줄리앙이 머무르는 숙소를 찾아가기 위해 방을 나섰다.

내일은 오전 수업이 있는 날이었다.

다음 씬의 진행만 보고, 조금 더 플레이 해보다가 자러 가얄듯 했다.

*

"어서 오시게."

방문을 열자 반기는 노인의 목소리가 힘이 있었다.

그가 마지막으로 본 건 병상에서의 모습이었다.

줄리앙 리스트.

그가 그를 반겼다.

지금은 정정해 보이는 모습이었다.

백발의 머리를 정갈하게 뒤로 넘겨 이마를 드러냈다. 기름을 발랐는지 한 올이 흐트러짐 없이 깔끔하다. 그 외의 차림새로 자신의 머리칼과 같이 정돈을 해두었고.

검은색을 기조로 삼고 안에 받쳐 입은 흰 셔츠와 행커치프가 있다. 양장의 소맷단 따위에 마감으로 금색의 선이 유려하게 자태를 뽐낸다.

넓은 호텔 방 안이었다.

지어진 지 연식이 꽤 되어보이는 거대한 목조 건물이었는데, 그 상층부의 넓은 방 한 칸에 여러 사람이 모여 있었다. 방 내부에 다시 몇 개의 칸이 나누어져 있었고, 마치 가정집의 거실과 같이 있는 넓은 홀이 처음에 제냐를 맞이한 곳이었다.

줄리앙, 로멜리아 가의 두 아가씨, 그리고 마부 역할을 하다가 불량배 앞에선 독에 당해 쓰러졌던 두 청년.

다섯 사람이 그를 반겼다.

시간은 이른 저녁 즈음이었다. 해가 저물기까진 시간이 좀 남았다. 그럼에도 커튼을 쳐놓고 실내등으로 안을 밝히고 있었다. 검붉은 기가 살짝 도는 어두운 톤의 인테리어였다. 금색으로 약간의 화사함이나 따스함을 더하고.

짙은 색이었으나 음울함 보다는 고풍스러운 멋이 감도는 색깔의 방이다. 호텔 전체가 이런 식이었다. 부유층이나 귀족들이 머물 것 같은 숙소다.

제냐나 최태현도 이런 곳에 묵을 수는 있다.

다만 돈이 조금 쪼들리게 된다. 물약 값을 비롯해 다양하게 들어가는 소비를 대폭 줄여야 했다. 안전 지대에서 쉬며 HP와 컨디션을 회복하는 시간은 보통 로그 오프한 시간이다.

현실에서도 시간이 많이 남는 이들은 가끔 게임을 켜놓고 그 내부에서 잠을 자기도 한다. 정신만 연결되어 게임 내에 들어와있는 형국이었으니까, 바깥에서 제 몸을 편한 침대에 뉘여 놓고 게임에서도 숙면을 취한다면 사실상 자는 것과 크게 다르지 않았다.

그렇게 사도 피로가 충분히 풀리는가, 에 대해서는 많은 말들이 있었지만. 게임에 조금 더 오래 있고 싶어하는 괴짜들은 그런 짓을 하기도 했다.

어쨌든 게임 캐릭터는 '안정' 상태로 로그 오프를 하고 난 뒤, 게임 내부 시간으로 따져 흐른 시간만큼 제 몸의 컨디션을 되찾는다.

숙소에 체크 인을 하고 방 내부에서 로그아웃을 한 뒤, 숙박비를 미리 지불한 것보다 더 많은 시간을 들어오지 않다가 로그인을 한다면 밀린 숙박비와 함께 여관 주인의 닦달을 들어야 할 때도 있었다.

평범한 플레이어들에게 있어서 '숙소'는 그다지 중요한 컨텐츠가 아니었다. 현실의 꿈이 비련의 시나리오로 이어지듯 비련의 시나리오에서의 꿈은 다시 현실로 이어졌으니까.

HP와 컨디션 회복에 악영향을 주지 않을 정도기만 하면 된다.
이따금씩 하드한 플레이를 즐기는 매니아들은 훈련 받는 군사처럼 열악한 환경에서 생존 서바이벌을 하기도 한다.
그렇잖아도 목숨 한 번이 게임에서 부여한 기회의 전부인 서바이벌인데, 거기서 다시 서바이벌을 찾는다니 어지간한 인간들이었다.
'모험가'의 기질이 강한 양반들이었고, 그런 특이한 행동을 하는 작자들은 대개 시스템에 의한 보상을 받아 다양한 특별 칭호나 희귀 스킬, 아이템들을 얻게 되는 경우가 잦다.

대부분은, 그렇게 모험을 감행하다가 정말 하나 뿐인 게임 라이프 코인Coin을 잃어버려 다시는 접속할 수 없게 되지만.

아주 옛날, 할아버지의 어린 시절 야외 콘솔 오락기에서 동전 하나만을 가지고 아슬아슬한 게임 클리어에 도전을 하던 그런 양상이었다.
대량 생산과 과소비에 지나치게 익숙해진 현대인들에게 의외로 적절한 교훈을 주는 방식인지도 모른다……

따위의 생각을 하다가 제냐는 아드리안 로멜리아를 처다봤다.

그림같이 예쁘게 지어진 NPC가 그 커다란 눈망울을 온전히 뜨고 자신을 바라보고 있었다. 한 눈에 보기에도 어느 고급 목재를 가져다가 지었을 듯한 귀티 나는 침대의 위에 앉아서 말이다.

그 옆에 있는 의자에는 '헤슈나 로멜리아', 성숙한 아가씨가 있었다. 침대 곁에 1인용의 등받이 목재 의자를 가져다두고 단아하게 앉아 있다. 여전한 드레스였지만, 이전에 본 것 보다는 조금 더 편안해 보이는 복장이었다. 검은색과 에메랄드 빛이 섞여 있다. 품이 그렇게 크지 않고, 적당히 제 몸을 잘 감싸안는 스타일이다.

그녀는 입을 다물고 침착한 눈빛으로 제냐를 바라본다.

두 청년은 커다란 침대 양 옆으로 시립해 있었다. 한 명은 팔짱을 끼고, 다른 하나는 뒷짐을 지고 있었다.

어디 건달이라도 정리하러 온 것 같은 꼴이다. 좋게 말하면 기세가 좋았고, 나쁘게 말하면 위압적이었다. 두 청년은 자신들이 무력하게 당했으며 아가씨들을 지키지 못했다는 사실에 후회를 하고 있을 지도 모른다.

둘 다 몸은 멀쩡해 보였다.

하나는 짧은 머리가 삐죽이 튀어나온 백인, 제냐보다 키가 크고 푸른 눈동자였다. 머리는 갈색이다.

뒷짐을 지고 제냐의 시선에서 침대 오른 쪽에 있는 인물은 머리를 길게 길러 뒤로 질끈 묶고 있었다. 포니 테일이었지만 귀엽지는 않다. 붉은 기가 도는 흑발에, 금빛 눈동자였다. 수염이 조금 묻어 나오고 다른 청년보다 나이가 있어 보였다. 다문 각진 턱에서 그의 다부진 성정이 유추되기도 한다.

회색 톤의 천 옷을 입고, 가죽 방호구를 걸쳤다. 허리춤 뒤켠에는 한 손검이 대각으로 매여 있었다. 뒷짐을 진 자세에서 예비 동작 없이 한 순간에 칼을 뽑아들어 앞으로 달려들 수 있을 것 같은 자세였다.

이제와서 제냐를 앞에 두고 그런 위용을 보여주어도 크게 쓸모는 없었지만.

그는 가장 앞서서 그를 맞고 있는 줄리앙을 다시 본다. 그는 홀의 가운데로 걸어 나오며 방문을 열고 들어온 제냐를 반겼다. 다섯 중에서 가장 사회 생활이 능한 부류처럼도 보인다.

방의 내부 구조는 다양한 인테리어로 지루하지 않게 가득 차 있었고, 탁자, 테이블, 응접용의 소파나 장식물들, 카펫 따위가 여기저기 배치되어 있다.

그것이 거실이자 가장 큰 방으로 쓰이는 공간이며 양 옆으로 벽이 쳐져 있고, 반원 형의 상단으로 패인 구멍을 지나 다른 칸의 방으로 가는 모양이다.

통로가 되는 문의 윗단에는 내려서 시야를 막는 두터운 천이 있었고, 지금은 열어두었는지 둘둘 말려 위에 고정되어 있다.

노인, 줄리앙이 다시 말했다.

"제냐 공."

"공이라니요."

부담스러운 호칭에 제냐가 정정했다.

"제냐 킴입니다. 편하게 불러주세요, 어르신."

로멜리아 가의 법도도, 귀족가의 예식도 제냐는 잘 알지 못했다. 대강 영화나 소설 따위에서 본듯하게, 혹은 최대한 예의 바르고 불편하게 상대를 대하면 되기는 할 것이다,

그러나 그는 지금 퀘스트의 도중이었고, 죽을 위기에서 그가 구해준 이들에게 복잡하게 대할 생각은 별로 없었다. 그냥 그가 아는 대로의 예의 정도만 지킬 셈이다.

플레이어와 NPC라는 관계를 떠나서, 아쉬운 것은 저쪽이다.

제냐는 어디까지나 무보수에 선의로 그들을 돕고 있었으니.

신분제 사회의 의식을 빌미삼아 강짜를 부린다면 제냐 역시

튕겨내면 그만이었다.

"…예의 바른 젊은이로군."

줄리앙이 빙긋 웃었다. 그리곤 그를 침대에서 그리 멀지 않은 응접용의 소파로 안내했다. 제냐는 그 손길에 따라 가죽 소파에 앉았다.

푹신하게 몸이 그 속으로 밀려 들어갔다. 거칠어 보이는 질감의 외견이었는데, 실제로 살갗이 닿으며 느껴진 건 아주 맨들거리고 부드러운 촉감이다. 어느 짐승의 가죽을 잡아 벗겨 만들기라도 한 것인지.

독특한 질감에 앉았을 때 편하고 안락했다. 그대로 잠이라도 잔다면 숙면을 취할 수 있을 것 같다. 오래도록 누워 있으면 허리가 좀 아플까. 그 정도가 불만의 전부였다. 제냐는 고급스런 소파에 등을 푹 묻으며 줄리앙을 바라보았다.

그는 맞은 편에 앉았고, 청년 중 하나. 조금 더 나이가 들고 머리를 뒤로 길게 묶은 자가 그 근처로 다가와 섰다. 줄리앙이 입을 연다.

"덕분에 아무런 피해도 입지 않고 상황을 벗어날 수 있었네."
"예. 그 뒷 배는 밝히지 못했지만 말이죠."

골목에서의 이야기였다. 그들을 습격한 불량배들은 끝까지 그 배후를 토해내지 않았다. 토해낼만한 사람이라고 해 보아야, 두목인가 싶었던 가장 삐까뻔쩍한 방어구를 입은 한 놈 뿐이었지만 말이다.

나머지는 제냐가 속전속결로 이승에서의 삶을 마감시켜 주었기에 대답할 입이 없었다.

등판이 전체가 구워져서 상당한 격통을 느꼈을 불량배의 우두머리는 굳건했다. 신의를 지키는 것인지, 두려운 계약이라도 당해서 어디 인질이라도 묶여 있는 것인지.

제냐가 스산하도록 굴며 실토하기를 종용했지만 별다른 정보를 얻지는 못했고, 어느 치안대에 넘겨보았자 뒷 일을 생각하자니 피곤해서 그냥 그 자리에서 끝내주었다.

명백한 악업을 쌓고 있는 NPC나 플레이어를 상대로 전쟁이나 전투를 벌여 목숨을 뺏는다고 해도 해당하는 캐릭터에게 악업 수치가 쌓이지는 않는다.

시스템이 판단하는 것이었고, 대강의 기준은 현대 법률을 비련의 시나리오 세계관에 맞게 재해석한 다음의 물건이었다. 그리고 그건 대강 상식선을 크게 벗어나지 않는다.

물론 애매한 경우에야 조금 따져 볼 여지가 있겠지만은. 누가 보아도 습격 당했고 한 쪽이 일방적으로 핍박을 하고 있었다면야.

대단한 반전 드라마가 그 짧은 상황과 씬 속에 숨겨져 있어서 제냐의 선택을 혼란스럽게 만들기로 작정한 경우는 다행히 아니었고, 보여지는 그대로의 상황이었기에 망정이다.

몬스터들이 때때로 플레이어들을 악몽 속에 집어 던지기라도 하듯 교활함을 발휘해서 게임 오버로 이끌어가듯이, 가끔 '비련'의 시나리오 속 퀘스트와 상황들은 게임의 제목에 왜 그런 단어가 들어갔는지 알려주고자 한다는 듯 사람 골머리를 썩히게 하는 경우가 있었다.

누가 보아도 일견으로는 한 쪽이 피해자이며 다른 쪽이 가해자처럼 보이는 상황에 캐릭터가 다가가게 만들어 놓고, 급박한 상황 속에서 선택을 하고 나면 실상이 정 반대였다던가 말이다.

약간의 판타지를 가미한다면 그런 상황 설정이 조금 더 용이했다.

어리고 연약해 보이는 인물이 사실은 대단히 극악한 성정을 보유하고 있고, 물리적으로도 여러 명을 상대할 수 있는 끔찍한 괴물인 경우도 있고.

악마족의 일종, 몬스터 따위가 사람으로 변장을 했다던가- 혹은 혼돈, 악 성향을 쌓아서 몬스터 진영에 가담하기로 한 인류 캐릭터라던가.

진영전과 상관 없이 그저 개인이 싸이코패스같은 성격 설정을 타고나서 교묘하게 자신의 악의를 실천하는 경우도 있었다.

어지간하면, 게임이 제공하는 다양한 상황과 퀘스트들은 일정 나이 이상의 플레이어들이 맞닥뜨리기 쉽도록 되어 있었다.

어린아이들이 그런 퀘스트에 닿아서 좋을 것이 없으니까.

수만가지, 비유적으로 그런 단어를 들 수 있고 실제로 세어 본다면 무한에 가까울 수많은 요소들이 활개치는 이 난수의 바다 속에서 초 인공지능은 플레이어들에게 개별적인 서비스 제공을 해내고 있는 셈이었다.

비련의 시나리오를 오래도록 플레이하면서 게이머들이 밝혀 내고 있는 다양한 사실들은 놀라움 그 이상의 것이었다.

제냐도 게임을 하면서, 비련의 시나리오에 관련된 기사나 정보들을 더욱 친근하게 접하게 된다. 그러며 자세한 내용을 파고들 때 드는 감정은 경이로움에 가까운 것이었다.

누가 만들었는 지는 몰라도 참 잘 만들었다.

한국계의 어느 천재 개발자들이 국제 기업의 후원을 받아 세운 회사라고 하는데… 한국에 그만한 천재 집단이 있었다는 말인가.

세상 모든 사람들이 귀추를 주목하는 집단이었으나 보안이 철저해서 정체는 알려지지 않았다. 그 정체를 캐내려 하는 모든 자들 중 가장 지독한 자들만큼이나 보안 능력이 뛰어난 게 다국적대기업이었으니까.

게다가 한 개 사社의 후원이 아니라 여러 개가 공동으로 지원하는 프로젝트라는 걸 들었다. 뛰어난 재능이 있다면, 그리고 그것을 세상을 향해서 이롭게 쓰려고 한다면 돈 따위는 따라 오는 모양이었다.

"그래도 뭐… 짐작하듯. 작힘 가의 사자가 아닐까 우리는 생각하고 있네."

"그 쪽으로 결론이 나신 겁니까."

"음……."

줄리앙의 말에 뒤에 서 있던 청년이 침음성을 흘렸다. 제냐는 그를 흘긋 처다봤다.

옆에 자리한 두 아가씨나 남은 청년은 별다른 말이 없다.

벙어리들은 아니었다. 말들을 하는 건 제냐가 이미 들은 바 있었으니.

"아, 그리고."

제냐는 인벤토리 속에 있던 책을 꺼내들었다. 그의 시야 우측 대각 방향에 인벤토리 창을 열었다. 왼 손등을 오른 손으로 가볍게 두 번 두드리는 식이다. 그리고 오른 손을 가져가 목록 인터페이스에서 퀘스트 아이템, 어쩌구 저쩌구에 대하여를 꺼내들었다.

손가락에 걸리듯 3D 세계로 넘어오는 목록 속의 사진이다. 허공에 떠 있는 평면창에서 아이템이 드러났다. "오."

뒤에 선 놈이 입을 열었다. NPC들은 플레이어들의 다양한 능력 중 이해하지 못하는 것은 대개 스킬로 인식한다. 공간 계열 스킬은 초상 스킬 중 하나였고, 초상 스킬을 제대로 익히고 발휘하는 자들은 NPC 중에서는 많지 않은 편이었다.

플레이어들은 스킬을 훨씬 쉽게 빨리 익힌다. NPC들은 같은 조건을 가지더라도 조금 더 노력을 해야 하는 경향이 있었다.

그들에게 있어 비련의 시나리오가 실제 삶이기에 그런 구석도 있을 것이다. 플레이어들은 명목상의 수치, 경험의 횟수만 채우면 나머지는 게임의 스킬 시스템이 보정을 해준다.

쉽게 익히지만, 응용에 있어서는 NPC들에게 지는 경향이 컸다.

플레이어들 역시 시나리오 온라인 내에서 '스킬'의 진수를 맛보려면 NPC들이 그러하듯 그 도구의 기능과 작동 원리에 대해서 진지하게 탐구할 필요가 있다.

고작 게임을 위해서 그렇게 시간을 할애하는 사람들이,

뭐 종종 있었다. 어떤 게임이든 진지하게 대하고는 하는 관련

분야의 종사자들, 연구자들. 거기에 버금가는 하드한 플레이어들.

또 취미로 즐긴다고 하더라도 자기 류의 한 두가지 도구 정도는 손에 익도록 만들어야 직성이 풀리는 승부욕의 플레이어들도.

고 레벨, 중수 레벨 이상이 되고 세 자리수 부근이 되면 그런 손에 익은 도구의 가짓수가 전투의 향방을 가르게 되어 있었다.

전투력 피라미드에서 말단에 위치하는 초보 시절에는 적당히 해도 좋지만, NPC들 중에서도 강자라고 불리는 이들과 엮이게 되고, 난이도가 극악하게 올라가는 던젼이나 몬스터 따위를 상대할 무렵에는 그런 기교나 노하우가 없이는 게임 플레이가 어려웠다.

비련의 시나리오는 컨트롤 게임이었다. 사용자의 컨트롤 감각이 중요하다. 실제 몸으로 하는 건 아니라고 하더라도, 적어도 신경으로 하는 것이었으니. 사실 현실에서 손가락을 가지고 어떤 놀이를 하는 것과 크게 다르지는 않으리라.

손재주가 좋고 신경이 발달하고, 운동 신경이 좋은 사람 등은 게임 내에서도 특출난 성과를 보이기 쉬웠다.

결국 MP, 라고 되어 있는 특수 에너지 역시 손 발의 말단을 까딱이고 미세하게 조정하는 정도의 감각으로 운용하는 일이었으니.

집중력이라는 면에서는 고레벨 플레이어나 시험 성적을 좋게 받는 공부하는 학생이나 비슷한 단면이 있을지 모른다.

줄리앙은 그런 제냐의 모습을 흔들림없이 지켜봤다.

제냐가 어쩌구 저쩌구에 대하여, 로멜리아 가와 산슈카 국의 역사에 대해 그려난 장대한 양장본 책 하나를 꺼내들어 그 손에 들었다. 건네는 책을 줄리앙이 받는다.

“일단 주신 책은 다 읽었습니다. 안타깝게도 별다른 정보는 찾지 못했어요. 어르신과 마찬가지로. 일단 목적은… 전 가주님께서 말씀하신 귀물을 찾으러 오신 거라고 했지요.

그 물건의 정체나 위치에 대해서는 아마 세슈칸의 현 영주인 작힘 백작이 알고 있을 것이고….”

“맞네.”

줄리앙이 고개를 끄덕이며 받아든 책을 쓰다듬었다. 그 책의 겉면을 바라보는 노인의 눈가에 살짝 물기가 어렸다고 본 건 착각일까. 순식간에 지나간 표정이었다.

죽은 주인을 생각하는 걸지도 모른다. 집사, 줄리앙 리스트는 충성심이나 책임감이라 부를 것이 높은 노인이었다. ‘신의’라는 말로 포함되어 표현된다.

제냐는 그런 사람을 싫어하지 않는다.

“물건의 정체는 아직 알지 못하네만. 그래도 가주께서 말씀하신 일이니 허튼 것은 아니리라 확신하네. 용도도 모양도 위력도 모르지만 상당히 귀한 것으로,

우리는 작힘가가 그 보물에 대한 욕심 때문에 우리를 배척하고 있다고 추정하네.

우습지도 않은 암살자들을 보낸 일도 그들이 배후일 거란 말이지.

멀리 로멜리아 영지로부터 세슈칸까지 여행길이었네만… 그런 직접적인 변을 당한 건 세슈칸 내부에서가 처음이었네.”

“그렇습니까….”

제냐가 맞장구를 쳤다. 그것도 사실은 눈에 띄는 일이었다. 정말로 로멜리아 가를 견제하려고 한다면 세슈칸에 닿기 전에 처리하는 것이 가장 깔끔할 것이다.

여러가지, 정보망이 활성화되지 않은 세상이라고 하더라도 초상 스킬들의 존재는 충분히 첩보전이 가능케 만든다.

단순히 로멜리아 가솔들의 동향을 파악하지 못해서 그랬는가.

로멜리아 가가 애초에 이렇게 궁지에 몰린 시작이 주변 영주들의 배신과 위협 때문이라고 하는데, 작힘 가가 그것과는 상관이 없을 수도 있었다.

마차가 영지를 출발하고 한참이 지난 뒤에야 소식을 전해듣고 행동을 결정했을 수도 있지.
로멜리아 가를 적대하지만 영지 주변의 적대적인 귀족들과는 가는 길이 다른 놈들일 수도 있었다.

본 적도 없는 작힘 백작과 그 가신들이었지만 이미 '놈들'이었다.
어쩔 수 없었다. 로멜리아 가의 편에 서기로 결정을 했으니.

사실 조금 위험할 수도 있는 난이도의 퀘스트이기는 했다.
귀족가가 얽혀 있고, 그들의 총력이 드러날 수 있는 수준의 임무는.
제냐는 일반인에 비하면 터무니없이 강력했지만 아직 진짜 초인들에 비하면 애송이에 가까웠다.
오크나 다이어 울프, 곰들을 토벌하는 괴력의 소유자였지만 귀족가의 충성스런 기사들이 나선다면 그 앞에서도 같은 위용을 발휘할 수 없으리라.

그런 엘리트 정병들의 시작이 아마 제냐나 최태현과 같은 초인의 반열일 것이다.
개중에서 뛰어나고 손에 꼽는 자들은 아직 제냐가 닿지 못하는 수준의 강함을 가졌다.
단순히 기사만이 아니라 다양한 종류의 초상 스킬을 보유하고 사용하는 '술사'들 역시 그럴 테고.

그러나 뭐, 하는 만큼 하면 되지 않겠나. 정 사태가 걷잡을 수 없이 커져서 게임 오버에 가까워지면 비상 탈출이라도 하면 될 테다. 제냐가 알기에 몇 번까지는 사용해먹을 수 있는 꼼수였다.

비쥬얼 그래픽을 유아용 모드로 바꿔버리고 일정 반경 이상이 전부 미취학 아동용 데포르메 비쥬얼로도 감당이 안될만한
장면으로 가득찬다면 플레이어는 비상 탈출이 가능했다.

그 외에도 느낌이 이상하면 먼저 도망이라도 치면 됐고. 느낄 새도 없이 죽음이 찾아온다면 뭐.

죽으면 될 테지.

라고 제냐는, 김서원은 생각했다.
고작 게임 오버에 불과하다. 잘 즐기던 취미 하나가 끝나는 건 아쉬울 수 있었지만.
시작이 있으면 끝도 있는 법.

또 잘 안 될 수도 있다면 잘 될 수도 있었고.

퀘스트 정보 인터페이스에 그가 진행하고 있는 로멜리아 가의 숨겨진 보물은 고유 마을급 퀘스트이다.
게다가 한 가지 의뢰와 상황으로 끝나는 종류가 아닌 연이어서

동급의 퀘스트가 길게 진행되는 장기 퀘스트, 시리즈 형태의 물건.

고유 마을급 퀘스트의 모음으로 구성된 퀘스트라면 그 이상의 의뢰로 봐야 할 테다. 규모가 커져서 지역간으로 갈 지, 혹은 마을간 규모에서 전설로 갈 지는 아직 모르겠지만.

전설이라면 유사한 퀘스트가 따로 없는 시나리오 온라인 내의 단일 퀘스트 중에서도 남다른 특별함이 들어있음을 시사하는 수식어였다.
퀘스트의 보상 역시 그만큼 대단할 테고.

보상이 크다는 말은 리스크 역시 크다는 이야기였다. 제냐는 다시 한 번 각오를 되새겼다. 한번 사는 인생을 형상화한 것 같은 시나리오 온라인의 세계는 목숨이 하나 뿐이다.
그리고 모두가 같은 조건이고 고생하는 세계라면, 몇 번 쯤은 목적을 위해 달려볼 필요도 있다.

"세슈칸의 영주이자 작힘 가의 현 가주인 작힘 백작은 뛰어난 사내야."
"예."

줄리앙의 말에 제냐가 기계적으로 답했다. 무슨 이야기를 하는 건지 알 수 없으니 일단 들을 수 밖에. 그가 귀를 기울인다.

"전 로멜리아 남작님께서 그렇게 말씀하셨지. 그리고 나 또한 그렇다고 생각하네. 작힘 가문은 로멜리아 가문과 드물게 교류를 유지하던 대귀족 중 하나였어.

로멜리아가 예전의 위세와 전혀 다르게, 소귀족으로 전락한 이후에 산슈카의 주요 귀족들은 다들 등을 돌렸네만… 가끔은 신의를 지키는 자들이 있었지.

영지를 방문한 적도 있고, 가주님께서 살아 계실 때에 아가씨들을 데리고 함께 이곳에 여행을 온 적도 몇 번 있었지.

초행길이 아니라는 점이, 갑작스러운 여행에도 다들 잘 따라온 이유이기도 하네."

"예에……."

노인의 말은 이것저것 들어두어서 나쁠 것 없었다. 어찌 되었든 피가 되고 살이 되는 이야기가 많다. 지식이나 경험, 거기서 빚어져 나오는 지혜의 흔적은 돈을 주고서라도 배워야 하는 종류다.

고개를 주억거리는 그에게 줄리앙 리스트가 퀘스트에 관련된 여러가지 정보를 전달했다.

"직접 본 작힘 백작은 남자다운 사내였지. 덩치가 조금 크고, 사내다운 체격이었네. 무술에 능한 자이며 검술의 달인이라고 하지.

다만…."

"다만?"

제냐가 물었다.

“호쾌하고 시원스런 구석이 많고, 우리 전 남작님께 늘 깍듯이 대했네. 대귀족답지 않게, 오랜 전통을 지닌 로멜리아 가를 존중하면서 대등한 귀족으로 대했지.

친절을 많이 베풀기도 했고. 그러나 그럼에도 불구하고… 어딘가 늘 찝찝한 구석이 있던 자였어.”

“찝찝함이라고요.”

“그렇지. 찝찝함. 굳이 우리에게 그럴 이유가 전혀 없는 대귀족인데도 말이야. 늘 로멜리아 가를 방문하고 연을 맺으면서 먼저 연락을 해왔네. 우리와는 좋은 관계를 맺어봤자 그들이 얻을 것이 아무것도 없음에도.

정말로 신의와 역사를 존중하는 면에서, 산슈카의 정기를 생각하는 마음에서 하는 행동이라고 보기엔 동기가 조금 빈약했네. 작힘 백작은……”

줄리앙이 잠시 말을 멈추었다. 그들이 말을 잇는 사이, 두 영애의 곁에 서 있던 짧은 머리칼의 친구가 수통과 컵을 근처 탁자에서 가져와 내려놓았다.

줄리앙이 수통의 물을 제 앞에 놓인 컵에 따라 잠시 목을 축였다.

흰 수염이 묻은 턱이 그러고 다시 움직여 그 위가 말을 뱉었다.

"내가 보기에 그다지 '정신'에 관심이 없는 자였거든."

"정신이라고요."

"그래, 정신. 산슈카의 정신. 중부 대륙에서 가장 고국古國인 자국의 역사를 존중한다거나, 애국심이 뛰어나다거나. 산슈카의 명맥을 이어오는 오랜 전통과 집단을 지키고자 한다거나.

별로 그런 것에는 흥미가 없어 보였네. 그런 일들에 대해 잘 알지도 못했고. 별다른 목적 의식도 없이 그런 대귀족이 로멜리아 가에 계속해서 연을 맺으려 한다는 건 이상한 일이지.

가신된 자의 입으로 감히 이런 말을 내뱉기가 저어되지만… 로멜리아 남작 가는 정말로 얻을 것이 없거든. 그 자의 입장에서는 말일세. 요랜 역사를 증명하는 가보들이 있다지만 골동품에 지나지 않아. 진실로 위력적인 것들은 가문의 쇠락기에 전부 어딘가로 팔려가거나, 사라졌지.

돈도, 사람도, 영토도 세슈칸과 인접한 몇 개 도시에까지 영향력을 미치는 작힘 백작에 비한다면 보잘 것이 없네.

로멜리아 가의 재산이나 땅을 탐내는 무리들은 그 근처의 저열한 소귀족들의 경우이고.

작힘 가는 이야기가 다르지.

그래서,"

후릅.

줄리앙이 다시금 목을 축였다.

“도리어 전 남작님께서 말씀하신 그 숨겨진 가보의 존재에 대해서 점점 확신하게 된다네. 현실적으로 강력한 위력을 지닌 고위 아티팩트나, 어떤 증표 따위가 있어서 그에 대한 소유권을 주장하기 위해 그렇게 구는 걸테야.

우리가 그것들에 대한 이야기를 듣고 이렇게 찾아오자 손을 쓰고 있는 것이고.

가주님께서 돌아가셨다는 소식을 뒤늦게 듣고, 남은……”

줄리앙이 침대 부근으로 고개를 돌렸다.

눈을 빛내고 있는 두 아가씨가 그를 마주 보았다. 줄리앙은 빙긋 웃으면서 다시 고개를 돌려 말했다.

"두 후계자 분들만 제 놈이 손을 쓴다면 로멜리아 가의 유산은 사실 상 적법한 권리자가 없게 되는 셈이니. 그 실존조차 가주님만 알던 물건이었으니 말이야."

"흐음……."

제냐가 턱을 쓰다듬었다. 그 역시 줄리앙을 바라보았다. 주름진 얼굴. 수심이 깊은 노인이다. 백발과 갈색 눈동자. 그는 대각선 방향으로 내리깐 시선으로 먼 곳을 바라보는 표정이다. 아마 불길한 상상들을 셈하고 있는 모양이었다.

개중에서 자신이 어떻게 행동해야, 아직 버젓이 살아있는 로멜리아 가의 후계자들을 무사히 지켜낼 수 있을까를 계산하고 있으리라.

"가문의 숨겨진 유산을 완전히 독차지 하기 위해서, 전 남작님께 일부러 접근했다는 말씀이시군요? 그 존재를 알고 있는 적법한 주인인 남작님의 의중을 떠보기 위해서요?"

"그렇겠지. 남작님께서 정확하게 물건의 위치와 내용에 대해서 알고 계셨는 지는 나도 잘 모르네. 그저 약속에 따라 돌려받으라고만 하셨을 뿐. 그 외에 건네주신 건…"

줄리앙이 말을 다 잇지 않았지만 제냐는 고갤 끄덕였다. 그가 하는 말을 안다. 제냐에게 주었던 책을 이름이다.

“예, 그 책이요.”

“그렇네. 내게 마지막에 주신 ‘물건’이었지. 아마 그 즈음부터 불안한 감을 느끼셨을 지 몰라. 내가 조금 더… 잘 뫼시었어야 하는데 말이야.”

그 마지막 말에 물기가 조금 어렸다. 늙으니 주책이지, 줄리앙이 혼잣말로 중얼거리면서 수통의 물을 자신의 컵에 부었다. 흔들리는 손으로 쥐어 왈칵 흘러내리는 수통 아귀의 물줄기가 차마 참지 못한 줄리앙의 회한과 떨림을 말하는 듯하다.

제냐는 조용히 혼자 조금 고개를 끄덕거렸다. 깊이 생각을 할 때 나오곤 하는 버릇이었다. 제냐가 그 뒤에 서 있는 남자를 처다봤다.

선이 굵은 사내. 칼이라도 깨나 쓸 것 같은 양반이었다. 제냐가 처다보자 그 역시 제냐를 노려보았다. 사실 그냥 본 것이었지만, 인상이나 눈빛이 조금 날카로운 구석이 있어서 그렇게 느껴진다.

“…….”

“…….”

제냐가 물었다.

“그, 형님께선 혹시 나이가….”

제냐가 딱히 할 말이 없어 물었다. 말했듯, 그는 예식 따위 모른다. 그의 머릿속에 박혀 있는 건 그저 현대의 사회생활에서 익혀야 하는 예절 정도였다. 이름도 모르고 자신을 노려보는 청년과 말을 트기 위해서 일단 입을 열었다.

제냐는 청년들이 멀쩡히 정신을 차린 것을 오늘에서야 처음 보는 중이었다. 제냐가 그들을 도와줬을 때 약물에 중독돼서 기절 중이었고, 해독 포션을 먹이고 치료사에게 데려간 뒤에야 안정을 찾았다.

깨나 지독한 독이었는지 그러고도 의식을 완전히 찾지는 못했고, 노인과 두 아가씨에게 수 없이 감사 인사를 들으며, 다음을 기약하고 헤어졌다.

그러고 나서 이틀 뒤인 지금이다.

"…크흠."

사내가 헛기침을 하면서 줄리앙을 바라보았다. 어떻게 대해야 하느냐, 는 뜻이었다. 줄리앙은 그 연륜처럼 빙긋 웃어만 보였다. 별다른 말을 하지 않아도 사내에게는 적당히 대답이 되었던 모양이다.

"32살이오. 나이를 묻다니… 특이하군. 갈렙 페이브라고 한다네. 페이브라고 부르게, 킴 경."

제냐보다는 한참 형님이었다. 뭐 형님 대접을 해드리고 싶어서 딱히 물어본 것은 아니었지만. 아무래도 현대 한국 사회의 관념이 머리에 자리잡은 제냐는 연장자에게 하대를 하거나 하는 게 부담스러운 일이었다.

한 치 앞도 모르는 시나리오 온라인의 세계에서 대단한 대접은 그렇더라도 말투 정도는 나이에 맞추어 해줄 수 있었다.

아예 관계를 맺지 않았으면 모를까, 맺는다면.

"페이브 경이시군요. 예."

제냐가 빙긋 웃으며 그 다음 줄리앙을 보았다. 그들의 눈치를 살피며 제냐가 대뜸 본론으로 들어갔다.

"뭐 상황이 어려운 것 같으니 여쭙는 말씀입니다만, 부디 실례되는 질문이라도 너그러이 봐주십시오."

제냐가 그, 페이브 경과 조금 떨어진 자리에 선 다른 청년을 번갈아 보며 물었다.

"두 분 다 솜씨가 어느 정도인지 정확히 알 수 있겠습니까?"

마지막으로 줄리앙도 보았다.

"어르신도 포함해서요."

"호."

줄리앙은 갑자기 그렇게 나올 줄은 몰랐다는 듯 입을 벌렸다. 그리고 말한다.

"당돌한 친구로군. 뭐 나쁠 건 없네만. 생명의 은인에게 답할 말이니 어렵진 않네. 다만 그것을 말로 설명하기는 조금 힘든데…… 자네가 실력을 좀 보겠나? 직접."

노인은 답잖은 호기로움을 표정에 띄우며 고개로 슬쩍 창문 쪽을 가리켰다. 호텔 건물은 깨나 크기가 컸다. 앞쪽은 대로변과 연결된 정문이 있었고, 뒤쪽에는 호텔 부지에 포함되는 후원이 있다.
잘 조성된 정원수들이 가지런히 길을 꾸미고 있는 곳이었고, 슬슬 저물어가는 어스름에 조명이 켜지며 더욱 아름다움을 드러내고 있다.

제냐는 고개를 끄덕거렸다. 줄리앙은 두 청년과, 아가씨를 처다보았다. 고용인의 선택으로 주인의 거취를 정할 수는 없었다.
전쟁 중에 피보호자의 입장이라면 멱살이라도 끌고서 가야 했지만, 그럴 때가 아니라면.

그러나 두 아가씨는 눈치나 말귀가 빠른지 그들이 하는 대화의 흐름과 분위기를 보고 깨달았다. 어린 아가씨, 아드리안이 얼굴에 밝은 표정을 지어 보이며 고개를 끄덕거렸다.

"산책 가고 싶어! 방 안은 지겨워."

어린아이다운 말투였다. 침대에 앉아서 그들이 하는 말을 듣는 둥 마는 둥 하며 몸을 배배 꼬던 녀석의 말이었다. 헤슈나 로멜리아, 그 옆에 단아하게 앉아서 경청하는 표정을 짓고 있던 아가씨 역시 고개를 고아하게 끄덕거려 보였다.

그 모습에 줄리앙이 두 청년에게 눈짓을 했다.

모두 저녁은 넉넉하게 먹은 참이었다. 잠시 나가서 바람을 쐰대도 어색하지 않은 행동이다.

두 영애의 허락이 떨어지자 노인이 일어섰다. 황야와 맞닿아 있는 도시의 기후는 밤이 되면 또 금새 쌀쌀해지는 경향이 있다.

낮 시간의 열기를 보관할 적당한 지형물이 없어서 그렇다.

추운 정도는 아니었으나 얕보고 얇은 옷차림으로 다니다간 한기가 들 지 몰랐다. 드레스 위에 걸칠 가벼운 외투나 스툴 따위를 두 아가씨가 몸에 둘렀다.

후원으로 향한다.

*

정원수는 호텔에서 고용한 기술자가 특별하게 관리하는 모양이었다. 어디 하나 엇나간 구석 없이 아름답게 가꾸어져 전체적인 조형미를 완성시킨다.

어스름한 저녁의 어두움 사이에서 비춰지는 주황빛의 따스한 조명들이 나무들 사이에 서 있다.

전체적으로 조경을 위해 심어진 나무들은 그다지 키가 큰 종류는 없었고, 사람의 키나 눈높이 근처에서 몸통부의 성장이 끊겨 있다. 그 위로 삐죽이 솟은 가지와 나뭇잎들이 모양을 내고 있는 부분이었고.

길바닥은 잘 닦인 벽돌로 깔려 있었다. 도시의 뒷골목에도 깔리는 흔한 종류는 아니었고, 어딘지 단가가 높은 재료로 만들어진 듯하다. 외관도 색이 통일되어 있고 반질거린다. 빗자루질을 자주 하는지 길이 반짝반짝하다. 빛이 난다는 의미가 아니라, 그만큼 깔끔하다는 뜻이다.

회백색 돌길에 그 사이드에는 한 칸 정도 되는 조금 어두운 톤의 돌이 인도와 관목들이 늘어선 자리를 구분한다.

호텔 뒤쪽에 있는 후원은 제법 크기가 넓었고 산책 정도를 할 수 있었다. 투숙객들이 적게 잡아도 늘 수십 명은 있을 텐데, 그들 전부가 나와도 일단 수용할 수 있을 만큼은 된다.

가운데에 타원형으로 길쭉한 뜰이 있고, 나무와 풀들이 모양 잡혀 선 그 가운데를 빙 두르는 돌길이었다. 다시 돌길의 외곽에 상록수와 꽃 따위가 있었고.

호텔의 뒷문으로 나가 정원에 발을 디딘다. 양갈래로 갈라지는 길 중 오른쪽을 골라 일행이 걸었다. 한참을 걷다 보니 맞은편에 이어지는 공간이 있었다.

작게 마련된 연못과 가로등, 벤치와 정자 따위가 있었다.

소소한 운동을 할 만큼은 되어 보이는 풀밭 자리도 조금 있다. 정자 근처에 있는 그 공터에 사람들이 섰다. 두 아가씨는 청년 둘과 제냐가 풀밭에 선 것을 구경하고 있다. 아드리안은 연못가의 근처에 서서 그 물에 손가락을 담갔다 뺐다, 손바닥으로 조금 물을 움켜 쳐내면서 물장구를 친다.

헤슈나가 그 주변을 서성이면서 아드리안이 위험하지 않은가 보았고, 줄리앙이 그 흩어진 사람들의 가운데 즈음에 서서 이야기를 뱉었다.

"실력을 알고 싶다고 했지. 중요한 일이기는 하네."

줄리앙이 제냐를 똑바로 처다보았다. 어스름한 하늘 아래에서도 가로등 불빛이 그다지 어둡지 않게 비추어서 서로의 표정을 잘 알 수 있었다.

제냐는 노인을 바라보았다.

"예. 말씀드렸듯, 도움이 필요하시다면 못 드릴 것 없습니다. 어차피 떠돌이 신세이고. 궁한 처지라고 한다면 잠깐 함께 걸을 수 있죠. 다만…."

제냐는 스스로 말을 뱉으면서, 마치 연극 배우가 된 것 같은 기분을 느꼈다.

완벽에 가까운 상호작용을 보여주는 시나리오 온라인의 NPC들은 경이로울 때가 있었다. 자유롭게 말하는 것을 그대로 듣고 반응하며, 실제 사람과 교감하는 듯한 착각을 불러일으킨다. 그것이 개발진들이 플레이어들에게 주고 싶었던 재미이다.

영화 속에 실제로 들어가 액션과 스릴을 잠시 느껴볼 수 있도록 하는 것.

"그렇다 하더라도 서로 얼마만큼 하는 지는 알아야지요. 세상 물정이 어두운 떠돌이기는 합니다만… 세슈칸의 영주와 대치할 수도 있는 일이라면 위험하기도 하고."

"자네가 먼저 도망칠 일은 없겠나. 무얼 보고 우리를 도와준다는 거지?"

사내, 페이브가 말했다. 그 옆에 선 짧은 머리의 더 어린 청년은 '질리언 마스'였다. 둘 다 어중간한 길이의 한 손 검을 갖고 있다. 질리언은 제 오른쪽 허리에, 페이브는 뒤켠 등쪽의 칼집 안에 말이다.

제냐가 페이브에게 대꾸했다.

"음… 솔직히… 한 번 얽혀든 일이기도 하고."

제냐가 말을 뜸들였다.

"예. 솔직히 말하자면 재미있을 것 같거든요. 어차피 모험을 위해서 나선 길이고, 나는 모험가입니다. 그게 딱히 나쁜 일이 아니라면 어렵고 위험한 모험일수록 신이 나는 게 당연한 일이지요.

여러분이 의지가 있다면 전장터라고 하더라도 같이 들어갈 생각이 있습니다. 게다가 도망친다는 건…

뭐 그럴 수 있겠지만 적어도 여러분보다 빨리 지치거나 죽는 일은 없을 겁니다. 제가 도망칠 정도면 도저히 이겨낼 수 없는 상황이라고 봐도 좋겠죠."

꽤나, 오만한 말이었다. 그러나 제냐는 그 정도쯤 말해두는 것이 좋다고 생각했다. 서로에 대해서 잘 모르니까. 알기 위한 탐색전으로는 약간 찌르는 듯한 투의 말이 적절하다. 그래야 상대도 본신의 실력을 전부 발휘하기에 알맞지.

"오호?"

페이브의 말은 아니었다. 마스, 질리언 마스가 입을 열었다. 두 청년은 조금 심술이 나 있는 상황이었다. 왜냐면, 그들의 임무를 하나도 수행하지 못하고 뻗어 있기만 하다가 간신히 정신을 차린 것이 오늘 아침의 일이었기 때문이다.

존경하는 로멜리아 가의 집사장 줄리앙 리스트의 설명에 따라 눈 앞의 청년을 어느 정도 신뢰하고는 있었지만. 그리고 고마움도 느끼고는 있었지만.

자신들의 임무를 빼앗겼다는 생각도 일부 들 수 밖에 없는 게 현실이었다. 사내란 책임감으로 사는 자들이었다. 책임감을 상실한 두 청년에겐 그것을 되찾을 기회가 필요했다.

한 번은 방심해서 무력하게 당했으나 두 번은 그러지 않으리라. 그리고 독이 아니었으면 제냐가 도와주지 않았더라도 얼마든지 거뜬히 상황을 해결할 수 있었을 것이라는 확신을 얻고자 했다.

"서로 피를 보는 건 과한 일일 겁니다."

제냐의 말에 두 청년이 집중했다.

"그러니, 가볍게 하고 끝내죠. 제가 그렇게 할테니, 두 분은 전력을 다해주십시오."

이 정도로 말을 해도 되는 걸까. 조금 걱정이 되고 또 이 중세 시대의 귀족가 일원에게 어떻게 말을 해야 할 지 갈피가 잡히지 않아 조금 극적인 투로 나오는 게 민망하기도 했다.

비련의 시나리오 온라인은 제대로 잘 플레이하려면 연기력 역시 요구되는 요소였다.

제냐의 말은 효과가 좋았다. 두 청년은 낯빛이 조금 굳을 정도로 반응했다. 페이브는 고개를 끄덕거렸다.

반응을 바라고 건넨 말에 아무런 대답이 돌아오지 않는다면 그것이 도리어 가장 큰 반응일 수 있었다.

스릉.

페이브가 조용히 자신의 허리춤에 찬 칼을 뽑아들었다. 아주 자연스러운 동작이어서, 조금의 끊김이 없다고 느꼈다.

춤이나 무술에 일가견이 있지 않은 제냐였지만, 이곳에서 그는 어엿한 검술가였다. '보법'스킬과 '검술'계열의 스킬이 그를 전체적으로 보정한다. 그의 움직임과 함께 아이디어와 감각 역시도.

어디로 가면 어떤 결과가 나오고 어떻게 움직일 지. 몸이 더 편한 방향으로 사용자를 인도한다. 그리고 빠른 시간 내에 여러가지 물리 현상을 시뮬레이팅 한 뒤 현실의 근사치에 가까운 결과값을 플레이어에게 직관으로서 제공하는 식이다.

처음에는 스킬 시스템이 건네는 결과값을 받아 먹는 것 밖에 못하지만, 지속적인 주입식 교육이라도 반복이 된다면 학습이 일어난다.

제냐는 어느 정도 학습이 시작된 플레이어였다.

초보자 치고는 빠른 변화였다.

분명히 그건, 비련의 시나리오의 개발진들이 염두에 둔 가능성 중 하나였다. 초고도의 시뮬레이팅 프로그램이 현실에서의 학습에 얼마나 큰 영향과 변화를 가져올 수 있을까, 에 대한 연구 말이다.

세세한 운동과 메커니즘에 대한 이해가 가능하다면 다른 방식의 정보 역시 얼마든지 효율적으로 습득하게끔 할 수 있을 것이다.

비련의 시나리오는 베타 버전의 무언가였다. 그 시험작을 가지고 만들어질 다음 프로그램의 형태는 아직 결정되지 않았다.

게임이 될 수도 있고, 게임이 그 중 하나가 될 수도 있을 테다.

비련의 시나리오라는 게임 그 자체보다는 이런 전대미문의 작품을 만들어 놓은 초인공지능이 더 값진 것이었다.

가상현실 게임의 개발사인 태Tae迨는 자신들이 만들어 낸 그 발명품의 한계를 시험하고자 게임을 만들었고, 내놓았고, 서비스하고 있었다.

그 과정에서 자신들의 사상과 취향이 한껏 들어간 일은 덤이었고.

살갗 하나하나, 그리고 신경 뉴런 하나하나에 선명한 자극이 올 정도의 세밀한 질감을 가진 초현실적 판타지 게임.

그 가상현실 기술을 악용하지 않는 선에서, 사회 기준에 적합한 선에서 스릴과 서스펜스마저 느낄 수 있도록 하는 것.

운동을 많이 해보지 않은 초심자라고 할 지라도 올림픽 메달리스트가 된 듯한 반쯤 초인적인 속도감의 스포츠를 즐길 수 있도록 만드는 일.

개발진들이 원한 것이었다.

제나는 충실하게 겪고 체감할 준비가 되어 있다.

제냐 역시, 허리춤에 늘 매어둔 대거를 꺼내들었다. 붉은 이빨이 이글거린다. 제냐가 그동안 스킬을 습득하고 경험치를 먹으면서 전투 기술 역시 일취월장했음이 드러나는 점이었다.

기력술이 아주 자연스럽다. 그의 손끝이 닿자 무기가 숨을 쉬듯 반응을 했다.

기력, 초상력, 정신력 에너지. 모두 같은 사물의 다른 이름이었지만 어쨌든 그 힘은 비련의 시나리오 세계관 내에 있는 물질들에 호응하고 내재된 성질 이상의 위력을 끌어내는 것이었다.

아무런 움직임이 없고, 입도 손도 감각도 없는 무정물이지만 제냐의 의지력 컨트롤에 따라 말을 하듯 반응한다.

웅웅대며 떨리는 금속의 진동은 아주 미세한 것으로, 기감이 탁월한 특수한 전사들이나 느낄 것이다. 제냐는 그런 전사이기도 했고 자기 손에 든 것이라 더 쉽게 감각할 수 있었다.

페이브가 검을 들고, 앞으로 나설 듯 무게 중심을 바꾼다. 반면 그 옆에 선 삐죽한 헤어스타일의 사내, 질리언은 몸을 조금 뒤로 젖히는 기색이었다.

한 눈에 개개의 움직임을 파악하고 다음 것을 예상하는 건 전투에 있어서 필수불가결한 자질이자 능력이다.

관찰력, 눈은 생명과 가장 직결되어 있는 기관이었다. 그것에 따라 근육이 반응할 때 승기라는 놈을 잡을 수 있는 법이었으니까.

제냐는 보는 만큼 빠르게 움직일 수 있다. 적어도 아직 이 정도 레벨의 전투에서는 말이다.

귀족가의 호위로 일하고 있는 두 청년이니 솜씨가 없지는 않으리라.

그러나 본격적인 '기사'의 수준인 지는 알지 못했다.

로멜리아 남작 가가 영락했다고 하는데, 인재들이 과연 얼마나 남아 있는가.

기사Knight는 중세 시대의 환경을 모티브로 가져온 비련의 시나리오 세계관에서도 핵심적인 전투 계층이었다. 귀족 가의 사병, 혹은 왕가의 검이 되기도 하는 이들.

초보자 딱지는 떼는 수준인 기력술의 기초적인 발동 정도는 가능해야 그래도 서임을 받고 정식으로 인정 받는 기사들이라고 한다.

질리언은 뒤로, 페이브는 앞으로.

제냐가 본 그대로 달려들었다.

별다른 예비 동작도 없이 제냐의 말이 끝나고, 그가 기색을 바꾼 것을 두 청년이 확인한 뒤였다. 나름의 배려였다. 갑작스러운 공격에 상대가 크게 다칠 수도 있었으니까.
그 염려가 과연 고수의 것인지 하수의 오지랖인지 알아낼 수 있는 건 다음 동작이 이루어지는 찰나이리라.

한 두 걸음 만에 수 미터를 좁혀 오는 페이브의 몸놀림은 날쌨다. 어둔 정원의 풀들을 밟아대며 진격하는 사내의 걸음이 매섭다. 그 우수에 들린 양날검의 날은 더욱 무서웠고.

제냐가 무서웠다는 이야기는 아니다.

비련의 시나리오 온라인은 전투 중에 정신적인 보정을 약간 건다.
현대에서 살아오는 이들은 전투에 적응하지 못하는 이들이 많다. 약간의 아드레날린을 비롯해서 신경 물질들이 분비되고, 전투에 적합한 정신 상태가 되어야 제대로 된 퍼포먼스가 나올 수 있었다.
최소한의 게임 시작을 위한 배려이다.

제냐는 그런 보정이 잘 맞는지, 혹은 시나리오 온라인이 잘 맞는 건지는 모르겠으나 아직까지 아무리 흉악하게 생긴 놈과 위험하게 맞닥뜨리더라도 두려움을 느낀 적은 없었다.
그가 뒤로 몇 걸음 빠르게 물러섰다. 예상을 했다는 듯한 날쌤이었다.

타닥, 하고 제냐의 가죽 신발 밑창이 몇 발자국 어치의 풀들을 눌러 죽이며 뒤로 뛴다. 그것을 페이브가 따라 들어왔다. 대거의 검날이 자세히 바라보면 미세하게 이글거린다. 기력이 닿아 잠재되어 있던 인챈트 스킬이 발동된다.

지금 제냐의 수준에서 발톱 대거로 평범하거나, 혹은 녹슨 검의 경우 대련 중에 무기를 부숴버리는 일도 가능했다. 무기를 없앨 수 있다는 건 방호구도 역시 그렇게 만들 수 있다는 말이다.

계산하면서 조금쯤 MP를 사용했다. 무기에 들어간 정신력 에너지는 기력이라고 부른다. 의지력에 따라 운용하는 요령은 똑같다. 그의 MP가 소량 줄어들고, 발톱 대거가 불꽃 대거라 부를만치 붉은 아지랑이를 슬슬 흘려보냈다.

그 모습에 페이브는 찰나의 순간 눈끝을 떨었다. 사실 그는 완전하게 기력술을 마스터하지는 못했다.

기력술을 마스터한 인간이 과연 세계관 내에 얼마나 있겠냐만은, 페이브가 생각하는 최소한의 기준에 조금 못 미친다는 뜻이었다.

페이브는 아주 오랜 세월 단련을 쌓고 또 재능이 있는 무술가였으나, 정신력 에너지, 초상력, Supernatural Power를 다루는 데에는 재능이 조금 모자랐다.

그마저도 고련으로 얼추 기사와 비슷한 수준에 자신의 경지를 올려놓는 일에 성공했다.

그러나 제냐의 수준을 그는 알지 못한다.

두 청년은 제냐가 실력을 발휘했을 때 쓰러져 있었다.

노인, 줄리앙은 제냐의 솜씨를 알만큼 안다. 그러나 제냐는 줄리앙이 움직이는 모습 역시 보지 못했기 때문에 본신의 실력을 알진 못했다. 그러니 이런 일을 벌이는 것이다.

플레이어로서 다음 스텝을 밟고 다음 씬Scene을 맞닥뜨리려면 적어도 파티 구성원들의 전력 정도는 알아두어야 했다.

정말 최악의 경우라면 이들에게 퀘스트 달성을 포기하라고 언변으로 설득하는 일도 각오를 해야 했다. 그것을 따를 리는 없겠지만. 괜히 개죽음 당하는 꼴을 보는 건 그것이 게임 내의 NPC라고 하더라도 기분의 문제로, 찝찝한 구석이 있다. 사람의 모습을 닮은 AI들과 역할극 중이었으니 어쩔 수 없으리라.

할 만큼은 하자, 가 제냐의 모토였으니.

페이브와 제냐가 빠르게 가까워졌다.

제냐가 물러서는 속도보다 페이브가 다가가는 것이 빠르다. 보통의 논리라면 당연하다. 뒤로 뛰는 것보다야 앞으로 달려 나가는 게 순발력 있는 게.

제냐는 더 빠르게 움직일 수 있었지만 그러진 않았다. 한 두 호흡 정도 뛰다가 턱, 하고 뒷발로 정원을 패이도록 밟으며 멈춰 섰다.

갑작스러운 급정거에 페이브가 타이밍을 잃었다. 반 치의 반 치 쯤. 눈썰미가 좋은 무술가가 아니라면 캐치하지 못할 정도의 움찔거림이다. 제냐에게 그 정도면 충분했다.

제냐가 깊숙히 앞으로 걸어 들어갔다. 빠르게 움직이고 있는 주제에 혼자서 관성의 영향이 적은 것처럼 굴었다.

서로 움직이는 속도와 방향 전환이 아예 다르다면 레이싱은 성립되지 않는다.

페이브가 서늘하게 허리춤 높이로 가로 눕혀 들고 오던 한손 검을 앞으로 내밀었다. 제냐가 캉! 하고 다가가며 대거로 그것을 쳐날리듯이 옆면을 갈긴다.

쇳소리가 둔탁하게 나며 페이브의 손이 튕겨 나갔다. 자세가 바뀌거나 검을 놓칠 정도는 아니었다. 한 손 검과 대거라면 보통은 대거 쪽이 불리하다. 질량에서 단검이 밀리니까. 뒤엎을 정도의 힘이, 제냐에게는 있었다. 한 두 걸음의 전진과 맞대어본 칼날 너머로 제냐가 페이브의 실력을 가늠했다.

제냐보다는 부족했다.

아마 세슈칸에 처음 왔을 때의 최태현 정도 되는 것 같았다. 그때 정면에서 붙었다고 하더라도 이길 수는 있으리라. 조금 까다롭기는 하겠지만. 그리고 격전을 치르듯 연속적으로 감당해 낸 여러 파티 퀘스트로 인해 비약적인 스펙 업그레이드가 있었다.

일반적인 건장한 남성의 6, 7배가 되는 순발력이라는 건 끔찍한 수치였다. 상대 역시 그만만한 초인이 아니고서는 감당하지 못할 만큼 말이다.

거기에 다양한 스킬의 패시브 보정과, 기력술로 일시적인 스텟 상승이 추가된다면 더하다.

페이브는 노련한 검술가였으나, 기력술의 운용이 자연스럽지 않았다. 아마 가지고 있는 MP량 역시 그리 높지 않을 것 같다.

실제로 높다고 하더라도 제대로 다루지 못하는 힘이 많기만 해서야, 전투 지속 시간은 오래 갈 테지만 현실적인 전투 능력은 그다지 높지 못하단 말이다.

침착하고, 검을 다루는 기세는 제냐 못지 않고 도리어 그보다 더 나을 수 있었다. 다만 신체 능력의 차이가 많이 났다. 기술도 어지간히 체급이 맞아야 통하는 말이다. 게다가 체급을 무시할 정도로 압도적인 기술의 격차까지도 아니다.

제냐도 초보자나, 플레이어 중에서는 그래도 뛰어난 전투 감각의 소유자였다. 스킬 보정으로 유도되는 행동 감각의 길을 거침없이 따라간다면 그래도 중반 레벨 정도에서 NPC에게 무술 숙련도를 이유로 밀릴 일은 많지 않았다.

상대가 비범한 수준으로 무술 스킬을 숙련한 종류가 아니라면.

페이브는 그 수준에는 아직 조금 미치지 못했다.

쳐낸 한 손 검으로 인해서 빈 자리로 제냐는 자세를 바꾸어 더 깊이 찼다. 오른 손에 든 대거가 상대방 오른 손의 검을 밀었고, 그대로 몸을 돌리면서 발을 바꾸고 옆차기를 갈겼다. 늘 말하듯 묘기에 가까운 자세 변환이다. 보법과 쌍이 되는 '오류五流 무술'을 익힌 성과도 있었고, 또 그 외에도 갖가지 박투술이나 검술 계열 스킬들이 그의 움직임을 신경이 내린 판단 그대로 이끌어가고 있다.

뇌가 결과를 원하면, 중간 과정을 스킬들이 유연하게 구현해내는 방식이다.

간혹 지나친 아웃풋을 상상하면 스킬마저 구현 불가능이라 판단하고 포기할 테지만.

스텟이 올라가고 플레이어 본인의 전투 감각이 오를수록 구현 가능한 자세의 종류가 늘어가고 있었다.

탄력적이고 빠르게 공격을 해 오는 제냐의 기세에 페이브는 기겁을 했다. 그가 생각하는 것보다 두 세 배는 더 빠른 움직임이다. 마치 기사를 상대할 때와 같다.

페이브도 어지간한 기사들은 상대할 수 있었다. 그들을 상대로 안정적으로 이기는 건 무리였지만 맞상대하는 건 얼마든지 가능하다. 그리고 승산 역시 점쳐볼 수 있었고.

제냐의 움직임의 강력함은 고도의 기력술로 자신의 신체를 활성화시킨 숙련된 기사의 그것과 비슷했다.

차오는 옆차기를 막을 길이 없다. 페이브는 자신의 MP를 사용했다. 그가 사역하는 정신력 에너지가 명치 부근에 모여들었다.

신체에 머무른 MP는 조금 애매하다. 그건 마법의 결과이기도 하고, 기력술의 일종처럼도 보인다.

마법은 '술식'을 미리 정해두고 움직이는 경우가 많았다. 기력술에는 술식의 제한이 애초부터 없다. 마법의 통달자들은 일정한 형식에 얽매이지 않고 강대한 MP를 제멋대로 다루어내지만.

보조 마법, 지원 마법으로 '헤이스트'를 거는 것과 MP를 사용해 스스로의 순발력을 높이는 것의 결과는 결국 비슷하다. 그러나 발동 이후에도 세세한 조정이 끊임없이 가능하다는 점에서 기력술과의 차이가 조금 있을 테다.

결과는 같아도 매커니즘이 다르다.

어쨌든 발동되는 마법이 허공에 강철 방패를 만들어내서 상대의 공격을 막기도 하듯, 기력술 사용자들의 MP는 신체에 머무르며 추가적인 방호구로 충분히 기능한다.

칼날에 씌워져 강력한 덧날이 되는 것처럼 말이다.

퍼억-! 하고 깊게 들어간 옆차기가 명치를 찍었다. 마지막에 발끝을 세워 내장부까지 충격을 전달하는 건 사소한 요령이다. 무게가 실린 발차기가 페이브를 차고, 동시에 밀어냈다. 그는 그 힘에 그대로 뒤로 날았다. 앞으로 달려들던 그의 움직임이 멈추고 몇 걸음 정도를 붕 떠서 움직였다.

괴력怪力이었다.

그 모습을 보고 '우와'하며 아드리안이 입을 벌렸다. 헤슈나 역시 놀라움으로 눈을 치켜떴다. 기사들의 싸우는 장면을 볼 일이 많은 귀족들이다. 그러나 달리 말하면 기사들이 아니라면 이런 모습을 연출할 배우는 달리 없다.

어린 아드리안은 기사들이 본격적으로 힘을 쓰는 것을 본 일이 아직 많지 않았다.

쾅! 하는 소리가 귀에서 울리는 것 같다.

페이브는 그대로 뒤로 퉁겨 날았다. 풀밭, 흙 위 였지만 거칠게 맨 땅에 다이빙을 한 뒤 자세도 취하지 못하고 공이 된 마냥 굴러갔다.

간신히 팔다리를 허우적거렸다. 아직도 들고 있는 칼은 꼿꼿하다. 그는 넘어가는 관성 그대로 한 번 더 굴러서 조금 뒤에서 일어섰다.

페이브가 날아가는 걸 보고 질리언이 달려들었다.

그의 손에도 마찬가지로 팔뚝부터 손끝만한 길이의 검날을 가진 한 손 검이 들려 있었다. 손바닥만한 너비의 큼직한 검이다. 용도가 다양하다. 근접 전에서는 검면을 세워 상대방의 공격을 막기도 한다.

옆차기로 페이브를 날리고 제냐가 자세를 수습하는 동안 질리언이 금방 닿아 검을 휘두른다. 대각으로 질러오는 내려베기를 제냐가 인식했다. 그대로 자세를 회복하면서 대거를 갖다 박았다. 깡! 하는 철 부닥치는 소리가 나며 두 사람의 손이 반발로 뒤로 튕겼다.

질리언은 그대로 검을 회수했다. 한 번 더 지른다. 거친 상단 베기로 제냐의 머리통을 쪼개려고 했다.

친선 시합에 가깝고, 서로의 실력을 보자는 것이었지만 두 호위 무사가 품은 독기가 만만치 않았다. 제 역할을 제 때에 하지 못했다는 아쉬움이 그들을 그렇게 만들었다.

또한 제냐가 상당히 강력한 인간이라는 걸 깨닫고서 마음 놓고 하고 있는 중이기도 하다.

제냐는 다가오는 검을 기다려주지 않았다. 그대로 상단 올려 베기다. 팔을 인사하듯 크게 흔드는 궤적으로 날렸다. 우수에는 발톱 대거가 있고, 단검과 제대로 된 검의 대결이지만 근력의 차이는 명백했다. 손가락 끝 마디의 힘 따위를 표현하는 수치이기도 한 '순발력'의 경우에는 거진 두 배 이상의 차이가 났다.

그건 자세의 정확도를 만들어내고, 근접의 격전에서 작은 동작의 변화를 만드는 소근육의 차이가 생각보다 심대하다. 자기가 가진 근육을 얼만큼 활용하느냐의 문제였는데, 제냐는 시스템의 도움으로 온전히 시너지를 내며 힘을 끌어내 쓰고 있었다.

보법이 제냐의 발 움직임을 돕는다. 두 호위 무사, 기사급인 청년의 움직임들은 만만치 않았다. 제냐의 표정이 찡그려졌다. 즐거움으로 찡그려진 것이다. 집중을 하느라. 스릴 넘치는 전투의 감각은 이 게임 속에서 가장 즐길만한 것 중 하나였다.

스포츠를 나름대로 좋아는 했다. 비련의 시나리오는 신경과 정신의 스포츠였지만 현실에서 즐기는 그 어떤 것보다도 강력한 체감이 있다.

크게 날린 단검의 길에 내려치는 질리언의 검날이 정확하게 맞아 들어갔다. 긁어내듯 크게 치고 지나가자 내려베기의 궤적이 멀리로 무너졌고, 제냐는 그대로 대가리를 박았다.

퍽! 하고 둔탁한 살 부딪히는 소리가 났다. 제냐의 이마가 그대로 질리언의 턱을 쳤다. “컥.”

짧은 헛숨을 뱉으면서 그가 비틀거렸다. 제냐는 그대로 질리언의 명치 즈음에 손을 댔다. 천옷이 움켜쥐는 손아귀에 넉넉하게 들어온다. 바깥으로 빠지면서, 그대로 죽 당겼다. 넘어지는 질리언의 발치를 지나가면서 홱 차버려서, 그 강력한 힘에 그의 다리가 허공에 붕 떴다.

풀썩, 하고 질리언이 땅바닥에 떨어졌다.

“…….”

으랴!

하는 기성이 들렸다. 제냐를 노리고 다가오는 그림자가 있었다. 가로등의 불빛이 일정하다. 유리 박스 안에 발광 기능이 있는 도구를 넣어 만든 것이다. 스위치로 조작되고 미량의 SP가 쓰인다.

비련의 시나리오 내에 존재하는 특수한 광물과 초상공학을 이용한 물품이었다.

저녁 무렵, 호텔의 뒤뜰을 박차며 페이브가 날았다. 다시 한 번 공격하기 위함이었다. 이대로 무너지기에는 너무 아쉬웠다. 그는 한게 없었다. 제냐는 단순하고 직선적으로 오는 페이브를 슬쩍 쳐다보고, 왼 쪽으로 크게 몸을 기울였다. 검을 들고 다가오는 상대에게 빈틈을 내어주는 건 위험한 일이었지만, 그럴 만했다.

이성을 잃고 전략도 없이 다가오는 격하의 상대는 세상에서 가장 손쉬운 요리감일 것이다.

뻔히 보이는 동작이라고 하더라도, 실제로 휘청거릴 정도로 몸을 한 쪽으로 빼니 걸려들지 않을 재량이 없었다. 페이브는 그냥 그쪽으로 한 손 검을 쭉 빼서 휘둘렀다. 그의 검술은 일품이었다. 물 흐르듯.

다만 제냐 역시 바람처럼 몸이 날래다. 제냐가 기울이는 쪽에 검을 들고 있었으니 그대로 지르면 된다.

거기서 페이브가 볼 때, 제냐의 신형이 쑥 사라졌다.

제냐가 그대로 넘어져 땅바닥을 짚었다. 상체가 땅에 닿을 듯

내려갔지만 강력한 운동 에너지는 남아 있었다. 그대로 오른
쪽으로 반월을 그리며 온 몸을 날렸다. 레슬링 기술처럼 양 다리가
강력하게 날아오자 페이브가 막을 새가 없었다. 저걸,

그냥 베?

페이브가 잠깐 고민했다. 고민하지 않아도 될 뻔하긴 했다.

제냐는 족갑을 차고 있었고, 정강이 보호대는 칼날도 어느 정도
견딘다. 기력술이 문제라면, 제냐 역시 MP를 소모해서 다리를 이미
무기처럼 만든 뒤였다.
적절한 강도, 방어력이 부족한 부위에 MP만으로 방호력을
자아내려면 소모량이 크다. 기력술의 최고수들은 맨 손으로도
칼날보다 날카로운 검기를 표현할 수 있었고, 특수한 방호공功을
스킬로 익혔다면 실전에서 얼마든지 써먹을 수 있었지만. 아직
제냐는 그 정도의 수준은 아니다.

기력술의 가장 효율 좋은 활용법은 이미 그런 기능을 가지고
있는 아이템에 MP를 쏟아부어 위력을 끌어올리는 식이다.

가죽 보호대가 그의 몸을 향해 날아왔다. '에라.' 페이브는
그대로 궤도를 바꾸어서 제냐의 양 다리, 정강이 즈음을 야구
배트로 후려치듯 칼날로 때렸다.

꽝! 하고 폭음과 비슷한 효과음이 터져나왔고,

무게와, 기력과, 이미 들어간 운동 에너지의 총합이 페이브가 날린 검격을 상회했다.

그 말인즉슨 검으로 다리를 후려친 청년이 밀려나 뒤로 한 바퀴 굴러 넘어갔다는 뜻이다.

처음에 제나에게 날아갔을 때와 비슷하게 마당을 구른 페이브가 엉망으로 쓰러졌다.

"컥."

충격이 만만찮았다. 마차에라도 치인 듯한 느낌이다. 실제로 그 정도는 아니겠으나, 순간적인 체감은 그랬다.

마당에 깔린 풀이 여기저기 뽑히고, 패이고. 엉망이 되었다. 광범위한 수준은 아니고 그들이 달리면서 힘을 주어 밟아대고 몸으로 문지른 부분들 정도만.

페이브를 브레이크 댄스의 한 자세같은 꼴로 날려버린 제냐가 그대로 한 바퀴 돌아, 땅을 짚었다. 유연하고 강력한 근육은 상체가 아래로 가고 다리가 들린 상태에서도 여유롭게 균형을 잡아 덤블링을 하듯 다시 제자리로 돌아왔다.

"후우."

제냐가 투둑, 하며 제 몸 여기저기를 털었다. 나쁘지 않은 정도였다. 나쁘지 않은. 아니, 꽤나 좋다고 해야 할까…….

그 모습을 세 명은 흥미롭게 구경하고 있다. 마침 다행히 후원에는 다른 손님들이 없었다. 멀리 있는 산책로에는 조금 다니는지 모르겠지만 멀리까지 나와야 하는 공터에는 적어도 없다.

어둑한 저녁 공기가 쌀쌀하다.

아드리안은 가져온 외투의 소매를 제 손으로 끌어내렸다. 으슬거리는 기운을 느꼈고, 헤슈나는 그것이 제 추위인양 금방 알아채고 동생의 어깨를 끌어안았다. 언니의 품의 온기를 느끼고 아드리안이 안정감을 느꼈다.

두 자매는 로멜리아 가의 마지막 직계이다. 전 남작은, 미모가 출중한 두 딸을 낳고, 그 이후의 후사를 보지 못한 채 일찍 삶을 마감했다. AI의 일이고 설정 상의 이야기였지만 어찌되었든.

줄리앙 리스트 역시 눈을 빛내며 바라보았다.

제냐의 움직임은 놀랍다. 재야에 묻혀, 이름도 없이 떠도는 자의 솜씨라고 보기엔 탁월했다. 로멜리아 가도 보유한 사병과 엘리트 병력들이 있었다. 그리 대단한 전력까진 아니었지만, 기사단도 일단 구색은 갖추고 있었다.

급하게 세슈칸으로 오는 길에 데려온 자들이 저 둘이었다. 영지 근처의 탐욕스런 적들의 시선을 피해 달아나느라 대단한 전력을 동행으로 삼지는 못했지만 그래도 어디가서 호위 무사로서 이름을 댈 정도는 충분하고도 남았다.

두 사람 모두 정식으로 기사 서임을 받은 자들은 아니었지만 로멜리아 가 소속 경비대 중 가장 뛰어난 무력의 소유자들이다. 어지간한 기사와 맞붙어도 그다지 밀리지 않을 정도로. 또한 충의도 믿을만한 자들이었고.

그런 그들을 비록 스포츠처럼 대련을 한 것이라 하지만 손쉽게 제압하는 제냐를 보고 경탄을 내뱉지 않는 건 어려운 일이었다.

적어도 로멜리아 가에서 가장 뛰어난 수석기사 정도는 되는 듯하다.

그는 지금 영지 내에서 주변 귀족들을 견제하고 영지민들의 동요를 막고, 내관들과 머리를 싸매며 영지의 내정을 살피고 있을 테다.

그가 영지군과 함께 자리를 지키고 있기에 주변의 탐욕스런 자들이 섣불리 움직이지 못하는 점도 있으리라.

대놓고 산슈카 왕국 내에서 전쟁이라도 하자는 듯 움직이는 건 일어나기 어려운 일이기는 했지만. 줄리앙은 주변 소귀족들의 탐욕과 성정을 얕보지 않았다.

증거는 없으나 영주님께서 급사하신 것 역시 누군가의 암살이라고 심정적으로는 확신하고 있는 그였고, 근처에서 견제하는 세력이 없다면 당장 그들 일행을 향해 주력 병력을 보내서 대로변에서 처리할 지도 모른다고 생각했다.

로멜리아 가는 다행히 완전히 고립된 처지는 아니었고, 주변에도 그들 가문에게 우호적인 곳들 역시 조금 있었다. 개중에서 가장 가까운 거리의 영지와 협력해 긴밀한 연락을 나누고 다른 적대적 영지들의 동향을 살피는 것이 남은 자들의 임무이다.

무언가 일이 생기면 연락용의 아티팩트를 통해서 바로 전갈을 넣으라고 하고 떠나온 참이다. 아티팩트를 사용해 보내는 전갈은 실제 새가 나는 것과 비슷한 속도로 날아와 닿는 종류의 아티팩트였기에 실시간 연락까지는 불가능했지만, 그래도 떨어져서 각지의 일을 알아볼 정도는 된다.

줄리앙은 호승심이 끓는 것을 느꼈다. 늙은이의 몸에 주책맞은 기운일 수도 있었으나. 저토록 뛰어난 젊은이를 보고 몸이 근질거리지 않는다면 검술가가 아닐 것이다.

줄리앙 리스트는 셋이면 충분하다고 생각했다, 일단은 말이다.

기사단이라도 오지 않는 이상 큰 위험은 없을 것이고, 엘리트 병력이 그들의 앞을 막아선다고 해도 목숨을 걸고 지켜야 할 주군의 여식들을 도망치게 하는 정도는 언제든 가능했다.

세슈칸의 골목 내에서는 그게 불가능했지만.

치명적인 독은 줄리앙에게도 유효한 것이었다.

그들이 세슈칸에 도착하고서도 계속 만남을 거절받아 작힘을 만나지 못하고 있을 때, 앞 길에 대해 고민하던 그들에게 다가온 이들이 그 때의 그 불량배들이었다.

혹시나 하는 생각에 조심스럽게 사람들의 눈에 띄지 않는 곳으로 이동하면서 최대한 자취를 감추려고 했던 일행이었으나, 불량배들 중 우두머리 격인 놈이 다가와 몰래 말을 걸었다.

작힘 가의 내부 사정을 알고 있다는 식으로 이야기를 했고, 지금 가문 내의 일이 복잡하니 자신들이 대신 전갈을 전하겠다는 투였다.
원래라면 일고의 가치도 없는 내용이었으나 상황이 워낙 급박했고 또 가망성이 적었다.
작힘 백작과 만나 이야기라도 해보아야 무언가 진전이 있을텐데. 그에게서 얻어야 하는 것이 있으나 온전히 믿지 못하는 마음도 공존하는 난관이 줄리앙이 처한 상황이었었다.

세슈칸의 가도에서 마차를 타고 이동하다 골목 쪽으로 접어든 그들에게 불량배 두목은, 자신이 작힘 가의 비밀스런 일들을 맡아서 처리하는 용병이라고 말했다. 그렇게 말하면서 눈을 빛내던 놈의 기색이나 기세를 살폈을 때 아주 말이 되지 않는 이야기는 아니었다.

몇 놈이 있든 기사급이 아니라면 별다른 문제가 없으리라는 것 역시 그들의 방심을 불러 일으켰고.

상당히 공을 들이며, 작힘 가의 인장까지 보여주어 작힘 백작의 사정을 대신 아뢰는 놈에게 아주 약간의 신뢰감을 가지고 다가갔다.

세슈칸의 영주성, 작힘 가의 내부로 들어갈 수 있는 길을 알려주겠다며 그들이 복잡한 길로 안내했고 이야기를 하던 틈을 타 사내들에게 독침을 쏘았다.

두 청년과 줄리앙까지 셋 모두 만만한 작자들은 아니었으나, 치밀하게 준비한 듯 골목 내부에 숨어있다가 멀리서 공격하는 작당들의 행태에 대응을 하지 못했다. 두목이라는 놈이 제 장기인 것처럼 순식간에 줄리앙의 목덜미를 독을 바른 암기를 사용해 긁어내었고, 두 청년 역시 암습을 당해 쓰러졌다.

심각한 수준의 신경독을 치사량에 근접하게 맞았지만 줄리앙은 반항을 했고, 놈들의 패거리와 혈전을 벌이기에 이른다.

그러다가 제 몸을 다 내던지고도 아무런 수가 없을 그 즈음.

제냐와 맞닥뜨린 시점이었다, 그 때가.

그 전까지 작힘에 대해서 반신반의하던 줄리앙이었으나 불량배들의 습격 이후 확신하게 되었다. 작힘 백작은 로멜리아 가의 유산에 대해서 알고 있었다.

그리고 그들이 유산의 소유권을 주장하며 반환을 요구하리란 것도.

불량배들이 스스로 그렇게 움직였을 리가 없다. 고작해야 귀족가의 사람들로 보이는 이들의 귀금품이라도 뺏자고 그렇게 철저하게 굴었을까.

잘못하면 뒤탈이 크게 날 수도 있는 상황인데. 믿을만한 뒷배가 있고, 또 그 효과 좋은 신경독도 아마 작힘 백작으로부터 나왔으리라. 기사에 버금가는 이들을 순식간에 제압할만한 강력한 무기였다.

그들이 말한 것 중, 아마 작힘 백작이 수족으로 부리는 뒷거리의 용병이라는 말 정도만 사실일 테다. 그러니 작힘 백작이 그들을 부려 습격한 셈이 되고.

얼마 되지 않은 일행들이었지만 줄리앙은, 개중에서는 가장 노련하고 또 강한 편이었다.

몸이 제대로 움직이지 않는 극독에 당한 상태에서도 마지막까지 정신을 잃지 않았을만큼 말이다.

흰 머리가 나고, 주름이 얼굴을 비롯해 피부를 덮었지만 그래도 그의 검이 느려지진 않았다. 전보다 성장세는 확연하게 둔화되었겠지만.

신비로운 에너지가 물리적으로 실존하며 또 그걸 다루는 초인들의 기술이 진보한 세계에서, 나이는 더 이상 그렇게 치명직이며 절대직인 약함의 이유가 되지 못했다.

남들은 걸음도 제대로 걷지 못하는 노쇠할 나이에 수 백의 기사를 단신으로 해치울 수 있는 정정한 노익장도 실존하는 판타지 세계다.

경험이 온전히 강함으로 환산될 수 있는 곳에서, 줄리앙이 그런 부류라면 결코 만만하게 봐서는 안되리라.

옷을 털고 있는 제나에게 줄리앙이 다가갔다.

저벅거리며 오는 노인을 제냐가 처다봤다. 줄리앙이 말한다.

"그래도 쓸만한 놈들로 꾸려온 건데. 너무 쉽게 해치우는구먼."

끄응…….

흙바닥에서 신음을 내며 일어나는 청년들이었다. 치명적인 부상을 당한 사람은 없었다. 다들 몸이 튼튼하기로는 일류의 사내들이다. 실제 마차에 치인다고 해도 타박상이나 좀 입고 말리라.

제냐가 MP까지 소모하며 후려쳤지만 상하게 하려는 의도까지는 없었고.

기력을 담은 대거의 날로 몸을 치지는 않았으니까.

페이브와 질리언. 둘은 입을 앙다물고 제 처지를 수습했다. 낑낑거리며 간신히 서고 검날에 묻은 흙더미를 떨어냈다. 스릉, 납검하는 그 동작마저 끊김없이 깔끔하다.

둘 다 고수였다.

몸에 익은 기술이라는 면에서는. 총체적인 전투력에서 제냐에게 밀렸을 뿐이다. 아무래도 NPC들은 가지고 있는 스킬의 숫자에서부터 플레이어들에 비해 조금 부족한 편이었다. 목숨을 반쯤은 내어놓고 게임 속 세상에서 온갖 모험을 즐기는 이들과 얻어내는 스킬의 가짓수가 다른 건 어쩔 수 없다.

게이머에게 게임이란 말 그대로 여흥이었고, 생활이 아니기에 온갖 극단적인 극한의 수련을 해댈 수 있었으니까 말이다.

신체적인 요건 또한 플레이어 쪽이 대개의 경우 강력하다. 개발진들은 플레이어에게 기본 캐릭터로 흠없는 것을 주진 않았으니까. 완벽하게 건강하며 어떤 부상도 치료만 받으면 금방 이겨내고 계속해서 스텟이 오르는 자들과 정면에서 붙는 건 좀 무리이긴 하다.

물론 NPC들 중에서도 압도적인 괴물들이 많이 있지만.

스륵, 하고 줄리앙의 손에 무언가가 들려 있었다.

제냐는 그것이 들리는 순간을 제대로 파악하지 못했다. 언제지? 줄리앙의 손은 어느새 얇은 세검의 손잡이를 쥐고 있다.

마치 인벤토리에서 순식간에 아이템을 꺼내는 것과 비슷한 동작이었다. 실체는, 단지 뒷짐을 진 등 뒤에 얇은 검을 미리 준비해 들고 있다가 다가서면서 숨긴 것을 꺼낸 것 뿐이다.

다만 세검이 가볍고 부피가 작으며 그것을 다루는 줄리앙의 몸짓이 마치 연극 배우처럼 절묘해서 일순간 중간 동작을 놓친 것 뿐이다.

세검은 얇지만 탄탄하다. 탄력적이며, 톱처럼 쓸 수 있는 강력한 물건이었다. 특수한 합금으로 지어졌다. 로멜리아 가의 집사장에게 대대로 내려오는 검이었다. 무술가의 명맥이기도 한 로멜리아가의 오랜 전통은 뛰어난 검술가를 가문의 내정관으로 모시는 것이었다.

박식하며, 온갖 예절에 능숙하고, 잡다한 일에 도가 튼데다 두 아가씨를 불편함 없이 모실 수 있는 노쇠한 집사장은 동시에 세련된 검술가이기도 했다.

그 나이와 세련이라는 말이 어울리지 않는 것처럼 보이지만, 꺾이는 일 없이 계속해서 기량이 늘어만 온 오랜 수련자에게 그 단어는 참 잘 어울리는 수식어였다.

무뢰배들을 상대로는 제대로 된 실력을 발휘할 겨를도 없었지만, 이번엔 만전의 컨디션으로 임할 수 있는 대련이었다.

줄리앙은 칼을 든다.

밤의 정원 속, 어둔 허공에 얇은 칼날이 번뜩였다. 잘못 본 건가, 싶을 정도로 희미한 윤곽이었다. '기력'의 일종이다. 그렇잖아도 구분하기 어려운 세검이 어둠 속에서 흔들렸고, 줄리앙의 MP가 소모되며 레이피어의 검날에 깃들었다.

웅웅대며 공기 중에 진동하는 쇠의 울림.

아이템으로 치면 비스트 슬레이어보다 한 단계 높았다. 6등급 아이템. 동종의 희귀도를 가진 물건들 가운데서도 위력으로 상위권에 들었다. 좋은 재질로 만들어져 물리적으로 단단한데다 기력을 잘 받아먹어 절삭력과 파괴력의 증가율이 높다.

좋은 검사의 손에 들리면 천하의 일절을 구사할 수 있는 어엿한 보검이었다.

제냐는 눈을 똑바로 떴다. 초점을 잘 맞추어 줄리앙의 자세를 가늠했다. 청년들은 주춤대며 뒤로 물러섰다. 싸움에서 진 개, 라고까지 놀리면 아마 제냐에게 죽을 각오로 덤벼들 것이다.

그러나 그런 기색이 조금 있어 보이는 건 사실이다. 청년은 집사장을 응원했다, 속으로. 그리고 믿었다.

로멜리아 가의 집사장은 대대로 호위 기사를 겸한다. 연로함에도 굴하지 않고 검을 단련할 수 있는 의지를 가진 자, 다른 모든 내정관의 조건과 함께 그것을 가져야만 로멜리아 가의 집사장 자리를 맡을 수 있다.

그들이 아는 줄리앙은 그 어떤 기사보다도 호전적이고 날카로운 작자였다. 그런 기사급의 인물 셋을 순식간에 무력화시킨 독이었으니, 반대로 말해 골목길에서 엊그제 그들을 덮친 무뢰배들의 뒷배가 만만찮다는 게 증명되는 일이다.

강력한 기력은 신체 전반의 능력과 함께 내구성, 각종 독물에 대한 저항력 역시 끌어올린다. 극독에 당한다면 당연히 데미지를 입기야 하겠지만. '기사를 바로 죽이지 않고 움직임만 막는 독'이라는 건 생각보다 아주 얻기 까다로운 물건이었다.

줄리앙은 제냐에게 실력을 보여줄 생각이었다. 은인에게 그 동안 보여줄 기회가 없었으니, 이번에 제대로.

제냐의 실력은 얼추 안다. 그것이 그의 전신전력인지는 가늠하지 못했지만, 그래도 움직이는 걸 보지 못한 것 보다는 훨씬 낫다.

제냐의 경우엔 줄리앙이 어디로, 어떤 속도로 올 지 파악하기 위해 머리가 바쁘리라.

실제로 바쁘지는 않았지만,

제냐의 스킬 시뮬레이터는 바빴다. 여러가지 보정이 그의 두뇌와 뇌에 정보를 주입했다. 줄리앙의 기세로 보건데 상당히 강력한 기사였다. 제냐가 느끼기에 본격적인 기사, 라고 할 만했다.

…….

그저 골목길 바닥에 쓰러져만 있던 노인장인 줄 알았는데 이럴 줄이야. 생각보다 조금 더 고될 지도 모르겠다. 제냐는 진지한 표정을 지었다.

여전히, 들고 있는 건 대거다.

제냐는 레벨에 비해 강한 편이다. 플레이어들 중에서도 이상한 짓거리를 하면서 많은 시간을 보냈고, 그것이 운좋게 그에게 활용 가능한 다양한 스킬들로 치환되었던 탓이다.

플레이의 흔적이 스킬과 스텟에 고스란히 묻어나지만, 자신이 제대로 운용할 수도 없는 보상들을 받고 잡캐나 망캐ㄷCharacter의 길을 가는 자들이 늘 많다.

적성과 취향이 합치되는 지점에서 경험치로 치환되는 노력을 해야만 비련의 시나리오 온라인을 뛰어나게 플레이 할 수 있었다.

남들보다 조금 더 앞서 나가면서 말이다.

제냐는 앞서 나가는 자들이 될만한 가능성이 있었다. 지금까지의 모습만을 따진다면.

그게 그가 대거만 들고 줄리앙 앞에 서 있는 자신감일 것이다.

설령 진다고 하더라도, 좋은 경험이 되리라.

줄리앙이 눈썹을 꿈틀거렸다. 뭐라고 말하려는지, 그 입술이 달싹거리며 수염이 흔들렸다. 그러다 이내 만다. 생각이 있겠지. 제냐의 솜씨를 다 알지 못하는 건 그 역시 마찬가지다. 무언가 숨기고 있는 밑천이 있다면 그걸 보는 것도 좋은 구경일 테다.

줄리앙이 달려들었다.

청년들과 마찬가지다. 페이브나, 질리언이 했던 그 직선 일도의 궤적이지만 속도나 노련함이 다르다. 한, 두 걸음을 걸을 때 보폭이 미세하게 달랐다. 제냐가 감각하는 타이밍 역시 흐트러졌다.
마지막에는 농구에서 피벗을 하듯이 빙글 몸을 돌린다. 양 발 중

오른 발이 멈추고, 축을 삼아 반대 방향으로 돌았다. 결국 제냐가 맞이하는 건 그의 시선에서 볼 때, 왼쪽에서 측면에서 날아오는 횡베기다.

레이피어는 날카롭고, 뾰족하다. 유일한 약점이라면 들어간 철의 양이 적다 뿐이다. 강력한 질량에 맞부딪히면 쉽게 튕겨나갈 수 있었다. 방패를 뚫기도 어려우리라.

그러나 그건 일반론이었고, 고수의 손에 들리면 허점을 노리는 매서운 독사처럼 군다. 거기다 비련의 시나리오의 세계에서 기력술을 쓰는 기사라면 수준에 따라 철도 뚫는다.

줄리앙이 그 정도 수준은 아니었다. 오래도록 기를 모으면 가능할 지도 모른다. 실전에서 견제기로 써먹을 만한 기술은 아니었다. 적어도, 어떤 강검과 부딪혀도 세검이 부러지지 않게 보호하는 건 충분히 하고도 남았다.

새액, 하고 공기를 날카롭게 가른다. 그 얇은 검날처럼 말이다. 거기에 갈리는 무언가에 제 몸을 추가하고 싶진 않은 제냐의 대거가 역수로 쥐어져 황급히 막았다. 캉! 하고 쇠가 서로 떨어 울리게 했다. 손에 찡, 하는 감각이 온다. 아무렇지도 않다. 검을 들고 사용하다 보면 흔한 일이다. 그것 때문에 장갑을 끼고는 한다.

제냐는 손가락 끝 마디가 드러나는 가죽 건틀렛을 끼고 있었다.

팔목 위까지, 전완부를 넉넉하게 감싸는 질 좋은 물건이었다. 떨림으로부터 보호한다. 건틀렛의 손바닥에는 쇠 판이 일부분 달려 있었다. 급할 때 칼날을 상대하기 위함이었다.

무게감을 위해서 그리 크지 않은 철판이 작게 붙은 것이었고, 실제 전투에서 방어용으로 쓰려면 묘기를 부려야 했다.

다만 자신의 검날에 가져다 대고 상대를 밀어내는 데는 아주 쓸만하다.

뒤로 튕긴 대거를 제냐가 다시 갖다 박았다. 레이피어의 검면에 말이다. 얇아서 날인지 면인지 순간 노리기는 힘들지만. 그대로 대거의 뒷부분을 건틀렛에 붙여 밀었다. 힘은 압도적으로 제냐가 강했다. 줄리앙의 칼이 뒤로 한 번 더 튕겨 나갔다. 다만 반대쪽 손이 남아 있었다. 제냐가 앞으로 무게가 쏠리자 줄리앙의 좌수가 서슴없이 날아들어 제냐의 목덜미를 노렸다.

손가락을 뾰족하게 세워 다가오고, 그 손아귀에 미미하게 기력이 서려 있었다. 제냐의 목 부근에는 방어구가 없는 맨 살이 있다. 위험할 땐 그 부분까지 상체 방어구를 완벽하게 차지만 일상시에는 아니었다. 손아귀가 목줄기라도 잡아 뜯을 듯한 기세로 다가선다. 그렇지 않더라도 뒷덜미를 잡히면 움직임이 제한된다.

제냐는 머리를 움직였다. 동시에 발도 뛰었다. 줄리앙의 오른쪽에 레이피어가 뒤로 튕겨 나갔고, 그 방향으로 질러 들어갔다. 칼날을 디밀며 들어오는 동작에 줄리앙이 몸을 빙글 돌려 피했다. 좌수의 손아귀도 허공을 휘저었다. 제냐가 줄리앙을 축으로 삼아 빙빙 돌듯이 굴었다. 그리고 가까이 그 몸을 가져다 댔다. 어깨로 명치를 노리면서 박치기를 했다.

줄리앙은 마지막에 엉뚱한 곳을 휘저은 왼 손을 제냐의 앞에 가져다 댔다. 여전히 기력이 넘실거렸다. 아주 희미한 아지랑이. 회백색의 그것은 약간 불투명했고, 그저 평범한 연기처럼도 보인다. 그 연기가 조금 더 양이 늘었다. 제냐의 몸통 박치기가 위협적으로 느껴져서 그럴 것이리라.

제냐의 어깨 갑옷의 판에 그의 손바닥이 먼저 턱, 붙었고 그대로 팔이 굽었다. 줄리앙이 먼저 뒤로 조금 뛰었다. 정확한 타이밍이었다. 쿵! 하고 전차에 치인 것마냥 사람의 몸이 뒤로 날았다. 저항감이 별로 없다. 제냐는 타격감이 별로 없다는 걸 느꼈다. 줄리앙은 그대로 몇 바퀴 구르더니, 아무렇잖게 일어섰다. 레이피어를 다시 홱, 허공에 한 번 휘두르더니 검투사처럼 앞으로 세워 잡는다.

펜싱 경기를 하는 중세 시절의 결투자같다.

흠.

제냐는 콧김을 뿜었다. 힘은 그가 앞서지만 순발력은 상대도 만만찮았다. 동작의 유연함이나 정확성, 임기응변이 굉장히 빨랐다. 손아귀에 잡히지 않는 미꾸라지를 잡으려 하는 것 같은 느낌이다.

어쩔 수 없다.

닥치고 돌격해야지.

줄리앙이 그렇게 했듯 제냐가 달려들었다. 줄리앙이 내려치기 자세를 순식간에 잡으며 레이피어로 긴 종베기를 날렸다. 그 검극이 휘둘러지는 속도가 어찌나 빠르고 또 소리가 날카로운지. 마치 채찍을 연상시켰다. 제냐는 머리 위로 대거를 들고 그냥 박았다. 캉! 하고 불똥이 튀었다. 제냐가 잘 하는 짓이었다. 그보다 체격이 큰 상대에게 달려들어 그 품에 칼날을 선사하는 일. 뛰어난 반사신경, 동체시력, 담력이 있어야 가능한 짓거리다.

게다가 체력적으로도 HP가 높을수록 좋다. 자칫하면 한 번에 전투불능이 될 수도 있으니까. 다음 기회를 생각한다면 체력 수치가 충만할 때 해야 할 전략이리라.

줄리앙은 제냐보다 그다지 크지는 않았다. 노인 치고는 보기 드문 정정함과 훤칠함이었지만 키는 그저 비슷하리라. 오래도록 검술을 단련한 무예가의 몸이니 제냐보다 더 근육질일 수는 있었다.

플레이어의 캐릭터 신체는 쉽게 변화되지 않는다. NPC들이나 현실의 몸이 그렇게 바뀌듯 근육질이 되려면, 어마어마한 중노동을 해야 했다. 거기다 체중 증강제의 역할을 하는 아이템 따위를 사용하면 더 쉽게 가능하다.

제냐는 재빠른 움직임이 어색하지 않을 정도의 탄탄한 체격을 갖고 있었지만, 초인적인 운동 수행 능력을 보일만큼의 신체냐고 한다면 갸우뚱할 만한 몸매였다. 김서원의 몸매가 아니라, 제냐 킴의 그것이 말이다.

캡슐 형의 시뮬레이터 바깥에서 움직이는 김서원의 몸뚱이는 제냐의 그것보다 훨씬 하위 호환이었다.

육체능력으로도, 외형적으로도.

제냐의 신체, 플레이어의 신체는 좀처럼 변하지 않는 단단한 고무 찰흙을 상상하면 편하다. 원상태로 회귀하려는 성질이 강해 체격을 바꾸려면 강한 자극을 오래도록 주어야만 한다.

김서원의 신체는, 그냥 운동 부족이었다. 비만 따위는 아니었지만 운동 부족은 확실했다. 그는 최근 몸이 자주 뻐근함을 느낀다. 비련의 시나리오도 좋지만 실제로 운동을 해야 할 필요를 느끼고 있다.

어쨌든 지금은, 김서원의 신경 반응이 최고속으로 기능하며 격렬한 운동 중이었다. 마인드 트레이닝. 손가락을 까딱거리는 수준의 열량 소모는 있을 지도 모른다.

게임에 접속한 사용자의 신체를 정밀 장비로 검사해보면, 게임 속 플레이어가 집중해서 운동하는 부위에 아주 극소한 근육 반응이 있다는 건 입증된 결과였다.

그런 정신적 연동의 혹시 모를 폐해를 막기 위해 통감 따위의 자극은 철저하게 시스템이 일정 이상을 막고 있었고.

줄리앙의 잘 다려진 양복 정장이 코 앞이었다. 제냐의 코 앞.

그는 머리 위로 치켜든 대거를 그대로 가져와 그 검병(손잡이)의 말단으로 명치를 찍는다. 제냐의 근력, 순발력은 줄리앙보다 낫다. 근력의 경우에는 확연한 차이다. 순발력은 한 끗 정도 줄리앙이 밀리는 수준이다. 그런 점에서 줄리앙 리스트라는 사내가 노련한 기사라는 사실을 알 수 있다. NPC들은 보편적으로는 플레이어들에게 육체 능력이 뒤지게 마련이니까. 최상위권으로 가면 의미 없는 지표였지만. 적어도 중간 레벨 부근에서 줄리앙이 충분히 통할만한 스펙을 가진 캐릭터라는 뜻이었다.

줄리앙은 내려치는 것이 막혔고, 제냐가 달려드는 그 순간 제 온몸을 쥐어짜며 피하려 했다. 근육이 영 말을 듣지 않았다. 그만큼 제냐 킴의 대시가 순식간이었다. 옆으로 피하려 한다. 레이피어는 보통 한 손으로 다루었다. 줄리앙의 나머지 손이 가운데에 끼어 들며 조금이라도 충격을 줄여보려고 한다. 어림도 없다. 제냐는 그대로 다시 박았다.

이전 모습의 재탕이지만, 가지고 있는 패가 거기서 거기이니 어쩔 수 없다. 콱! 하고 살갗에 손잡이 말단의 가죽이 틀어 박히는 소리가 났다. 명치에 직격이었다. 검날을 쓰지 않은 것만이 제냐가 그 와중에 지킨 유일한 예의였다. 나머지는 손속에 사정을 둘 여유가 없었다. 줄리앙도 제냐에 버금갈만큼 빠르고, 전투에 있어서는 더 노련했으니까.

그냥 힘으로 때려 박아 속전속결로 가는 것이 제냐가 이길 수 있는 가장 확실한 방법이었다. 장기전으로 간다면, 체력으로 엉겨 붙으면서 싸우는 도중에 스킬들을 개화시키는 것밖에는 답이 없다. 근접전으로 싸울 때 말이다.

적대적 NPC와 하는 전쟁이라면 그냥 거리를 벌린 뒤 파이어 볼과 철시를 난사하는 수가 있다.

그런 방식으로 수많은 몬스터 떼거리들을 잡아 죽였다. 이 세계에서 다양한 특수 능력을 갖는 초인들은 단신으로 화력전이 가능한 경우가 드물게 있었고, 플레이어들은 모험가로 분장하며 세계관 내부를 거니는 가장 흔한 초인들이었다.

줄리앙은 공격을 피할 수 없다는 걸 깨닫자, 충격이 있을만한 부위에 전신의 기력을 투사했다. MP가 주욱 달았다. 그래프로 표현이 된다면, 순식간에 반절 정도는 쓰인다. 검병으로 찍히는 명치를 중심으로 상체 전면부를 감싼다. 그리고 순차적으로, 다른 부위에도 머물러야 할 테다.

그대로 날아가면서 낙법을 취할 수 있을까? 줄리앙의 경험 많은 머리가 대답을 내놓았다. 조금 어려웠다. 워낙 강력한 힘으로 순식간에 채였고, 공격 도중에 맞은 것이라 자세가 좋지 않았으니까.

홱, 하고 줄리앙의 몸이 앞으로 쏠리던 자세 그대로 날았다.

대포에라도 맞은 물체처럼 붕 날아 떨어진다. 쿵! 하고 흙바닥에 거친 충격음을 내며 노구가 뒹굴었다.

"……."

아드리안은 말을 잃었다. 어린 소녀는 기사들간의 대련을 자주 보지 못했다. 전쟁이나 전투는 경험하지도 못했다. 그녀가 겪은 가장 뚜렷한 기억은, 아무래도 불량배들에게 둘러싸여 위협을 당했던 최근의 그것이다. 그 외에 소녀의 눈은 보여줄 것만 보여주고 제 주인을 용케 잘 지켜왔는데.

조금 험한 꼴이었던 모양이다. 고운 얼굴이 일그러졌다. 눈물기가 맺히는 것도 같다. 그녀 자신을 그토록 지극정성으로 돌보아 온, 오랜 집사장이 만신창이가 되어 날아갔으니 어쩔 수 없다.

헤슈나 역시 민망한 표정이었다. 어떤 낯을 해야 좋을 지 몰랐다. 도움을 청하는 입장이라는 건 분명히 알고 있었다. 호위 무사의 역할을 하는 두 청년과 달리 줄리앙과 두 처녀는 제냐의 무용을 똑똑히 보았고, 또 그의 호의를 전해들었다.

그래도 그렇지. 너무 가차없는 것 아닌가. 헤슈나는 손이 약간 떨렸고, 그 손으로 옆에 있는 아드리안의 등께를 쓰다듬으며 자신을 진정시켰다.

헤슈나의 손이 닿아 어린 꼬맹이의 마음이 조금쯤 진정이 되었다. 아드리안이 울지는 않았다. 빽, 하고 소리를 질러도 이상하지 않았지만 용케 참았다.

집안에서 어리게만 커 온 막내 딸은 나이에 비해서는 조금 어린 면이 많다. 명민하냐고 묻는다면 머리는 좋은 편이었지만, 경험이 적고 사람의 속내에 대해 파악하는 데 다소 둔한 면이 있다.

학문적으로는 재빨리 돌아가 그간 과외 선생들의 총애와 칭찬을 받아왔다,

라는 NPC 설정이다.

두 청년 역시 줄리앙을 믿었지만, 어쩔 수 없는건가… 하는 심정을 표정으로 표현했다. 그들이 몸소 느껴본 제냐는 성난 말과 맞부딪히는 것 같은 충격이었다. 그들에 비해 그리 비대하지 않은 덩치에서 어떻게 저런 힘이 나오는 지 이해할 수 없었다.

단련한 기사들은 기력을 오래도록 머금어 그 육체가 특질이 되어 평상시에도 초인적인 힘을 낼 수 있다고 한다. 또한 세계에 존재하는 초상력을 받아들이고, 모으고, 수련하는 그 동안에도 변화가 있고.

고련을 거친 고급 기사들이나 저런 위용을 보인다. 그도 아니라면 상식으로 다 담을 수 없는 이 넓은 대륙에 다양한 기인들이 또 있기야 할테지만….

그들이 아는 상식선에서 가장 가까운 것을 찾으라면, 고위 기사들의 모습이 떠오른다.

로멜리아 가의 기사단장과 부단장이 그 정도 수준이었다. 사실 어지간한 소귀족의 영지에는 없을 때가 많은 전력이지만, 지위나 세력 크기에 비해서는 괜찮은 병력 수준을 유지하고 있는 로멜리아였다.

격투가 계속될수록 저무는 해가 더욱 기울어졌고, 밤이 찾아온다.

"……."

말이 없는 건 다른 이들도 마찬가지다. 제냐도 약하게 숨을 헐떡였다. 급하게 힘을 쓰면 이렇게 된다. 초인적인 근력을 가진 놈도, 초인적인 수준의 빠르기로 움직이거나 무언가를 들면 지치는 법이다.

단시간에 그리 많이 움직이지 않은 것 같았지만, 짧은 수 싸움이 여러 번 반복되었다.

줄리앙은 레이피어 한 줄기를 가지고 마치 나뭇가지가 뻗어 나가듯 다양한 시뮬레이팅 상의 궤적을 그려냈다.

그 사소한 변화로 만들어지는 가능성들의 줄기가 제냐의 시야를 어지럽히는 수준이었다. 스킬 보정의 정보 전달은 플레이어의 시각에서 여러 화면이 동시 상영되거나 증강 현실같은 가상의 그래픽이 캐릭터 시야에 더해지는 방식인데, 아무런 변화가 없는 지점으로 집중력을 발휘하면 나머지 그래픽들이 지워지게 되어 있다.

사용자의 선택과 집중을 방해하지 않고 돕도록 만들어진 시스템이다.

제냐는 도중부턴 게임 속, 실제 신체는 아니지만 김서원의 감각을 끌어내서 최대한 싸웠다. 캐릭터가 결과적으로 움직인 거리보다 훨씬 지치는 일이었다. 여기냐, 저기냐를 찰나의 순간 가늠하면서 여러 군데 여지를 두고 갈팡질팡 하는 일을 반복하는 것 말이다.

한 순간에 스텟으로 표현되는 한계치에 가까운 속력을 내서 이겼다. 그러지 않았다면 장기전이 되었을 테고, 제냐가 검술에 적응하지 못한다면 아마 패배했으리라.

줄리앙은 강했다. 노련한 기사라고 할 법했다.

제냐는 선 채로 말이 없다.

아드리안이나 헤슈나도 그렇다.

줄리앙은 바닥에 대大자로 뻗어 있었다. 제대로 낙법을 취하지 못하고 그대로 꼴사납게 굴렀다. 어디 돌멩이 굴러가듯, 나뭇잎이 날아가듯 날아서 말이다.

점잖게 정리했던 복장과 머리가 헝클어졌다.

줄리앙은 자신의 왼쪽 눈을 거치적거리게 가리는 앞머리를 치우지 않았다. 별다른 말없이 하늘을 봤다.

이렇게 하늘을 보는 것도 참 좋은 경험이다.

나이를 먹고, 실력이 오를수록 이런 날이 별로 없다.

보통 그 정도 즈음의 베테랑이 된다면, 죽거나 살거나이다.

예전 어느 때처럼 전신전력으로 서로 겨루고 이렇게 널브러지는 일은 아주 드물다. 그를 상대할만한 자들도 영지 내에 별로 없기도 하고. 다른 곳에서 상대를 찾자면 그만한 연습 파트너는 고위 기사가 되어야 하고, 대개의 고위급 기사들은 지체 높은 귀족가에서 요직을 맡아 쉽게 움직이지 않는 작자들이다.

홀가분한 느낌이 들 정도로 내팽개쳐 지는 건 사내에게 제법 해볼만한 경험이다.

줄리앙은 그리운 기분마저 들었다. 하늘에 해 진 어둠이 찾아왔고, 별들이 빛났다.

잠깐 숨이 골라진 것 같았다.

전 남작님께서 돌아가시고 제대로 숨조차 못쉬고 달려온 것 같다.

누구도 믿을 수 없었고, 자신의 모든 지식과 경험, 지혜를 짜내어서 적과 아군을 구분해야 했다. 반드시 지켜야 하는 남은 두 후계자를 데리고 급하게 영지를 벗어났다.

조심에 조심을, 다시 조심을 더하면서 세슈칸까지 그들을 모셨다.

긴 여정 중에 아무런 일도 일어나지 않은 건 그의 빠른 행동 탓도 있었고, 또 로멜리아 가를 적대하는 늑대 새끼들이 무슨 연유에선지 수작을 크게 부리지 않는 점도 있었지만.

또 줄리앙이 온갖 심려를 다 쓰고 고생하며 여행길을 계획한 이유도 분명 있었다. 집사장이 되기 아주 전에 그는 유망한 용병이었고, 그 다음엔 재능을 인정받아 격의 없는 프리랜서 기사의 시종이 되었다.

견습 기사가 되었고, 로멜리아 가에 투신했다. 오랜 시간이 지났고 그럴싸한 티가 나는 선임 급의 기사가 된다.

전 남작 님을 만났고, 오래 모셨다. 그 과정에서 기사가 아닌 집사장으로 신분이 바뀌었다. 두 아가씨가 대어나는 모습을 보고, 그녀들의 아버지가 그러하듯 지키고자 애를 썼다.

노구가 들뜬 숨으로 어깨 한 번 편히 풀지 못하고 오래 걸어왔다. 줄리앙은 비참한 몰골로 홀가분한 평안함을 느꼈다.

"후우."

명치를 아주 거세게 얻어맞고, 그 반작용으로 몇 바퀴 나부낀 다음에 땅바닥에 등을 처박았지만 상처는 없었다. 기력의 효과다. MP가 상당량이 날아갔다. 그는 빈혈기마저 조금 드는 걸 느꼈다.

술사던 기사던 격전 속에서는 정신력이 생사를 가른다. 신체적인 능력과 기술은 말할 것도 없고. 그 정신력에는 MP의 과소비로 어지럼증이 오는 일을 참는 게 반드시 포함된다.

줄리앙은 오랜만에 빈혈기를 느꼈다.

진실로 비참한 일은, 이런 탈진을 느끼지도 못한 채 끝이 나버리는 것이다.

그럴 뻔했다. 불과 며칠 전에.

아마 제정신이 아니었던 것 같다. 세슈칸에 도착하기까지 심신 양면으로 피로가 극심했었는지. 만나야 하는 작힘 백작이 다른 모습을 보이자 해야 했던 최악의 상상을 자기도 모르게 거부했는지도 모른다.
털끝만한 경계의 사각이 생겼고, 그 틈을 아주 잘 찔렀다. 독에 당해 제대로 기력을 쓰지도 못했다. 육신마저 둔했고, 눈 앞에서 하마터면 로멜리아 가의 명맥이 끊기는 걸 볼 뻔했다.

그 상황에서 그들에게 손을 내밀어준 것이 눈 앞의 청년이다. 아니, 눈 앞은 아니지. 그의 눈은 하늘을 올려다보고 있으니.

“어르신?”

줄리앙이 상념에 잠겨있는 시간이 조금 되었나보다. 제냐가 다가와서 불쑥, 하늘의 일부를 가리며 거꾸로 고개를 집어 넣었다.

검은 머리칼, 콘란드 대륙에서 동북부인들이 가지는 생김새다. 인종으로는 동부와 북부 대륙의 이름을 합쳐 '세시앙 인'이라고 부른다. 북부 대륙을 세스타샤라고 했고, 동부 대륙을 '이앙'이라고 불렀다.

여러 인종들이 오가며 떠도는 이 거대한 대륙의 흐름 속에서 그다지 희귀한 꼴은 아니었지만, 약간의 낯섦 정도는 있다. 로멜리아 가에는 세시앙 인, 황인종이 없었으니까.

뚱한 눈매로 그를 내려다보는 표정이 제법 정감이 간다. 하는 짓거리가 조금 웃기기는 했다. 속내가 보이는가 싶다가도 어떤 사고방식인지 잘 읽히지 않았다. 관념이 다를 수도 있었다. 떠돌이 생활을 아주 어릴 때부터 계속 해왔는가 보지.

다만 그 떠돌이 생활 중에 익힌 전투 기술이 아주 수준급이었다. 저 정도라면 어거지라도 고위 기사와 맞상대할 만한 솜씨였다. 장기전이 된다면 필패하겠지만 아직 보이지 않은 비장의 수가 더 있다면 다시 또 모를 일이다.

든든한 아군을 얻었다. 줄리앙은 입매를 비틀었다. 양 쪽 끝을 위로 올렸다. 웃었다.

갑자기 자신이 쳐 날린 노인이 바닥에서 멍을 때리다가 자신을 보고 입매를 올리자 제나는 살짝 불안했다.

이 NPC, 맛이 간 건가.

다행히도 비련의 시나리오 내의 가상인격 시스템은 아주 정교했다. 쉽게 고장나진 않는다. 애초부터 그런 결함을 가상인격 설정에 집어넣은 게 아니라면야.

줄리앙이 말했다.

"합격이네."

"예?"

"솜씨 좀 보자며. 그 김에 나도 다시 봤네. 합격이네."

"어…… 예. 가, 감사합니다."

입장이 반대가 된 것 아닌가,

하는 말은 접어두었다.

체면으로 먹고 사는 귀족가의 일원들이다. 도움을 청하는 입장이라고 하더라도 꼬치꼬치 따져서 서열을 나눌 일은 없다. 그들 부류와 평생 적이 되려는 게 아니라면.

그리고, 정말로 체면 있는 귀족이라면 알아서 고마움을 느끼고 표현할 테니까. 제냐가 보기에 부적합한 인격 적성을 가진 NPC들은 아니었다. 성향도 딱히 악이나 혼돈이 섞인 것 같지도 않고.

이들이 하는 말이 장대한 사기이며, 어떤 악의 계획의 한 축을 담당한 악역들일 가능성도 있다는 게 비련의 시나리오의 가장 소름 돋는 점이었다.

거대하고 현실성 높은 세밀한 세계관은 현실에서 일어날 수 있는 온갖 희극과 비극을 버무리고, 거기다가 지독할 정도의 배배꼬인 스토리마저 가끔 넣어두니까.

그런 시나리오에 걸려든 유저들의 하소연이 인터넷 천지에 넘쳐난다. 그리 공들여 찾지 않아도 비슷한 검색어로 정보를 보다 보면 걸리는 이야기들이다.

그런 사전 정보를 의도치 않게 입수한 바 있는 제냐는 상식적인 선에서 계속 가늠을 해보았으나… 아무래도 이 정도로 속일 것 같지는 않았다.

그의 머리 위에 개발진들이나 시스템 AI가 있을 수도 있겠다만. 그 정도로 속인다면 어쩔 수 없다. 넘어가야지.

제냐는 고갤 혼자 끄덕거렸다. 웃음마저 걸렸다.

"왜 웃나."

줄리앙이 물었다.

제냐가 하늘로 고개를 들었다가, 다시 아래로 처다보며 답했다.

"거 어르신 넘어진 폼이 웃겨서요."

“……이제보니 싹수가 노랗군.”

“합격이라면서요?”

제냐의 말에 줄리앙이 답했고, 상체를 힘겹게 일으키면서였다.

“끄응. 그건 전투 능력의 이야기고….”

구겨진 집사복의 소매를 털면서 일어서는 줄리앙의 반대편으로 가서 손을 잡아주었다. 노인이 일어섰다. 그가 복장을 가다듬었다. 멀리 있던 청년 중 하나가 다가왔다. 질리언, 어리고 머리가 짧은 쪽이다.

“집사장님, 괜찮으십니까.”

“아, 괜찮네. 질리언 경. 이 친구가 손대중을 해 준 모양이야.”

“…….”

제냐는 전혀 그런 바가 없었지만, 입은 닫았다.

줄리앙은 난감한 표정으로 이쪽을 바라보는, 연못 근처의 아가씨들에게 웃어주었다. 늘 웃는 믿음직한 낯빛이다.

물정 모르는 두 후계자에게 보여야 할 얼굴이었으나, 그 반대에 드리워진 우울한 현황은 늘 줄리앙의 두통의 원인이었다. 다만 같은 고난이라 하더라도, 애송이 하나가 손을 보탠다면 그만큼은 나으리라.

줄리앙이 셔츠의 깃을 정돈하며 말했다.

"제냐 킴 군."
"어, 예."
제냐가 턱을 긁적였다.

"어때, 나는 합격인가?"

우리는, 이라고 묻지 않은 건 집사장의 자존심이었다. 속모를 모험가가 불합격이라는 대답을 했을 때 전부가 그런 소릴 들으면 마음이 상하잖겠는가.

제냐가 살짝 뜸을 들였다.
대답을 고민하는 건 아니었고, 앞으로의 사건 전개를 상상해보다가 그랬다.
그리고 조금 더 생각하기를,

내일 오전 수업이 있는데 게임을 너무 빡세게 했나… 하는 마음이었다. 일단 일정은 맞추어야 했다. 게임에 접속하지 않았을 때 어지간하면 시스템 AI가 사건 전개를 크게 시키지는 않는다.
퀘스트에 연관된 플레이어가 부재중이라면, '가급적' 상황 진행을 미루고 변수를 낮춘다.

절대적인 건 아니었다.

일단은 개인에게 부여된 시나리오이며 최대의 선택자이자 주체는 유저였으나 여러 명이 동시에 진행하는 난수 속의 MMORPG(대규모 다중 접속 온라인 게임)이다 보니, 시스템도 정말 완벽하게 통제할 수는 없다.

진정한 완벽이라는 단어가 과연 인간이나 인간이 만든 AI에게 부여될 수 있는 표현인가 하는 문제도 당연히 있었고.

그런 점에서, 퀘스트 내의 NPC들과 깊은 교류를 맺고, 관계성을 나눈 뒤 상황 전개의 페이스를 조절하는 일이 필요하다.

비련의 시나리오 온라인은 서바이벌, 액션, 사냥 게임임과 동시에 가상인격 관계 시뮬레이션 게임이기도 했다.

화술과 보편적인 관계성 형성 능력에 탁월한 자가 이런 방식으로 플레이의 활로를 뚫기도 한다.

지나치게 외골수인 베테랑 플레이어들은 늘 심화된 퀘스트 진행 중에 난항을 겪고 만다.

혼자서 오롯이 플레이하기는 힘든 게임이었다. 한 명이 모든 분야에 탁월함을 갖기는 어려울 테니.

물론 가능하기는 하다. 어떤 식으로든 좌충우돌 모험을 겪는 것조차 개발진들이 염두에 둔 즐거운 플레이, 취미 생활의 한 갈래일테니. 안정적으로 임무를 깨고 스토리를 진행시키고, 시나리오의 엔딩에 가까워질 수 있느냐 하는 건 다른 이야기가 되지만.

제냐는 고갤 끄덕거렸다.

"물론입니다. 등 뒤를 맡겼다가 칼을 맞아도 억울하지는 않겠군요. 의지도, 솜씨도 모두 확인했습니다."
"이를 말인가."

허허, 줄리앙은 당돌한 평가와 과감한 칭찬에 너털 웃음을 지어보였다. 그 이야기를 듣고 있는 두 청년은 마냥 웃지만은 못했고. 두 아가씨는, 어쨌건 잘 된 일인듯 하다며 아드리안이 웃었고 헤슈나는 아드리안이 울지 않자 일단 다행이라고 여겼다.

정원에서 한바탕 난리를 피운 그들은 망가진 땅을 평탄화하는 시늉 정도만 하다가, 호텔 건물로 다시 들어갔다.

어떻게 움직일 지에 대한 간략한 이야기를 나누고, 헤어지며 다시 여관에 돌아가 로그아웃을 하면 될 것 같았다. 제냐는 속으로 혼자 김서원의 일정을 가늠했다.

*

23. 여기 있습니다.

[바쁘십니까, 저는 개인퀘(스트)를 시작해서요. 오셨을 즈음에도 끝났을 지 모르겠는데. 아무튼 열일 하십쇼.]

텍스트 메세지를 적어 날렸다. 최태현에게였다. 제냐가 날린 것은 아니었고, 김서원이 적은 것이다. 휴대폰으로.

김서원은 학교에서의 수업을 마치고 도서관에 앉아 있었다. 오전 수업이 끝나고 점심도 지났고, 공부를 위해 잠깐 책을 폈다.
여전히 머리에 들어오는 건 없었다.
툭, 툭.

그는 경영학도였다.
머리에 들어오는 건, 없다.

펜대를 잡고 한동안 손 안에서 빙빙 돌렸다. 어릴 적부터의 습관이다. 그가 다니는 학교, 중앙대학교의 대도서관 내부 어딘가였다.

가림막 없이 주변 광경이 다 보이는 자리다. 암갈색 테이블, 오래도록 사용했는지 이런저런 자국, 낙서 따위가 있다. 그 직사각형의 커다란 테이블 끄트머리에 앉아 늘어지는 자세로 책을 편 채 고개만 까딱거리던 그는 책을 덮기로 한다.

날은 아직도 더웠다. 마지막 시험이 한 두 개 정도 남은 상태였다. 이번 학기는 전공을 다섯 개, 그리고 교양을 하나 듣는다. 그럭저럭, 그냥저냥. 대충 때우면서 다니고 있는 모습이다.
시험에서 대단한 점수를 받기 위해서 노력하지도 않았고. 탈락만 면하자, F만 면하자는 심정으로 수업 시간에 참석하고 지나간 강의 필기를 되새긴다.

시험 범위가 좀 많기는 하지만…… 시험 직전에 보자면 못 볼 양도 아니었다. 벌써부터 머리를 싸맬 필요도 없었고. 그래.

서원은 돌아가기로 했다.

커다란 도서관 내부는 시원했다. 1층에 천장이 높은 홀이 있었고, 2, 3, 4층에 1층의 홀이 보이는 복도 형태의 공간이 있다. 목조 난간으로 막혀 있고, 복도 안쪽에 테이블을 깔아 돌아다니는 통로겸 앉아서 책을 볼 자리겸 해서 마련해둔 곳이다.

드르륵, 하고 목재 의자의 발밑이 석재 바닥을 긁었다. 테이블에 앉은 다른 이들이 꿈틀거렸다. 서원은 눈치채지 못했지만. 어쩔 수 없다. 소리가 아예 나지 않게 움직일 수도 없는 노릇이고. 어차피 다른 층에 위치한 실내 도서관보다 홀에 만들어 둔 뻥뚫린 곳이라 소음에 관대한 점도 있다.

그는 전공책이나 강의 노트를 대강 가방에 욱여넣었다. 검은 색의 백팩이고, 으레 대학생들이 맬법한 그런 디자인이다. 깔끔하고 세련되었다. 얼마 하지는 않는다. 집 근처 쇼핑몰 매장을 지나가다 할인을 하기에 산 것 뿐이었다.

대학생이고, 용돈을 받아 생활하고 있었지만 딱히 부족하지는 않았다. 아버지는 아직도 일을 정정하게 하고 계셨고. 아마 졸업을 하고 나면 다른 방법을 강구하는 게 좋아 보였지만. 물리적으로 독립을 하면 정신적으로도 자유로운 점이 있는 법이었다. 자신이 돈을 벌기 위해 얻게 되는 스트레스와 치환하는 꼴일 테지만 사실은.

그는 흰 반팔 티셔츠에 청바지를 입었고, 가벼운 소재의 흰색 운동화를 신었다. 가방을 매고서 도서관을 나선다.

피곤한 하루였다. 비련의 시나리오를 오래도록 플레이하는 건 몸에는 아무 무리가 없지만 신경을 자극해서 그런지 피로감이 좀 있기는 하다.

신기한 점은, 온라인 게임 내부에서 더 집중력을 발휘하고 다양한 경험을 할수록 어딘지 약간 뻐근한 감이 더 든다는 사실이다.

꿈속의 일이 현실에 영향을 미치는 것과 비슷한 꼴이었다.

"후우우우."

제나는 작게 한숨을 내뱉으면서 도서관을 벗어났다. 복도에 마련된 공부용 테이블을 지나쳐 아래로 내려가는 계단을 밟는다. 바닥의 색깔이 다르다. 복도는 조금 어두운 톤의 석재였고, 위아래를 잇는 계단은 조금 더 밝은 톤이다.

또각거리며 신발 바닥에 밟혀 울림을 낸다. 아주 작게 웅성거리는 소리, 1층 홀에서 사람들이 오가는 발소리. 또 가끔 이렇게 계단을 걸으면서 내는 울림. 여러가지가 섞여서 웅웅댄다.

도서관은 쾌적하다. 여름에나 겨울에는 공부하기 좋은 곳이다. 여름엔 7월부터, 겨울에 1월부터는 방학이었지만, 그 전까지는 말이다.

방학 때도 학구열을 불태우며 학교에 나와 공부를 하는 인간군상들 역시 있는가 모르겠다. 그가 재학중인 학교는 그리 수준이 낮은 곳은 아니었다. 공부 쪽으로 더 나아가려고 매진하는 놈들이 있어도 그리 이상한 일까진 아니다.

다만 김서원은 아니었다.

근 몇 달간 생긴 취미인 비련의 시나리오는 시간을 쏠쏠하게 빼어가는 종류였다.

오늘 하루 누군가와 말을 했는가.

대형 공간을 가득 매우는 한기의 에어컨으로부터 멀어지면서, 그러니까 도서관에서 나가면서 그가 생각했다.
'…….'

뭐 친구들이 없는 건 아니었지만 학교 생활의 말미 즈음이 되면 아무래도 이야기할 건덕지가 적어진다. 굳이 누군가와 시간표를 맞추어서 같이 다니는 일도 한 때이지. 시간이 갈수록 개인 플레이가 되어가게 마련이었다. 꼭 그의 게임 내 플레이 스타일처럼.

연락 없는 하루, 또 혼자 보내는 하루.
그다지 나쁘지는 않다. 심심하지도 않았고.
현대 사회에서 이런 일상은 누구나가 겪는 것일지도 모른다.
좁은 공간 안에 사람은 더 늘어났지만 결론적으로 인간이 겪는 외로움의 강도와 수치는 더 높아졌다.
달리 말하면, 그런 게 조금 필요할 지도 모른다.

번잡한 공간 속에서 고요하게 지내는 순간들.

그는 그런 편인 인간이었고, 홀가분한 마음으로 학교를 떠났다.

건물 바깥으로 나서면 멀리까지 경치가 보인다.

몇 개의 유리문들을 밀고, 손목 시계 디스플레이로 내보일 수 있는 학생증을 출입구에 찍어 퇴관을 알리고, 바깥으로 나오면 학교의 대도서관은 조금 높은 위치에 자리했으니까 말이다.

거대한 평지와 약간의 언덕을 부지로 삼아 만들어진 학교다. 그의 자취방에서 그다지 멀지 않다. 대중교통을 이용한다면.

수 십 개는 되는 계단을 이용해 올라오거나, 아니면 한 쪽에 마련된 엘레베이터를 타고 올라온다. 언덕의 위쪽에 있는 대도서관의 정문에서 나와 시야의 반쪽은 하늘이 차지한다.

그다지 고층 건물이 없는 학교 내 부지이다.

도로가 나 있고, 야트막한 건물들이 여기저기 듬성듬성 있고. 또 가로수로 세워진 나무들이 정원처럼 구석구석을 조성하고 채운다. 한낮의 태양이 싱그럽게 대지를 비추고 있었다.

백색으로 느껴질 정도로 밝은 톤의 광량이 그 아래를 거니는 학생들의 뒷덜미를 꼼꼼히 태우고 있었다.
집에 가는 길에 학교 식당을 들러 밥을 먹을까, 잠시 고민하며 학교 내 경치를 구경한다. 멀리까지 보며 눈의 피로를 좀 풀다가, 김서원은 그 때서야 안경을 끼고 있던 것을 깨달았다.

공부 용의 안경이었고, 사용자가 원한다면 주변시를 차단하고 집중하고자 하는 부분의 선명도를 높여주는 물건이었다. 겸사겸사 눈 보호도 조금 해주는 것 같았고.
학생들은 간혹 사서 사용하는 이들이 있었다.

김서원은 안경을 뺐다. 태양이 아주 약간 더 밝게 느껴졌다. 직접 바라본 건 아니었지만, 주변 경치의 화이트 밸런스가 높아지는 기분이다. 빛의 세기 또한 아주 약간 조절하고 보정해서 시력 보호를 해주는 물건이다.

달칵, 하고 자연스레 오른 손이 백팩의 옆구석을 더듬었다. 옆으로 나 있는 지퍼를 내려 작은 공간이 났고, 안경집을 꺼내들어 벗어 넣었다. 메탈같은 느낌으로 만들어진 회색의 안경집이다. 실제 메탈은 아니었지만, 나름 튼튼해서 땅바닥에 그대로 내던져도 별로 무리 없다.

서원은 후끈하지만, 습기가 없어 그래도 견딜만한 백주대낮의 교정을 거닐었다.

밥은 먹고 가는 게 좋을 것 같았다.

*

"어르신."

제냐가 말했다.

그는 호텔의 로비에 있었다. 눈 앞에는 줄리앙과 질리언, 혜슈나가 있었다.

길다란 직사각형 모양에서 그대로 쌓아올린 대형 호텔이다. 화려한 현관을 밀고 들어가면 샹들리에와 각종 유리 세공품, 카펫과 웜톤의 조명이 눈부시게 빛나고, 길쭉한 데스크가 정면에 있었다.
현관과 데스크 사이의 빈 공간에는 머리보다 조금 더 높은 위치에서 햇살이 들어오는 창문이 있었고, 그 벽면 근처로 사람들이 약속을 잡고 이야기를 할 수 있는 벤치와 테이블들이 늘어서 있다.

로비의 데스크에서 간단한 다과를 주문하면 값을 내고 즐기면서 짧은 회의를 할 수도 있었다. 그러진 않았고, 그저 그들끼리

덩그러니 앉아 있을 뿐이다.

함께 자리하지 않은 아드리안은 페이브와 놀고 있었다. 호텔의 객실 내부에서. 아직 저녁까지는 좀 시간이 남은 오후 시간대였다. 아드리안은 건물 내부에만 있어야 하는 생활이 답답하다고 했지만, 막상 뛰어보면 운동도 할 수 있을 정도의 객실이었고 뒤뜰 정원 역시 언제나 개방되어 있다.

페이브가 그 앞에서 인형 따위로 시간을 끌고 소설책을 읽어주고 하다 보면 금세 불만 없이 빠져들곤 한다.

그렇게 둘을 빼놓고 하는 말은 세부 계획에 관한 이야기다.

"……."

줄리앙은 침침한 눈매를 좁혔다. 언제나 단정한 행색의 양반이지만 표정으로 드러나는 난처함까지 숨길 수는 없었다. 옆에 있는 헤슈나를 바라본다.

콧날이 오똑하고 오밀조밀하게 생긴 미인. 금발, 묘령의 아가씨가 눈이 마주치자 웃었다. 걱정이 많은 건 그녀 역시 마찬가지였지만 애를 쓰고 있을 집사에게 늘 웃는 모습을 보여주는 속 깊은 여인이다.

현재 전 남작이 작고한 이후로 로멜리아 가의 가주라고 보아도 무방하다. 일찍이 어미 없이 키워낸 두 여식은 남작의 사랑을 두 배 이상으로 받으며 커왔고, 쓸쓸함도 그다지 많이 체감하지는 못했다.

가문의 많은 인원들이 두 아가씨를 극진히 보살피며 길러냈으니까. 규모는 작지만, 나름대로 정이 있고 또 살만한 곳이었다. 로멜리아 남작가는.

그런 곳에서 아직도 남아 있는 무수한 가신들, 기사단장, 병력들은 외적과 눈을 맞추고 으르렁거리며 불편한 싸움을 이어나갈 것이다.

그들을 위해서도 지금 여기에 나와 있는 인물들은 전 남작의 유지를 이어받아 가문의 재건을 위한 비보를 되찾아 돌아가야 했다.

문제는, 그 비보가 어떻게 생겼고 또 무엇인지도 모른다는 점이었다.

"……헤슈나 양은 뭔가 아는 게 없습니까?"

"크흠."

질리언, 갈색 머리가 헛기침을 했다. 조금 불편한 모양이었다. 헤슈나 어쩌구 로멜리아는 엄밀히 말해서 전 남작의 유지를 잇는 후계자였으며, 남작 대리라고 해도 좋았으니까. 대귀족이나 그에 준하는 고위 관리, 혹은 왕실의 인가를 받는 건 절차와 시간이 필요해서 이루지 못한 일이지만 현실적으로는 이미 가주나 다름 없었다.

시간의 문제일 뿐이었고, 그런 인가나 절차가 아랫 사람들의 태도를 바꾸게 할 만한 상황은 후계권자들이 복잡하게 얽혀 있어서 진흙탕 싸움을 할 때나 그런 일이었다.

로멜리아 전 남작이 세상을 떠난 시점부터 가문의 구성원들은 헤슈나를 가주로 여기고 있었다.

묘령의 아가씨에 불과했지만 말이다.

그런 그녀가 예법을 아는지 모르는 떠돌이 모험가에게 편하게 불리는 건 호위 무사로서 불편한 경우였다.

질리언이 그런 마음을 담아 인기척을 낸 것이었는데, 제냐는 전혀 모른다는 듯 뚱한 표정으로 대화를 이어나갔다.

정작 헤슈나나, 혹은 줄리앙은 크게 마음에 두지 않는 것 같다.

어느 정도 신뢰의 문제였다. 예법이라는 건 말이다. 서로 한 가지 목적을 위해서 달려나갈 준비가 되었고 마음이 통했다면 사소한 형식은 넘어가도 좋다. 의도가 의심스러울 정도의 무례함이 아니라면야.

제냐가 고급의 예절이나 상식에 조금 둔하다는 걸 줄리앙은 알고 또 이해한다. 어딘지 이 나라 사람도, 이 시대 사람도 아닌듯이 구는 이상한 점은 아주 옛날부터 거처 없이 떠돌아다닌 흔적이라고 여기고 있었다.

노인이 함부로 다 추리할 수 없을만큼 고생스런 지난 날을 겪었으리라. 앳된 얼굴로 고위 기사에 버금가는 신체적 능력을 얻기까지 다양한 고난과 고련을 지났어야만 했을 것이고.

줄리앙은 노인의 연민과 자비로, 그리고 헤슈나는 자신의 목숨과 자신보다 더 소중히 여기는 구성원들의 목숨을 살려준 은인에 대한 보답으로 넘어갔다.

헤슈나가 붉은 입술을 열었다.

오늘은 곱게 머리를 뒤로 땄다. 놀랍게도, 줄리앙의 솜씨였다. 집사장은 온갖 잡기에 능하다. 아가씨들을 모시면서 알아둬야 할 다양한 상식들도 풍부했고. 아드리안이 머리를 묶거나 하고 싶다면 그건 헤슈나가 해줄 테지만.

이전의 화려한 것보다는 조금 분위기가 죽은 단정한 원피스 드레스를 입고, 그 위에 감색 가디건을 걸쳤다. 헤슈나 로멜리아는. 곰곰이 생각하는 듯한 표정으로 말한다.

"음…… 글…쎄요. 아버지께서 많은 이야기를 해주셨지만 줄리앙이 말하는 그 얘기는 자세히 들은 적이 없어요. 기억을 그동안 많이 더듬어봤지만 마찬가지더군요."

고운 목소리다. 제나는 기왕이면 상대하는 NPC가 아름답고 미성인 편이 더 편안하군, 이라고 게이머로서의 리뷰를 생각하며 대답했다.

"난항難航이로군요. 다른 단서는 없습니까, 어르신? 혹은 아무리 사소한 것이라도 좋아요."
"나도 머리를 뒤질 만큼 뒤져봤네. 자네에게 줬던 그 책이 가장 큰 단서였어. 다시 좀 살펴보겠나?"
"좋죠."

줄리앙의 말에, 질리언은 등께에 매고 있던 천의 매듭을 풀었다. 끈으로 끝이 연결되어 있어서, 혁대나 외투 등의 버클이나 고리에 잘 끼우면 편하게 다양한 물건들을 지고 다닐 수 있어 보였다.

벤치의 등받이에 눌려 있던 사이에서 두꺼운 책 하나가 나왔다. 길다란 의자와 테이블 하나를 두고 그들은 마주보고 있었다. 제나와, 헤슈나가 마주보았고 헤슈나의 양 옆으로 줄리앙과 질리언이 거리를 조금 띄운 채 앉았다.

툭, 하고 놓아지는데 책이 두꺼워서 무게감이 느껴졌다.

'콘란드 중부에서 산슈카와 로멜리아가 미친 영향에 대하여.'

라는 책의 제목이 다시금 보인다. 하드 커버에 오래된 그림으로 장식이 된 물건이다.

제냐는 스스럼없이 책을 끌어당겨 표지를 넘기고, 내용을 건성으로 훑었다. 지금 정독을 하고 있을 시간은 아니었다. 다시금 받아가 본인의 숙소에서 읽어보는 것은 모를까.

줄리앙이 말했다.

"남작님께서는 심계가 깊으신 분이셨네. 아마…… 내게 그렇게 말씀을 하셨다면 그만한 이유가 있으셨을 거야. 그렇게밖에 말씀하지 않으셨다면, 그것 역시 그만한 까닭이 있었을 거고.

적은 말씀으로도 우리가 알만한 단서가 이미 다 주어져 있으리라는 거네."

"거 참…."

제냐는 작게 투덜거렸다. 그들의 충의는 높이 사지만, 제냐로서는 만나본 적도 없는 작고한 남작이었다. 얼마나 대단한 사내이기에. 퀘스트를 이렇게 빈약하게 시작하게 만들었는가.

며칠 간 작힘가에서 추가적인 동향은 보이지 않았다.

그들은 호텔에 쥐죽은듯 머물고 있었고, 여행을 시작했을 초창기만큼이나 경계를 높이며 두 아가씨를 모셨다.

제냐는 자신의 스킬과 스텟 경험치를 위해서 도시 내에서 훈련을 하거나, 바로 인근 평야에서 간단한 사냥을 하면서 전투 감각을 유지하고 있었고.

결국 닿아야 할 곳은 하나다. 세슈칸 중심 부의 작힘 가.

문을 열어주지 않는다고 한다면, 강제로라도 뚫어야 할 것이다. 그것이 플레이어이니까. 세상의 상식과는 전혀 어울리지 않는, 망나니 모험가들.

만나주지 않는 작힘 백작으로부터 어떻게 정보를 얻어내고 물건을 얻는가….

질리언이 말했다.

"…그런데, 이 책은 시리즈입니다."
"에?"

제냐가 멍청하게 답했다. 그 모습에 질리언이 제냐를 처다보더니, 줄리앙 역시 의문스러운 낯을 하자 말했다.

"어… 모르셨습니까? 깨나 유명한 책입니다. 로멜리아 가의 서재에도 전 권이 꽂혀 있고요. 저희 영지 내에서는 인기가 좋은 소설책이자 동화책이었습니다. 몇 부가 있어서, 영주님께서 가신들이나 영지민들한테 자주 빌려주고는 하셨었죠.

남작 가 내의 도서관 사서가 가장 자주 출납되는 책이라고 하기도 했었습니다."

"어…… 그런가?"

줄리앙이 다소 흰소리같은 대꾸를 했다. 그는 집사장이었고, 가문 내의 온갖 일처리들을 맡아서 하는 자였지만 어린아이들이나 구성원들이 할 일 없을 때 무엇을 하는지까지 면밀하게 알지는 못했다.

도서관은 그의 영역이 아니었고, 어디까지나 당장 해결하지 않으면 영지 운영에 문제가 생기는 것들을 위주로 머리를 쓰다 보니 생긴 일이었다.

오래된 역사서이기도 한 그것은 풍부한 묘사나 설명이 삽화와 함께 곁들여져 있었고, 하드커버에 내지 역시 질긴 것으로 만들어져서 여러 사람의 손을 타도 잘 망가지지 않았다. 그런 고급스런 책을 사기는 비싸기에, 영주 저택의 도서관에서 사람들이 곧잘 빌렸다.

로멜리아 가에 대한 자부심과, 영지민들을 향한 친근한 애정이 서려 있는 일이었다.

남작의 명으로 저택 부지 내 도서관을 특별히 관리하여 주민들에게 책을 대여해주고 있다는 건 집사장 역시 알고 있었지만, 그 도서목록까지 염두에 두지는 못했다.

"예. 저도 자주 읽었거든요."

"아."

제냐가 입을 벌려 소리를 뱉었다. 맞장구를 친 건 헤슈나의 이야기였다. 남작가의 후계자 역시 어린 시절에 도서관에 신세를 많이 졌다.

어머니가 없었던 헤슈나는 많은 사람들의 이쁨을 대신, 갈음하듯 받았지만 그것만으로도 모자란 지점이 있었다.

어떤 여러 사람도 어머니만큼 쏟을 수 없다는 반증이기도 했다.

그것을 마음 깊이 알았기에 그녀가 조금 머리가 자란 뒤부터는 아드리안을 향해 어머니처럼 굴기 시작한 바 있었다.

"…그렇군요."

집사장은 눈을 가늘게 떴다. 왜 말하지 않았느냐는 투의 눈매였다. 물론, 헤슈나도 질리언도 차마 생각이 닿지 못했다.

직접적으로 책이란 물건을 받은 건 줄리앙이었고, 그의 주된 고민이었고 다른 이들에게 의견을 적극적으로 구하지는 않았으니까.

어느 정도는 참고를 했으나 말이다.

가장 연장자로서, 또 섬기는 고용인의 신분이나마 일단은 경험자로서 일행의 여정을 이끌어가면서 너무 독불장군처럼 군 게 있는가, 줄리앙은 속으로 생각했다. 머릿속으로 순식간에 되돌아보는 지난 몇 개월 간의 삶이었다.

뚜렷한 장면과 상황들이 이어지지만,

사실은 실감도 잘 나지 않는다.

그만큼 연로한 몸에도 남작의 죽음은 충격이었고 슬픔이었다. 연로하기에 더욱 그럴지도 모르겠고. 차라리 젊은 날에, 전장터를 직접 뛰어다니고 말 위에서 적병의 목과 자신의 목을 대등하게 둔 채 창날을 휘두르던 그 시절이었다면 주군의 죽음을 견딜 수 있었을까.

남작의 딸들을 자신의 딸처럼 여기고, 결혼도 하지 않고, 그저 영지를 위해서 헌신한 세월 동안 전장터의 야성이 죽고 부드러운 감성만이 대신 자리를 하게 되었는가.

육체가 늙어가고 무술가로서 체력의 향상 역시 반감되기 시작하면 정신 역시 조금 나약해지는 면이 있다는 걸 인정해야 했다. 더욱 노련해지고 독해진 부분이 있으나, 전체적으로 물러진 데가 있었다.

무른 정신은 준비되지 않은 전장터 속에서 지나친 긴장을 부르고, 결국 지나친 긴장과 피로는 실수와 방심을 낳는다.

줄리앙은 수염을 매만졌다.

"그럼… 남작님께서는 비유로 이 책을 주셨을 수도 있겠군. 이게… 시리즈라고 했지? 얼마나 되나, 전 권의 수가."

"어… 총 5부작입니다. 그건 개략적인 설명을 해 둔 1권이군요. 2권부터 4권까지 조금 더 상세한 설명과 이야기가 나와있는 버젼이 있습니다."

"아 그래……."

제냐도 고개를 끄덕거렸다. 정보를 구해야 다음 상황으로 넘어간다. 도서관이라도 뒤질 셈이었다. 이 전근대의 문명 사회에서 실마리를 찾는 건 결국 사람의 입이나, 도서관 따위다. 일단 디지털 저장기기가 없으니까 말이다.

역사 속에 단서가 있다는 맥락이라면, 역사서를 뒤져야만 할 테다.

어떤 역사서를 뒤지느냐가 중요해진다.

"이 책이… 산슈카 제7 출판장에서 찍혀 나왔군. 계속해서 증쇄가 되었고……. 세슈칸의 도서관에서도 구할 수 있겠지?"

줄리앙의 혼잣말과도 같은 물음에 질리언과 헤슈나가 고개를 끄덕였다. 헤슈나가 입을 열었다.

"네. 가끔… 세슈칸에 오면 여기서도 그 책을 빌려 본 적이 있었거든요. 아마 남부에 있는 시립 도서관에도 있을 거에요."

"그렇습니까… 일단 그 책을 보죠, 그러면. 혹시 모르니까. 남작님께서 이 책 전 권을 통털어서 단서를 찾으라고 제게 건내주신 거라면 그래야겠군요."

헤슈나와 질리언이 고갤 끄덕거렸다. 줄리앙이 제냐를 처다봤다. 그 눈빛이 묘하다. 뭔가를 바라고 있는 눈치다.

"제냐 군."

"……예."

줄리앙이 제냐의 손등 위로 제 손을 올렸다.

"부탁하네."

"……예."

이 할아버지는 자신에게 어느 정도 친밀감을 느끼기 시작한 모양이었다.

호텔 내에서 나가 함부로 세슈칸 시내를 돌아다니기에 불안하기는 할 테지. 자신의 안위보다도, 두 후계자의 안위를 책임져야 할 테니까.

여기는 작힘 가의 앞마당이었고, 그들이 수작을 부린다면 정말 언제 어디에서 칼날이 날아올 지 알 수 없는 노릇이었다. 그나마 세슈칸에서 가장 고귀한 신분의 외부인들이 많이 묵는 이곳에 터를 잡고 있는 게, 다른 이들의 눈치를 보아 작힘 백작이 섣불리 움직이지 못할 가능성을 만드는 일일 테다.

꼭 그런 건 아니었지만, 온갖 곳에서 밀려드는 인간들의 교류가 활발한 대도시 세슈칸에서 대사관 같은 곳 중 하나였다.

세슈칸.

피스 시보다도 거대한 대도시다. 제냐는 관심이 없었지만, 그 도시를 다스리는 상층부의 이야기를 접하게 되면 생각하지 않을 수 없다.

물경 수십 만에 달하는 인간들이 도시 내에서 걸음을 오간다. 어마어마한 인파는 잘 갈린 구획 내에서 제 갈 길을 가고, 대로변은 크게 지어져 있어 온갖 마차와 운송구들이 움직인다. 기계식으로 만들어진 다양한 이동 수단들이 있지만 아직 이 세계에서 주류를 차지할 정도로 발전하지는 않았다.

고작해야 자전거 정도가 주민들에게도 익숙할까. 다만 플레이어들은 온갖 스킬과 능력을 이용해서 희귀한 몰골들로 도시 내를 쑤시고 다닌다. 제작 스킬을 이용해서 자동차를 만들고,

초상력 엔진 따위를 기어코 발명해 낸 양반들도 있었다. 세슈칸 내에 돌아다니는 걸 제냐도 몇 번 봤다.

거기다 변신술 스킬이니, 예전에 봤던 코미어의 붉은 날개니 하는 이동 기술들을 사용해 도시의 활기와 요란스러움을 굳이 더하는 자들도 있고.

다양한 종류의 생물들을 기승용의 애완동물로 길들여 끌고 다니는 작자들도 한 무더기다. 현실에는 존재하지 않지만, 판타지 세계관 내의 허용으로 만들어진 온갖 괴생물들이 많다.

날개가 달린 말, 호랑이, 곰. 말처럼 큰 늑대, 개, 고양이, 혹은 동물이라곤 도저히 볼 수도 없이 그저 둥둥 떠다니는 빛의 구처럼 생긴 놈 위에 타고 다니는 작자들도 있었고.

중수들이 도시 인구의 주요층이 되어버린 세슈칸에서는 피스 시보다도 조금 더 다양한 인간 군상들을 구경할 수 있다.

제냐가 세슈칸의 전경을 머릿속으로 그리며 답했다. 고갤 끄덕인다.

"예, 다녀오죠. 뭐 지체할 것 있나요. 여러분이 목적을 달성하는 그 때까지는 물심양면으로 돕겠습니다. 가능한한, 말이죠."

제냐의 말은 믿음직한 것이었다. 떠돌이 모험가의 말치고는. 그는 꽤나 실력이 넘치는 부류였으니까.

*

툭.

하고 테이블에 내려놓은 것이 여러 권의 장서들이다.

다행히 얼마 걸리지 않았다.

비련의 시나리오에 맵 기능은 없지만 목적지와 출발지 기능 정도는 있다. 그리고 도시의 전도를 갖고 있으면 네비게이션 기능이 완성되는 셈인데, 그럴 것까지도 없었고 길이 나있는 것을 따라 냅다 달렸다.

본질적으로 여긴 게임 내 세상이었고, NPC들의 삶이 면밀하게 구현되어 있는 세계관이지만 플레이어들에게 기행들을 용인해 줄 준비가 되어 있는 곳이었다.
그말인즉슨 도시에서 어마어마한 근력과 순발력을 지닌 초인이 전력 질주를 해도 괜찮은 구조라는 뜻이다. NPC랑 정면으로 부딪혀서 연약한 민간인에게 상해를 입히지만 않으면 된다. 대충 널널해 보이는 길목이나, 야트막한 건물의 지붕 위를 뛰어서 제냐는 도서관에 다녀 왔다.

세슈칸 내에서 여러 의뢰를 해결하면서 인망과 명예 점수를 조금 벌었다. 그들이 해결해 준 일 가운데는 도시의 관공서에서 발주를 넣은 의뢰도 있었고. 기본적으로 플레이어들이 가장 흔하게 발급받는 신분이 '전문 용병' 혹은 '전업 모험가'의 그것이었다. 용병 길드와 모험가 길드는 따로 있었는데, 하는 일은 대동소이하다.

길드를 설립한 이들이 달랐고, 그 역사적 배경이 조금 다를 뿐이다. 사회에서 그들이 맡는 일은 대체적으로 같다.

콘란드 어딜 가나 있는 집단 중 하나였고, 물론 그것이 하나의 거대한 조직은 아니었다. 여러 종류의 용병 길드와 모험가 길드가 지역 별로 있었다.

문화권이 다른 곳에서는 이름도 조금 다르다.

제냐와 최태현은 두 종류의 신분증을 모두 갖고 있었다. 둘이 속한 그 외에도 다양한 직업 조합인 길드가 있었다. 술사, 궁사, 레인저, 오로지 '검도'만을 추구하는 검술가 길드 또한 있었다. 기병이나 창병 길드도 있었고, 제조 분야의 장인들이 모이는 곳들도 있다.

길드 또한 제한이 있는 건 아니었으며, 만약 플레이어가 어떤 분야의 플레이 스타일을 발견하거나 만들어낸 뒤 해당하는 클래스를 구체화시켜 길드를 창립할 수도 있었다.

어쨌건 제냐는 세슈칸 내에서 충분히 신분을 입증받은 인간이었고, '믿음직한' 도시 내 자유민 중 하나였다.
별 어려움 없이 책을 빌려다 가져올 수 있었다.

'…대하여.'

책의 제목을 속으로 중얼거리며 줄리앙이 하드 커버를 매만졌다.

"수고했네. 빨리 왔군? 날아서 다녀왔나."
"비슷하죠."

허허.
줄리앙의 말에 제냐가 받아친다. 실제로 그와 같았다. 전체 주행 중 비율로 따져보면 허공에 있던 시간이 제법 길 것이다.

"각자 뭐, 읽어보죠. 한 권씩. 사람이 여럿이니 좀 낫지 않겠습니까. 어르신. 정말로 이 책 말고는 다른 단서가 없는 거죠?"
"글쎄… 그렇지. 다른 말씀은 하신 적이 없네."

제냐가 고갤 끄덕거렸다. 결국 원점이었다. 멀리 가지 않고, 그냥 그 자리에서 책을 폈다. 다른 이들도 호텔 로비에서 느닷없는 독서를 시작했다.

한창 책장을 넘기다가 줄리앙이 질리언을 시켜 차를 좀 주문했다.

조금 후에 서버가 다가와 몇 잔의 티를 따라 주었다. 노랗고, 붉고, 푸르고. 이런저런 색깔의 찻잎이 우러나오면서 다채로운 색과 향을 더했다. 긴 벤치에 편하게 앉아 한동안 독서를 한다.

사실 장서를 앉은 자리에서 다 읽는 건 무리가 있다. 그러나 질리안과 헤슈나는 그 시리즈를 몇 번이나 완독한 경험이 있다.

이미 읽은 책의 내용이, 문장이 어디 있는지 알고 있었으므로 슥슥 넘어갔다.

제냐와 줄리앙은 조금 더 천천히 넘겼다. 그러다가 제냐가 지루함을 느꼈는지 속독을 하기 시작했고,

질리언이 말했다.

"음… 어, 여기 있습니다."

질리언이 들고 있는 것은 4권이었다. 총 5권으로 이루어진 시리즈 중 4권. 1권이 개요를 개략적으로 풀어 설명하고, 나머지 권수가 자세한 설명과 스토리를 더한다. 특이한 구성이었지만, 뭐. 아무튼 4권이면 후반부의 이야기일 것이다.

로멜리아 가의 흥망성쇠를 논하자면, 전성기의 끝이 4권의 끝이며 5권은 영락한 이후의 일을 다루고 있다.
마침 질리언이 말하는 내용도 그러했다.

“거기 있다고? 뭐가?”

줄리앙이 물었다. 질리언은 커다란 책을 테이블에 내려놓는다. 다른 이들의 이목도 펼쳐진 책으로 온다.

“88대 가주님께서 산슈카 제국기에 마지막으로 칼을 들고 나가서 승리하셨을 때요.”

질리언이 책의 내용을 가리키면서 읊었다.

“[로멜리아 가의 88대 가주이자 소드Sword 마스터였던 카신 로멜리아 백작은 침략군이 물러간 뒤, 산슈카의 귀족이었던 자들이 모여 일으킨 내란을 정리했다.
…
산슈카 제국령 바깥의 외적들은 자신들이 차지한 파이 조각에 만족했지만 뒤늦게 제국을 배신했던 자들의 욕심은 끝나지 않았다.
마지막 공작이었던 존 로멜리아가 죽고, 공작가가 백작가가 된 이후 가주가 된 존의 아들 카신은 배반자들에게 무엇보다 엄정한 검기를 선물했다.

수 만의 귀족가 사병들이 왕도 사르삿Sarsatt에 모여들어 왕위를 찬탈하고자 했으나 누구도 나서서 막지 못했는데, 로멜리아 백작이 고작 이 천의 기병과 백 여 명의 기사단을 데리고 출정해 제국기 후반의 소란을 잠재운다.

이 때의 귀족들의 반란을 막지 못했다면 지금의 산슈카는 왕국으로도 남지 못했을 것이며……

……(중략)

사람같지 않은 신위를 보인 로멜리아 백작이 가지고 있던 건 한 개의 펜던트와, 한 개의 손방패였다.

그가 긴 롱소드의 위로 푸른 검기를 솟구쳐올릴 때마다 펜던트가 강렬하게 빛났다. 마르지 않는 SP를 검술가에게 부여하는 보석이 있었고, 또 멀리서 다가오는 화살과 돌무더기는 어김없이 손방패로부터 뻗어나온 하얀 막에 막혀 가루가 되었다.

전류가 서린듯 요동치며 상대의 공격을 모두 막아내던 방패는 분명 제국의 보물 중 하나였다.

…훗날 카신 로멜리아 백작은 이 두 개의 보물을 왕에게 진상했으나 공신의 충정을 이유로 당대의 국왕이 받지 않았다.

카신 백작은 세상을 떠나기 전 말미에 그의 가장 충실한 친구였던 작힘 후작에게 보물을 주었고, 소드 마스터를 보유하고 있던 후작가에서 신의에 대한 보답으로 수 백의 기병과 말, 세

명의 상급 초상술사와 함께 금은보화를 건네준다.

그러고도 작힘 후작과 카신 백작 사이에는 연이 남아서, 다음 대의 후작이 검을 놓는 순간부터 어느 때건 로멜리아의 요청에 따라 보구를 반납하기로 서약한다.] ……."

질리언이 긴 글을 읊는 동안 다른 이들은 각자 자신의 생각과 추리를 빠르게 정리하느라 별다른 말을 하지 않았다.

확실히, 로멜리아와 산슈카 전기집에는 또렷한 내용이 있었다. 저것 외에 다른 무엇을 생각할 수도 없었다.

"……."

줄리앙은 자신의 둔함을 탓했으나, 어쩔 수 없었다. 때로는 코 앞에 물건을 놓고도 정녕 찾지 못할 때가 있는 법이다.

오랜 삶의 경험으로 줄리앙은 그게 진실이란 걸 안다.

"저거군요."

"저거네요."

헤슈나가 말했고 제냐가 받았다. 노인은 짐짓 담담한 척 턱수염은 매만졌지만 속내를 숨기기 어려웠다. 고갤 끄덕인다.

"저거로군."

질리언은 잘했죠? 라는 표정으로 그들을 처다봤다. 헤슈나와 비교해도 나이 차이가 얼마 나지 않는다. 그럼에도 불구하고 기사급 인원을 제외한 전투 병력 가운데 호위조로 뽑혔을만큼 재능이 출중하다. 바꿔 말하면 실력에 비해 어린 티가 가끔 있다.

질리언은 이미 여러 번 읽었던 책이었기에 그 종반부까지 가는데 그리 오래 걸리지 않았다. 아직도 오후의 시간대다. 줄리앙이 말했다.

"그러면… 어떻게 할까, 가 중요하겠군."
"그렇죠."

제냐가 맞장구쳤다. 맞는 말이다. 펜던트와 손방패. 친절하게 삽화까지 그려져 있었다. 오랜 역사를 여러 번의 교차검증 끝에 실은 책이니 아마 정확할 것이다.
88대 가주, 제국이 왕국이 되던 그 격변기의 인물인 카신 백작이 생의 마지막에 작힘 가에 넘긴 물건이다.
산슈카의 제국기는 지금으로부터 1300여 년 전의 이야기였다. 그 동안 60여 번의 교체가 있었다. 로멜리아 가의 주인 자리 말이다.

전대 가주, 전 남작이 꼭 150대 가주였다. 아직 정식으로 계승식을 하진 못했으나 그들 눈앞의 헤슈나가 151대 로멜리아 가주였고.

가문의 대수가 숫자로 백을 넘고, 거기서도 중반에 이른다는 말은 현실적으로는 이해하기 어려운 것이었다. 조선 왕조의 모든 왕의 수를 더해도 30이 안 될 테니. 한 세대를 30여 년으로 계산했을 때 4, 5천 여 년의 시간이었다.

현실감 없는 단위였고, 지구의 역사와는 궤가 달랐다.

물론, 게임 내 가상의 설정이니 그렇다.

"가주님께서 아무런 말씀이 없으셨었던가요. 그러니까, 아버지께서요. 그저 작힘 가와의 우정만을 믿고 물건을 돌려받을 수 있으리라고 믿으셨다면 너무 허황된 요구가 아니십니까."

"가주님의 마지막 말씀이라……."

줄리앙은 헤슈나의 이야기에 눈을 가늘게 떴다.

그가 전 남작, 자힌 로멜리아와 마지막으로 얘기한 건 약 한 달 반 여 전의 어느 밤이었다.

중독 증세로 위독하던 남작이 고비를 넘기던 날.

그 다음 날 새벽, 가문의 중신들과 자식들의 곁에서 남작은 마지막을 맞이했다.

줄리앙은 그 때 마지막으로 의식이 또렷하던 남작과 유일하게 후사에 대해 긴 대화를 나눈 사람이다. 다른 이들은 거의 꺼져가는 불씨처럼 사그라드는 남작의 정신 앞에서 몇 마디 당부나, 사랑의 말 정도를 나누고 들었을 뿐이었다.

줄리앙은 그 날을 기억했다.

*

“줄리앙…….”

바깥은 바람이 찼다.

로멜리아 남작령. 세슈칸으로부터 여행길로 보름 정도 거리에 있는 곳이었다. 예전엔 그곳부터 세슈칸까지가 전부 로멜리아 가의 영토였다. 지금은, 전부 사라지고 한 영지만 남았다. 예전에 로멜리아 가의 자리였던 곳은 산슈카의 다른 귀족들이 차지했거나, 혹은 인접국의 영토로 편입이 되어 역사의 명맥이 끊긴 곳들이었다.
그 땅의 역사는 로멜리아 가가 아니더라도 번영하겠지만, 로멜리아 가가 주인으로 있던 역사는 말이다.

봄, 바람이 조금은 찼다. 황야의 바람 줄기는 세차게 저택의 창문을 두드렸다. 바깥은 어둑하다. 침대에 몸을 누인 남작은 성대가 말을 잘 듣지 않는 것처럼 힘이 없다. 긁는 듯한 소리를 내며, 상처 입은 짐승이 색색 숨을 쉬듯이 말을 했다.
오래도록 그가 모셔온 주인의 말이었다. 줄리앙은 늙은 귀를 가까이하며 그 전언을 확실히 듣기 위해 애를 쓴다.

“예, 남작님. 제가 여기 있습니다.”

남작이 침대 속, 이불에 파묻힌 채 그 어깨 위로만 몸을 드러내고 있다. 옥빛의 풍성한 감이 있는 두터운 이불이었다. 뒤로는 초식동물의 털과 새의 깃털을 모아 만든 특제 배게가 흰 천에 은빛 천에 싸여 있고.

남작은 천천히, 또 힘겹게 목을 가누어 줄리앙이 있는 자신의 왼편으로 돌렸다. 고개 끝 시야에 줄리앙이 걸렸다. 남작은 흐릿한 눈가를 한 번 찡그렸다.
시야가 조금쯤 돌아온다. 아직까지 자신이 죽을 때는 아닌 모양이다.
몇 시간을 버틸지 알 수 없었지만, 적어도 지금 이 순간은 아닌 모양이었다.

"줄리앙… 오랜 친우여.
그대에게 내 두 딸을 부탁하네."
"…예 알겠습니다, 주여."

줄리앙이 천천히 또 무겁게 고개를 끄덕거렸고, 자신의 움직임과 비슷한 톤으로 말을 받았다.

로멜리아 가의 주인, 자힌 로멜리아 남작은 격통이 심해지다가 어느새 잔잔해졌음을 느끼고 움직인 참이었다.

심장께를 옥죄듯이 만들던 독기가, 손발을 저리게 하고 척추 온 뼈가 시리도록 하던 놈이 활동을 멈춘 건지, 아니면 단순히 감각이 마비된 건 지는 알 길이 없다.

아마 분명 후자이리라.

남작은 정신이 또렷한 것 같았다. 스스로가. 그렇기에 말한다. 목소리도 생각하는 말을 다 전달할 수 있을 정도로는 나왔다.
다행이었다.
전할 말이 마침, 있었다.

"집사장."
"예."
"우리 아이들을… 잘 부탁하네. 자네를 믿어. 그리고 하나 더.
…로멜리아 가에 관한 말이네.
세슈칸…의 작힘 가로부터 보물을 받게. 지난 약속의 증거인 로멜리아의 금목걸이…

그것을 주면 돌려줄 거야.

오래 전 작힘 가가 대여한 비보이니 그들이 언약과 신의를 기억한다면 줄 것이네.

지금의 로멜리아 가는 너무…

약하고 또 불안하네.

자네도 카샨과 호드의 수작을 알겠지."

거기까지 길게 말하는데 깨나 시간이 걸렸다. 그러나 마지막 문구에서 남작은 눈을 빛냈다. 독기로 인해 수척해진 사람이라고 생각할 수 없는 형형함이었다. 희끗한 머리에 움푹 패인 볼. 살이 빠져 있지만 의지는 강해 보인다. 길쭉하게 생긴 얼굴형이었다. 색이 진한 갈색 눈동자가 줄리앙을 응시한다.

남작의 말에 노집사는 그의 곁 가까이에 다가서 있었다.

침대 근처로 가서 고개를 둔 뒤 조금 낮춘 자세다. 남작이 슬쩍, 팔을 이불 속에서 꺼내어 줄리앙의 뒷목으로 손을 가져다 대었다.

바들거리는 손목의 가는 떨림이 그의 마지막을 말하는 듯하다. 남작은 기어코 몸을 조금쯤 일으켜 세워 줄리앙의 귓전에서 이야기했다.

속삭이는 주군의 말이 전하는 내용은 유쾌한 것은 아니었다.

"두 개자식들이 감쪽같이 독을 탔네. 언제, 누구로부터인지도 모르지만 말이야."

그가 말하는 두 개자식들은, 로멜리아 가 영지 주변에 있는 인접한 소영주들이었다. 각기 카샨과 호드 남작이다. 로멜리아 남작과 비슷한 영배의 중년 사내들이었고, 탐욕스러운 눈빛으로 늘 로멜리아 영지를 지켜보던 망나니들이다.

로멜리아 가는 오랜 역사를 지니고 있다. 유서 깊은 그들의 전통 속에 아직도 다 소멸하지 않은 어떤 고대의 유산이 있을거라고 여기는 작자들이다. 카샨과 호드 뿐만 아니라, 서넛이 더 호시탐탐 그 영지를 노린다.

산슈카 왕국은 오랜 시간이 지나면서 점차 왕권이 약화되어 왔다. 그러함에도 불구하고 건재한 왕권이었으나, 예전 시대를 기억하는 자들이 아는 산슈카의 왕권과는 다른 것이었다.

변방에 위치한 귀족들은 제 배를 불리기 위해서 아무렇게나 행동한다. 거기까지 왕의 눈이 닿지 않는 것은 당연하나, 그 뒷일을 책임질 수 있느냐가 문제였다.

지금은 적당한 고위 귀족, 중앙의 관리 따위의 뒷배가 있으면 마음 놓고 일을 저지른다.

평온해 보이지만 어떤 전란기보다도 살아남기 위해 애를 써야 하는 시점이었고,

그걸 알고 있던 로멜리아 남작이지만 쥐도 새도 모르게

당해버렸다. 그들이 이빨을 드러내는 것을 보지도 못하고. 경계하고 있었지만 이미 망나니들의 칼날이 로멜리아 영지 내부에까지 닿아 있었던 모양이었다.

한 귀족 가의 영주를 이렇게 독살할 수 있는 실력이라면, 어느 거물급 영주를 뒷배로 삼아 대단한 암살자를 고용했다거나, 혹은 로멜리아 가가 경계하기 이전부터 이런 일을 계획했다거나 할 테였다.

남작은 그런 상황에서 두 딸을 생각했다. 로멜리아 가의 미래. 영지민들을 이끌만큼, 어느 대장부 못지 않게 잘 해낼 수 있게끔 교육을 시킨 아이들이었다.

한 아이, 아드리안은 아직 혼자서 무엇 하나 해내기 어려울만큼 어리지만 명민하고 담대한 면이 있다.

장성하면, 도리어 언니인 헤슈나보다 믿음직한 면이 있으리라.

그러나 그 모습을 볼 수 있는 게 고작,

하루 정도일까. 다음 날 새벽이 올 때까지 남작 그 자신이 과연 살아있을 것인가. 그것은 커녕 이렇게 멀쩡한 정신과 또렷한 시야, 그리고 분명한 말소리가 이번이 마지막이 아니라고 생각하기도 어려웠다.

그 시점에 자신의 곁에 오랜 친구이자 믿음직한 노신老臣인 줄리앙 리스트가 곁에 있다는 건 참으로 큰 행운이었다.

남작은 해야 할 말들을 전했다.

그의 귓전에서 속삭이던 입을 떼어 남작은 조금쯤 뒤로 갔다. 힘겹게 일으킨 상체를 다시 침대 속에 묻는다. 이불의 감각을 둔하게 느끼면서 남작이 입을 열었다. 그의 눈이 줄리앙의 동공을 정확히 처다보았다.

생에 마지막 말이니 더욱 그래야 하리라.

줄리앙은,

오랜 경험과 전쟁 속에서 철석같은 간담을 소유하게 된 노신은 간신히 떨리는 표정을 참고 자신의 주인을 바라보고 있었다.

주인이자, 형제이자, 친구이자, 전우이자, 피를 나눈 동생처럼도 여겨졌던 사내다.

형식을 초탈해서 많은 것을 나눈 인간이었는데. 자신보다도 먼저 간다는 것이 가장 서글픈 점이었다. 아직 정정하지만, 이 노구를 먼저 사그라들도록 불태우지 못했는데 자기보다 젊은 주인이 간다니.

신하로서 가장 쓴 결말이었지만 줄리앙은 어쨌든 그 맛을 받아들여야 했다.

인생의 여러 지독한 쓴 잔 중 이것이 몇 번째이고 또 얼마나 남았을까.

줄리앙 역시 남은 후계자를 머릿속에서 떠올렸다. 더 이상 로멜리아 가에 비극이 일어나는 꼴을 보고 싶지는 않았다.
가능하다면, 그의 힘이 닿는다면, 그는 이것이 그의 인생의 마지막 쓴 잔이 되었으면 했다.

그럴 수 있다면 반드시 기필코, 그가 모시는 이들보다 먼저 나서서 죽으리라.

마음이 맞은 두 사내는 이야기를 나누었다.

남작이 쉰 목소리로 말했다.

"폐하… 께서는 아직도 로멜리아 가에 대한 전통을 기억하고 계시지. 왕가는 그렇지.
…….
……하이샨. 그 친구는 옛 인연이지만 아직까지 로키 산에 있겠지. ……."

몇 마디 말을 더 하려는 듯 했지만 남작의 눈빛에 불빛이 사그라들어갔다.
죽으려는 것은 아니었다.
그 이후 몇 시간 뒤의 일이었지만, 그 당장은 아니었다. 남작은 많은 말을 하지 못했다. 기력이 달렸다. 생각도, 혀도 굳어 제 뜻대로 움직이지 않는다 잘.

"줄…… 리…. 잘… 부탁…… 하네."

졸음이 쏟아지는 사람처럼, 남작은 그 이후로 더 말을 하지 못하고 눈을 감았다.

독성을 이겨내기 위해 치열하게 싸워내던 남작의 면역 체계나, 기력 따위가 잠시 승기를 잡았다가 여력을 다 사용해버린 뒤 잠잠해진 것이었다.

해독제도 찾을 수 없고, 주변에 있는 치료술사들의 초상 스킬조차 듣지 않는 지독한 독술이었다.

힘이 다 한듯 침대에서 많은 말을 하지 못하고 쓰러진 남작이다. 고급스러운 남작의 개인 침소다. 넓은 방 안에 심플한 목재 가구들이 주인의 취향을 반영하듯 예스러운 멋을 더했고, 남작의 침대는 붉은 기가 도는 고급스런 원목 가구로 각 모서리에 기둥이 있어 지붕까지 지어져 있다.

사방이 뚫린 집 안에서 쉼을 청하는 듯한 남작의 눈꺼풀 한 구석이 덜 덮였기에, 줄리앙은 주름진 손으로 그것을 내린 뒤 말도 없이 자세를 바로했다.

그는 독에 찌들고, 취해서 말을 잃은 남작의 모습을 선 채로 잠시 지켜봤다.

굳은 표정.

늙은이의 볼이 아주 약간 떨렸다. 이빨을 강하게 짓씹은 탓이었다.

그는 몇 초 정도 더 치밀어오르는 감정에 물을 뿌려 식힌 뒤, 신하의 예를 다해 깊이 고개를 숙여 방을 나섰다. 산슈카 특유의 문양이 수놓아진 카펫 위를 검은 가죽 구두가 뚜벅이며 밟는다.

다른 가구나 침상과 마찬가지로 검붉은, 혹은 짙은 갈색 톤의 묵직한 문을 열어 나오고, 천천히 닫았다.

끼익. 또 철컥.

아주 사소한 소리가 다 죽여지지 못하고 났다. 그 정도는 어쩔 수 없었다.

방 안에는, 남작의 침상에는 알람 스킬이 걸려 있었다. 신변에 아주 사소한 변화라도 생기면 옆 방에 대기하고 있는 초상술사들이 알아챈다. 미묘한 변화는 호흡, 맥박, 신체 온도 따위의 것마저 알아챘다.

직접적으로 대상의 '생기Health Point'를 체크하는 스킬도 있었다. 몇 명의 감지계 술사, 치료술사, 물리적인 의료진, 약재 따위가 구비되어 있다.
아마 남작이 눈을 뜨기만 해도 알아챌 수 있으리라.

집사장이 남작의 방에서 나선 복도에는 바로 창문이 높은 위치에 달려 있었다. 사람의 고개보다 더 높고 작은 창문이다. 위를 처다보아야 보이는데 거기서 바깥의 밤하늘과 달, 별빛이 새어들어오고 있었다.

줄리앙은 군데군데 발광석을 이용한 등으로 광량을 유지하는 영주 저의 3층 복도에서, 잠시 밤을 처다보다가 걸음을 옮겼다.

그 뒤로 그는 잠을 자지 못하고 다른 시종들을 부리며 저택의 소일거리를 하고, 남작의 마지막 말을 되새기다가, 몇 시간 후 이상한 낌새를 느끼고 다 같이 남작의 침소에 들어가게 된다.
그리고 그것이 로멜리아 가의 남작이 가신과 친족들을 두고 세상과 일별하는 장면으로 이어진다.

*

줄리앙 리스트,

곱게 늙은 집사장이 반개했던 눈을 오롯이 떴다.

노인의 시야에는 젊은이가 보였다. 검은 머리칼. 분명 또렷하게 뜨고는 있지만 어딘지 총명해보이는 느낌은 없는 눈. 동북부인, 그러니까 세시앙 인.

안 지는 얼마 되지 않았지만 나름대로 믿어볼 만한 친구였다. 일단 아무런 득 없이 그들과 함께 하고 있었으니까.

혹시나 나약해진 그들 일행으로부터 무언가를 노리기 위해 나타났다고 하기엔, 지나치게 우연이 심했다. 그만한 실력을 가지고 있었다면 그냥 그 자리에서 그들을 몰살시키고 원하는대로 속내를 보였으면 될 것이었고.

고도의 심리전이라고 하기에는, 너무 먼 이방인이었고 고생을 자처하고 있다. 아직 젊고 어리지만, 나름대로 유망한 모험자이기도 했고 말이다.

그 옆에도 젊은이들이다. 아름다운 금발의 머릿결. 영지를 돌아다니면 모든 영지의 남성들이 설레일 것 같은 외모를 가진 아가씨였다. 그 아름다움만큼이나 건실한 속내를 채워낸, 로멜리아 영지의 자랑스런 후계자였다. 또한 당장 그가 모실 주인이기도 했고.

다른 옆 자리에는 조금은 미덥지 않지만 마찬가지로 재능이 출중한 어린 영지병이 있었다. 일반병들 중에서 특출난 재주와 신체 능력을 가져 특별하게 차출되어 기사들과 비슷한 트레이닝을 받은 친구다.

아마 로멜리아 가가 조금 더 안정이 된 채 시간이 지난다면 충분히 기사가 될 수 있는 자질을 가진 청년이다. 이미 수습, 견습 기사, 기사 시종이나 다름 없는 위치였고 실제적인 전투 능력은 어지간한 얼치기 기사가 온다면 도리어 잡아먹을 수 있는 수준이다.

자신의 눈으로 보이는 주름진 손은 버텨왔던 긴 세월을 말한다. 노구가 얼마나 더 버틸 수 있을까. 몇 차례의 파도만 젊은이들을 위해 대신 막아주어도 족할 것이다.

이들이 거목으로 성장할 즈음이 되면 자신은 그 자리에 있을 텐가.

없어도 좋다.

줄리앙이 말했다. 잠깐 깊은 생각에 잠기며 목까지 함께 침체되었는지 눌린 목소리가 처음에 새어나왔다.

"…남작님께서 그러고 보면 마지막에 말씀하셨네.

왕실, 작금의 폐하께서는 전통을 중요시하신다고. 로멜리아 가의 전통을 잊지 않으며 호감을 보이신다고.

그리고… 로키 산에 있는 하이샨, 이라는 친구를 말씀하셨는데… 로키 산의 하이샨이라면…."

산슈카 왕국의 온갖 가문과 집단들이 사용하는 문장과 특색, 또 그 무리들의 역사를 꿰듯이 알고 있는 헤슈나가 입을 열었다.

집사장 역시 모르는 바는 아니었으나, 줄리아가 맑고 명랑한 톤으로 빠르게 이야기한다.

"하이샨 그리턴. 로키 산의 산지기 가문이자 자작가, 그리턴 가의 가주의 이름이에요."

"……아."

제냐가 그 말에 가장 먼저 대꾸하며 반응했다. 뭔가를 알아서는 아니었다. 아니, 한 가지 아는 것이 있기는 했다. 주변도에 대한 정보는 얼추 갖고 있었다. 따로 공략을 찾아보지는 않는다지만 그 정도는 알아둔다.

세슈칸에 가까운 산이나 숲이 몇 개 있었다. 가장 흔하게 접하는 것이 데슈칸Deshukant 산맥에 속한 산들이었다.

갈색 먼지 숲이 남서쪽에, 그리고 세슈칸에서 북동쪽으로 가면 '검은 안개 숲'이 있었다. 모두 플레이어들이 당연하게 기억하고 주로 활동하는 퀘스트 지역이며, 그 퀘스트 내용의 대부분은 해당하는 필드에 서식 중인 괴수들을 사냥하는 것이다.

로키 산은 데슈칸 산맥의 말단 지류에 속한 산이었다. 그리 높지는 않은 산이었으나 꽤나 넓이가 있었다.

능선을 따라 오를수록 산맥의 높이가 높아지고, 심부에는 7-80정도 레벨을 가진 완숙한 중견 플레이어들이 파티 사냥을 하는 자리가 있었다. 곧 90에서 100에 근접하는 보스boss 몬스터 캐릭터들이 있는 곳이다.

로키 산은 산맥의 입구라 부를 만한 위치였고, 그렇게까지 위험하지는 않았다. 그렇다 해도 지금까지 제냐가 다녔던 사냥터들 중에서는 가장 평균 레벨이 높다.

갈색 먼지 숲 역시 심부에는 위험천만한 구간이 있지만 그는 외곽에서만 머무르고 파티 사냥을 했으므로.

아마 이전과 달리 4, 50대 정도의 레벨 구간이 분포된 사냥터일 테다.

물론 제냐가 평균적인 동레벨의 플레이어들에 비해 전투 능력이 높은 건 사실이었으나. 아마 체감하는 난이도는 새로운 자극이 되리라.

그런 생각이 든 것이 '아'라고 소리를 뱉은 첫번째 이유였고, 다른 하나는

'여기서 돌아가겠구만…….'

이라는 마음이 든 탓이다.

줄거리가 길게 이어지는 퀘스트들은 이렇게 여기저기, 온갖 장소를 돌아다니면서 스토리를 파헤치게 되어 있었다. 눈 앞에 목적지와 목표물을 두고도 멀리 다른 장소를 다녀와야 하는 일도 심심찮게 일어난다.

물론 이런 과정을 생략할 수 있을 정도의 특별함이 있으면 혹시 모른다. 어마어마한 명예 점수를 갖고 있다거나, 전투력을 갖고 있으면.

그도 아니면 어떤 다른 인맥이나 플레이어들 간의 협력을 동원할 수 있다면.

안타깝게도 제냐는 그 무엇도 없었다.

완성도 높은 전투 스타일을 구축해나가고 있는 착실한 전투 플레이어였지만 세슈칸의 영주인 작힘 백작 가를 정면에서 돌파할 정도는 당연히 안되었다. 이곳이 중수 수준의 도시라곤 해도 그 정도 레벨로 영주성 격파를 도모할 수는 없었다.

콘란드 중부에 위치한 그리 크지 않은 왕국 산슈카였고, 그곳의 일개 백작이었으나 이제 막 플레이를 시작한 제냐의 시선에서는 까마득하다.

진심으로 이 퀘스트를 해결해야만 해서 모든 수단을 동원해야 한다면 다른 길이 있을 수는 있겠지만.

뭐 예컨데 이 도시에 있는 플레이어들을 설득해서 작힘 가를 무너뜨리자, 는 식으로 플레이 유도를 한다면 또 모른다. 제냐

혼자가 아니라 수 천 수 만에도 달할 이들이 움직이면 작힘 가로서 그들을 통제할 수 있는 수단은 전혀 없다.

대도시에 주둔하고 있는 영지병들은 국왕의 병력으로부터 빌려오는 자들이 수비대의 일부분을 차지한다. 그들은 작힘 가의 사병이 아니며 온전히 산슈카 국내의 치안 유지를 위해 일하는 자들이었고, 수도 왕실 소속의 병력이었다.
산슈카 국 모든 도시에 그렇게 군대가 주둔하고 있지는 않았으며, 세슈칸처럼 대도시에 한해서 일어나는 일이다.

로멜리아 가를 비롯한 변방의 소영지에는 중앙의 눈길이 닿는 일이 거의 없다.

어쨌든 그들은 왕실 소속이었고, 만일 플레이어들이 작당 모의를 해서 일거에 일어나 영주 성을 친다면 작힘 가의 사병들처럼 목숨을 걸고 막아서지는 않고 또 못할 것이다.
그들이 영지민들을 무차별 학살하고 도시를 전복시키려면 몰라도. 그들이 지켜야 할 첫 번째 대상이 그것이었으니 말이다.

세슈칸은 산슈카의 중요한 재산이었고, 그 재산에는 땅과 그 위에 살아가는 사람들이 포함되었다.
세슈칸의 통치자인 작힘 가와 작힘 백작은 왕실의 재산을 대신해서 관리하는 임시 주인에 불과했다. 어디까지나

명목상으로는.

그러나 그 명목상이, 모든 플레이어들이 들고 일어나는 사태 때는 중요하게 생각될 것이다.

물론 그런 일을 벌인 뒤에 가담한 모든 자들이 산슈카 왕국에서의 행동에 제약이 걸릴 수도 있기는 하겠다만.

그 정도 페널티가 게이머들에게 돌이킬 수 없는 수준은 아니었다. 말했듯, 콘란드 대륙의 어느 소국에 불과했으니까.

백작 가의 일반병, 엘리트 병력들이 막아서겠지만 수와 질적으로 압도적인 차이가 나는만큼 오래 버티지 못하고 금방 백작의 목이 떨어지리라.

게이머들은 그렇게 할 수 있기는 하다. 그렇게 만들만한 적절한 명분이 있느냐가 중요하지.

제냐는 그런 수단을 동원하지는 않는다. 머리도 아프고, 뒷감당도 어렵고. 여러 사람들을 이렇다할 구실도 없이 움직이는 건 취향이 아니었다. 자신이 계산할 수도 책임지기도 어려운 일이다. 고작 게임 속 이야기에 불과했지만, 그럼에도. 그저 그의 취향이 아니다.

능력이 있느냐 하는 것도 다른 문제였다. 불가능하지 않다는 것이지, 쉽단 얘기도 아니었다.

사람들을 끌어모으고 큰 일을 저지르기 좋아하는 부류의

인간들은, 그리고 통솔력이나 관계성에 특출난 재능을 가진 부류는 그런 플레이를 하기도 했다. 실제로 비련의 시나리오가 서비스 된 이후 몇 개 왕국에서 눈 여겨 볼 만한 변화들이 이미 일어나기도 했다. 몇 개 변방 왕국에서 역사서의 기록이 바뀔 정도의 내용들이 진행되었다.

비련의 시나리오 속 역사는 플레이어들더러 만들어가라고 내어준 백지장, 도화지 뭐 그런 것이었으나 그 서술 방식이 급진적이냐 시스템 친화적이냐 하는 건 차이가 조금 있었다.

올곧게 명예점수를 쌓고 퀘스트로 준비된 사안을 따라가다가 일어나는 변화가 정석적이었고, 자신이 퀘스트를 만들어내듯 행동해서 거대한 소란을 일으키는 건 변칙적인 플레이였다.

제냐는 정석이냐 아니냐를 그런 부분에서 따지지는 않았지만 취향의 문제로, 퀘스트대로 걸어 가기로 한다.

'…….'

그리고 잠시 생각했다. 최태현이 시간이 나면, 이 퀘스트에 끌어들여서 같이 행동을 해야 할까.

아마 쉽게 끝나진 않을 것 같았다.

그런 제냐의 속과 상관없이 헤슈나가 말한다.

"그리고…… 하이샨 그리턴이라면 왕가의 방계 혈족이기도 합니다. 예로부터 산슈카의 명예로운 고가古家를 꼽으라면 늘 로멜리아와 그리턴, 그리고 알사드와 사슈나를 말하죠.
왕실인 사슈나 가에서 한 뿌리로 갈라져 나온 그리턴 가는 예전부터 로멜리아 가와 많은 혼약을 맺기도 했고… 지금은 저희와 비슷한 처지이지만요."
"그렇다 해도 왕실의 방계라면, 또 왕가와 닿아 있는 연이 있을지 모르겠군요."

줄리앙이 말했다. 그 혼자서는 정보를 다 집어 넣어 두고도 올바른 답을 끄집어내지 못하던 차였다. 머리는 여러 개가 있을수록 좋다. 결론을 도출하기 위한 요소들이 대개 그의 머릿속에 있었음에도 과부하가 걸려 놓치는 사실들이 많았으니까.

안전하게, 누구의 습격이나 견제도 받지 않고 세슈칸까지 두 명의 후계자를 모시느라 고생을 했다. 머리를 좀 써야 하는 일 정도는, 아직 연약한 아이들의 도움을 받아도 좋을 듯 하다.

헤슈나는 금안을 빛내며 이야기한다. 제냐는 그녀가 생기 넘치는 표정을 짓고 있다고 생각했다.
누구나 수동적인 역할을 할 때보단, 그래도 자신의 주체성을 가질 때 더 흥이 나는 법이었다. 평생 무엇 하나 제 손으로 해보지 못한 사람이라면 더더욱 그럴 것이다. 헤슈나는 늘 보호받고 어린 처지였다. 아드리안의 앞에서는 정반대의 입장이었지만, 그것을 제외하면 가문의 누구를 만나도 그렇게 취급받았다.

철혈의 노집사가 피곤하다는 듯한 기색을 그 안면에 드러낼 때 그녀 자신이 무언가 도울 수 있다는 사실이 어찌나 기쁜지.

그녀는 주도적으로 이야기했다.

"아마도요. 그런 말씀을…… 하고 싶으셨던 것 아닐까요. 작힘가가 신의를 잊었고 대화를 거부한다면, 아버지 말씀대로 해보는 게 좋을 거 같네요. 로키 산…… 그곳으로 가야겠죠."

"옳으신 뜻입니다."

줄리앙이 맞장구쳤다.

질리언고 고갤 주억거렸다.

제냐 역시 동의했다. 기나긴 씬들의 이어짐을 생각하니, 아마 이거 시험 다 끝난 뒤 방학 중에도 하고 있을 듯한 예감이 강하게 들었다.

그들은 일단 머무르고 있는 세슈칸의 호텔 내에서 짐을 꾸려 천천히 준비한 뒤, 도시 바깥의 어느 산으로 향하기로 했다.

작힘 백작이 단지 대화를 거부하는 것만 아니라 음흉한 속내로 계략을 꾸미고 있다면, 그것들에 대한 대처가 어렵다. 그들만으로는 말이다.

그들을 도와줄 수 있는 누군가의 곁으로 가는 건 올바른 판단이었다. 그 과정에서, 이들 또한 조금쯤 성장할 수 있으리라. 특히 호위병으로 따라온 질리언과 페이브, 제냐가 말이다.

플레이어는 누구보다도 격전을 반기며 그 속에서 성장하는 존재였다.

아니, 플레이어라기보단… 유저 중에서 전투를 메인 컨텐츠로 소비하고 있는 전투 유저들 말이다. 그들은 게임의 시스템을 누구보다도 적극적으로 활용할 준비가 되어 있었다.

그 날 밤에 제냐가 몇 가지 일거리와 심부름을 도와주었고, 빠르게 준비를 마쳤다.

당장 내일은 수업이 없는 날이었다.

시험 준비를 얼마간 해야 하긴 하지만, 24시간을 쓸 정도의 열정이나 의욕까진 없다. 말했듯, 퇴학만 피하면 된다. 그리고 그 정도는 몇 시간 정도 집중해서 책을 보면 가능한 수준이었고.

그는 퀘스트를 건네준 동료들과 인사를 나누고, 떨어져서 스킬 훈련을 조금 반복하다가- 다시 여관에 돌아왔다.

끼익-

하는 마모된 경첩 소리가 그를 반겼다. 어느새 시간은 밤이 되었다. 역시나 늦게까지 술잔을 기울이는 인간들이 두런두런 테이블에 모여들어 있다. 일상적인 풍경이었다. 그는 술을 좋아하진 않았지만.

남들이 마시는 걸 보고 뭐라고 할 생각까진 없다. 그에게 피해만 안 끼친다면 말이다.

사람들 사이를 지나 자신의 3층 객실로 올라가려는데, 주방과 이어진 통로 쪽에서 주인 아주머니가 슬쩍 나와 모습을 드러냈다. 마침 타이밍 좋게 마주친 터라 계단에 오르기 전 인사를 건넸다.

꾸벅이는 고개에 퉁퉁한 체격을 가진, 40대 정도의 여성이 주름진 얼굴로 입가에 미소를 그리며 받아주었다. 오래 되었으나 헤지지 않은 튼튼한 천옷을 입고, 그 위에 앞치마를 걸치고. 주방에서의 전투 복장으로 완벽하게 채비를 갖춘 여성이다. 머리에는 하늘색 두건 하나를 둘러쓰고 있었다. 그 양 옆으로 흘러내리는 검은 머리칼이 땋여 있다. 뒤로도 질끈 묶은 머리칼이 더 있었고.

굳은 살이 박힌 두터운 손으로 아주머니는 슬쩍 들어 인사를 해주었고, 제나는 그대로 고개를 몇 번 더 꾸벅거리며 위로 올라섰다.

NPC였지만, 늘 밥을 맛있게 해주고 있었다. 어떤 사회 정서와 관념대로의 움직임이 인에 박혔으므로, 자연스럽게 역할극 속에 녹아들어 인사를 했다.

이런 사소한 행위들 하나하나가 어떤 플레이어가 머무르는 지역 사회 내의 명예 점수와도 직결되게 되어 있다.

반사회적인 행동을 마구 저지르면, 악업 수치가 올라가고 성향 역시 혼돈, 악 쪽으로 기울게 된다.

사회적으로 물의를 일으키고 신상이 수배될 정도가 되면 이제 대도시 위주의 플레이와는 영영 멀어져야 하는 것이고.

제냐는 뒷머리를 긁적거리며 객실로 올라갔다.

*

“크.”

제냐는,

일어서기로 했다.

아니, 김서원이었다. 그는 학교에 있었으므로.

오래도록 시험지를 붙잡고 있어봤자 답이 나오지 않았다. 그가 머릿속으로 알고 있는 모든 정보를 끄집어내고, 시험지 안에 문제로서 들어 있는 모든 정보를 다시 조합해봐도 답은 없다.

여기까지가 그의 최선이라는 확신이 들었을 때, 과감히 그만 풀기로 했다.

얼추 채워진 시험지다.

그가 앉은 곳은 창가, 바람과 햇살이 잘 들어오는 곳이었다. 교정은 건물 외부까지 '에어컨'이 가동중이있다. 공공 시설들은 간혹 이렇게 몇 개 건물과 지역을 묶어서 거대한 에어 컨디셔너가 작동한다. 그가 앉아 있는 경영 1관과 2관은 한 개의 에어컨 지역이었다. 교정 사이 공중에 떠 있는 벌룬balloon 형태의 기구는 강력한 바람막을 형성한다.

눈에 보이지 않는 투명한 막이었고, 해당하는 범위 내에 다른 종류의 기체 벽이 형성되어 사람들이 지나다닐 때마다 급격한 온도 차이를 느끼고는 한다. 에어컨의 가동 범위 부근에는 점땅바닥 교정에 흰 줄이 점선으로 그어져 있었다.

ㄴ자 형태의 건물 두 동은 건물 전체를 담는 기체의 외벽 내부로 들어와 있는 형상이다. 눈으로 보이는 건 없지만, 온도를 볼 수 있는 카메라로 공중에서 측정한다면 그렇게 보일 테다.

4층 경영 4012관, XX경영학 시험장에서, 빛나는 한여름의 햇살을 받으며, 김서원은 일어섰다.

드륵, 하고 의자가 밀리며 소리를 낸다. 남들보다 조금 일찍이었지만 그가 가장 먼저는 아니었다.

화이트 톤의 현대적인 건물, 깔끔한 색채와 인테리어다. 조금 뒷자리에 앉아 있던 그는 천천히 필기도구와 가방을 챙긴 뒤, 시험지를 제출했다.

제출 방식은 간단하다. 책상에 켜져 있는 디스플레이에 시험지가 뜨는 것을 터치펜으로 조작해 서술한 뒤, 이름과 번호를 적고 '제출'란을 클릭하는 것 뿐이었다.

터치해서 날아간 시험지는 작성 완료가 되었다. 이제는 더 이상 쓰고 싶어도 쓰지 못한다. 김서원은 자리에서 일어나, 앞자리 교단에 앉아 학생들이 푸는 모습을 곁눈질로 지켜보는 교수님에게 꾸벅 목례를 했다.

눈짓으로 인사를 받는 중년의 남자 교수님의 배웅을 받고서 제나는 천천히 걸어 그리 크지 않은 교실의 뒷문으로 나섰다.

"후아."

교실을 빠져나오며 뱉은 소리였다. 두터운 철제 문은 부드럽게 열리고, 별로 힘을 들이지 않아도 움직이며 소리도 크지 않다. 완전히 교실 내부, 시험장과 차단되고 나서야 소리를 뱉었다.

4층 복도 역시 교정과 마찬가지로 깔끔한 화이트 톤이었다. 여러가지 가구, 아래와 이어지는 계단의 난간 따위가 조금 색깔이 달라서 다채롭기는 하다. 타일 형태로 구분지어진 바닥칸을 밟으며 그는 시험장과 멀어졌다.

4층 옆의 외벽은 김서원의 기준으로 배꼽 정도 위치에서 천장 부근까지 전부 투명한 통창으로 이루어져 있었다. 그 아래는 하얀색에 가까운 회색질의 벽면이있는데, 이번에 새로 지어진 건물다운 깔끔함이었다.

중앙 관리실에서 조작하면 외벽의 색깔은 바뀐다. 보여지는 질감 역시도. 전체를 투명한 통창으로 바꿀 수도 있었다. 그런 특수 유리의 디스플레이 기계로 이루어져 있다.

바로 햇빛이 들지는 않는 창가였지만 여전히 따사로운 여름의 햇살은 돌아돌아, 하얀 실내를 더욱 하얗게 빛나 보이게 만들었다.

청소를 자주 하는지 먼지도 잘 보이지 않는 학교 건물의 복도를 지나 그가 집으로 향했다.

이번 시험이 마지막이었다. 이번 학기의 말이다.

군복무를 멀찌감치 뒤로 미룬 그는 23살이었고, 4년제 대학에서 세 학기를 남겨두고 있었다. 일 년은 대학 수험에서 재수를 하는 바람에 늦어졌다.

군복무는 아마 졸업을 하고, 취업을 하며 사회 구성원으로서 자리를 잡은 뒤에 할 것 같았다. 약 6개월 정도의 기간을 2년 동안 나누어서 하면 된다. 사회 초년생들 중 사내들이 군복무를 위해서 얼마간 시간을 쏟아야 하는 일은 사회적으로 기업간에도 협의가 된 부분이었다.

보다 일찍 다녀오는 자들도 물론 있었지만, 대부분은 2년간 6개월 기간 선택 복무를 치른다.

군복무를 감당하는 여러 가지 방법이 있었고, 보내야 하는 시간과 헌신해야 하는 기간과 강도가 전부 달랐다. 물론 기간과 강도에 따라서 주어지는 혜택, 보상 역시 다르다. 아예 군조직의 일부를 자신의 직장으로 삼는 청년들도 많이 있었다.

꼭 그게 아니더라도 몇 년 정도 일을 하다 나오는 사람들도 있었고.

여성들의 경우에도, 1개월에서 최대 3개월 정도의 기간을 선택해 적절한 복무를 하게끔 되어 있다. 남성과 같은 기준의 군사 훈련을 받는 건 아니었지만, 기초적인 트레이닝을 받고 공부를 한 뒤, 군 핵심 기관이 아닌 보조 기관에서 다양한 병종으로서 헌신한다.

통일된 한국의 국경선은 저 멀리 북방의 개마고원 인근이었다.

전선을 지키는 엘리트 병력들, 직업 군인들이 따로 있고 타지역을 돌면서 일하는 일반 사병들이 있다. 대한민국의 인구는 남북한이 합쳐지며 늘어 대폭 증가했고, 한동안 증가하다가 최근에는 다시 감소 추세였다. 현재 7,400만 여 명 정도의 인구를 유지하고 있었으며 북한은 아직까지도 남한에 비해서는 개발되지 않은 흔적이 남아 있다.

대부분의 군인들은 중국으로부터의 외력을 견제하기 위해 옛 북한 지역에 거주하는 실정이다. 군복무를 다녀오는 이들 또한 그 짧은 기간 중에는 북한 지역에서 생활하고, 다시 남한으로 돌아오는 이들이 많았고.

북한 지역 역시 제도, 사회 기간 시설등 전반적으로 차이는 없었으나 남한에 비해 자연 그대로인 상태의 땅이 더 많았다. 남한에 비해서는 대도시가 적고 시골이라는 느낌이 아직까지 국민들에게 박혀 있는 인식이다.

중국은 21세기의 중반을 지나며 하나로 뭉치려던 열망을 실현시키지 못하고 분리되었다. 러시아를 비롯해서 대국들이 열병을 앓듯 체질 개선이 이루어졌고, 몇 개의 연합체로서 정체성을 다시금 만들었다.

중국은 크게 한국 바로 위 지방에 있는 북중국과 한국 기준으로 서해를 넘어 닿게 되는 남중국, 그리고 신장과 티베트 등이 있던 깊숙한 내륙 지방의 독립 연방으로 분리된다.

정치적 알력에 의해, 서방 세계의 조력을 은밀하게 받아 이루어진 비주류 민족들이 이전 중국 정부의 영향력으로부터 벗어났다. 그렇게 분리된 이들은 전부 중국 대륙의 독립 연방 아래로 모여들었다.

이전의 독재자가 다스리는 건 북경과 천진까지를 포함하는 북중국이라고 보는 게 옳다. 그들의 정치적, 사상적 명맥이 북중국으로 이어지고 있었으니까.

남중국은 대만에 친화적인 온건파 세력들이 점거한 땅이었고, 이전의 중국과 달리 조금 더 국제 사회에 협조적인 태도를 취하고 있었다.

살아남기 위해서 중국 내부에서도 다른 독자 노선을 구축한 자들이라고 할 수 있었다.

러시아 역시 동서와 북러시아로 나누어졌고, 동북 러시아와 북중국으로부터 오는 한기 서린 압박을 막아내기 위해 최전선의 군대가 고생하고 있는 실정이었다.

물론 근처에 있는 미, 일의 군사 기지로부터 협조를 받으며 유지하고 있는 경계 지역들이다.

지금 당장의 김서원에게는 와닿을 만큼 가까운 문제들은 아니었다. 학교를 잘 졸업하고, 장래에 대해서 생각하며 생존

노선을 결정하는 것이 보다 더 가까운 문제였지.

그리고 그 와중에, 여가 겸 즐기고 있는 비련의 시나리오 속 달성 과제가 또 하나의 목표이기도 했다.

남성은, 혹은 사람은 간혹 그렇게 무언가에 집중하면서 스트레스를 풀고는 한다. 제대로 집중을 해내느냐 마느냐가 삶의 질을 결정할 정도의 문제가 되기도 한다.

그런 점에서 다양한 게임 류가 그토록 인기를 끄는 것일까도 싶다. 그 과정에서 시간과 정력을 너무 낭비하고 인생에 쓸모 없는 경험이 되는가, 혹은 그로부터도 무언가를 얻어내는가 하는 게 개인의 수준이라고 할 수 있겠다.

밝은 여름의 한낮은 햇살이 따갑다.

김서원은 그대로 에어컨 구역을 벗어나서, 땡볕 아래로 들어간다. 부서지는 햇살 속에서 더위를 온 몸으로 느낀다. 습기가 피부에 달라붙는다. 여름의 온도는 이렇다. 반팔 파란색의 티셔츠가 땀을 머금는다.

백팩 주머니에 넣어두었던 휴대용 선풍기로 바람을 맞으면서 김서원은 통학용 버스가 있는 곳까지 걸었다.

*

며칠의 시간이 지났고, 몇 번의 밤이 지났다.

"……."

그 사이에 있었던 일들에 대한 서술이다.

한밤중. 제냐는 덜그럭거리는 마차에 몸을 싣고 있었다.

그만이 있는 건 아니었다. 호화스러운 마차의 내부에는 두 명의 여성과, 한 명의 노인이 더 있었다. 노인, 은 사내였다. 깔끔하게 뒤로 넘긴 새하얀 백발이 인상적이다. 그런 백발을 가질만큼의 나이처럼은 보이지 않지만, 일부러 염색을 한 것인지 일찍 새어버린 것인지 알 수 없다.

노인의 갈색 눈동자는 밤중에도 여전히 총기를 잃지 않았다. 잠이 많지 않으신 어르신이다. 마차의 바깥에는 두 명의 청년이 사이좋게 자리에 앉아 말들을 몰며 방향을 정하고 있었다.

내부에는 네 명이 타고 있었지만 앉아보니 넉넉하게 자리가 남았다. 조금 무리하면 마주보고 앉는 좌석에 한 명씩 더 탈 수 있을 듯했다.

마차는 흔들림이 곧바로 몸으로 오지는 않았다. 그 차체에 다양한 기구가 들어있기라도 한 지, 혹은 어떤 초상 스킬로 특별하게 재련된 도구가 쓰인 건지. 바깥에서 들리는 마차의 바퀴와 노면이 만들어내는 소음에 비해서는 진동이 덜하다.

앞은 두 마리의 흑마가 사이좋게 마차를 끌고 있었다.

제냐 킴은 마차에 난 창문으로 밖을 슬쩍 보고, 다시 내부를 살폈다.

아드리안은 약간은 졸린지 눈을 반쯤 감고 있었다. 잠에 지지 않으려는 듯 몸부림을 치다가 조용해진 참이었다. 나이에 비해서 조금 더 천진하고 어리숙해보이기도 한다. 다만 같이 있어본 시간에 따르면, 지식적인 면에 있어서는 본인 나이에 비해 훨씬 월등했다.

비련의 시나리오 내부, 콘란드 대륙에서의 상식을 가늠할 수는 없었지만 대강 추리해보아도 어지간한 전문 지식들을 그 작은 머리에 담아두고 있었으니까.

학문과 교육이 보편적으로 발전하지 않은 세계임을 감안하면 아주 뛰어나게 박식하고 명민한 편이리라. 다만 성정과 태도가 어린이다움을 벗지 않았다 뿐이다.

그런 아드리안의 맞은 편에 앉아 소녀의 기울어지는 고개를 관찰하는 언니가 있었다. 헤슈나. 모두 여행용의 차림을 하고 있었다. 두 여인 모두 말이다. 움직이기 편한 바지에 천옷, 그 위에 꼼꼼하게 채운 레더 아머의 보호구들이 있다. 마지막으로 후드가 달린 망토를 겉에 둘렀다. 갈색에 짐승의 털가죽으로 만들어진 듯한 질감이었는데, 보온이 뛰어나고 또 눈 먼 화살이나 칼날 정도는 조금 멈출 수 있을듯해 보이는 두께감이었다.

실제로 몸 근처에 채워보면 그렇게 무겁지는 않다. 무게가 경감된 것으로 체감하게끔 해주는 초상 스킬이 인챈트 된 물건이었다. 말도 못하게 비싸지만, 애초에 로멜리아 가에 있던 것이라고 한다.

나올 무렵 챙겨왔었으나 답답하다고 빼어둔 것을 다시금 꺼내서 입게 만들었고, 헤슈나 역시 별 대꾸 없이 입었다.

"……후우."

여인은 작게 한숨을 쉬었다.

한숨조차 쉬지 못할 때가 가장 힘든 시간이다. 한숨이라도 돌릴 여유가 있다면, 좀 나은 때이고.

마차의 창문은 네 방향으로 나 있었다. 헤슈나가 앉은 자리에서 왼 편에는 마차의 출입문이 있다. 출입문의 머리 부근에는 작게 창문이 있다. 헤슈나의 바로 옆, 오른편 위쪽에도 작은 창문이 하나 있다. 덧창으로 창문은 언제든지 가릴 수 있었으나, 지금은 양 옆의 작은 창으로 달빛을 받으며 가고 있는 길이다.

그들은 세슈칸에서 출발해서 로키 산맥으로 향하고 있다. 중앙의 길다란, 그리고 거대한 규모의 가도를 통해서 말이다. 각지의 중요 지점으로 이어진 가도들은 과거 산슈카가 제국이던 시절 만들어둔 도로 공사의 흔적이었다.

오랜 시간이 지났고, 더 이상 산슈카의 영토가 아닌 곳에도 그런 기반 시설들은 여전하게 남아 있었다.

제국이었던 시기가 천 하고도 몇 백 년이 더 지났으니, 예전에 제국의 장인들이 만든 건축물이 도리어 외국의 유적지가 되어 그곳에서의 역사가 덧쌓여가고 있는 경우도 빈번했다.

이런 도로는, 도시와 성 바깥에 있으면서 누구의 간섭도 받지 않고 여전히 존재한다.

나라의 영토에 속해 있으나 누군가가 일부러 소유를 주장하면서 시끄럽게 떠들지 않는다. 여행자들은 예전의 제국이 만들어 둔 길을 따라서 편하게 길을 걷는다. 이것이 없었으면 훨씬 더 불편하고 길어졌을 여행이 그나마 편해지고, 더 쉬워졌음에 그들은 오늘 날에도 감사한다.

그런 감사에 한 개를, 헤슈나를 비롯해 마차를 탄 일행들이 더 쌓았다.

도시 바깥은 황무지다.

멀리 초원 지대가 있는 곳도 있고, 황야가 이어지는 곳도 있었다. 넓다란 평야에는 이렇다 할 건축물들이 많지 않았고, 거대한 콘란드 대륙의 전토는 아직까지 사람의 손길이 닿지 않은 자연지가 훨씬 더 방대한 영역을 차지하고 있었다.

'사람'으로서 대변되는 기본적인 인간종의 영역은 아직 전 세계의 일부만을 건드리고 있을 뿐이다. 세상에는 알려지지 않는 지도 상의 어둠이 훨씬 컸고, 그 심처에 도사리고 있는 위험한 괴물들 또한 신비로서 남아 있었다.

그런 괴물들의 근처에 조금 특별하고 다르게 생긴 인류가 있을지도 몰랐다. 본질적으로 동일한 인류이며 이성으로서 대화를 하는 지성체이나, 콘란드의 역사는 분명하게 그들과의 교류를 기록하고 있었다.

콘란드의 역사는 '괴수'와 '인간'의 반목의 역사라고 보아도 좋았다.

괴수는 목적성도, 지향성도 없지만 어쨌든 그들의 삶 자체는 파괴적이고 인류 문명에 저해되는 방향으로 나아간다. 인류는 확고한 목적성이 있고 역사의 건축물들을 세워 나가고 삶을 영위해가기 원하지만 괴수들을 물리치고 영역을 빼앗아야만 평화로운 삶을 이어나갈 수 있었고.

그 사이 지점에 있는 무수한 짐승들이 있었으나, 개중에서도

'몬스터'라고 불리는 이족들은 확고한 악의와 교활함을 가지고 인류의 영토를 빼앗는 쪽으로 움직인다.

콘란드 전토에서 인류가 개간할만한 장소는 그래도 넉넉하게 정복하고 있는 상태였지만, 언젠가 그 몬스터들이 하나로 모여 인류를 침공하는 날이 오지 않을까, 하는 불안함은 마치 화산이 언제고 터지지 않을까, 하는 막연한 상상처럼 인류 역사가나 위정자들의 걱정거리가 되었다.

이렇듯 도시와 도시 사이를 잇는 가도, 사람들이 많이 다니는 지역들은 그래도 '위험지역'에서 많이 벗어난 수준의 장소들이다.
많은 교류가 있는 곳은 경제와 문화, 기술 발전을 위해서 지켜져야만 했다. 물류의 흐름을 지키기 위해서 자연스럽게 사병이든 혹은 일국의 군사이든 주기적으로 움직이고 훈련을 하며 몬스터를 비롯해 위험물들을 처리한다.

그럼에도 불구하고 운이 나쁘다면 언제든지 만날 수 있는 것이 또 콘란드에서의 여행이기는 하다. 그뿐만 아니라 악한 인간 역시 늘 뒤통수를 노리고 있는 위험이었고.

아직까지 세슈칸을 떠나서 로키 산으로 향하는 여정 중에 그러한 일은 없었다. 또한 헤슈나가 기억하기로는, 로멜리아 영지에서 나와 세슈칸으로 오던 여행길 중에도 그런 일은 없었다.

최초로 누군가의 악의를 살갗에 닿도록 느낀 것이 도리어 세슈칸 도시에 들어와 성벽 내부에서 일어난 일이었다.

갑작스러운 여행이었는데, 그런 여행의 과정을 되새겨보았을 때 아마 모르긴 몰라도 집사장인 줄리앙 리스트 경이 굉장히 고생을 많이 했을 것이었다.

헤슈나 역시 세상에 관한 아주 세세하고 밀접한 상식은 부족했으나 머리는 있었다. 세상이 그리 안전하지만은 않다는 걸 분명히 인식한다.

자신에게 별다른 위험이 적었다면, 그것을 위해서 자신을 둘러싼 저 사내들이 아주 피를 토하는 각오로 체력과 지혜를 짜내어 헌신했을 일이다.

헤슈나 로멜리아. 그녀는 많은 각오를 다져야만 했다. 아버지가 돌아가시던 날, 그 새벽으로부터 지금까지 그저 떠밀려오듯 지내온 여정이었으나 정신을 조금 차려야 했다.

아버지, 자힌 로멜리아 남작이 없다면 그녀가 로멜리아 가의 가주가 될 테니까.

밤하늘의 빛나는 별을 보면서 헤슈나는 의지를 굳게 한다.

그것을 도와줄 이들이 있다는 게 다행이었다.

"……제냐 경."

헤슈나가 먼저 말을 텄다. 다그닥거리는 말발굽 소리, 평야의 가도 바닥을 치는 굽소리와 마차 바퀴가 회전하며 내는 삐걱거림이 일정한 소음을 만들어내는 사이에 파고드는 음성이었다.

고운 음색이 자신을 부르자 제나는 멍때리며 하늘을 처다보다가 그녀를 처다보았다.

이 NPC가 무슨 말을 하는가, 라는 생각도 있었고- 아주 자연스럽게 만들어졌으며 또 미적인 감각을 발휘해 지어진 창조물의 안색에 그리 어렵잖게 게임 내 연극에 몰입하게 되는 게 또 사실이었다.

"예, 로멜리아 공."

제나는 헤슈나에게 말을 높였다. 나이를 생각해서 적당히 대하는 것도 좋지만, 일단 줄리앙이 모시고 있는 '가주'로서 헤슈나를 인식했다. 한 집단의 장長이라면 그만한 대우를 해주는 것이 필요하다. 자기보다도 연소하다고 해도.

'공公'이라는 표현은 그런 의미의 존칭이었다. 이런 선택들이 비련의 시나리오에서 NPC들과의 관계 속에 얽혀들어가며 교감을 만들어내고, '명예 점수'와 시나리오의 방향성을 이끄는 선택지가 된다.

이 캐릭터가 어떤 생각을 할까, 라고 공략법을 생각하기보다 차라리 인간이라고 연상하고 자연스럽게 대하는 것이 정답에 가까운 방식이었다, 시나리오 온라인의 플레이 법으로서.

물론 대사와 표정까지 공략법을 따라 해내는 자들도 적지는 않다. 어느 정도 양식화된 프로세스는 있었으니까.

NPC들은 '극'을 이루는 배우들로서, 관대했다. 현실의 사람간 관계성이라면 다소 어색한 행동으로 '너 왜 그래'라고 할 만한 투도 자연스럽게 받아들였으니까.

그건 플레이어들의 자연스런 연기력을 고려해 시나리오 온라인에서 자체적으로 난이도를 조절한 부분이었다.

대놓고 연기톤으로 할 것이냐, 자연스럽게 녹아들어 메쏘드 연기식으로 플레이를 할 것이냐의 선택지였고, 제냐는 조금 더 편안하고 현실적인 플레이 스타일을 지향한다.

"제냐 경은, 어떻게 그리 강하신가요."

단순한 물음이 왔다. 줄리앙이 그들의 대화를 슬쩍 처다보았다. 제냐도 노인을 바라보았다. 그는 이 무리 중에서 가장 친밀감을 느끼는 존재를 꼽으라면 줄리앙 리스트를 선택한다.

플레이어들에게 나타나지 않는 시스템 상의 수치 그래프가 있다면 실제로 줄리앙 리스트와의 관계도가 가장 긴밀한 관계성이 있을 지 모른다.

더군다나 집단의 우두머리이며, 이 신분제 시대의 사회에서 귀족이기도 한 여인에게 실례를 저지르지 않을까 제냐는 줄리앙의 눈치를 자주 살폈다.

그의 낌새를 보고 행동을 다소 취사 선택하고 조정해가는 것이다.

"어……."

하고 말을 고르는 사이 다그닥거리는 소리가 울렸다. 고적한 운치마저 느껴지는 상황에 제냐는 조금 마음이 고요해지고 편안해졌다.

현실에서는, 이럴 경험이 자주 없지 않은가. 따지자면 그는 지금 방구석 안에서 침대에 누워, 야외 풍경을 담은 영화를 보고 있는 것이나 마찬가지이지만. 이토록 현실감 높은 영화라면 감성을 일깨우고 자극하는 정도의 역할은 충분히 한다.

"글…쎄요. 어떤 의미이신지 가늠하기 어렵군요. 콘란드 대륙, 세계에는 저보다 강한 사람이 밤하늘의 별과 비슷해 보일 정도로 많을 겁니다."

"어머. ……그 정도는 아닐 것 같은 걸요? 저희 가문의 듬직한 호위 두 분을 패대기 치셔놓고."

"……."

제냐는 떨떠름하게 잠깐 입을 닫았다. 헤슈나의 말투는 조금 어색했다. 이 아녀자가 어떤 성격인지 잘 알 수 없었다.

아드리안을 대하는 태도에서는 아주 깊은 자연스러움이 배어나왔지만, 그와의 대화에서는 조금 낯설고 어색한 기색이 드러난다. 자신을 불편해하고 있는 건가. 그럴 수 있었다. 제냐는 해야 할 말들을 하기로 했다.

"그건 송구스럽긴 합니다만……. 뭐, 사실입니다. 사람들도 그렇고, 사람이 아닌 괴물들까지 합친다면 더욱 아득하겠죠.

그럼에도 불구하고… 감히 기사들과 맞설 수 있을 정도의 힘은 있습니다만. 물론 정당한 일대일 상황에서요. 기사들조차 천차만별이겠지만.

……그냥 타고나길 튼튼하게 타고 났습니다. 거기다가 중부 대륙을 떠돌면서 사냥을 업으로 삼았고요. 황야 지룡이니, 갈색 오크니 하는 것들과 단검 하나를 꼬나쥐고 심심하면 드잡이 질을 하는 것을 생활로 삼았습니다."

참으로 적절한 대답이었다. 나는 이 세상에 온 지 이제 몇 달도 되지 않은 신참이며, 과거도 경력도 없는 플레이어요, 라고 말을 할 수는 없었으니까.

NPC들에게 '바깥 세계'란 인지하기 어려운 개념이었다. 딱히 락Lock이 걸려 있지는 않으나 그것을 이해시키는 일 자체가 불필요하고 불편한 일이었다.

어떤 미치광이는 NPC 하나를 붙잡고 현실과 인공지능이 만들어낸 가상 세계의 개념을 주입시켜 보려 했지만 잘 되지 않았다.

아마, 이 세계에서 가장 박식하다고 일컫어지는 현자 급의 식자들에게 가서 논의를 해야 먹혀들지 않을까.

그런 정보를 주입해서 무언가 변화를 유도한다고 해도, 게임적으로 크게 유의미한 사건을 만들기란 어려웠다. 인공지능이 조직한 게임 세계의 현실성 수치를 점검하기 위한 연구 자료 이외의 의미는 없었다.

보통 이런 비슷한 류를 만들어내는 업계 종사자들이나, 하드한 게임 매니아들 중에서 그런 괴짜같은 연구를 하기는 한다.

"호오…. 하기야. 정말로 강해보이시긴 하던걸요. 잘 모르지만 눈으로 좇기 어려울 정도로 빠르고 힘이 세시단 건 이해했어요.

그런 강력을 타고났다면 더 이상 할 말이 없기는 하군요.

그런데… 황야 지룡과 드잡이질을 벌이셨다구요."

"예…. 제법 재미있습니다. 여러가지 스킬과 전투법들을 몸에 익힐겸, 해서 말입니다. 저 같은 특이 체질을 타고난 별종의 인간이 아니라면 해서는 안될 짓이기는 합니다.

그렇지 않다면 적절한 단련을 수준 이상까지 마친 이후에 해야 할 일이겠죠."

제냐는 그렇게 말하고 마차 바깥의 먼 하늘을 처다봤다.
말하면서는 고개를 일부러 끄덕였는데, 마차의 흔들림에 따라 조금
더 휘었다.
얼마 지나지 않은 사냥의 기억이 떠올랐다. 재미있었지만,
고생이기는 했다. 게임 내에서 체감되는 집중력과 스릴, 서스펜스는
현실의 그것과 못지 않다. 충분히 '스포츠'의 영역이었다. 비련의
시나리오 말이다. 그 정도의 몰입감과 긴장감, 컨트롤 능력이
요구되고 나타난다면.

NPC들 역시 '스킬'에 대해서 어렴풋이 인지하지만 그들은
그것을 세상이 부여하는 일종의 기적이라고만 생각한다. 사용자가
아니기에 시스템 인터페이스를 열어볼 수 없고, 그들은 상세한
수치의 진행과 다양한 척도들을 분석할 수 없었으니까 말이다.

알음알음, 어떤 행동을 하면 어떤 특별한 능력이 생기기도 한다,
뭐 이런 더듬어 찾는 식의 정보가 NPC들 사이에서 명맥이
이어지는 형태였다.
물론 스킬은 특별한 도구에 의해서 습득되기도 하고, NPC별로
타고나는 경우도 있다. 숨겨진, 또 강력한 스킬을 얻을 수 있는
방법이나 아이템, 혈맥 등은 세계관 내에서도 가장 중요한 기밀로
취급되는 부류들이었다.

로멜리아 가에도 아마 그런 게 있을 테다.

"상상하기도 힘든 고련을 익혀오신 거로군요."

헤슈나가 적당히 고운 말투로 감상을 전했다. 허허, 제냐는 헛웃음을 지으며 그 시기의 고단함을 대신 전달했다.

"좋아서 하는 일이니 크게 힘들진 않았습니다."

헤슈나는 그 말이 기억에 남았다. 제냐의 대답이었다.

그들을 실은 마차는 그렇게 가도를 따라, 혹은 정비되지 않은 평야나 황무지의 면을 가로지르며 데슈칸 산맥으로 향했다. 이틀 정도를 별다른 일이 없이 움직였다.

야영을 하게 될 때는 줄리앙이 특별한 아이템들을 꺼내들어 술식진을 치고 잠을 청했다. 그러고도 번을 서는 것이 필수였다.
두 여인은 마차 내부에 침소를 마련해 자게 했고, 남자들은 마차 바깥에서 번갈아 경계를 하고 휴식을 취했다.

황야나 초원에도 그 모습을 가릴만한 언덕이나 돌무더기 따위는 종종 있었고, 그런 그늘 사이에 엄은폐하며 밤을 보냈다.
산슈카 내에서 도시 바깥의 야지들을 이동하는 데는 줄리앙이 특별한 노하우라도 있는 것인지, 어떤 몬스터나 강도도 만나지 않고 안전한 여행을 할 수 있었다.

내부 지리에 밝고, 길눈이 좋으며 또 특수한 종류의 색적 스킬이나 아이템이 있는게 아닐까 생각되었다. 혹은 그런 종류로 재단할 수 없는 NPC 고유의 노하우일지도 모른다. '인류' 캐릭터들은 몬스터들과 달리 그런 예리한 노하우들을 개개의 특성으로 가질 수 있었다.

'향상심'이라는 게 존재하는 이들이었기에.

24. 협곡 진입

황야의 바위 무더기 옆, 혹은 둔덕 근처, 한 그루만 오롯이 선 거목의 가지 아래, 그도 정 없다면 주변의 지형지물 색깔과 비슷한 천을 넓게 펼쳐서 위와 옆을 가리고 대형 천막을 친 뒤에 자는 나날들이었다.

제나는 '취침' 로그아웃을 선택했다. 일반적이지 않은 경우, 퀘스트로써 NPC들과 긴밀하게 얽혀서 움직이는 때 플레이어는 취침을 위한 로그아웃을 선택할 수 있었다.

보통의 로그아웃과 달랐고, 비상 로그아웃과 비슷하다. 긴밀한 연계를 맺은 NPC가 곁에 계속 붙어 있을 때, 멈출 수 없는 퀘스트 상의 씬 진행이 연속된다고 시스템이 판단될 때 나타나는 기능으로,

NPC들은 플레이어가 수면 중에 부재하는 상황에 대해 이상함을 느끼지 않게 된다. 그 사이에 경계를 선다거나, 급박한 상황이 진행된다거나 하면 물론 씬이 급변해 있는 경우도 있었다.

밤 사이에 강도떼의 습격을 받았다거나 말이다.

그럴 때 시스템은 사용자가 있었을 경우의 움직임과 조력을 수치화해서, 가장 비관적이고 보수적인 가능성으로 점친 뒤 현실화한다. 제냐 본인의 감각과 컨트롤을 전혀 발휘하지 못하고 그저 평범한 병사 1로 전락해서 전투에 도움을 주는 것이다.

그 정도만 하더라도 손 하나가 더 필요한 곤궁한 상황 속에서 확실한 조력이기는 하다.

상황이 워낙 지독하고, 자신이 눈 부릅뜨고 플레이하지 않으면 그대로 퀘스트 상황이 끝나리라는 확신이 들 때 플레이어들은 간혹 게임 중에서 잠을 청하기도 했다.

몸이 누운 상태에서 정신과 신경만 접속해서 플레이하는 것이니, 게임 중의 잠은 일반적이며 실제적인 잠과 거의 차이는 없다.

애매한 이물감, 왜인지 모르게 시뮬레이션 프로그램에 접속해 있다는 생각 때문인지 피로를 호소하는 이들도 있었지만 과학적으로 명확하게 수면의 질이 떨어진다는 입증된 결과는 없었다.

물론 입증된 것이 없다는 말은, 정말로 그 체감적인 찜찜함이 사실일 가능성도 어느 정도 여지가 있다는 뜻이었으므로 어지간하면 게임 내에서의 수면을 권장하는 분위기는 아니다.

제냐는 평범하게 현실 시간으로 잘 만한 시간대까지 최대한 게임 속에서 버티다가, 여행과 일정이 마무리된다 싶으면 로그아웃으로 빠져나왔다.

퀘스트 진행은 제냐가 없어도 움직인다. NPC들은 별다른 특색 없이, 그동안 다져왔던 관계성 수치가 변하지 않는 한도 내에서 제냐의 움직임을 예측해서, 가상 기억이 주입되게 된다.

자동 게임을 돌려놓는 것과 같지만 타이밍을 잘 맞추지 못한다면 곧바로 퀘스트가 실패하게 된다. 요점은 게이머가 플레이 할 수 있는 시간대 내에서 최대한 문젯거리가 될 만한 요소들을 배제하는 움직임이었다.

파티로 함께 움직이는 NPC들이 흔한 위험에 노출되어 목숨을 잃지 않게끔 아이템과 스킬을 전해주어 전투력 증강을 도모한다던가, 혹은 같이 훈련을 한다던가.

그도 아니면 미리 앞서가서 발생할 지 모를 위협들을 플레이어가 직접 처리한다던가.

혹은 플레이어가 주도적으로 움직일 수 있는 시간 내에 최대한 정력적으로 상황의 전개를 앞으로 이끌어나가는 방식이다.

리스크 관리를 제대로 해내지 못한다면 비련의 시나리오에서 NPC들과 연계되는 복잡다단한 부류의 퀘스트들은 수행할 수 없었다.
대부분의 희귀, 고유 급 이상의 주요한 퀘스트들은 이렇게 진행된다.

플레이어 혼자서 움직이는 단독 퀘스트의 종류가 없는 건 아니었지만, 비율로 친다면 절반을 조금 더 넘길 테였다. 게임 내 역사에 적극적으로 개입하며 영향력을 미치고, 시나리오를 이끌어가기 위해서는 NPC들과 함께 행동하는 요령을 시스템적으로 터득하는 게 필요했다.

제냐는 비련의 시나리오의 플레이어로서 중수 즈음의 길을 차근차근 걸어가고 있다고 해도 좋았다.

이런 경험들이 자양분이 되어서 훗날 마주할 수많은 플레이들의 요령으로 보탬이 되리라. 시스템을 관장하는 초AI는 차곡차곡 경험과 노하우를 쌓아가는 방식을 채택해 유저들에게 제공하고 있었다.

세슈칸에서 출발하고, 두 번의 밤을 지새운 뒤 어느날 낮이었다. 데슈칸 산맥으로 천천히 가는 길.
노상에서 그들은 평원의 코뿔소 떼를 멀리서 발견했다. 다행히 그들을 향해서 오고 있는 무리는 아니었다. 방향이 달랐기에, 멀찌감치서 그것을 구경할 뿐이다.

만일 교차지점이 생기는 방향이었다면 골치가 아팠으리라.

일반적으로 현실에 존재하는 모든 종류의 동식물들이 비련의 시나리오 온라인 내에도 있었다.

실제 지구의 생태계, 식생과 동물군을 조사한 뒤 해당하는 데이터를 토대로 재조합 해서 만들어낸 게 콘란드 대륙이었으니 말이다.

등장하는 괴수들도 고대에 존재했던 거대한 동물들의 뼈더미 따위를 데이터 베이스에 넣어 만든 게 많았고, 실제 있는 동물들의 특징과 일부를 조합해 만들어낸 게 많았다.

실제 현실에서의 전설과 상상 속의 동물들 역시 그런 방식으로 만들어진 것이었고 말이다.

얼핏 보아서 수 백 마리 이상으로 보이는 거대한 코뿔소 무리가 그들이 진행하는 마차 방향의 먼 앞에서 가로질러 가고 있었다.

그들만의 여행이리라.

현실의 다큐멘터리에서 지구의 다양한 동물들이 무리지어 움직이고 여행하고, 생태계를 이루며 동작하듯 콘란드 대륙에서도 동일하다.

인류 문명의 영토가 되는 영역권 내부에는 다소 덜 할 뿐이었지만, 기본적으로는 야생과 원시의 세계를 재현한 뒤 그 위에 초인적인 힘을 가진 인류 연합을 둔 방식이었다.

인류는 각자 공동체를 만들고 치열하게 투쟁하며 생존해서 문명을 번영시켰다.

멀리서 보아도 진동이 느껴지는 듯한 거대한 짐승 무리의 행군은 이루 말하기 어려운 웅장함이 있었다. 제나는 현실에서도 다큐멘터리에서나 볼법한 광경을 멈춘 마차의 마부석에서 빤히 바라보며 구경했다.

흑마들은 용감한 녀석들이다. 내심 떨고 있는 듯, 마부석의 말 끈으로부터 미세한 감각이 있었다. 그러나 전혀 드러내지 않고 덤덤한 척 하며 거대한 이동을 바라보고 있다.

마부의 말을 듣고, 주인의 명령대로 움직이는 충실한 녀석들이었다. 튼튼하고 강하다. 병해에도 잘 견디는 듯 했다. 다양한 환경에서도 함부로 놀라지 않았다.

이전, 골목에서 로멜리아 가의 일행들이 갑작스런 습격을 당했을 때조차 말들은 경거망동하지 않고 그 골목에 그대로 자리하고 있었다.

마차가 날뛰었다면 또 상황이 달라졌을 수도 있다. 아마 그 자리에서 가장 연약한 부류였을 두 아가씨가 심각하게 다쳤을 지도 모르지.

마부석의 방향 조절 끈을 한 쪽 손아귀에 몰아 쥔 채, 왼

손으로는 턱을 괴고 멍하니 아프리카 대초원의 풍경같은
구경거리를 감상하다가, 한참의 시간이 지나 말을 다시 몰았다.
넉넉하게 코뿔소 머리가 그들의 진행로 멀리로 지나가고, 마차의
속도로 닿았을 즈음에는 아주 긴 거리가 떨어지게 될만큼 기다린
후였다.

푸르릉.

투레질을 하는 두 마리의 흑마를 천천히 몰아 다시금 걸었다.
초원 지대를 지날 때에는 말들의 먹이를 주기가 편리했다. 그렇지
않을 때는 마차의 짐칸에 반쯤 정도를 차지하고 있는 건초 더미와
건곡 자루에서 먹이를 꺼내어 주어야 했다. 이런 목초지를 지날 때
충분히 먹게끔 하는 게 필요하다.

사람이 먹고 쉬어야 하듯 말들 역시 그러하다. 그리고 기왕이면
사람이 쉴 때와 말이 쉴 때를 최대한 맞추어 움직이는 게 여행의
효율적인 계획이리라. 마부의 일상을 질리언과 페이브, 두 마부
선임으로부터 전해 들으며 제냐는 말을 몰았다.
둘만 일을 하게 하기에는 미안한 감이 있었다. 그는 연약한 손에
일을 해 본 적 없는 여인도 아니었고, 피곤한 육신으로 여행에
참여하고 있는 노인도 아니었으니까.

제냐가 말을 몰 때는 그냥 두 청년을 모두 쉬게끔 하기도 했다.

말을 듣지 않고 하나가 더 나올 때도 있었지만. 제냐는 그와 친해질 겸, 그리고 다양한 정보를 이야기로 건네들을 겸 해서 옆자리에 앉아 두런두런 이야기를 나누며 마차를 몰기도 했다.

지금은 그 혼자 앉아 있었다.

질리언은 마차 내부에 다른 이들과 함께 앉아 쉬며 가고 있었고, 페이브는 엉뚱하게도 마차의 지붕 위 평평한 부근에 자리를 깔고 앉아 있었다. 그가 앉은 마부석에서는 잘 보이지 않는 위치였고, 때때로 페이브가 앞쪽으로 몸을 옮겨 고개를 내밀어야 볼 수 있었다.

제냐는 두 흑마의 엉덩이가 실룩거리는 꼴을 보면서 앉았다.

마부석도 그다지 불편하지 않다. 아주 고급스럽게, 장인의 손길이 눈으로 봐도 느껴질 정도로 들어가 지어진 마차의 부품들은 하나하나 사람이 앉고 다루기 편하도록 지어져 있다.

그가 앉은 마부석의 벤치 역시 그렇다.

넓게 지어져 서넛이 앉을만했다. 조금 끼어서 그 엉덩이를 붙여 앉아야 했지만. 원한다면, 마부석에 그대로 누워 발을 바깥으로 빼낸 채 잠을 청해도 좋았다. 목재 가구였지만 허리나 엉덩이가 닿는 부분이 인체에 적합한 곡선형으로 갈려 만들어져 오래 앉아 있어도 큰 불편함이 없다.

원목의 결이 느껴지는 가구에 무언가 특수한 칠을 했는지 은은한 광택이 어려 있었고, 그것이 다시 세월의 때같은 것에 헤져서 다시 고풍스런 멋이 되었다.

반질반질한 나무 등받이에 제 등을 다 기대어 제냐는 먼 시야와 흑마의 움직임을 한 눈에 담으며 유유자적, 여정을 이어갔다.

나쁘지 않다. 괜찮은 취미였다, 비련의 시나리오는.

*

코뿔소를 본 날의 일이었다. 지녁 무렵이 되어 대슈칸 산맥까지 하룻길 정도가 남은 시점이었다.

다음 날 점심 무렵, 혹은 늦어져도 저녁 전에는 산맥의 말미에 닿게 되리라. 대슈칸 산맥의 말미는 곧 로키 산의 지류이자 입구이기도 했다.

제냐는 틈틈이 남는 시간 동안에는 체력과 MP를 소비해가며 연습을 하고 있었다.

직접적으로 스킬을 발휘하는 것도 좋았고, 자동화된 스킬 발동 시스템의 힘을 빌리지 않고 자기류의 방법을 개발하는 일도 좋았다.

MP를 조금 더 어렵고 치밀하게 다룰 수록 MP를 다루는 MP지배력, 곧 의지력 역시 확장된다. 신체의 근육을 혹사시키고 쉬고를 반복할수록 근육이 점차 붙게 되듯이, 정신력 계열의 스텟들 역시 동일한 메커니즘을 갖고 있었다.

점진적인 과부하의 요령을 따른다. 현실의 근육 단련법처럼.

이건 또 묘하게 아주 현실적인 비유의 지점이기도 했다. 달리 말하면 정보를 알려준다고 해도 좋았고.

현실 세상에서도, 눈에 보이지 않는 다양한 부류의 실력들 역시 눈에 보이는 근육을 그렇게 하듯 움직여 힘을 붙이는 경우가 많았다.

연습을 하고, 하지 못하던 일에 계속 도전을 하고, 자극을 주고, 반복 수행을 하면서 실력이 느는 것이다.

상상'력' 역시 그런 부류였다. 작가가 글을 쓰는 문장력과 필력 역시 그러했고, 미술가가 그림을 그리는 솜씨 역시 그러하다.

계속해서 집중을 하고 반복하며 다양한 것을 습득한 뒤 더 새로운 결과에 도전한다. 다양한 분야에 공통적이며 절대적으로 통용되는 법칙이었다.

현실에는 존재치 않는 '초상 스킬', 곧 마법처럼 보이는 현상에도 동일한 원리와 이해가 적용되고 요구된다.

제나는 세슈칸에 머물고 파티 퀘스트를 하면서 하나의 초상 스킬, 아니 두 개를 더 익혔다.

하나는 '썬더 볼트Thunder bolt'였다.

벼락, 벼락 줄기같은 뜻을 갖는다. 석궁의 화살이나 탄환처럼 날아가는 모습의 빠른 공격이었다. 정말 벼락같은 속도의 투사체는 아니었다. 사람의 눈으로 언뜻 보면 그래보일 정도로 빠르기는 하다.

먼 거리를 날아가는 모습은 비슷한 류의 투, 발사 형식 초상 스킬들보다 빠르지만 발사에서 탄착까지 확연한 지연 시간이 있었다.

마치 벼락 줄기가 검은 하늘에서 불규칙적인 선형으로 갈라지듯이, 쪼개지는 빛줄기와 같은 모습으로 날아간다. 발사 궤적은 언뜻 휘어지는 것처럼 느껴지지만 생성 방향에서 도착지까지를 선으로 그으면 늘 직선이 된다. 그 과정에 있어서 불규칙적인 궤적을 갖기에 도중에 파훼하기 더 까다로운 점이 있었다.

발사 동작을 놓치면 정확한 탄착 지점을 계산하기도 어려웠고.

파이어 볼보다 조금 더, 한 단계 까지는 아니지만 반 수 정도 위에 서는 스킬이었다. 피스 시에서는 배울 곳이 없었고, 거기다 '썬더'가 붙는 성질이라면 더욱 희귀도가 더해져 세슈칸에서나 익힐 수 있었다. 파이어 볼트, 윈드 볼트 등의 다른 원소 계열 스킬들은 피스 시에서도 퀘스트를 통해 익힐 방법이 있었다.

세슈칸 시내에서 다양한 의뢰를 수행해 명예 점수, 평판, 인지도 따위가 오르고 NPC들한테 충분한 신뢰도를 얻은 뒤에 퀘스트의 입구를 열 수 있었다. 요는 파이어 볼을 배웠던 것과 크게 다르지 않다. 수업을 듣고 훈련을 해야 했다.

조금 더 볼륨이 커진 이야기가 그 과정에 추가되었을 뿐이었다.

몇 번의 몬스터 토벌 작전에 참여해서 추가적인 공로를 세워야 했고, 썬더 볼트를 가르치는 초상 스킬학 연구자의 연구 활동에 재정적인 지원을 해주어야 했다. 그가 원하는 자연계의 재료를 채취해서 가져다 주어 마음을 열면 썬더 볼트의 기초를 알려주었다.

기초 방법을 익힌 뒤 실전과 훈련장에서 연습을 반복해 익힌다. 마지막으로 연습법을 통달해 실전에서 썬더 볼트만으로 갈색 오크 이상의 강함을 가진 몬스터를 홀로 잡아내면 '스킬'로써의 썬더 볼트가 사용자 인터페이스 목록에 생겨난다.

세세한 수동 조작과 조절 없이도 썬더 볼트의 술형식이 각인되어 보다 편리하고 빠르게 스킬을 발동할 수 있게 된다. 스킬의 수준에 맞추어 최적화된 발동과 효율을 보장하므로, MP의 소모 역시 스스로 할 때 일어나는 소비보다 적었고.

스킬을 하나 더 익히면서 정신력 계열 스텟도 조금 늘었다.

자신에게 주어지는 도구의 한계를 끝까지 체험해보려고 하는 제냐의 집요함 탓에, 썬더 볼트만으로 할 수 있는 다양한 식의 발현을 실험하다가 일어난 변화였다.

그 외에 한 가지 더는 '파이어 볼2'였다. 일반적인 파이어 볼에서 파생되는 스킬로, 조금 더 응용과 활용이 다양한 스킬이었다. 기존의 파이어 볼보다 적은 MP소모로 거대화시킬 수도 있었고, 광량과 열량, 폭발력과 그 모양새까지 더 진취적으로 급변시킬 수 있었다.

일시적인 인챈트처럼 아이템에 열의 MP를 박아넣어 불타는 칼날을 형성하는 따위의 일에도 보정이 더 붙었다.

파이어 볼 가지고 별에 별 난리를 치며 싸워댄 흔적이라고 보아도 좋았다. 파이어 볼의 한 단계 성장형이었고, 이렇게 계통에 속하는 무수한 스킬들을 가지치기 해나가며 하나의 '화염술사'가 탄생하게 된다.

원소 한 가지를 파는 것은 대개 플레이어의 자체적 노력으로 가능한 일이었다. 어떤 외부 자극이나 요소 없이도, 가진 것을 발전시킬 수 있었다.

그러나 다른 계열의 원소 하나를 자신의 초상 스킬 계통도에 더하는 일은 특별한 외부 자극이 필요했다. 자극은 어떤 퀘스트로부터 얻거나, 게임 내에서 특이한 경험을 한다거나, 아이템으로부터 능력이 전이되거나, 혹은 이미 해당 스킬을 갖고 있는 스킬 사용자의 전수 등이 있었다.

NPC들의 경우에는 개개의 특성에 따라 익힐 수 있는 스킬에도 한계가 있고 편향이 있는 식이었다. 어떤 이는 전뢰 속성에 대단한 적합도와 재능을 갖고 있지만, 다른 원소 계열의 스킬은 익히기가 어렵고 발전도 더디다거나, 혹은 아예 익힐 수 있는 스킬 공란이 캐릭터에게 없다거나 하는 식이었다.

반면 플레이어들은 '재능'이라는 면에 있어서는 완벽하게 가능성이 열려 있었고, 어떤 계통이나 원소 계열의 스킬도 적합한 조건만 채우면 익히며 발전시킬 수 있었다.

천재적인, 이라는 표현이 들어가야 할만한 특성이었다.

게임 내에 존재하는 온갖 스킬들을 사용할 수 있게끔 하고, 그로부터 파생되는 다양한 플레이 스타일의 추구를 돕기 위해 마련된 설정이었다.

확실한 노력과 경험만 부과할 수 있다면 플레이어 캐릭터는 반드시 천재적인 결과들을 거두게 되어 있었다.

NPC들 중에도, 무수하게 많은 콘란드 대륙의 인류 중에 적잖이 천재가 있다는 건 물론 시스템 상의 난이도 조정을 위한 일이었다.

플레이어가 가지고 있는 천재성 따위는 아득하게 뛰어넘는 부류도 개중에 있었다. 거기에 적절한 운과 환경, 본인의 의지와 노력까지 겹쳐져 아직까지도 플레이어들이 따라잡지 못하고 처다만 봐야 하는 최상위권의 강자들 역시 있었고.

물론 그건 또 공정한 경쟁이라기보다는 시간에 따른 차이이기도 했다. 시뮬레이터가 돌려버린 수 천 년 이상의 역사를 가진 콘란드 대륙에, 플레이어들은 이제 막 수 년 정도를 경험했을 뿐이니까 말이다. 시간에 비례해 강해지는 경향이 큰 게임 시스템 속에서 그런 시간의 차이는, 인터페이스를 알고 움직이는 천재인 플레이어와 모르는 경우의 천재인 NPC들과의 격차를 크게 벌려두었다.

단순히 스킬의 유무 이상의 감각적 노하우가 NPC들에게는 체현되어 있는 것이다. 플레이어들도 검을 다루고, 초상 스킬 하나를 파더라도 전략적으로 또 장인이 그러하듯 집요하게 파고들어 다양한 노하우를 습득하려고 애를 쓰게 된다.

그게 중수 정도 이후의 단계에서 플레이어들이 가장 신경쓰는 부분이었다.

플레이어의 컨트롤에 따라서 완벽히 결과값이 달라지는 비련의 시나리오는, 동일한 스펙이 아니라 격상의 스펙spec을 상대로도 사용자의 실력이 그대로 승패에 반영될 수 있다.

무엇보다 어마어마하게 많은, 조 단위 이상의 오브젝트를 세세하게 구현하며 초가상현실 게임임을 자랑하는 비련의 시나리오에서 아직까지 알려지지 않은 방식의 플레이 방법이 무수하게 많을 테였다.

연구자들은 이런 류가 던져지면 마치 새로운 세상을 발견한 듯이 기뻐서 자신만의 연구 과제에 몰입하기도 한다. 물론 대다수는 개인 단위로 이루어지는 움직임이었으나, 간혹 관련 업계, 시뮬레이션 프로그램 제작 기술을 가진 경쟁사들의 전략적 행동들도 있었다.

A의 용도로 쓰이는 것이 일반적인 '1'아이템이 있다고 했을 때 B, C, D 이상의 용법이 얼마든지 있을 수 있었고… 수많은 사용자의 개성과 시나리오 온라인 내부 오브젝트들의 특성이 결합되면 그야말로 '무한에 가까운' 변수가 나오게 된다.

무엇보다 단 하나의 목숨이 전부인, 원 코인 플레이를 강제하는 서바이벌 게임 내에서 아무리 최정상 급의 플레이어라 하더라도 긴장을 놓을 수 없는 환경이 조성되는 것이다.

실제 현실에서의 싸움이 그러하듯, 몇 수 정도의 스펙 차이가 있더라도 실전에서 사소한 컨디션 차이와 환경 조건 때문에 승패가 결정되기도 한다.

현실에서의 그것을 옮겨온 듯한 세밀한 긴장감이 이 게임의 장점이다.

제냐 역시 그런 긴장감과 스릴을 즐기고 있었다. 충실하게.

저녁을 먹기 전, 해가 저물기까지 시간이 좀 남은 상황에서 마차는 부지런히 이동을 하고 있었다.

가는 길목에 어느 협곡이 하나 있었다. 지형지물을 조사한다면 암습을 당하기 딱 좋은 구간이었지만, 줄리앙은 일행의 경로를 그쪽으로 잡았다.

야트막한 봉우리 두 개를 돌아서 간다면 시간이 더 지체되게 된다.

여태까지도 많은 시간 돌아오는 길을 선택해 느긋한 여행이 되어버렸다.

로멜리아 가의 재건 사명을 등에 지고 있는 입장으로서, 안전이 중요하다지만 무조건적으로 시간을 써버릴 수도 없는 노릇이었다.

더군다나 로키 산 내부에 들어가서도 어떤 일과 환경이 기다리고 있을지 모르니.

줄리앙은 나름의 색적 노하우가 있는지, 혹은 스킬이 있는지. 그 주변 지역을 유심히 살펴보고 멀리서 조사하는 것 같더니, 그 협곡을 통해 곧장 직진하자고 일렀다.

마차를 몰고 있는 건 제냐였고, 그는 존장의 말에 따라 마차의 방향을 정해 움직였다.

줄리앙이 문제는 없으리라 말했지만, 그래도 불구하고 어느 정도 긴장감을 유지하라는 전언도 곁들였다.

세상에는 자신의 색적 범위를 벗어나는 강도도 위험도 얼마든지 있을 수 있었다.

두 청년과 제냐는 그 협곡 근처로 다가서면서 경계심을 늦추지 않았다. 무슨 일이 터진다면 가장 먼저 마차에서 뛰쳐나가야 할 것은 그들이다.

여태까지 아무 일도 없었다고 앞으로도 늘 그러리라는 건 지나치게 낙관적인 이야기였다. 도리어 세슈칸에서의 한 번을 제외하고 어떤 위험도 없이 여행을 다닌 것이 기적의 영역에 반 발자국 걸쳐져 있는 일이었다. 걸치지 않은 나머지 발자국은 오랜 세월의 경험과 실력을 아직까지 유지하고 있던 줄리앙 리스트라는, 초인적인 집사장의 노력이었다.

제냐는 마차를 모는 의자에 앉아 있다.

그는 협곡으로 들어가기 1, 2km가 남은 지점에서 푸른 물약을 인벤토리에서 꺼내어 마셨다. MP가 서서히 차오르는 느낌이 들었다.

만전의 컨디션을 유지하기 위해서였다.

위험한 길을 갈 때는 전투 준비 태세를 갖추는 게 중요하다.
군복무는 아직 하지도 않았지만, 대개의 상식은 있었다.

누구에게 말은 하지 않았고 준비를 한다. 그리고 아직 해가 떠 있을 때 협곡을 지나가기로 하며 말들의 속도를 아주 조금 높였다.
인벤토리를 열어 장구류들을 착용했다.
주로 사용하는 레더 아머의 각 부위들을 전부 착용한다.
평소에는 헐겁게 풀어두는 경우가 많았는데, 상부갑, 하부갑, 완갑, 각갑, 족갑까지 모두. 헬멧은 굳이 쓰지 않았다. 불편했다. 정말로 필요하면 꺼내들기야 하겠지만. 근접전이 될 가능성이 있다면 시야는 완벽하게 열려있고 고갯짓의 가동 범위가 자유로운 편이 그가 느낄 때 전투력이 조금 더 높았기에 그렇다.

대신 적당한 크기의 라운드 쉴드Round shield를 꺼내놓았다.
제법 무게감이 있는 놈이었다. 그래보아야 일반적인 근력과 완력의 경우 부담되는 수준이고, 이미 근력 스테이터스가 30을 넘겨 건장하며 운동 경력이 상당한 성인 남성의 네 배 즈음 되는 근력을 가진 제나에게는 큰 부담이 아니다.

특수 합금으로 바깥면이 제작되어 있고, 옆에서 보아도 곡률이 있어서 조금 둥글다. 사용자에게 오는 안쪽 면은 목재에 가죽을 덧댄 것으로 부드러운 질감마저 느껴졌다. 둥글게 튀어나온 바깥 면의 대부분이 합금이었으며, 목재 자체도 철목을 사용해 그리 싼 물건은 아니었다.

플레이어들의 스타일은 전투 방식과 장비에 모두 영향을 주게 마련이었다.

제냐는 활동성을 강조한 레더 아머를 사용하고 라운드 쉴드 따위를 추가로 운용한다. 아예 중갑옷으로 자신의 몸을 감싸고 돌격하는 류의 인간들도 있었다. 계속해서 근력 수치가 올라갈수록 평범한 갑옷의 소재 때문에 무게로 인한 부하가 걸리지는 않았다.

그러나 감싸는 부위가 많고 또 단단할수록 움직임의 가동 범위가 좁아지는 건 어쩔 수 없는 일이다. 아무리 정교하게 조직한다고 해도 합금판갑옷으로 유연하게 휘는 갑옷을 만들 수는 없었으니까.

솔직히 말하면 수많은 초상 스킬들을 분류 분석하고 연구하다보면 나올 법하기는 했지만, 아직 거기까지 제련술이 발달하지는 않았다.

그런 발상, 아이디어와 현대 과학 지식을 가진 플레이어들은 콘란드 대륙의 모든 스킬과 요소들을 파악하기까지 턱없이 모자랐고, 콘란드 대륙에서 나고 자란 설정의 NPC들은 신선한 발상과 새로운 과학 패러다임, 지식이 부족했다.

아마 플레이어들 중에서 세계관 내부 요소로 혁신적인 발명품을 만드는 제작 계열 유저가 나타난다면 그는 역사적인 영향력을 미치는 인물로 어마어마한 양의 명예 점수를 벌게 될 테였다.

시나리오 온라인에서 제작 계열 스킬들을 익히는 일은 전투 기술을 익히는 것보다 훨씬 더 까다롭고 그야말로 고되며 정직한 노동이 필요한 일이었으므로, 단순하게 시간이 조금 더 필요하기는 하다.

다만 아이템에도 '급Class'는 있었고, 특수한 초상 스킬 인챈트가 걸리고 현실에는 없는 특수 소재로 지어져 판금갑옷보다 더 강력한 방어력을 자랑하는 천옷이나 가죽옷이 있기는 했다. 물론 그런 종류는 어마어마한 가격이 붙게 마련이고, 고레벨 플레이어들이나 사용한다.

보통 플레이어들이 자주 사용하는 방식은, 합금 소재와 천, 가죽을 콜라주처럼 기워 붙여 중요한 부위들을 활동성에 영향받지 않는 선에서 막는 식이었다. 그렇게 만들어진 자기류의 방어구들이 이미 시중에 많이 풀려 있었다.

다만 보통은 플레이어들이 만드는 물건이라, 인건비가 들어가 가격이 조금 더 비싸다. 개중에서도 정말 솜씨 좋은 장인이 만든 것은 찾기에 품이 들었고.

제나는 그냥 단순히 NPC 장인들이 만들어 파는 래더 아머를 착용한다. 질 좋은 것을 구하면 유저들이 다양한 시도를 통해 만들어낸 시험작들과 비교해 그리 떨어지지도 않았고.

구하기도 더 단순하며 쉬웠으니까.

제냐의 등에 매면 바깥으로 둥글게 튀어나오는, 상체 부위를 전부 가릴만한 크기의 라운드 쉴드는 곡면을 뒤로 해서 마차 벤치에 놓아두었다. 등받이에 붙였고, 제냐는 그 가죽면에 자신의 등을 기댄 채 마차를 몰고 있었다.

조금 앞으로 당겨 앉아야 했지만 큰 불편함은 아니었다. 잠시 그렇게 가는 것 정도야. 전투 준비의 일환이라고 한다면 얼마든지 감수할 수 있는 자세다.

그 외에도 지룡의 발톱 대거와 비스트 슬레이어를 꺼내두었다. 마부석의 발밑에도 공간이 조금 있었는데, 거기에 화살통을 눕혀서 밀어넣어 두었다. 인벤토리에서 바로 꺼낼만한 물건은 복합궁 하나가 전부다.

장궁 종류라서 발밑에 밀어넣어 두기에도 조금 애매했다. 둘 수는 있지만 바깥으로 활대가 튀어나오리라. 도리어 인벤토리에서 꺼내는 것보다 더 시간이 들 수도 있었다. 급박한 상황에서는 초 단위의 지연이 생사를 가르기도 한다. 두 발 사이, 오른발 뒤꿈치에 딱 걸리는 지점에 전통은 비스듬이 누워 있다. 허리를 슬쩍 숙이고 손을 아래로 뻗기만 해도 왼발 옆 부근에서 전통의 입구가 있어 화살대를 집어 뽑아들 수 있었다.

뭐, 정 최악의 경우가 일어난다면 마차에 그 몸을 숨기면 시간을 벌 수 있을 것이다. 고급 재료로 지어진 마차는 충격 상쇄같은 인챈트마저 걸려 있었고, 전투 상황이 되면 충분한 엄폐물로 기능한다.

이전에 세슈칸의 골목에서 용병들에게 속았을 때는, 그들의 아지트로 안내한다며 일행을 마차 밖으로 유인했기에 상황이 더 빠르게 악화된 점이 있었다.

물론 줄리앙을 비롯해 청년들이 다 쓰러진 상황에서는, 마차 안에 문을 걸어 잠그고 두 아가씨가 농성을 한다 해도 오래 버티지는 못했을 것이다. 그 상황에서의 최악의 요소는 용병들이 사용한 독이 발린 암기의 존재였다. 능숙한 암살자처럼 도구를 다루어 기습을 하는 바람에 정신적으로, 또 육체적으로 피로감이 있던 세 명의 호위자들이 맥을 못추고 당해버렸다.

줄리앙은 노련했으나 기나긴 스트레스의 누적으로 주의력이 감퇴된 상황이었고, 두 청년은 혈기왕성했으나 노련함이 부족했다.

앞으로는 두 청년 모두 경험과 연륜을 쌓아나가야 할 테였다.

제냐가 전투를 위한 무장을 마치고, 흑마들을 몰고 있을 때, 협곡 진입이 5, 600m정도 앞으로 다가왔을 때 즈음 마차 내부에서 질리언이 나왔다. 페이브는 그 때도 마차 지붕에 앉아 있다가 질리언이 나오자 본인이 안으로 들어갔다.

위기 상황이 온다면 그래도 대응 인력이 많은 편이 좋다. 셋 중 한 명 쯤은 노약자들을 보호하기 위해 같은 장소에 있는 것이 좋았고.

줄리앙 리스트는 노'약'에 속하기엔 지나치게 강했지만, 어쨌든 체력을 분배할 필요가 있었다.

흑마가 조금 피곤한지 호흡이 거칠어졌다. 반쯤 뛰듯한 걸음을 시켰더니 그런다. 천천히 말발굽 소리의 템포를 낮추었고 속도를 죽인다.

사람이 만전인 것이 좋듯 말 역시 그러하다. 협곡 내부에서 불길한 상상이 현실화된다면, 마차의 다리는 흑마의 여덟 개 다리였다. 흑마가 빠르게 치고 나가야 위험 지역을 벗어날 수 있었다.

협곡은 그렇게 깊지도, 길지도 않았다.

야트막한 봉우리 두개가 우연찮게 같은 장소에 형성되어 생겨난 곳이다. 지나가는 길목 자체는 초원 지대와 그리 다르지도 않다. 그들이 타고 있는 마차 여러 대가 동시에 일렬로 지나가도 될 정도의 넓이였고, 소규모 교전 정도는 넉넉하게 벌일 수 있는 장소다.

봉우리, 혹은 언덕의 고점은 협곡 내부에서 바라보면 까마득하다. 일반적인 화살은 닿지 않는다. 제냐가 기력술-궁술을 사용해 쏘아낸 철시라면 중력을 거슬러 상대를 꿰뚫을 수는 있다. 파이어 볼이 닿기에는 조금 애매하다. 거리야 쏘아낸만큼 가겠지만, 그만한 추진력을 낭비하면서 파이어 볼을 쓰는 일이 과연 효과적일까.
같은 MP를 화살에 담아서 쏘는 일이 훨씬 강력했다.

썬더 볼트라면 닿을지 모르겠다. 조금 더 지향성이 강하고 속도 역시 빨랐다. 파이어 볼처럼 터져나가는 폭발력은 조금 약했지만 핀포인트 타격에는 훨씬 강렬한 스킬이었다.
썬더 볼트 역시 MP를 과량 주입해 폭발력을 극대화시킬 수도 있었다. 애초에 그런 식으로 사용하는 건 다른 스킬처럼 보이는 일이었지만 말이다. '낙뢰'라는 평범한 한자어로 적힌 스킬이 그것이다.

전뢰계 희귀 스킬로, 희귀 스킬 중에서도 제법 강력한 축에 드는 초상 스킬이었다. 아마 희귀 스킬 등급 내부에서 다시 위력으로 순위를 가른다면 반드시 상위권에 랭크될만한 기술이다.

이름에서 표현되듯 떨어지는 번개였고, 공간 좌표를 설정하면 해당하는 탄착 지점에 고공에서 형성된 번개 줄기가 내려 꽂힌다. 마치 물건이 높은 위치에서 에너지를 갖고 낙하하듯, 그런 연출적 표현을 포함하듯 강력한 파괴력을 동반해 터져 나가는 피해를 입혔다. 폭탄이 떨어진 것 마냥 얕은 구덩이가 패이고 땅에 있던 물건들이 산산조각 나 날아가는 수준이었다.

강력한 열량과 관통성도 있었고, 폭발력마저 갖췄으며 정말로 전뢰 속성다운 빠른 탄속에 번개술사들의 주요 스킬로 손꼽히는 녀석이었다.

번개술사들의 공격은 주로 스킬 사용자의 신체 주변과, 높은 하늘 위에서 시작돼 탄착지에 맞는다. 입체적인 궤적과 공격 순서를 파악해야 하는 까다로움이 있었다.

강력한만큼, 발동에 필요한 기본 MP가 높은 편이었다. 정신력 스텟도 30을 달성한 제냐의 현재 MP는 3,281이다. MP는 HP만큼 획기적으로 잘 늘어나지는 않는다. 사용자의 수치적인 스펙이 늘어나려면 스텟과 스킬의 상호작용이 필수적이었는데, 제냐의 현재 스킬들은 주로 육체계열의 것이 많았으므로 그렇다. HP의 경우에는 이전에 비해 대폭 상승해 9,230이었다.

초보자 존에 있는 중형 몬스터들과 비교해도 전혀 꿇리지 않았고, 도리어 더 강력하다. 지금 돌아가 피스 시 옆 황야의 황야 지룡과 맞닥뜨린다면 육탄전도 해볼만하다.

날붙이 없이, 두 손 두 발 가지고 싸우는 방식 말이다.

초보자 존 근처에 있는 몬스터들은 크기가 좀 있더라도 신체의 내구성이 빈약한 구석이 있었다. 가지고 있는 힘에 비해 골격이나 외피, 내장 기관들이 데미지를 입기 쉽게 만들어져 있다. 그렇지 않으면 플레이어들이 초반에 이겨낼 수가 없으니까 말이다.

물론 '빈약'하다는 것도 상대적이었고, 그 빈약함을 뚫고 상처를 내기 위해서 초보자들은 목숨을 걸고 전력을 투사해야만 했다.
제냐 역시 그러했다.

HP와 MP모두 스텟과 마찬가지로 구간별로 '1'의 의미가 달라진다. 11이 원점이 되는 위력을 x로 잡았을 때 1.1x이고, 21이 2.2x가 되듯, 0.1x와 0.2x로 두 배의 차이가 나는 것처럼 구간별로 위력의 차이가 컸다.

통계적으로 주요한 포인트로 잡고 있는 구간은 보통 10,000과 50,000, 100,000정도였다. 그 외에도 자잘한 변화들이 있었지만 그 부근을 수준의 차이로 나누고 있었다. 100,000이 넘는 이들은 보통 스텟이 10에서 100까지 수치를 놓고 봤을 때 그 후반부에 달한 인간들이 닿는 것이었다.

물리 계열 스텟들이 80정도 돌파를 기점으로 삼는다.

50,000만 하더라도 6, 70인 이들이 다양한 스킬과 아이템을 사용해서 닿는 지점이다. 10,000이 비련의 시나리오를 플레이하는 유저들이 가장 먼저 본인이 숙련자가 되었다는 기점으로 삼는 포인트였고, 스텟들이 40근처일 때 도달하는 것이 평균적인 경우였다.

인터페이스에 보이는 MP와 HP의 증가는 스텟의 증가가 첫 번째였고, 각 계열 스텟들의 고른 균형 발전 상태가 또 한가지 큰 요소였다. 신체 중 어느 한 부분의 강도만이 급격하게 발전하고 발달할 수 없는 것처럼, 물리 계열 중 HP증가에 가장 큰 요인으로는 '지구력'을 뽑았지만 순발력과 근력 역시 올라가야 제대로 HP증가 효과를 받을 수 있었다.

그 외에 다양한 아이템과 스킬의 효과가 들어갈 테였다. 특별한 자세 시 스텟이 증가하는 것처럼 플레이어 행동의 위력을 올려주는 각종 스킬들, 온갖 패시브 스킬의 복합 작용과 연계는 비련의 시나리오에서의 핵심 시스템이었다.

거기에 유저 캐릭터의 개성과 특질을 만들어주고 발전시켜주는 아이템 따위의 영향이 있다면 더할 나위 없을 것이다.

수치적으로 확연하게 드러나지는 않지만, '사냥꾼의 감각' 따위의 패시브 스킬들도 모여서 HP증가의 결과론적으로 영향을 끼치고 있었다.

육체 능력을 증가시킨다는 건 신체에 영향을 미친다는 말이었다. 그것 하나만 있을 때 그래프에 표시되는 '1'을 올려주진 않지만 표시되지 않는 소수점 단위의 증가가 있었고, 여러 개가 얽혔을 때 그건 배수가 되어서 플레이 후반부로 갈수록 기하급수적인 영향력을 끼쳤다.

HP나 MP의 숫자 역시 모일수록 강력함이 더욱 커졌고, 많은 돈에 이자가 붙고 그 이자로 다시 다른 사업을 할 수 있게끔 되듯이, 눈덩이가 굴러 불어나듯한 다양한 부가 효과들이 있었다.

사용자의 HP가 10,000을 넘는다면 일단, 절단상으로 쇼크가 일어나 죽는 일은 없었다. 반대로 말하면 그 이하 HP에서는 갑자기 중상을 입게 되었을 때 조치를 잘못하면 확률론에 따라 쇼크로 순식간에 게임 오버를 당할 수도 있다.

50,000이 넘었을 때 신체 주요 장기 중 하나가 완전히 소실되어도 바로 죽음에 이르지는 않았다. 뇌나 심장이 날아가도.
그 찰나의 순간에 스킬 명 '부활'과 같은 강력한 치유 계열의 능력이 투입되면 게임 오버에서 벗어날 수 있는 것이다.

100,000이 넘는 자들은 극소수였고 또 정보를 제대로 알리지도 않았으나, 50,000만 되어도 그 정도이니 이미 현실의 인간의 그것이라고는 도저히 생각할 수 없을 정도의 끈질긴 생명력을 보이지 않을까 싶었다.

MP역시 정신력 에너지의 양이었고, 그것은 곧 '의지력'이라는 근육을 사용해 움직일 수 있는 가상의 '몸뚱이'의 크기라고 할 수 있었다.
거대하며 비가시적인 몸뚱이를 가져도 정신력 계열 스텟이 고루 발전하지 못하고, MP사용에 관련된 경험도 적고 스킬도 없으며,

감각적인 노하우도 부족해 의지력이 낮다면 그것을 제대로 활용할 수 없다.

자신보다 체급이 낮은 상대에게 얼마든지 질 수도 있는 것이다. 거리를 둔 술사간의 초상 스킬 난사전에서 말이다.

여러가지 비유가 있었다. MP말이다. 비대한 몸뚱이도 비유 중 하나였고, 다른 이야기는 지휘관이 부리는 군사가 이해하기 쉬운 말이었다. 의지력은 지휘관의 지휘 능력과, 군대의 군기, 명령 수행 능력의 정도였다. MP의 양은 곧 의지력을 가진 플레이이어가 부릴 수 있는 보유 군대의 수다.

푸른 물약이 아무리 많아도 결국 자신의 최대 MP를 넘을 수도 없었고, 대개 의지력은 보유한 정신력 에너지보다 한참 아래인 것이 정상이었다. 총량을 한 번에 쏟아낼 수 있다면 그것만 하더라도 전무후무한 대술사의 경지였다.

돈이나 보유한 인력이 그러하듯, 많이 모일수록 이전과는 규모가 다른 사역이 가능했다.

10,000정도의 MP를 가진 플레이어는 그 10분의 1인 1,000정도를 한 번의 초상 스킬 발동으로 사용이 가능했다. 한 때 제냐의 MP총량에 달하는 분량이었고, 제냐가 초상 스킬을 대인 저격과 견제의 용도로 쓰는 것과 달리 본격적인 폭격이 가능한 정도였다.

마치 폭탄이 터진듯 지근거리의 것들을 쓸어버릴 수 있는 파괴력이 충분하다, 그 정도 에너지 양이면.

20,000을 넘는 지점부터 안정적으로 더블 캐스팅이 가능하다고 보고 있었다. 의지력이 2,000정도 되는 MP를 다룰 즈음부터 말이다. 물론 그 전부터 사용자 개인의 감각과 노하우에 따라 가능할 수도 있었다.

아주 드문 경우로 능숙하게 발동을 하거나, 대개의 경우 어설픈 운용일 것이고.

썬더 볼트를 발휘하는 데 필요한 기본적인 MP는 약 300정도였다. 사실 감각적으로, 만들어진 스킬의 원래 위력이 온전히 발휘된다고 느껴지는 수준은 400정도를 소비하는 식이었지만, 약식으로도 충분히 위력적인 발휘가 가능했다.

아직까지 여러 개의 스킬을 동시에 캐스팅하고 난사하는 건 힘들었다. 파이어 볼2의 경우에는 파이어 볼의 변용에 이름 붙은 스킬이었기에 정확한 소비값을 측정하기 힘들었고 말이다.

대거나 외날검에 불을 두르고 더 오래 싸울수록, 당연히 소비가 더 커진다.

제냐와 질리언은 각자 각오와 경계심을 다지고 높이면서, 협곡으로 진입했다.

*

마부석에 앉은 제냐의 기감이 활성화된다.

여러 가지 스킬이 동시에 켜지는 것이다. 패시브 스킬의 경우에 언제나 영향을 미치지만, 조건에 따라 발동되는 것이라면 해당하는 조건을 맞출 필요가 있었다.

대표적인 것이 특정 자세에서 힘을 더해주는, '사냥꾼의 자세'같은 스킬이었다.

활대에 시위를 걸고 조준을 할 때, 완력과 상체 근력, 그 외 필요한 사소한 에너지를 더해주어 더 높은 장력을 화살에 실을 수 있도록 해준다.

매의 눈과 들쥐의 눈의 복합 효과로 발휘되는 기감 탐지는 두 가지 패시브 스킬의 사용을 인식하고 집중하면서, 미량의 MP를 눈 부위에 집중해야 했다.

정확히 말하면 눈은 아니었고, 이미지에 가까운 방식이라 본인이 '감각 기관'이라고 생각하는 어딘가에 기력술을 발휘하면 되는 일이었다.

기초적인 기력술이나 초상 스킬은 사실 아무런 스킬을 배우지 않고 레벨을 올리지 않아도 모든 플레이어가 사용할 수 있다.

'기력술'이다, 라고 말을 할만한 효과는 아니었고 극히 미미한 수준이었지만 초기에는.

그것이 점차 경험이 쌓이며 능력이 확대된다. 애초에 플레이어에게 부여된 능력이었고, 열려 있는 가능성이었다. 프로그래밍된.

두 개의 패시브 스킬은 레인저, 궁수 계열 등 중 원거리에서 물리적 전투를 지향하는 클래스가 가장 흔하게 익히는 감지 스킬이었다. 두 개의 스킬로 얻게 되는 기력 감지의 효과는 그에 이어서 가장 먼저 그들이 얻게 되는 초자연적인 감지 기술이었고.

해당하는 색적 기술을 계속해서 활용하다 보면 다른 기력 감지술로의 길로 연결된다. 최태현은 더 빨리 얻었고, 제냐 역시 파티 플레이를 하는 다양한 사냥의 와중에 얻게 되었다.

최태현이 그러했듯 화살을 쏴서 교전할만한 거리까지 탐지할 수 있는 능력이었다. 협곡의 입구에 들어서며, 제냐는 그것을 활성화했다. 봉우리의 꼭대기까지 닿았다. 야트막한 언덕, 혹은 봉우리인 그것이 수 백 미터를 넘지는 않았다.

계곡 전체를 감싸는 범위는 아니었으나 주의에 주의를 또 기울이면서 서서히 전진한다. 질리언은 기력술을 사용하는 기사였으나 광범위한 탐지기는 없었다. 기사들, 근접직은 보통 그렇다. 플레이어가 아닌 경우에는.

플레이어들은 스킬의 입수 경로와 익히기 위한 순서도를 알고 있었으므로 클래스와 스타일에 상관없이 필수적인 능력들을 익히고 육성시키지만 NPC들은 아니었다.

대개의 초보자, 혹은 중수 수준에서 만나는 레벨 대의 근접 전투 직종들은 바로 눈 앞의 범위 속에서 초인적인 감지를 해내는 게 고작이었다.

그것만 하더라도 강력한 물리 능력을 갖고 다가오는 스페셜리스트들은 상당히 무섭고 또 위협적이긴 하다. 여러 명이 된다면 더더욱.

질리언과 페이브 역시 제나에게 너무 속수무책으로 당해서 그렇지, 그들과 견줄만한 신체 능력이나 혹은 아래의 상대들이 모여 있는 전장에 간다면 초인적이라는 말이 그야말로 어울리는 활약을 보일 이들이었다.

그들보다 한 두 수 정도 윗자리에 확연하게 있는 것이 줄리앙 리스트 집사장이었고. 장기전으로 가면 스테미나가 떨어져 전투력과 집중력이 조금 떨어지는 경향은 있었다.

질리언은 날카롭게 눈을 빛낸다. 짧게 깎은 갈색머리가 협곡으로부터 불어오는 바람에 휘날린다. 바람이 불었다. 짧은 머리칼이 흔들릴 정도로. 눈은 감지 않았다. 푸른 홍채가 맞바람치는 협곡 내부의 공간을 주시한다.

양 옆으로 깎아낸듯한 절벽이었다. 흔히 하는 비유로, 하나의 거대한 봉우리를 거인이 거검으로 한 번에 내려쳐 갈라낸 것 같은 지형이다. 단숨에 찍어내린 그 파괴흔이 절벽면의 울퉁불퉁한 굴곡이었다.

내부의 골목은 꽤나 넓었다.

지금 그들이 타고 있는 이두 마차의 경우는 나란히 최소 간격을 유지하면서 7, 8대 정도가 이동할 수 있는 간격이었다. 입구부터 길목의 너비가 일정하지는 않으나 더 넓어지는 쪽이었지 지나치게 좁아지지는 않는다.

토암의 질은 주변의 것을 닮은 갈색과 회색이 섞인 톤이었다. 예전에는 물이 지나 간듯한 흔적도 바닥에 조금은 있으나, 지금은 말라 비틀어져 지나다니기 아주 편한 지형이 되었다.

군데군데 사람이 몸을 숨기고 있을만한 크기의 바위들이 흩어져 있기는 했다. 지면도 굴곡이 조금 있었고.

우둘투둘한 지면을 마차 바퀴가 밟았다. 목재로 이루어졌으나 바깥면에 납작한 쇠테를 박고 초상공학적인 처리가 조금 되어 있다. 비련의 시나리오에만 존재하는 특수한 소재들도 쓰였고.

프레임, 현대 자동차의 서스펜스라 할 만한 구조가 기초적으로 이루어져 있어 충격을 조금 흡수했다.

상쇄시키는 구간에는 중부 대륙 삼림의 특산품인 고무가 쓰였다.

내부에 탄 이들도 덜컹거림으로 협곡을 지나고 있음을 깨달았다.
그것만이 아니더라도 창문 한쪽으로 바깥을 보고 있었지만.

반쯤 열린 틈으로 외부 시야를 확보하고 있었고, 줄리앙은 중급 탐지 스킬로 계곡을 살핀다.

제나와 엇비슷한 규모의 색적 범위였다.

마차 내에 타고 있는 두 아가씨는 별 일이 없겠지, 싶은 마음과 표정으로 평안함을 보이고 았었다.

진실로 그러냐고 묻는다면, 아주 조금쯤 불안감이 있었다. 평안을 가장하는 것도 평안함을 불러온다.

거기다 위기의 때에, 침착함을 유지하는 게 도움이 될 때도 많았고.

그런 태도는 '담대함'이란 단어로 바꿔 말 할 수 있으리라.

옹기종기, 또는 정갈하게 객실 안에 앉아 있는 네 명이다.
줄리앙은 평온한 듯한 표정으로 눈을 반쯤 감고 있다. 기감은 움직인다. 페이브는 자신의 긴장감을 호위 대상에게 알리지 않으려는 듯 티나는 연출을 하며 눈을 감고 있었다.

평온해 보이는 표정 아래 몸은 언제라도 문을 박차고 나갈 수 있도록 준비 중이다. 객실 의자 아래에는 제냐가 그렇듯 방패 하나를 미리 챙겨두어 놓았다. 검은 그의 앉은 자리 오른쪽 다리 옆에 비스듬히 기대어 세워두었다.

덜컹, 덜컹.

흙먼지가 날린다. 바깥은 초원이었으나 협곡으로 다가올수록 풀이 줄어들었다. 협곡 내부는 흙과 돌바닥이다. 제냐는 천천히 마차의 속도를 조율한다.

뒤에서 마부가 이끄는 말들의 템포가 짐승 스스로의 익숙한 호흡에서 어긋나지 않아야 했다. 어지간하면 흑마들은 놀라지도 않고, 평온하고 충실하게 마차를 끌기는 한다.

질리언과 제냐는 같이 앉아 있지만 별다른 말이 없었다. 협곡 너머의 먼 하늘과 반대편 출구 쪽을 제냐가 바라본다.

거인이 내려친 검날의 틈새. 그런 생각이 들 정도다. 협곡 내부의 길목이 좁지 않았으나 길이가 제법 길어 멀게 보이는 출구, 허공의 흔적이 아주 좁고 길다.

"으랴."

고작 입을 벌려서 내는 소리는 말들을 향한 의성어였다. 마구에 연결된 끈을 넉넉하게 잡고 적당히 리듬감을 준다. 마편을 꺼내들

필요도 없다. 슬쩍슬쩍 당기기만 해도 알아서 방향을 능숙하게 선회하는 머리 좋은 놈들이었다. 바위나 장애물이 있을 때도 적당히 피해 간다.

마차에 걸리지 않도록 조금 더 크게 돌게 만드는 건 마부의 일이었다.

그들이 협곡의 3분의 1지점 정도를 지났을 때였다.

항상 일은 그런 순간에 일어나 닥치게 마련이었다.

*

제냐, 김서원에게 있어서는 며칠 전의 이야기였다.

시험이 아직 끝나지 않은 때 잘도 비련의 시나리오에 접속해 즐기고 있었다.

마차가 협곡의 초반 부분을 지날 때, 그 때였다.

가장 먼저 이상함을 느낀 건 줄리앙이었다. 이중에서 가장 감각적으로 예민한 건 줄리앙이고, 그 다음이 제냐이다.

제냐 역시 색적 범위로는 뒤지지 않았지만 미세한 자극에도 정확하게 반응을 하는 예리함은 노장에게 조금 뒤쳐진다. 동시에 여러 개의 화면을 보면서 적절한 이상 징후를 알아차려야 하는 일이었으니, 플레이어들도 다소간 연습이 필요하다.

다른 공격용의 스킬들이 고련을 거쳐 노하우를 익힌 뒤 진정한 플레이어의 실력이 되듯이, 색적을 비롯해 다양한 유틸리티Utility 스킬들 역시 그러하다. 도리어 단순한 구조를 가진 공격 스킬들보다 더 깊은 연구와 연습이 필요한 부류도 있었다.

어떤 장인들은 다양한 스킬을 익히고 탁월한 연구 개발을 통해 도저히 예상할 수 없는 플레이 스타일을 완성하는 자들도 있었다. 제냐도 그런 인간들이 있다는 건 알고 있었다. 인터넷에 비련의 시나리오에 관한 공략글을 올리는 자들은 대개가 그런 양반들이었다.

평범한 방식으로는 무엇 하나 플레이를 하지 못하는 괴짜들.

만나보고 싶은 사람들이었다.

NPC들 중에서도 아직까지 알려지지 않은 기행과 노하우를 익힌 자들이 있을지 모른다. 제냐가 더 만날 가능성이 높은 건 그들 쪽이었다. 줄리앙만 하더라도, 퀘스트 상황에서 짐작되는 일반적인 캐릭터들의 전투력보단 조금 높은 편이었다. 그가 이끄는 다른 두 호위 무사나, 그들의 적이 되리라고 예상되는 일반적인 자들 말이다.

물론 제냐의 도움을 입었던 때는 독에 당해 큰 힘을 보이지 못했으나.

똑똑,

하고 마차 내부에서 목재를 두드리는 소리가 났다. 마부석 쪽의 벽면을 두드리는 노크 소리에 자리에 앉은 제냐와 질리언이 반응을 했다.

창문은 총 네 개가 나 있었다. 마부석 쪽에 난 작은 창문, 그 바깥의 덧창을 밀어 열며 얼굴 반쪽 정도가 보일만한 구멍으로 질리언이 내부를 처다보았다. 제냐는 여전히 앞을 보고 있다. 한 명이 말을 몰면 다른 쪽은 다른 데 신경을 써도 좋다.

"…예."

질리언이 답했다. 약간은 잠긴 목소리였다. 그의 긴장을 대변한다. 두 청년 역시 어느 정도 긴장감은 있었다. 줄리앙만큼은 아니었지만. 그가 이런 협곡은 암습을 당하기 딱 좋으니 조심하라고 했던 만큼, 전투를 머릿속에서 상상하고 그리고 있기는 했다.

아무리 색적 스킬 등으로 안전하다는 것을 이미 확인했다고 하더라도 말이다. 세상에는, 그리고 세상을 닮게 지어진 지독한 부류의 게임인 비련의 시나리오에는 도저히 예상할 수 없는 일들이 빈번하게 일어나곤 했다.

연속된 퀘스트 상황은 유저들이 그런 진실을 가장 뼈저리게 깨닫는 곳이었다. 등장인물을 굴리기 위해서 일부러 작가가 머리를 쓴 것처럼 느껴지는 시나리오 내부의 연극자가 되어, 플레이어들은 다양한 종류의 자극과 스트레스를 받는다.

물론 현실이 아니라 게임이라는 이유로, 단순하게 현실에서의 정신적 피로감을 풀기 위한 플레이가 되기는 하지만. 이곳에서 게임 오버를 당한다고 해도 아무런 문제는 없었다. 잘 읽던 초가상현실적이며 입체적인 이야기 하나가 끝날 뿐이었다.

질리언의 말에 객실 내부에서 대꾸가 날아왔다. 줄리앙의 틈새로 그 늙은 얼굴의 윗부분과 형형한 눈빛을 빛내면서 말을 날렸다. 창틈새로 날아드는 말소리가 질리언과 제냐의 귓전에 울렸다.

"……얼마나 왔나. 절반 이상?"

"……예, 그 쯤입니다. 절반 조금 못됩니다."

부지런히 발을 구른 흑마는 어느새 그들을 협곡 깊은 곳으로 안내했다. 그리고 그 지점이 가장 불길한 구간이었다. 좁은 골목에서 빠져나가기 힘든 곳이었으니 말이다. 줄리앙의 목소리가 꺼끌했다. 그의 눈가가 찌푸려진다.

"……느낌이 안 좋은데. 누가 있는 것 같군, 협곡 위에."

"……."

"……."

제냐와 질리언은 둘 다 말을 멎었다.

별로 상상하고 싶지 않은 상황이었다. 하필 이런 곳에서.

위험을 감수하고 온 것이기는 했으나 너무 공교롭다.

제냐는 그것이 시나리오적인 연출이라고 생각했다. 퀘스트의 진행을 위해서 마주치게 되는 상황 말이다. 시나리오를 적은 작가, 개발진이나 혹은 시스템 AI가 배치한 사건의 흐름으로 퀘스트를 진행하는 플레이어가 어떤 선택을 하던 높은 확률로 맞닥뜨리게 되는 과정이다.

……. 하기는, 지금까지 너무 쉽게 오기는 했다. 아무런 문제도 없이 여러 명의 적을 배후에 둔 몰락한 남작가의 일행이 어떤 위협도 당하지 않는다면 그게 더 말이 되지 않으리라.

초자연적인 기술과 아이템이 발달한 이 곳에서 현대 공학은 없더라도 누군가의 뒤를 쫓는 기술 자체는 더욱 발전을 했을 수도 있고.

그래, 이런 황무지와 드넓은 초원 지대를 지나가는 작은 마차 한 대를 특정해서 그 경로에 매복을 할 수도 있을 것이다.

제냐가 스스로 플레이어이기에 잘 안다.

그가 지독한 방식으로 어떤 사냥감을 쫓고 있지는 않았지만, 만약 퀘스트 수행을 위해 그렇게 해야 한다면 아마 수 천 가지의 방법이 있으리라. 그것들을 모두 털어내고 움직이는 것이 도리어 대단하다.

반대급부로 그만한 가짓수의 파훼법을 알아야 하니까.

줄리앙이 여태 잘 막았다고 생각했다.

제나는 자신의 색적 범위 내부 영상을 관찰했다. 기감에 집중하면 그의 시야는 여러 곳으로 분리된다. 하나는, 계곡 전체를 조감하는 영상이다. 또 하나는, 그 자신의 캐릭터 안구로 바라보는 정면의 장면이다. 또 하나가, 그 조감도 내에서 집중한 특정 장소를 세밀하게 보여주는 원거리 시야였다.

자유롭게 시점 이동이 가능한 망원경이나 같았다. 캐릭터의 육안으로 봤을 때 막혀있더라도 제약이 없었고, 색적 범위 내부의 이곳저곳을 이동하며 볼 수 있었다.

'시야'로 표현되지만 그것보다 조금 더 미세한 감각이기도 하다.

MP는 현실에 존재하지 않는 가상의 에너지였으니 콘란드 대륙에서는 물리적인 작용을 하는 실존 에너지이다.

가상의 에너지는 촉감과 청각 등, 다양한 감각 기관과 연동해서 캐릭터에게 느껴지고 또 플레이어들은 그 감각을 사용해 다루게 된다.

'기력 감지'라는 것 역시 그렇다. 알기 쉬운 인터페이스로 분할 화면의 형태를 띄며 나타나지만 조금 더 노련한 인간들은 색적 범위 내의 이상 반응을 알람이 알려주는 신호처럼 잡아낼 수도 있었다.

특수한 조건을 거는 것이다. 그건 플레이어의 의지에 따라 MP가 반응하며, 초상 스킬의 '술식'이 짜이는 것과 같다. 말하자면 MP자체에 여러가지 고도의 효과를 나타낼 수 있는 가능성이 있었고, 프로그래머가 코딩을 즉석에서 해내듯이 의지에 따라 알맞은 형태로 변형이 되는 것이다.

물론 그 작용은 시스템 AI가 알아서 처리한다.

그야말로 현실에서 '마법'이라는 단어에 가장 가까운 창조성을 게임적으로 구현했다고 할 수 있었다.

작가가 글을 다루어 작품을 적어내듯이, 마음대로 조물造物되는 가상의 만능 베이스 재료가 높은 반응성을 가지고 다양한 결과값을 만들어내는 것이다.

MP자체에도 다양한 원리와 법칙, 반응성에 대한 분석이 있었고 그건 NPC들이 말하는 초상 스킬학, 초상술학 따위의 이름으로 정리되는 학문이었다.

플레이어들은 그들만큼 오랜 시간 MP를 다루어오지 않았기에 그 초능력적인 기술에 대해 노련하지는 못했지만 시스템의 보정을 받았고, 그 이상을 바라는 플레이어들은 항상 NPC들이 미리 정립해둔 초상술학 분야에 닿게 된다.

제냐는 줄리앙의 말에 감각을 집중한다. '인기척' '생물' '인간형 크기의 사물', 대강 이런 종류의 코드를 인식하여 기력 감지 스킬의 효과에 부여한다. 그것이 기력 감지술의 올바른 사용법이기도 했다.

곧바로, 잘 느껴지지는 않았다. 푸른 하늘. 갈색 절벽, 봉우리. 협곡 내부. 이렇다 할 거대한 생물은 없다. 초원을 뛰어다니는 작은 동물들이 언덕에 올라 있거나 새들이 가끔 내려앉아 쉬는 모양이다.

조금 더 집중하며 스킬을 발동하던 제냐의 감각에도 곧이어, 무언가 이상한 점이 느껴졌다. 인기척을 감각한 건 아니었다. 도리어 그 반대다. 기력 감지는 인간의 오감에 관여해서 사용자에게 느껴진다.

더 스킬에 깊숙이 들어가고 몰입할수록 다양한 감각과 연계되어 풍부한 정보를 얻고 직관적인 처리가 가능했다.

그렇게 집중해가다 보니 어딘가 이상한 구석을 알게 된다. 노이즈가 낀 자연적인 소음 상태를 듣고 있다가, 어느 한 구간이 인위적으로 소리가 없는 것처럼 느껴지는 뭐 그런 방식이었다.

어설픈 영상 조작 기술로 어느 한 구간을 덧칠해놓은 것처럼, 툭 튄다. 도리어 기척이 없기에 그 부분이 부자연스럽도록 눈에 띄는 아이러니였다.

줄리앙이 협곡 근처를 미리 조사했다고 하는데, 제냐와 달리 아주 원거리까지 색적이 가능한 특수 스킬이 있는 모양이었다. 그러나 그건 이렇듯 협곡 내부에 들어와서 감지하는 기술보다는 정확성이 떨어지는 듯했다.

그러니 저런 이상함을 미리 눈치채지 못하고 그들의 방향이 이곳으로 정해졌지.

"……."

질리언은 별다른 감각이 없지만, 눈치는 있었다. 줄리앙이나 제냐의 낌새가 이상해지자 덩달아 긴장을 한다. 신뢰하고 있는 동료의 반응은 곧 그의 판단 근거가 된다. 질리언은 비늘처럼 만들어진 얇은 철갑옷을 겉에 입고 있었다. 천에 가죽을 덧댄 보호의를 상체에 입고, 그것은 목까지 덮는다. 그 위에 얇은 비늘 갑옷을 덧입은 것이다. 하체 역시 비슷한 꼴이었다.

이미 기사에 준하는 실력을 보유한 이들이었기에 어지간한 보호구로 속력에 제약이 생기지는 않는다.

그런 점에서 장인의 손으로 지어진 얇은 사슬갑옷, 비늘갑옷 따위는 최적의 선택지가 된다.

신체 동작의 유연성을 크게 훼손하지 않으면서 어느 정도 방어력까지 갖출 수 있었으니까.

질리언의 자리 한 켠에 본인이 놓아둔 검이 있다. 그는 그것의 손잡이 근처로 손가락을 대었다. 단지 닿아 있을 뿐이지만, 그 본인의 긴장감과 전투 감각은 최고로 고조되었다. 어느 정도냐면, 그대로 화살이 어느 방향에서건 날아온다면 칼집에서 칼을 빼들어 화살촉을 쳐낼 수 있을 정도였다.

기예였고, 보통 NPC들이 '기사'급에 도달했다고 한다면 그 정도의 무기술 격투술 수련을 거친 뒤에 닿는 것이 일반적이었다.

제냐는 그들보다 검술의 예리함은 떨어졌지만 신체 능력과 기력술의 경지가 조금 더 나았으므로 그냥 때려 눕힌 것이었고.

아마 MP를 사용하지 않고 기술만을 겨룬다면 제냐가 백 번을 다 지리라. 백 번을 싸워서. 물론 과도하게 언밸런스한 신체 능력 역시 적극적으로 사용하지 않는, 기술 교류 때의 이야기였다.

정확하게 말하면 질리언이 '로멜리아 가 기사 검술'의 흔한Common 단계였다. 페이브가 드문Uncommon이었고. 아래에서 숫자로 따지면 질리언이 5급, 페이브가 6급이다. 줄리앙은 '실전 중급 검술' 스킬의 좋은Good 단계였다. 7급이다.

시나리오 온라인에서 스킬의 단계는 정말 더럽게 잘 오르지 않는 것 중 하나였고, 가장 박하게 평가된 수식어가 단계의 이름이 된다. '흔한' 정도라고 하지만 그건 최종 단계에 비교했을 때의 이야기였고, 진지하게 인생을 걸고 다년간 수련하지 않으면 결코 닿을 수 없는 수준이다. 해당하는 스킬의 완성 단계에 비교해서도.
달인 그 이상의 경지를 최고로 쳤을 때 그래도 '중간은
하더라'라는 말이 흔하다Commmon라는 단계였으니까.

제냐는 이제 하류 검술의 좋지 않은Not Good 단계였으니.
3급이고, 그것만 하더라도 상당한 시간을 검을 들고 싸워야 했다.
기초 외날 검술의 경우엔 쓸만한Usable의 단계다. 4급으로,
초보자치고 빠르게 성장한 셈이었다.
제냐가 비스트 슬레이어를 들고 다양한 난적들과 싸워온 경험이
추가적인 점수를 얻어 그렇게 성징했다.

하류 검술이 조금 더 광범위한 효과를 보이고, 올리기 어려운
스킬이기도 했다.

줄리앙과 제냐는 아무런 말이 없다.

그들이 느끼고 있는 감각도 부자연스러운 침묵이다.

사진이나 영상을 조잡하게 지우다가 블러 효과가 잘못 남은
것처럼, 지우개로 급하게 연필 자국을 지워내 번진 흔적이 남은
것처럼 협곡 내부의 색적 범위 중에 희끄무레한 구간이 있었다.
언덕 위, 골짜기 바닥을 내려다볼 수 있는 좋은 위치다. 협곡의
중간 부분이었고, 두 봉우리를 기준으로 한다면 가장 고도가 높은

지점이다.

그런 곳에 토질과 비슷한 색깔의 바위들이 몇 개 있었고, 바위의 주변으로 희끄무레한 흔적이 있다.

누가 보아도 어색하고, 약간의 상상력을 더해 그 자리에 좋잖은 의도를 지닌 누군가가 엄폐를 하고 있다고 생각해본다면 아주 딱 맞는 위치였다.

말은 천천히 걷는다. 흑마는 다름없다. 인간의 말을 이해하지도 못한다. 주인의 낌새 정도는 짐승들도, AI로 구현된 말들도 알아챌지 모르겠지만. 속도에는 전혀 변함이 없었다.

제냐는 일부러 딴 생각을 했다. 지나치게 전투의 긴장감에 몰입하면 몸이 굳기에. 그가 할 수 있는 최악의 상상을 하며 다음 상황을 대비하기는 해야 했지만, 도리어 그렇기에 의도적으로 먼 하늘을 바라본다던가, 마음을 비우려 노력하며 몸의 긴장을 풀어냈다.

다음 순간이 어떤 장면이 펼쳐질 지 모른다면, 살아남기 위해서 최고의 운동성을 발휘해야 더 긍정적인 가능성이 높아지게 되리라.

줄리앙이 이미 내부에서 말을 해 둔 모양이었다. 객실 안쪽도 조용하다.

다그닥거리는 소리, 협곡 내부에 바람이 휘몰아치는 소리. 돌

부스러기가 바스락거리며 어디 바닥을 구르고 절벽에서 떨어지는 소리.

조용히 집중하면 그런 것들만 들리는 가운데 몇 걸음을 더 간다. 줄리앙이 입을 뗀다. 제냐에게 들릴 정도로. 큰 소리는 아니었다.

"……마차의 보호 술식이 있네. 마부석 벤치 가운데, 의자 아래에 손을 대면 누를 수 있는 버튼이 하나 있지. 그대로 가볍게 두 번 누르면서 기력을 흘려보내면 발동하네."

"……그렇습니까."

"초상술이 아닌 화살이라면 막을 수 있고, 마차와 이어진 말까지 보호하지. 길목은 잘 보이나? 끝까지 달릴 수 있겠지?"

"아무렴요."

제냐와 줄리앙의 말은 내부에 있는 다른 세 사람과, 제냐의 옆에 조금 떨어져 앉은 채 긴장하는 질리언에게도 들렸다.

일행은 불길한 예감, 기척 감지의 결과를 공유했다.

이럴 때,

헤슈나는 아드리안을 살핀다. 둘 모두 잘 차려입은 모험가의 행색이었다. 아드리안 역시 단검을 휘두를 수는 있었다. 초상 스킬 하나를 익힌 술사이기도 했다. 나이가 적어 MP역시 별로 없기는 했다.

캐릭터 별로 타고나는 MP와 HP는 달랐다. 특질의 천재들은 어릴 때부터 많은 양의 MP를 사용할 수 있었지만, 대개는 플레이어에 비해 턱없이 적은 양으로 시작해 능력을 사용하고 개발하며 늘려가는 것이 보통이었다.

헤슈나에게는 모험 용으로 지급된 단도가 하나 있었다. 예쁜 예술품이라고 보아도 좋을 그것은 검극을 상대에게 향하고 손잡이의 버튼을 누르며 MP를 주입하면 발동하는 발사 도구였다. 검날은 아니었고, 검날 표면에 새겨진 복잡한 술식을 통해 초상 스킬이 발동한다.

적혀 있는 스킬의 발현은 '검극으로부터 빛줄기가 뻗어나가 원거리의 적을 꿰뚫는' 형식이었다. 화살처럼 날아가는 MP는 단도집, 그리고 손잡이 등에 화려하게 장식된 보석들로부터 충당하는 양도 있었고 사용자가 소비하는 양도 있었다.

재량에 따라 비율을 조절할 수 있고, 배터리의 역할을 하는 보석 장식 내부의 MP가 전부 소모하면 재충전까지 시간이 걸렸다. 넉넉잡아 십 수 발 정도는 쏴댈 수 있고, 헤슈나가 가진 MP를 전부 사용한다면 한 전투에서 3, 40발 정도의 견제 사격 정도는 가능했다.

근력이 아닌 단도를 제대로 겨눌 정도의 솜씨만 있으면 되기에, 그리고 헤슈나는 그 방식의 전투를 연습해왔기에 제법 도움이 되는 힘이었다.

헤슈나와 아드리안은 각기 망토를 겉에 두르고 있었는데, 그 갈색 망토의 목덜미 께에 버클이 하나 있었다. 보석으로 만들어진 버클은 아티팩트였다. 망토의 소재와 호응해서 사용자의 방어력을 높여준다. 얇은 방호막을 형성해서 원거리 공격을 막고, 망토면에 닿는 공격이라면 근거리에서 기사가 휘두르는 검날조차 몇 번 방어해낼 수 있었다.

전부 서민의 감각으로는 가늠하기 어려울 정도의 값비싼 보구들이었다. 로멜리아 가는 영락했으나 오랜 유산이 없지는 않았고, 또 귀족가로서 챙겨 온 체면과 저력이 조금쯤 있었다.

급박하게 시작된 여행길이었으나 최소한의 도구들은 있다.

집사장 줄리앙이 입고 있는 정장도 그저 천옷처럼 보이지만 판금 갑옷같은 강도를 발휘할 수 있었다. 적절한 MP만 넣어주면.

당시, 골목에서 당했던 독은 신체의 자유를 빼앗고 신경을 마비시키는 것과 동시에 MP의 발현마저 정상적으로 할 수 없게끔 하는 효력이 있었다. 지독한 독이었고, 그 정도의 기능이 없다면 기사를 상대로 완벽한 기습을 성공시킬 수 없다.

어지간한 독이라면 초자연적인 에너지, 정신력 에너지의 작용으로 해독이 된다거나, 혹은 그렇지 않더라도 단기간 정도는 버티며 전투를 속행할 수 있게 되니까.

줄리앙은 평범한 정장 곁에 망토를 하나 둘렀다. 두 아가씨가 입은 것보다는 조금 얇고 회색빛이다. 그저 질긴 천에 불과한 것이었지만 쓸만했다. 눈 먼 칼 정도는 막는다. 페이브는 제냐와 비슷한 차림새다. 레더 아머를 섬세하게 기워 입는 형태였다. 자신의 움직임에 방해가 되지 않을 부분에만 무두질된 가죽 보호대가 붙어 있었고, 쇠판이나 징이 군데군데 덧대어 박혀있다.

페이브가 신은 가죽 구두의 밑창을 들어 마차의 객실 바닥을 한 두 번 가볍게 두드렸다. 신발이 제대로 신겨 있나 확인하는 움직임이었다.

줄리앙의 곁에는 그가 자주 사용하는 애검과, 석궁 하나가 있었다. 석궁용 쿼렐quarrel이 또한 전통에 가득 들어차 곁에 비스듬히 세워져 있었고.

줄리앙은 소리를 내지 않고 자신의 왼쪽 손목을 오른쪽 검지로 몇 번 두드렸다. 까딱거리며 감각을 확인한다. 그는 지금 여기에 살아 있었다. 전투가 일어날지도 모르며, 노구는 아직 몇 번의 전란을 더 겪고 넘어야 했다.

대비된 전투라면 이 마차는 제법 쓸만했고, 명민한 두 아가씨 역시 제 몫을 하거나 최소한 잘 숨어있으리라.

방심한 틈에 찔린 기습이 아니라면 대응은 가능했다. 앞으로 그들이 넘어야 할 산은 많고도 험하다. 산슈카 왕국에서 몰락한 남작가가 살아남기 위해서는, 더욱더 강해져야 할 필요가 있다.

줄리앙은 기감에 집중했다. 언덕 어느 부근에 기감이 지워지는 듯한 모양을 포인트로 잡고 계속해서 따랐다. '그것'들은 움직이지 않았다. 희끄무레하게 번지듯 느껴지는 구간.

바위에 자신의 몸을 가린 것인지 모여 있는 부피를 사람의 신체로 나누어 계산하면 약 열 댓 명 정도가 뭉쳐 있을 법한 크기였다.

제냐 역시 알았을 지도 모른다. 자신을 따르는 두 청년은 기력 감지의 재주가 없는 것을 노인은 안다. 줄리앙이 입을 뗀다.

"아마…… 열에서 많으면 스무 명 같군."
"…그렇습니까."

제냐는 그 번진듯 보이는 흔적을 정확하게 캐치하는 건 어려웠다. 사람의 숫자까지 짐작할 정도로 정확한 부피감을 재는 일 말이다. 위치 정도는 확연히 알 수 있었지만.

마차는 평온을 가장한 채 얼마간 더 걸어갔고, 그들이 협곡을 3분할 했을 때 3분의 2, 두 번째 구간의 후반에 이르렀을 때였다.

퉁,

하는 소리가 언덕 위에서 났다.

제냐나 줄리앙은 떨림으로 알았다.

기력 감지가 연결된 감각으로 변화를 알린 것이다. 제냐는 집중하지 않으면 듣지 못할 정도의 변화였다. 들었다 하더라도 놓쳤을 수도 있었다. 자신이 잘못 들은 것인가, 하며 말이다.

줄리앙의 경우엔 다년 간의 경험으로 그것이 기력 감지를 써서 알았을 때, 화살이 발사되는 기척에 가깝다는 걸 깨달았다.

줄리앙이 외쳤다.

"제냐! 버튼! 화살이다!"

달칵, 하는 감각과 함께 제냐가 자신이 앉은 벤치 아래의 스위치를 눌렀다. 기계식처럼 만들어진 것이었으나 그것만으로는 어떤 효력이 없었다. 연결된 아티팩트의 발동을 위한 것이었다. 두 번 누르며 동시에 미량의 MP를 손끝으로 흘려보냈다.

25. 강도단

눈으로 에너지의 흐름을 볼 수 있다면, 작은 빛의 입자가 손가락 끝에서 나와 흩어지다가 녹색의 단추로 흘러들어가는 것이 보일 테다.

한 순간에 버튼을 눌렀고, 그 동작이 아주 빨랐다. 발사음을 듣고 줄리앙이 외쳤는데, 콱! 하고 화살이 박히는 소리가 들렸다. 다행히 첫번째 화살은 엉뚱한 바닥을 맞췄다.

아주 명사수들은 아닌 모양이었다.

화살이 협곡의 맨바닥을 치고 난 바로 다음 마차의 주위로 푸른색의 빛이 나타났다. 입자처럼 보이는 그것이 마차의 표면에서 흘러나왔고, 마구로 연결된 흑마들에게까지 뻗는다.

눈 깜짝할 사이에 그들이 탄 마차를 덮었고, 손가락 한 마디 정도 거리를 띄운 채 반투명한 푸른 막이 형성되었다.

외부 충격을 상쇄시키는 보호막이었다. 로멜리아 가의 가산 중 수위에 들도록 비싼 것이라고 할 수 있는 마차였다. 이 특별한 모드mod를 작동시키지 않아도 어느 정도의 방호력이 이미 있다.

요인을 태운 채 전투 지역을 지나야 한다면 특별히 켜야 하는 방어 모드였다.

땅바닥에 박힌 화살은 짧은 것이었다. 석궁용 화살처럼 보인다. 제냐는 팔을 뻗어 방어 모드를 활성화시킨 뒤, 흑마에게 연결된 끈을 한 번 세게 흔들어 말들을 재촉했다. "이랴." 마부의 외침에 따라 두 마리는 발걸음을 빨리했다. 그것을 집어 던지듯 옆에 앉은 질리언에게 넘겼고, 그가 능숙하게 잡아챘다.

제냐는 발 아래 둔 활을 꺼냈다. 자신의 애병은 세 개였다. 레벨은 변해졌으나 무기를 아직 바꾸지는 않았다. 인챈트는 가능하다면 계속 하려고 했다. 하위 복합궁3이었던 물건은 '중급 복합궁'이 되었다. 3단계에서 한 번 더 세슈칸 장인의 손길을 거쳐 강화를 해내자 아이템의 이름이 바뀌었다.

전보다 더욱 강력한 기세로 화살을 쏘아낼 수 있었다. 시위의 장력은 더욱 강해졌고, 제냐의 근력 역시 늘었다. 순발력과 지구력도.

발치에서 꺼내는 장궁에 질리언 역시 발을 조금 들었다. 커다란 놈을 순간 꺼내 제냐가 위로 들었다. 다른 손으로 전통에서 화살 하나를 꺼내 걸었다. 거기까지 얼마 걸리지도 않았다.

철시 하나가 시위에 걸린다. 제냐는 색적 스킬을 발동하고 있다. '천공의 눈'이라는 스킬이었다. 기력 감지 스킬 중에선 초보자용이라고 할 수 있었다. 궁사들에게는 필수적이었다. '매의 눈'의 상위 호환이라고 볼 수 있다.

화살의 궤적까지 스킬이 계산해서 시야에 표시된다. 기력술을 강하게 발휘할수록 궤적은 곧아진다. 기력을 머금은 화살은 물리적 법칙 이상의 강세를 가진 채 날아가기에. 마치 로켓이 그렇듯 말이다.

언덕 위편에는, 사람이 있었다. 육안으로는 보이지 않는다. 스킬적 시야에도 걸리지 않았다. 계속 말하듯 희끄무레한 뭔가의 어색함이 있을 뿐이다.

그것을 표적 삼아서 화살을 겨누었고,

오래 걸리지 않아서 제냐가 시위에 걸린 화살대를 놓아주었다.

중급 복합궁1은 어마어마한 장력의 활이었다. 초인적인 기세를 가진 플레이어가 아니라면 쓸 수 없는, 괴물같은 활이다. 철시에 걸린 부하는 똑바로 그것을 밀어 올렸다. 소량의 MP가 실렸다. 약 30정도. 완전히 약소하다고 할 정도는 아니다.

거무튀튀한 철시가 난다.

쌔액,

파공성과 함께 공기를 가르고 중력의 반대로 밀려 올라가는 화살촉이 날카롭다. 약간 비스듬히, 무언가 잔상을 남기고 있는 위치를 향해서 날아가는 화살대의 근처에 기력의 흔적이 묻어 일렁거린다.

눈 한 번 깜짝할 사이. 그리고 조금 더. 화살은 희끄무레한 잔상을 스쳐 지나갔다.

그리고, 제냐의 색적 스킬이 아직 완벽하지 않다는 것이 도리어 행운으로 작용했다. 그의 감각에서는 스쳐 지나갔으나, 감각하지 못한 부분에 있던 상대의 몸체에 정통으로 걸렸다.

잘못 보고 잘못 쏜 것이 운 좋게 제대로 맞아 걸리는 행운으로 작용했다.

콰득, 하고 흙바닥에 파고든 상대의 화살과 달리, 그것은 견고한 갑옷판 사이를 찌르며 육체를 갈라 깊이 박혔다. 지면보다는 훨씬 무른 살이 화살에 의해 꿰였다. 제냐의 시선으로 보면, 잘만 허공으로 날아가던 철시가 갑자기 도중에 콱 물려 멈춰있는 꼴이다.

초자연적인 광경이었으나, 초상 스킬이란 애초에 초현실적인 현상을 만들어내는 기술을 이름이다.

누군가 비가시적인 에너지막을 형성해서 날아가는 철시를 공중에서 막은 건 아니었다. 자신의 몸을 투명하게 만들고 있다가, 맞았을 뿐이지.

그 사이에 제냐가 이미 한 발을 더 놓았다.

허공을 나는 새처럼 철시가 거꾸로 하늘 위로 날아 올랐다.

솟구치는 기세가 매섭다. 한 발 더 걸리지는 못했다. 감지 기관에 걸리는 부근으로 궤적을 쏘아 맞췄는데 아마 상대가 피한 모양이다. 눈에 먼지가 끼거나 혹은 수증기가 어른거리는 듯한 모습으로 절벽 위에서 움직이는 형체들이다.

아마 평범한 시야로 본다면 아무것도 보이지 않을 수도 있었다. 기력 감지라는 스킬을 쓰고 있으니까 감지기로 전해지는 정보가 시야에 덧씌워져서 그렇게 해석될 뿐이다.
실제로 질리언은 아무런 이상도 느끼지 못하고 있었다. 마차 내부에 있는 페이브, 헤슈나, 아드리안도.

마차의 보호막은 여전히 작동중이었다. 히히힝! 하고 흑마가 울며 뛰쳐나간다. 거칠게 대지를 밟는 발굽에 돌 부스러기가 터져 나갔고, 마차의 프레임이 요동치며 앞으로 간다. 화살은 그 와중에

쐈기에 최초의 것이 조금 빗나간 일일지도 모른다. 벌컥, 하고 문이 열렸다. 마차의 한 쪽 문이다.

양문형 이었는데, 한 쪽이 바깥으로 활짝 열려서 내부가 드러났다. 저격의 위험은 잠시 접어두는 듯했다. 마차의 보호막이 작동 중에는 어떤 원거리 공격도 단숨에 침범할 수는 없다.

보호막을 통째로 날려버릴 수 있는 에너지의 공격이라면 모른다. 그리고 애초에 그 정도 스킬이라면 문을 닫거나 열거나 큰 차이는 없다.

문에서 드러나는 노인, 줄리앙의 몸이었다. 그는 앉아 쏴 자세로 윗 방향을 겨누고 있었다. 거칠게 요동치는 마차의 내부에서, 흔들리는 시야 속에서 줄리앙은 자신의 사격을 했다.

석궁 역시 꽤나 잘 다루는 노인이었다.

그는 오랜 경험을 했고, 기사로서 많은 전투를 치렀다.

다양한 전장을 누비고 그 속에서 살아남기 위해 사용 가능한 모든 장비들을 다루어왔다.

기사란 단순히 근접전의 대가를 말하지 않았다. 전쟁꾼, 프로 병사를 뜻하는 말이다. 일반적인 병사보다 훨씬 엘리트에, 강력한 자들.

그들은 숙달된 감각과 노련함을 바탕으로 다종의 무기들을 쓴다. 석궁 역시 개중 하나다. 줄리앙의 크로스 보우가 그 머리 끝을 절벽 위 어느 방향으로 겨누어졌다. 흔들리는 와중에 가상의 궤적이 노인의 머릿속에 그려졌다.

운동성을 감각적으로 계산한 뒤에, 퉁, 하고 발사 방아쇠를 당겼다. 손가락의 움직임에 따라 석궁살이 날아갔다. 쿼렐이 하늘을 난다. 특수하게 제작된 것이었다. 수십 미터, 혹은 그 이상까지 충분히 유효 사거리로 커버하는 무기다.

한 발을 날린 뒤 한 호흡 쉬고, 흔들리는 객실의 통로라 할 수 있는 발이 닿는 곳에 앉아서 침착하게 화살을 갈았다. 전통에서 능숙히 한 발을 더 꺼내들어 끼운다. 도르래를 당겨 장전 준비를 마쳤다. 그 사이에 흑마는 마차를 십 여 미터는 더 전진시켰다.

퉁, 퉁, 퉁. 줄리앙은 마차의 여정이 멈추지 않는 것처럼 사격을 멈추지 않았다.

[쏴라!]

유령이 말하는 것 같은 목소리가 들렸다. 형체가 없이 소리만 나타났기에 그렇게 느껴진다. 또한, 그 목소리의 질 자체도 사람의 것 같지 않은 탁한 음색이었다. 투명한 유리벽 따위에 막혀서 이그러져 전달되는 소리같다.

아마 상대방이 사용하고 있는 위장 스킬은 형체와 함께 소리도 막아내는 것 같다. 다만 완벽하지 않아 줄리앙과 제냐 등, 스킬 사용자들의 색적에 걸릴 뿐이다.

질리언과 페이브는 갈피를 잡지 못했다. 그래서 그냥 방패를 들었다. 보호막은 마차 프레임과 흑마, 그리고 그 몸체에 앉아서 닿아 있는 인원들까지를 넉넉하게 보호했다.

이미 초상력의 보호가 그들을 막아주고 있었으나, 그것은 정해져 있는 에너지 량을 소비하는 배터리나 비슷한 메커니즘이었다. 그들이 막을 수 있는 것을 추가로 움직여 방패로 휘둘러 쳐낸다면 더욱 안전하게 갈 수 있으리라.

유령의 목소리와 함께 위에서 화살비가 쏟아져 내렸다.

"꺄아악!"

아드리안이 비명을 질렀으나, 헤슈나는 그런 어린아이를 슬쩍 자신의 품에 묻어 안으면서 입을 막았다.

벌린 입술을 강제로 막진 않았지만 헤슈나의 몸께에 얼굴이 닿으며 소리가 막혔다. 불필요한 소란은 전투에 방해가 된다. 전사들이 움직이고 반응하는데 헷갈릴 수 있을 것이다. 그런 계산이었다.

줄리앙의 화살이 몇 개 더 날았다. 석궁의 연사 속도라고는 생각하기 어려운 정도의 빠른 장전이었다. 일반적인 크로스 보우는 아니었다. 기계식 연발까진 아니어도 장전 과정의 시간을 줄이기 위해 특별히 고안하고 만들어진 물건이었고, 힘이 좀 들었는데 줄리앙도 기사였기에 완력으로 그 시간을 줄이고 있었다. 당겨진 화살 시위로부터, 활대의 파인 홈을 따라 쿼렐이 날았다.

제냐가 날려대는 철시에 비하면 반 정도 되어 보이는 몸체였지만 빗살처럼 빠르게 난다. 무게가 적었기에 같은 힘을 받았을 때 속력이 더 난다. 강력함은 없었지만 관통력은 있다. 견제용으로는 최선이었다. 안에 앉았던 페이브도 방패를 꺼내 들었다. 질리언과 같은 생각이었다.

헤슈나는 덜컹거리는 마차 내부에서 자신의 몸을 가누었다. 마차의 프레임은 객실 내부로 충격을 최소화했다. 요동치는 파도, 정도는 아니었다. 벤치의 등받이나 마차 내벽에 몸을 기대어서 안정을 취하려 했다. 여유가 난다면, 아드리안이 조금 정신을 차리면 놔두고 자신 역시 보도를 꺼내어 빛줄기를 뽑아내리라.

아티팩트로 발출하는 사격은 확실히 도움이 될 것이다.

흑마가 달렸다. 말들은 화살이 날아듦에도 굳건했다. 전마戰馬로서 훈련을 받은 종 같았다. 로멜리아 가는 다양한 전통이 있었고, 그 전통은 무형적인 것 외에 유형적인 것들도 포함한다. 타인들은 그들의 저력을 다 모르지만 내실이 충실한 가문이자 집단이었다.

튼실한 두 마리 명마 또한 그런 내력의 한 가지이다.

약간 굽이치듯 이어지는 협곡 내부의 길을 마차가 달린다. 큰 바위가 있으면 마부석에 앉은 질리언이 끈을 잡아채며 방향을 유도했고, 말들은 그 자극이 자신의 고개에 닿기 전에 이미 바위를 보고 빠르게 질주를 하며 피해내고 있었다. 마차의 속력이 순식간에 높아졌다. 바퀴가 쉼없이 구른다.

계곡 위에서 나무 화살이 떨어져 그렇게 지나가는 흑마, 마차의 근처에 날아 박혔다. 마차의 지붕은 화살을 맞기 딱 좋은 장소였다. 그 위로 캉! 하고 나무 화살 몇 대가 날아와 꼽힐듯 박았다가 튕겨나갔다. 보호막이 자세히 바라보면 일렁거린다. 푸른 색의 입자가 요동치면서 자신의 건재함을 과시했다.

흑마가 앞을 처다본다. 고개를 직선 방향에 처박고 앞만 보고 달린다. 마부는 그런 흑마를 지지한다. 탈출구. 살아남기 위해서는 저 바깥으로 향하는 협곡의 출구만 보고 달려야 했다. 전속력으로 마차를 몰면 그리 오랜 시간은 분명 아니리라.

그 동안 저 위에 있는 강도 새끼들이 무엇을 준비했는지, 무엇을 떨어뜨릴지 조금 걱정이 되기는 했다.

빠르게 달려나가는 마차에 의외로 많은 화살이 날아 꽂히지는 않았다. 마부석에 닿는 것들은 질리언이 기세 좋게 움직여 방패로 막아냈다.

말들에게 날아와 박는 것들이 문제였다. 시야만 가리지 않으면 된다. "이랏!" 질리언이 도리어 더 큰 소리를 질렀다. 흑마들은 충실한 종이었지만 더욱 당황하지 않고 앞으로 향하라는 의미였다. 주인의 명에만 집중하고 따르면 된다. 괜히 그 말발굽이 느려지면 더 많은 화살비에 노출될 뿐이었다.

퉁, 퉁. 하고 시위로부터 화살이 날아가는 소리가 이곳저곳에서 난다. 제냐와 줄리앙의 귀에는 협곡 내부 여기저기에서 들리는 소리들이 동시에 들려왔다. 위치를 특정한다. 제냐는 철시를 가장 빠르게 연사해서 보낼 수 있는, 아래에 있는 인원들 중 가장 훌륭한 공격자였다.

그는 자신의 역할을 다한다.

좋은 궁사는 팔 힘이 좋아야 한다. 동작이 빨라야 한다. 얼마나 정확하고 빠르게 날릴 수 있는가.

몇 개의 스킬샷이 터졌다. 기초 궁술을 사용하며 계속해서 전투를 진행하다가 생기는 것들이다.

일반적으로 기력술이 포함된 철시는 그렇잖아도 강력한 관통력과 파괴력을 가지면서 전진하지만, '강궁强弓' 스킬이 이따금씩 터져나왔다. 확률적으로 발동하는 패시브 스킬이었다. 그가 사용하는 일정 장력 이상의 활로 시위를 당기고 놓으면, 몇 발에 하나 정도가 추가적인 공격력 보정을 받아 날았다.

제냐의 느낌상 일고 여덟 발 중 한 발 정도의 체감이었다.

하늘 위를 나는 철시는, 과감하게도 협곡의 끄트머리를 지날 때 그 돌조각을 깨부수며 너머에 있는 사람을 맞추기도 했다.

[크억.]

질리언과 페이브, 헤슈나와 아드리안의 귀에는 들리지 않는 신음이나 고통 섞인 비명이 들렸다. 줄리앙과 제냐가 잘 하고 있다는 뜻이었다.

눈에 보이지 않는 비가시적인 형상의 인간들이 분주하게 움직였다. 미리 매복을 하고 있던 약 스무 명 정도 규모의 도적단이었다.

투명하게 그들을 가리워주는 장막을 덮고 있는 것과 마찬가지다. 그 장막 내부의 광경은, 도적단이라고 그들 스스로를 광고라도 하는 것처럼 엉망으로 입은 옷가지와 장비들을 한 차림새다. 오크나 고블린이 떠오른다.

몬스터와 도적떼의 공통점은 모두 스스로 장비를 구한 게 아니라, 어떤 피해자로부터 노획한 것이라는 점이다.

흔한 강도들이었다. 콘란드 대륙의 사회는 여러 개의 성과 도시로 이루어져 있었다. 성주와 도시의 영주들이 모여 하나의 국가를 이룬다. 도시와 도시 사이에는 마치 섬과 섬 사이에 바다가 있듯 넓은 황야가 있는 경우가 많다. 숲이던 초원이든 산맥이든 협곡이든 호수든. 지형의 차이는 있겠지만, 사람의 발길이 아직 다 닿지 않는 곳이라는 공통점들이 있었다.

그런 야지에서 사람을 노리는 강도는 몬스터나 짐승을 보는 것과 마찬가지로 흔한 일이었다. 여행을 하는 자들은 모두 자신의 몸을 보호할만한 도구나 기예 정도는 익혀야 했다. 그것이 이 시대를 살아가는 자들의 숙명이었다.

그러나 다만 다른 강도들과 다른 점이라면, 역시 색적 스킬에도 걸리지 않을 정도의 투명화 스킬을 보유하고 있다는 점이었다.

그것이 스킬의 형태로 강도 개인이 익히고 있는 것인지, 혹은 아티팩트의 일종인지는 파악할 수 없었지만 단순히 일회용의 물건이라고 하더라도 일반적인 강도와는 규격이 다른 놈들이었다.

집요한 악의마저 느껴진다. 데슈칸 산맥으로 가는 가장 빠른 길. 로키 산으로 가는 길목에 이 협곡은 돌아가기가 어려운 지점이었다. 여태까지 아무런 습격에도 노출되지 않았다는 사실 역시 그들을 협곡으로 이끈 요소 중 하나이다.

로멜리아 가의 일원들을 노린 누군가의 암수라면 계략가의 솜씨라고 볼 수 있었다. 머리를 잘 굴리는 전략가가 그들을 견제하고 있는 모양새다. 상대방의 심리를 생각해 완급조절을 하면서 함정에 빠뜨리려 하고 있었다.

"썬더 볼트."

화살을 부지런히 재어 날리던 제냐가 입술을 달싹거리며 새로운 초상 스킬을 발동했다. 번개의 빛살을 날려 상대를 지지는 종류다. 조준은 간단했다. 궁술과 마찬가지로 천공의 눈이 궤적을 보조한다.
최태현이 그랬듯 붉은 점선이 나타나 제냐의 눈 앞에서 가상의 궤적을 그린다. 그 끄트머리는 일렁거리는 안개, 누가 불편하게 채색을 잘못 해둔 것 같은 허공의 지점들이다.

복합궁, 그가 든 불그스름한 나무 색의 장궁에 철시가 걸려 상대방을 노리는 동시였다. 번개의 살과 철시의 화살 두 개가 절벽 위를 노렸다.

파스스, 거리면서 잔뜩 당겨 잡은 화살의 머리, 화살촉 오른쪽으로 푸른 번개가 튀었다. 푸르고 노르스름한 다양한 색깔의 번개였다. 파이어 볼이 최초에 형성될 때처럼 빛이 모여들어 형태를 만들어낸다.
파이어 볼의 움직임은 곡선적인 형태였으나 썬더 볼트는 만들어질 때도 직선적인 흐름이었다. 번개가 하늘 위에서 부서지는 형태를 모방하는 듯, 번개가 튀는 모습을 연출하는 듯 그렇게.

비산하는 빛의 가시처럼 화살촉의 오른쪽으로 붕 떠 있는 투사체가 형성되었다. 번쩍거리며 끊임없이 제 모습을 크게 만들었다 줄였다가를 반복하는 모습이 마치 호흡을 하는 것처럼도 느껴진다.

약동하는 에너지의 끝을 바라보며 제냐가 조준을 마치고 쏘았다. 그와 동시에 손도 놓는다. 두 '살'은 서로 다른 표적을 노리고 허공을 날았다.

번개의 빛살, 썬더볼트가 조금 더 빨랐다.

쇠뇌의 화살을 의미하는 볼트bolt의 이름처럼 빠르다. 개중에서도 번개의 속성은 다른 볼트류 마법보다 더 빨랐고 말이다.

기력술로 날려낸 철시보다도 앞서서 절벽에 닿았다. 그것을 맞는 입장에서는 순식간이라 할 만했다.

허공 위에서 이리저리 쪼개지는 모양새로 다양한 궤적을 그리면서 썬더 볼트가 움직였고, 그 중간 궤적은 흐트러진 모습이지만 탄착지 자체는 최초에 노린 일직선상에 정확하게 가 닿는다.

썬더 볼트는 생물체를 좇는 습성이 있었다. 초상력의 작용인지, 무엇인지 과학적으로 설명할 수는 없었지만 마지막에 탄착지에서 약간 벗어나더라도 그 움직임을 따라 궤도를 비틀면서 상대를 때린다.

그 휘어지는 유도성은 약 1, 2m정도의 범위를 가진다. 능숙한 번개술사라면 아예 확고한 유도성을 띄는 번개 공격을 날릴 수도 있었고.

아마 전뢰 계열 공격 스킬에 탑재되어 있는 기능일 가능성이 컸다.

절벽위, 특수한 스킬 속에 자신의 몸을 감춘 채 석궁 하나를 무릎 꿇어 겨누고 있던 커다란 사내는 아래로부터 뻗어오는 빛살에 순간 눈을 찌푸렸다.

그리고, 그것이 그의 마지막이었다.

상체는 징이 박힌 레더 아머를 걸쳐 입었고, 하체는 상태가 그리 좋지 않은 사슬 갑옷을 입은 남자였다. 무언가 날아오는가, 인식했을 순간에는 이미 늦었다.

그가 번쩍임을 알아챈 순간에 바로 몸을 날렸다면 혹시 몰랐지만, 굼뜬 움직임으로 자신의 공격을 하려고 제자리에 있는 동안 빛살이 그의 몸에 와닿는다.

빛살은 단순한 빛줄기가 아니었고, 파괴적인 위력을 담은 공격기였으며, 레더 아머를 찢어발기고 그 가슴팍에 번개의 상흔을 남겼다.

"끄어어어어어!"

열상과 자상을 동시에 입었고, 그와 함께 전류에 감전되는 고통까지 느꼈다. 사내는 부들부들 떨면서 고압 전류에 당한 사람처럼 그 자리에서 비명을 질렀다. 제 몸이 마음대로 통제되지 않았다.

고통을 느끼는 온갖 감각이 역치 근처까지 치솟았고, 그 찢어지는 비명처럼 올라간 고통의 수치가 임계점을 돌파하며 도리어 아무런 감각이 느껴지지 않는 상태가 되었다.

NPC로서 게임 오버를 당하는 순간이었다.

*

[끄어어어어어!]

제나와 줄리앙의 귀에, 기력 감지술이 발동해 연계되어 있는 청각에 그런 비명 소리가 똑똑히 들렸다.

상대의 음엄폐 스킬은 확실히 완벽하지는 못한 모양이었다.

집단 정도를 완벽하게 투명화시키고 또 기척마저 지워버리는 스킬은 여간 어려운 일이 아니었다. 일반적인 사람의 눈에 보기에 그렇게 만드는 것은 가능했으나, 기력 감지가 가능한 자들의 감각에도 잡히지 않을만큼 지워버리는 건 단순한 계산으로 그런 색적 스킬을 뛰어넘는 고위 스킬러skiller의 활약이어야 했다.

다행히 그런 수준의 적이나 아티팩트는 없는 모양이었다. 이런 습격을 겪으면서 그들의 적이 되는 누군가의 힘을 가늠해볼 수 있다는 것도 중요한 정보였다.

결국은 맞닥뜨려야 한다면, 상대의 힘을 알고서 치는 것이 당연히 훨씬 좋은 일이다.

줄리앙은 작힘 백작을 생각했다. 대놓고 그들을 죽이려고 하는 것 같았다. 뱀과 같은 자. 속내를 잘 드러내지 않는 양반이기는 했지만, 완벽하게 갈라서기로 한 모양이다.

국내에서 이토록 공공연하게, 또 여러 번 반복해서 같은 귀족을 척살하려 움직이다니. 수도에 있는 왕권의 영향력이 국토 전체를 덮지는 못한다고 해도 여간 당당하고 대담한 짓거리가 아닐 수 없다.

작힘 백작이 그야말로 미쳐버린 일이 아니라면, 로멜리아 가의 유산이라는 게 생각보다 더욱 대단한 모양이었다.

귀족 살해의 오명을 각오하면서까지 이렇게 적극적으로 나서려는 것 보면 말이다.

지금 그들을 향해 화살을 계속 쏟아내는 눈에 보이지 않는 도적떼가 작힘 가와 연관이 되어 있다는 증거는 아무것도 없었지만, 정말 사람이 아무런 꼬리도 드러내지 않고 일을 계속하는 것도 불가능에 가까운 일이었다.

습격이 반복되고 작힘 백작의 마수가 그들에게 뻗치면 뻗칠수록 결국 증거가 남으리라. 당장 절벽 위에 있는 망나니들 중 하나라도 살려서 고문을 가한다면 정보를 토해낼 것이다.

당장은 살아남아야 하겠지만.

다행히 도적떼들이 가지고 있는 특별함은 그들의 모습을 가렸던 투명화 아티팩트, 혹은 스킬 외에는 없는 모양이었다. 단순히 아래로 날아와 꽂히는 화살들에 기력이 실린 듯한 낌새도 없었다.

기력술로 날아오는 궁술의 경우에는 이미 파공성이 달랐고, 꽂히는 기세가 다르다.

기력 감지를 발동하고 있는 와중이라면 그 흔적마저 느낄 수 있으리라.

협곡을 지나고 있는 와중에 위에 초상 술사라도 있어서 원거리 스킬이 발동되어 폭발이라도 일어난다면 문제였다. 그 때는 마차의 보호막도 온전히 내부의 인원들을 지켜줄 수 있으리라는 보장이 없다.

투두두두, 하고 드럼 소리처럼 마차의 지붕을 두드리는 화살비가 느껴진다. 헤슈나는 여전히 아드리안을 끌어안고 있다. 페이브는 그런 두 아가씨를 바라보며 자신이 무엇을 해야 할 지 가늠하지만 아직까지 움직일 만한 틈이 없었다.

그의 눈동자가 흔들린다. 지켜보는 것 말고는 힘을 쓸 게 없다는 건 호위 무사로서 가장 어려운 일이다. 그는 기사였으나 기력을 다루는 초고위급의 기사는 아니었다.

MP를 제 숨쉬고 손발 움직이듯 사역하는 기사들은 신체 능력을 극한으로 끌어올려 비인간적인 위업을 이루기도 하고, 칼날을 휘둘러 먼 거리에 있는 적들에게 기력으로 이루어진 대포를 쏘아 날리기도 한다.

그 정도 수준이 되면 기력술사와 초상술사의 접점이 희미해지는 지경이 된다. 각자 플레이 스타일이 다르고 장단이 있기는 하지만, 클래스 특유의 단점이나 약점이 보완되어 가는 것이다.

그런 수준의 기사들은 산슈카 왕국 내에서도 그리 흔하지 않았다. 고위 귀족의 사병으로는 한 명이 있을까 말까하다. 작힘 백작가에도 있다고 단언할 수 없다. 국가적인 전력으로 취급받으며 전쟁이 시작되면, 그런 전략 병기의 수가 얼마냐 하는 것에 따라 전황이 달라진다.

초고위급의 기력술사는 고위급 초상술사나 그리 다르지 않은 활약을 전장에서 할 수 있었다. 전장의 전방위적으로 말이다.

단순히 자신의 몸 근처, 근접전이라면 당연히 초고위급의 초상술사가 그러는 것보다 더 뛰어난 활약을 할 수도 있었고.

초고위급의 초상술사는 사람이 많이 모여있는 대규모 전장터에서 악몽처럼 느껴지는 존재이자 이름이다. 화약을 모아 터뜨리는 폭탄보다 훨씬 강력한 투사체를 거리를 막론하고 쏘아대는 인간들은 인간이라고 부르기 어려운 존재들이다, 그 현장에서는.

살아 움직이는 다연발 포대의 역할을 하며, 말 그대로 소규모 전장의 지도를 펼쳐놓고 마음대로 전선을 주무를 수 있는 전략 자원이 된다.

당연히, 흔치는 않다. 왕가의 로얄 가드들이나 그 수준에 근접할 것이다. 산슈카 왕국의 제 1기사부터 10번째 검까지는 확실하게 초고위급이라고 말 할 만한 수준이리라.

그 아래부터는 단계를 나누는 대략적인 기준에 못미치거나 한 발 걸치거나, 할 테고.

일반적으로 '소드 마스터'라는 별칭을 현대의 콘란드 대륙에서는 그 정도 기술 수준에 이른 검사에게 붙인다.

시대에 따라 '마스터'의 칭호는 기준이 조금 달라지기는 했으나 말이다.

역사서, 로멜리아 가와 산슈카 왕국의 이야기를 담은 거대한 전기집에 나오는 인물들 중에는 현대의 소드 마스터들을 뛰어넘는 활약과 위업을 보이는 자들도 있었다.

산슈카가 제국이던 시절, 그 권위와 위세가 영락하기 전에 말이다.

로멜리아 가 최후의 백작이었던 카신 로멜리아 역시 당시에 소드 마스터의 이름으로 불렸다. 수 만의 군세 앞에서도 위엄을 잃지 않는 병사.

로멜리아 가의 역사적 유산이 여러 개 있으나, 가장 값진 것을 꼽으라면 늘 그런 선인들의 이름으로부터 이어지는 명가의 무술이 있을 것이다.

로멜리아 류流의 여러 무술이 있었고, 개중에 검술 또한 있다. 마스터 그 이상을 바라보기는 아주 어렵지만 그 아래 단계에서도 충분한 위력을 보이는 무학이었다. 질리언과 페이브 역시 로멜리아 류 검술을 익히고 있었고, 그들이 익히는 검술을 다 익히고 두 세 단계 이상의 스킬을 다시 익혀야 예전, 로멜리아 가의 소드 마스터가 다다랐던 경지에 닿으리라.

아드리안,

작은 소녀는 떨면서 눈을 감았다. 이런 상황에서 더 이상 비명을 지르지 않고 얌전히 있는 것만 하더라도 충분히 제 역할을 하는 것이었다.

인형처럼 생긴 작은 아가씨를 헤슈나는 품에서 놓았다. 자신의 여동생이 그래도 침착함을 찾는 것 같다고 느꼈기에 말이다. 그 품 안에서 느끼는 촉감으로, 여동생의 호흡으로 아는 것들이었다.

오래도록 인연을 가진 친구, 가족, 그런 자들은 친밀하게 지내며 그 호흡의 등락까지도 알게 된다. 얼마만큼 숨을 쉴 수 있나, 어떤 감정을 가지고 있나.

누군가에 대해서 그토록 자세하게 아는 건, 그만큼 친밀감을 가지며 사랑하는 가까운 사이이거나 혹은 전장티에서 만난 원수간에, 초고도의 기술을 가진 검술가들이 공유하는 정보였다.

헤슈나는 아드리안을 조심스레 흔들리는 마차의 아래에 놓아 두었다. 덜컹거리고 있으니 떨어질까봐 발 치, 그러니까 객실 의자의 아래 바닥에 두고 구석에 앉아 있게 인도했다. 아드리안 역시 걸치고 있는 갈색 망토가 소녀의 몸을 감싼다.

로멜리아 가의 차기 가주, 혹은 현가주인 그녀는 자신의 품에서 보도를 꺼내들었다. 보도의 칼집과 도신은 연결되어 있다. 온갖 아름다운 장식들이 알알이 박혀 있는 칼집은 여전히 그녀의 허리춤에 달려 있었고, 뽑아든 칼날을 그녀가 위로 들었다.

페이브가 슬쩍 그녀를 처다보았다. 흔들리는 마차 안에서 혹시 그녀가 칼을 잘못 놓칠까 걱정이 되어서였다.

헤슈나는 그런 걱정이 쓸 데 없는 것이었다는 듯, 능숙하게 균형을 잡으며 마차의 내벽에 몸을 기댄다. 한 쪽 창문 근처로 다가가 바깥을 바라보았다. 마차의 출입구에는 줄리앙이 앉아 자리하며 끊임없이 석궁을 쏘아대고 상대를 견제하고 있었다.

그녀의 눈에는 안타깝게도 아무것도 보이지 않았다. 마부석 쪽으로 나 있는 창문의 덧문을 끝까지 밀어 다 열어내고, 허공을 바라본다.

깨끗한 하늘이 보였다. 아직까지 저녁이 오기에는 시간이 남아 있었고, 그들이 지나야 할 협곡 역시 길이 남아 있다. 절벽의 풍경과 그 위의 하늘을 바라본다. 절벽의 낭떠러지, 끄트머리 부분에 무언가 있는 것 같았다.

별다른 기감 스킬이 없는 헤슈나의 눈에 인기척이 잡히지는 않지만, 마부석에 있는 제냐가 쏘아내는 스킬과 화살, 그리고 줄리앙의 석궁살이 허공에 멈춰 있는 것만이 시력 좋은 헤슈나의 눈에 보였다.

그건 이상한 광경이었다. 허공에, 투명한 자리에 멀리 화살들이 보인다. 무언가에 고정된 듯 움직이지 않는 화살이 그대로 느리게 통통 튀며 운동했다. 화살 그 자체의 운동성은 이미 상실했음에도 말이다.

보이지 않는 어딘가에 박혀든 화살이었고, 그것을 매단 상대가 움직이는 게 헤슈나의 눈에 그리 보이는 것이었다.

[크악!] [쏴라! 저 새끼들 뭐야!] [다 쏟아내! 뭐 해! 바위! 씨발, 떨어트려! 죽여! 로멜리아는 오늘 부로 다 죽는다!]

끔찍한 말이었고, 듣고 싶지 않은 이야기였다. 줄리앙과 제냐의 귀에는 들려왔다. 허공에 아무것도 없는 자리에서 소리가 웅웅대며 떨리자 유령에라도 홀린 듯한 기분이 들었다. 그러나 유령은 아니었고, 단지 초상 스킬을 사용하고 있는 악적이 있을 뿐이었다.

들려서 좋을 것 없는 이야기였으나 줄리앙의 귀에 들어왔다. 그들은 그런 말을 해서는 안되었다.

줄리앙은 자기 류의 궁술을 마음껏 발휘했다. 자유 기사에게 발탁되어 기사로서의 길을 간 그였다. 로멜리아 가에 의탁하고 충성을 맹세한 다음에도 많은 전장터에서 적을 죽이고, 베고, 가르고, 어떤 괴수와 단독으로 맞서 싸우며 그 자신의 무예를 갈고 닦은 노인네다.

이제와 그 모든 실력을 보이기에는 스테미나가 조금 딸리기는 하지만 그 근력과 순발력, 기력술이 아주 녹슬지는 않았다. 도리어 둔한 속도이나 나이를 먹을수록 늘어가기만 한다. 기량과 기예의 날카로움은 나이와 비례해서 계속해서 경지가 높아져 가는 것이다.

언젠가는 '마스터'의 경지에 다다르는 것. 그것이 71세인 줄리앙의 목표였다. 이 콘란드 대륙에서 가장 오래 살았던 역사 속 인간의 나이가 120세였으니, 그리고 신체의 강화와 연관된 기력술사들은 장수하는 경우가 많으니, 혹시 몰랐다.

지금부터라도 그 몸을 갈고 닦으며 오십 여 년 간 더 수행을 한다면, 여태까지 검을 다루어왔던 기간에 비교해서라도 그리 적지 않은 시간이다.

앞으로 나아갈 일을 바라볼 수 있는 것이었다. 노인이라지만, 열정의 문제였다 그건.

줄리앙은 자신의 기량을 더욱 드러냈다. 그가 잡은 석궁의 몸체에 줄리앙 특유의 기력이 뻗어나갔다. 반투명한 아지랑이 같던 것이 색깔마저 나타내기 시작했다. 그 자신의 홍채 색깔과 비슷한 갈색빛이었다. 입자처럼 알알이 보이는 미세한 기력이 석궁에 스며든다.

특수한 목질의 석궁 기계에 기력이 스며들며 위력을 강화시켰다. 탄성을 가진 스프링이나 시위는 더욱 질겨지고 강력한 장력이 생겼다. 화살을 쏘아내는 몸체 역시 더욱 단단해진다.

석궁살 역시 기력을 머금으며 공기를 가르고 누군가의 갑옷을 꿰뚫을 때 그 관통력이 더욱 커지리라.

퉁, 하고 방아쇠를 당기는 손가락. 석궁살이 날았다. 이전까지와 달리 더욱 빠르게 날았고, 그 사이에 빛의 잔상이 남았다. 허공을 가르는 일직선상의 쿼렐이 보이지 않는 허공을 꿰뚫었다. 콰득, 하는 소리가 절벽 위에 울렸다. 사람의 귀로 듣기 쉽지는 않았으나 제냐와 줄리앙은 느꼈다.

석궁살이 허공을 뚫고 지나갔다.

'허공'을 '뚫'었으나 정말 빈 공간을 지나간 건 아니었다. 분명히 있는 누군가의 몸체를 관통한 것이다. 이전까지와 달리 박히지도 않고 그대로 날아가 절벽 위, 언덕 위쪽 어느 바닥에 포물선을 그리고 떨어져 박혔다. [칵!] 신음 소리를 내뱉으며 누군가가 심장이 꿰뚫려 절명한다.

화살비가 조금 둔화되는 것 같다. 제냐가 마부석에 앉아 MP를 마음껏 토해내고 있기에 그렇다. 제냐가 있는 상황에서, 마차는 이미 이동식의 대포차나 다름 없게 되었다. 썬더 볼트를 마구잡이로 뿌려대는 제냐는 그러했다. 기력술을 응용한 궁술과 초상 스킬의 합공은 상당한 화력을 자랑했다.

본격적으로 더블 캐스팅, 동시 영창이 가능한 시점에서 아직 멀었지만 그는 다양한 공격 옵션을 갖고 있었기에 그와 크게 다름 없는 위력을 보일 수 있는 것이다.

MP가 달아가는 속도는 조금 빨랐다. 한 번에 수십, 혹은 썬더 볼트를 쓰느라 수 백이 날아갔다.

위력 만큼은 확실했다. 빈 공간을 꿰뚫더라도 그것에 스치기만 해도 상대는 잠시간 멈추게 되어 있다. 전격은 사람의 근육을 비틀어 조이게 만들었고 불수의근으로 움직이는 기관들이 멋대로 날뛰게 만들었다.

그들 눈에 보이지는 않지만 절벽 위의 강도들이 비틀대고 떨었다. 그들은 두려움마저 느끼고 있었다. 생각보다 쉽지 않았다. 절벽 위에 준비했던 몇 개의 바위들이 굴려 떨어졌다. 쿠가강, 하는 소리를 내며 절벽 아래로 돌무더기가 날아온다.

“으랴! 로즈! 덴드! 가자!”

질리언은 정신없이 흑마를 몰았다. 비명에 가까운 소리를 내지르면서 달리는 두 말의 엉덩이를 툭툭 쳐댔고, 말의 고개를 이리저리 가누게 하는 끈을 요동치게 하며 끊임없이 자극했다.

돌덩이는 위험하다. 마차의 방어벽 성능은 어설프게 알고 있었다, 질리언의 경우에.

정확히 어느 정도로 견딜 수 있을지는 모르겠지만 넋 놓고 있다가 방호벽이 깨지고 이 협곡 내부에서 몰살당하는 수가 있었다. 생각조차 하고 싶지 않은 경우였다.

위기감이 더욱 쾌속한 질주를 만들어낸다.

마차는 달린다.

절벽 아래 협곡의 끝까지 그리 오래 남지 않았다.

[씨발! 다 떨어트려! 뭐 해, 새끼들아!][저 마차가 이상합니다! 작힘 백작이 말한대로 한 번에 파괴되지 않잖아요!][악!][굴려, 씨발 돌무더기에 깔리면 멈추겠지! 말을 노려!]

눈에 보이지 않는 유령들의 합창이다. 제냐는 소리로 위치를 가늠했다. 다양한 오감에 연결되어서 작동하는 기력 감지술은 여러 종류의 인기척을 내줄수록 정확한 위치를 특정하기가 쉬운 게 사실이었다.

시각적으로 제냐의 기술 수준에서 정확한 핀포인트 좌표를 잡기에 오차가 생기는데, 저쪽에서 소음으로 정보를 추가해준다면 검색 조건에 소리를 넣어서 더 세밀한 위치 추적이 가능하다.

콱, 하고 화살 한 대가 날아 그 머리를 상대의 가슴팍에 밀어 박았다.

쇠날로 지어진 화살의 대가리는 대포와 같은 기세로 쏘아진 것이라, 레더 아머를 몇 겹으로 두르고 있던 한 도적의 명치를 정확히 꿰뚫었다.

내부 장기가 있을 곳을 파헤치고 충격이 가해졌다. 기력으로 강화된 철시의 촉은 상대의 신체 내부에서도 폭발적인 파괴력을 발휘해서 HP를 0으로 만든다.

한 놈이 또 쓰러졌다.
제냐와 줄리앙 모두 상대의 얼굴도 크기도 정확한 숫자도 알 수는 없지만, 기감으로 탐지했을 때 대강 움직이는 희끄무레한 기척이 서서히 줄어드는 것은 느낄 수 있었다. 마차를 전속력으로 몰아대는 질리언의 솜씨는 나쁘지 않았다.
울음 소리를 토해내며 달려대는 두 마리 흑마의 기세가 대단하다. 제냐는 아마 일반적인 말이 아니리라고 생각했다. 두 마리, 그러니까 질리언이 말하길, 로즈와 덴드라고 한 짐승들 말이다.

현실의 종자와 조금 상이한 근력을 가진 말들인 모양이다. 그도 아니면 특수한 아티팩트나 스킬이 짐승에게 걸려서 영향을 미치거나. 그만큼이나 빠른 속력이었다. 뒤에 커다란 짐을 하나 끌면서도 얼추 느껴지기에 육상 선수의 전력질주에 버금가는 속도로 나아가고 있으니까.
초인적인, 은 아니고 초마馬적인 각력이 아닐 수 없다.

덜컹거리는 마차 또한 외부의 화살 따위를 막아내는 메커니즘이 동일하게 발동되는지, 협곡 바닥에 그 바퀴를 비비면서 나는 온갖 충격이 상쇄되며 객실 내부 인원과 마부석의 두 명을 지켜내고 있었다. 초상 스킬로 이루어진 보호막이나, 복합적 효과가 아니었다면 예전에 튕겨나갔을 수도 있다.

안정적으로 자리잡고 화살 쏘기가 가능하다는 점은 확실히 놀랍다. 제냐는 생각을 조금 다시 해야 했다. 단순히 원시적이고 기본적인 마차로 보였지만, 이건 그런 모습을 했을 뿐 본질적으로 탱크나 비슷한 물건이었다.

상대의 원거리 공격에 대한 방호력과 안정성, 내부자들이 대응 사격을 할 수 있게끔 모든 요건이 갖추어져 있다면 그렇게 말해야 하리라. 물론 탱크의 포탄이 되는 탑승자들의 화력이 또 중요하기는 했다만.

"썬더."

화살촉을 위로 겨누면서

"볼트."

전류의 빛줄기를 생성해내는 제냐는 지금 이 상황에서는 충분한 포대의 역할이 가능했다. 그의 MP가 깨진 둑 안의 물처럼 빠져나가고 있었다. 그는 마부석 벤치에 앉아, 한 발을 발 디딤대에 강하게 대고 그 몸을 벤치 등받이에 딱 붙여 흔들림을 최소화하고 있는 실정이다. 그럼에도 불구하고 마차가 움직이고 있으니 자신이 가늠하는 궤적이 변하는 것이 어쩔 수 없다만, 스킬의 보정은 그를 초인적인 수준의 궁술가로 둔갑시켜주고 있었다.

제냐는 아직 궁술가로서 이렇다 할 깨달음이나 노하우가 없었다.
그저 사냥꾼의 자세나 감각,

새롭게 얻은 스킬인 '궁도가의 마음' 같은 스킬이 인도하는 자동
유도의 감각 그대로 자신의 자세를 바꾸어내며 최종 타이밍에
시위만 놓고 있을 뿐이지.

이미 전통 하나를 다 썼고, 인벤토리를 불러 화살통 하나를 더
꺼냈다. 대강 벤치 아래 밑 공간에 처박아놓고 급하게 화살을
꺼내어 잰다.

푸른 물약 하나도 겸사겸사 출납한 뒤 이빨로 물어 뚜껑을 돌려
까고, 대강 주둥이에 쑤셔넣어 마셨다. 유리처럼 생겼지만 그
정도의 경도는 아니었다. 약간은 물렁한 감도 있어서 이빨로
씹듯이 잡고 삼켜도 그리 불편하진 않다. 내용물을 다 마시자
옆으로 고개를 돌리며 뱉어냈다.

마차의 옆으로 날아간 물약병이 협곡 땅바닥에 부딪혀 몇 번
튕기고 구른다. 흑마의 전진 곁으로 떨어진 것이라 빠르게 뒤로
사라진다.

마차는 전진한다. 살아남기 위해서.

절벽 위의 도적들도 자신들의 목적과 생존을 위해 바위와 화살을 던지고 쏘아냈다. 마차에 맞는 것이 생각보다 많지 않았다.

원래 그들의 계획과 상상은 이런 방식이 아니었다. 군대의 행렬이 아닌 단순한 마차 한 대의 지나감이었다. 협곡은 충분히 길었고, 그들이 있는 곳은 아득하게 높았다.

거기다 모습도 소리도 드러내지 않는 아티팩트로 보호받는 스물 여섯 명의 강도단이다.

그들은 산슈카 내의 황야 야지를 떠돌며 여행자들을 수탈하는 도적 무리였는데, 세슈칸 근처의 평지에서 활약하는 일이 잦았다. 그들에게 있어선 '활약'이었지만 당하는 평범한 시민들에게 있어 악몽이었고, 그것이 반복되자 작힘 가의 토벌자가 와서 그들의 목에 칼을 들이밀었다.

꼬리가 길면 밟히는 법이다. 세슈칸 근처에서 너무 까불다보니 기사 급의 인력이 와서 그들의 목숨을 위협했다.

그대로 죽으리라 생각했던 작센 숄츠, 라는 이름의 머리가 벗겨진 사내였다. 지금 절벽 위에 올라서 도적단을 지휘하고 있는, 한 1m 80cm정도는 되는 장한의 이름은 말이다. 백인, 푸른 눈동자에 얼굴에는 도적임을 자랑이라도 하듯 칼자국이 흉악스럽게 난 인간이었다.

중년 정도의 사내로, 야성적인 가죽옷을 걸쳐 입고 하의는 사슬 갑옷으로 둘러 보호하고 있다.

근육질의 사내였고 탄탄하다. 그가 걸걸한 목소리를 토해내면서 자신의 목에 걸린 펜던트를 움켜쥐었다. 이런 빌어먹을! 작센이 욕을 토해냈다.

작힘 백작의 기사라고 스스로를 밝힌 인물은 예전 어느 날, 평야에서 그들을 제압한 뒤 죽이지 않았다.

칼집에서 꺼내들지도 않은 칼, 그러니까 쇠몽둥이 하나로 짐승을 패듯 흠씬 두들겨서 전의를 상실시켜두고 작힘 백작의 전언이라며 종이를 하나 꺼내들어 내용을 읊었다.

백작의 숨은 칼로서 몇 번 더러운 일을 해주면 그들의 죄를 묻지 않고 풀어주거나, 혹은 도리어 세슈칸 영지의 도시병으로 고용해주겠다는 말이었다.

그들은 나름대로 솜씨 좋은 강도 새끼들이었어서, 금전적으로 아쉬운 게 없었으므로 사병으로 고용해주겠다는 말이 탐스러운 제안은 아니었으나 기사의 실력을 생각했을 때 목숨을 살려주겠노라 하는 이야기는 거절할 수 없었다.

그 날 부로 작센의 목에는 펜던트가 걸렸다. 은줄로 이어진 물건이고, 그 가운데 커다란 자색의 수정이 달려 있었다. 자색 수정의 겉에는 쇠를 녹여 바른건지 기이한 문양의 테두리 장식이 있었고, 몇 가지 기능을 담고 있는 아티팩트였다.

특수한 능력을 가진 아티팩트 중에는 '저주의 물건'이라 불리는 종류가 있었다. 모든 초상 스킬이 언제나 유익한 방향으로 결과를 도출하지 않듯, 스킬이 담긴 아티팩트 역시 그러하다.

저주의 물건들은 사용자에게 도리어 악영향을 끼치곤 하는 아이템들을 뜻하는 이름이었다.

어떤 이들은 누군가를 효과적으로 다루기 위해서 그런 아이템을 모아 사용하곤 했다. 혹은 직접 만들기도 했고.

작힘 가의 솜씨 좋은 인챈터, 초상술사의 실력으로 만들어진 펜던트는 강도단에게 꼭 필요한 능력과 기능이 있었다. 강도단의 두목인 작센을 비롯해서 약 이, 삼십 여 명 정도의 인원들에게 투명화 스킬을 일시적으로 걸어주는 능력이다.

모습뿐만 아니라 소리도 없애주고, 더욱 놀라운 것은 기력 감지 따위의 스킬로도 그들을 쉽사리 발견할 수 없게끔 하는 점이었다.

다른 스킬보다 상위에 있거나, 적어도 대항할 수 있도록 해주는 스킬은 분명 고급의 종류였고 그만큼 그것이 들어간 아티팩트의 가치 역시 기하급수적으로 높아진다.

고급스런 아티팩트였지만 독도 함께 발려 있는 물건이었다. '쉼페터의 목걸이'라는 이름으로 불리는 펜던트는 은줄에 자수정이 걸린 아름다운 보석이었고, 사용자의 모습을 감춰주는 물건이었지만 동시에 족쇄의 역할도 했다.

목걸이를 목에 건 인간의 위치를 '주인' 역할을 하는 누군가에게 실시간으로 전송한다. 목걸이의 착용자는 그것을 멋대로 뺄 수도 없었다. 그랬다가는 보석에 저장되어 있는 막대한 MP는 순식간에 착용자를 공격하는 스킬로 변형해서 짜릿한 전류를 흘려 보낸다.

강력한 공격 스킬이 착용자를 향해서 방출되도록 설계된 물건이었고, 일반적인 인간이 지나치게 노출되면 죽음에 이르는 것도 어렵지 않다.

작힘 백작의 공공연한 개가 되어버린 작센은 울며 겨자먹기로 그의 명령을 따라야만 했다. 어차피 세슈칸 근처 평야나 황무지에서 계속 떠돌이 생활을 해나갈 것이라면, 근처를 지배하는 영주와 연이 있는 것 자체는 나쁘지 않았다.

작힘 가의 명령이 그들 강도단의 안위를 위협할 정도로 지나치지만 않으면 말이다. 가끔은 가혹할 정도로 부려먹혀지긴 했지만 그들이 감당할 수 있는 수준이었다.

이번의 일도 그러하다. 그들은 미리 로키 산 근처 협곡의 위쪽으로 올라가서 오리라고 전달받은 누군가를 기다렸다.

로멜리아 가의 일원들이 세슈칸을 떠났을 때부터, 미리 작힘 백작은 전령을 통해 도시 바깥의 병사를 부렸다.
　설령 잡힌다고 하더라도 물질적으로는 그다지 증거가 없는 더러운 칼이었다. 작센과 그 일당들은 말이다.
　작센이 갖고 있는 자수정 목걸이, 쉼페터의 목걸이가 증거가 될 수 있겠지만 여차하면 터뜨릴 수 있었다. 원거리에서. 애초에 그런 용도로 만든 물건이기에 말이다.

　제작 의도와 용법 자체가 지독하게 악랄한 것이었으나 작힘 백작은 수단과 방법을 가리지 않았다.
　그는 긴장한 체격에, 온갖 무기를 다루는 무가의 후계자이며 산슈카의 백작이었다. 고위 귀족으로서 가문과 영지를 이끌고 또 대도시인 세슈칸의 관리자이기도 했다.
　그러나 그에게도 더욱 탐나는 욕심이라는 것이 있었고, 그것은 더욱 커져갔다.

　작힘 백작 그 스스로가 검술을 뛰어난 수준까지 익힌 인간이라서 그럴지도 몰랐다. 로멜리아 가와 오랜 세월 전부터 엮여있는 언약은 작힘 가의 가주들에게 은밀하게 전해져 오는 전승이었다.
　로멜리아 가로부터 대여한 보물이 있으며, 언약의 대여 기간이 끝났기에 그 후예가 찾아와 반환을 요구하면 언제든지 돌려줘야 한다는 내용이었다.
　물론 대여하고 있는 기간 중에는 얼마든지 유용 가능하다.

산슈카 왕국의 기준으로 제국기 1급 아티팩트에 해당하는 물건이었다. 산슈카는 어마어마한 역사를 가지고 있는 중부의 고국古國이었고, 아이템 기준은 나라의 역사와 관련지어 만들어져 있었다.

근 1,000여 년 정도의 역사 내인 '왕국기'가 아티팩트의 앞에 붙어서 9급부터 1급, 그 위의 특급이 있었다. 왕국기보다 더 높은 수준으로 지금으로부터 1,000여 년 전부터 시작해 3,000여 년 전까지 이어지는 '제국기'라는 형용사가 있었는데, 보통 같은 급수라면 왕국기보다 제국기의 단어가 붙은 것이 더 강력하며 귀한 아티팩트이다.

그 시기 산슈카의 역사를 따져 보았을 때 영향력을 짐작하여 정해진 기준이었으니 말이다. 제국기 1급이라면 산슈카 제국이라는 거대한 나라의 역사에서도 방점을 찍을만한 위력의 아티팩트였다.

제국기보다 위에 있는 단계로 '고국古國기'라는 단어가 있었다. 수 천 년의 역사 중 제국기 이전의 이야기는 남아있는 것보다 소실된 내용이 훨씬 많았다. 고국기는 중부 대륙 전반에 걸친 이야기였고, 제국기보다도 더욱 광범위한 지역의 역사에 영향을 미칠 수 있느냐, 를 따졌다.

고국기 1급이라고 한다면 현재 산슈카 왕국의 국력이 바뀔 수도 있을 정도의 아티팩트이다.

제국기 1급의 아티팩트, 로멜리아의 펜던트와 손방패 두 종은 전투자를 위한 도구였다. 끊임없는 SP를 사용자에게 공급하며 막강한 회복률을 보이는 배터리가 달려있었다. 기력술을 비롯해 초상력을 사용하는 모든 기술에 SP, 곧 MP의 양이란 절대적인 위력의 기준이었다.

단발적으로 그 힘을 다 다룰 수 없다고 하더라도 힘의 부침 없이 기술을 연발할 수 있다면 사용자의 전투력은 당연히 대폭 증가하게 마련이다. 3발 발사가 가능한 대포를 갖고 있던 인간이 수십 발을 쏴댈 수 있으니, 시간과 요령만 있다면 얼마든지 전장을 지배할 수도 있게 된다.

손방패 역시 펜던트와 엮여 있는 물건으로, 두 종의 아티팩트는 서로 공명하며 강력한 위력을 더욱 발휘했다. 자연계에 존재하는 SP를 실시간으로 끌어들여 막대한 양을 품고, 근접전에서 날뛰는 기력술사에게 최고의 방어막을 제공했다.

넉넉한 포탄과 무게도 없는 최고의 방패를 얻은 기력술사는 그야말로 전장을 종횡무진할 수 있게 된다. 다만 아티팩트의 위력이 최고조의 효율을 발휘하는 것은 '기력술'을 사용하는 이들에 한해서였다.

MP를 기력으로 변환해 다루는 것에 가장 적합한 효과를 보였고,

다른 종류의 초상술사가 그것을 사용한다면 몇 단계 아래의 아티팩트로 쓰는 것이 고작일 테다.

두 물건은 한 쌍이었고, 함께 다룰 때 최고의 능력을 보인다. 기력술에 가장 적합하며 마스터의 수준에 달한 기사에게 간다면 전쟁사의 일각을 바꿀만한 힘을 가지고 있었다.

막대한 MP가 내재되어 있는 아티팩트였고, 그것을 제대로 다루어내기 위해서는 상당한 수준의 기력술사이며 무술가일 필요가 있었다.

그래서 아티팩트의 사용자로 선택되는 것이 '소드 마스터'의 칭호를 받은 당대 초일류의 무술가들이었고, 천 수백여 년 전 로멜리아 가에는 이제 없었으나 작힘 가에 소드 마스터가 있었기에 산슈카의 번영을 위해 빌려주었던 귀물이었다.

그 아티팩트를 가지고 산슈카 왕국의 기틀을 세우는데 혁혁한 공을 세웠다. 오랜 시간이 지나며 작힘 가의 위세 역시 다양한 등락 곡선을 지나며 현재는 백작 가에 머무르고는 있었지만.

로멜리아 가의 영락만큼 심한 축소기를 거치지는 않았다.

현재 중부 대륙의 역사는 안정적이었고, 별다른 전쟁이 일어나고 있지는 않는다. 산슈카의 외적이 분명히 있다면 그곳에 나가 전공을 세울 수 있을테지만.

작힘 백작은 자신, 아니라면 혹은 근시일 내에 백작가에 충성스러운 소드 마스터를 양성해서 아티팩트를 제대로 유용하려는 계획을 갖고 있었다.

작힘 백작가는 이대로 머물러선 안된다. 산슈카 왕국 또한 마찬가지였고. 백작에게 어떤 애국심이 있지는 않았지만, 자신의 가문과 영토, 번영과 위세가 더 높아지는 것만은 간절하게 바라는 열망이 있었다.

그를 위해선 그의 조국이 커져야 했다. 그리고 그 번영을 위해 전쟁이 일어나는 것또한 나쁘지 않았고.

그런 작힘 백작의 대계를 위한 첫번째 희생이 바로 로멜리아 가의 잔당들이었다. 대여한 물건이 반납의 걱정 없이 완벽히 작힘 가의 소유가 되게 하기 위해서, 반납권자의 입이 사라지면 된다.

이미 한 명은 사라졌다.

로멜리아 남작.

자힌 로멜리아, 작힘 백작을 친우라고 말하던 그 올곧은 눈동자의 사내는 이미 주변 영지의 소귀족들의 손을 통해 없앴다.

얼마 남지 않은, 약화된 로멜리아 가의 명맥 중 두 딸만 처리하면 이제 거리낄 것이 없다. 다른 자가 로멜리아의 이름을 잇는다고 하더라도, 고대의 언약은 그 혈족과 맺은 것이었다.

물리적으로 로멜리아 가의 인재가 사라진다면 제국기 1급의, 후작가가 전쟁 중에 공신으로 일어설 정도의 위력을 가진 아티팩트

두 종이 확실하게 자신의 것이 될 것이다.

후작의 계획은 전도유망했다. 작힘 가에게 있어서. 로멜리아 가에게 있어서는 절망스런 길이었는데,

거기서 퀘스트가 발생했다.

플레이어는 어떤 갈림길에 보통 투입된다. 시나리오 온라인 내부, 콘란드 대륙의 역사의 갈림길 속에서 플레이어가 어느 방향으로 선택을 하고 자신의 힘을 내보이느냐에 따라 시나리오의 다음 씬이 달라진다.

작힘 가가 번영하는 길과 로멜리아 가가 재흥하는 길.

짧은 장면으로 제냐에게 정보가 주어졌고, 제냐는 단도직입적으로 묻는 골목길의 그 씬에서 로멜리아 가의 편을 들었다.

"썬더 볼트."

협곡 저 한 구석 아래에서 제냐가 중얼거리며 외웠다. 시동어, 스킬 명을 읊는 것은 스킬이 아직 완벽하게 손에 익지 않았다는 반증이기도 하다. 스킬 시스템에 의해 나타나는 스킬들은 그 형식이 정해져 있다.

초상 스킬 하나에 들어가는 MP량, 위력과 형태, 전류라면 어느 정도의 전압을 가질 것인지, 어떤 방향과 속도로 투사될 것인지 등.

스킬의 기본형이 있었고, 그것을 상황에 맞게 조금씩 변형해서 사용하는 것이 노하우였는데, 제냐는 썬더 볼트는 자동 생성되는 형태와 형식으로 일단 발동시킨 뒤 자신이 후에 조금 변용하는 방식을 취했다.

쏘아내기 전에 들어가는 MP를 조금 삭감한다던가, 방향과 위력, 속도 따위를 조금 더 조절한다던가.

기성품을 사와서 그것을 바탕으로 요리를 하는 작업과 비슷했다.

채 몇 초가 걸리지 않고 완성된 길쭉한 번개의 석궁살이 아래, 제냐의 활 근처에 머물다가 빠르게 튀어올랐다.

전류가 번쩍이듯한 기세로 날아오른 그것은 착잡한 표정으로, 펜던트를 꽉 말아쥔 채 욕설을 지껄이던 작센의 눈에 들어온다.

[“억.”]

대머리의 강도가 별다른 말조차 내뱉지 못하고 그것을 바라보았다. 그들의 준비는 확실히 미흡했다. 이 정도로 상대가 대단히 저항을 할 줄은 몰랐다.

이토록 높은 절벽 위에서 바위를 굴리고 화살을 쏘아내는데 죽지 않고 계속해서 피해낸다니. 스물 몇 명이 되는 그의 부하들이 지나치게 느려터진 탓인가? 흑마에게 날아가는 화살들은 기묘한 보호막에 의해 튕겨져 나왔다.

바위더미를 피해서 달아나는 흑마는 묘기를 부리듯 뛰고 있었다. 심지어 장애물이 있을 때는 뒤에 달린 것이 없다는 듯 두 마리가 신묘하게 뛰어넘었고, 그 뒤를 마차가 크게 흔들리며 넘는다.

마차의 바퀴도, 프레임도 이상했다. 평범한 물건이라고는 도저히 상상할 수 없었다. 그들이 던져댄 돌덩이가 낙하 속도를 받아 몇 개 정도는 충돌한 것 같은데, 아직도 살아있다니.

싱,

하는 가느다란 소리가 작센의 귀에 머물렀다. 파지직! 하고 강렬한 파열음, 충돌음, 폭발음이 들렸다. 작센의 옆에 서 있던, 강도단의 부두목이라고 할 만한 놈이 있었는데, 멀대처럼 키가 크고 제 키만한 창을 손에 든 채 부하들을 진두지휘하던 놈이다.

그 놈에게 번개가 가 닿았다.

작센이 정확하게 본 것은, 그저 빛살이 그의 시야 내부에서 반짝거리더니 얼마 지나지 않아 부두목의 몸이 푸른 번개와 함께 작살나는 꼴이었다.

[끄아아아악!]

비명을 지르며 요동치는 놈의 눈깔이 뒤집혔다. '어이, 괜찮…'아, 라고 그의 입이 내용을 담기도 전에 앞서 들었던 가느다란 파공성의 정체가 그를 습격했다.

작센의 오른쪽 가슴 위쪽에, 석궁의 화살 하나가 날아와 절묘하게 틀어박혔다. [“컥.”]작센은 펜던트를 쥐고 있던 팔을 더 들어올려 그것을 막을 생각조차 하지 못했다. 날아오는 화살에 반응하는 건 적어도 기사에 준하거나, 기력술의 기초라도 쓰는 자들이 할 일이었다.

작센은 고작 거대한 신체와 그로부터 타고난 용력을 기초해 약자를 괴롭히는 강도에 불과했다. 그의 무술적 스킬이라고는 야지에서 구르며 익힌 하류 검술의 기초가 전부였고, 그나마도 2, 3단계를 벗어나지 못한다.

다만 옆에 거꾸로 박아둔 거대한 배틀 액스Axe만은 희귀하고 날이 상하지 않는 보구였는데, 그것을 써먹을 생각조차 하지 못한 채 그의 의식이 흐려졌다. 퍽! 하고 무언가 터지는 듯한 느낌이 시야에서 났다.

뭐지,

작센이 고개를 돌리고 시야를 회복하려 할 때, 그의 안면을 삼키는 번개의 빛줄기가 있었다.

썬더 볼트의 빛줄기 하나가 그에게 날아들어 그대로 지져버렸다.

*

"오……."

제냐가 입을 열었다.

숨가쁘게 MP를 소모하면서 위에 있을 놈들을 저격하고 있던 와중이었다. 생각보다 마차를 보호하고 있는 보호 아티팩트의 위력이 강력해서 놀랐다.

이 정도의 마차라면 확실히 여행을 자신할 만하다. 이런 아티팩트를 가지고서 발동시키지 않은 채 먼 거리를 여행했던 줄리앙의 솜씨도 대단하고.

아마 두 청년, 개중에서 제냐의 옆에 앉은 질리언도 이 방어막 모드에 대해서는 자세히 알지 못하는 것 같았다. 제냐가 속으로 바윗덩이 따위가 근처에 날아와 맞을 때 움찔거리는 것처럼, 그 역시 티를 내지 않으려 했으나 놀라는 기색이 보였다.

사각형의 방패 하나를 든 질리언은 이글거리는 눈으로 위, 양 옆 등을 주시하며 날아드는 바위나 화살을 노려보았다. 자신의 손에 닿는 곳이라면 직접 쳐내리라는 의지로 보인다.

그의 눈에는 제냐와 줄리앙이 겪고 있듯 희끄무레한 연기의 움직임조차 보이지 않을 텐데, 그럼에도 불구하고 쏟아지는 화살이나 돌덩이 속에서 꺾이지 않는 정신이 대견하다.

제냐가 굳이 그를 평가할 만한 자는 아니었지만.

마차는 전장을 누비는 탱크처럼 협곡을 끊임없이 진격했고, 그 좁은 길 속에서 두 마리의 흑마는 위용을 뽐내며 마차를 몰았다. 어떤 장애물이 있던 흑마의 다리보다 낮은 것이라면 뛰어넘었다. 마차 역시 크게 덜컹거리며 몰아졌지만 내부에 있던 자들이 튕겨나가는 일은 다행히도 없었다.

어린아이만한 바위덩이 하나를 그대로 뛰어 넘었을 때는 제냐 역시 식겁했지만, 서둘러 마차의 프레임, 벤치 한 구석에 몸을 기대어 손잡이처럼 간절히 잡아 위기를 넘겼다. 객실 안쪽에서는 아마 페이브와 줄리앙의 진두지휘로 그렇게 하고 있을 것이다.

요동치는 마차 속에서 아드리안이 다치지 않았는가가 조금 신경쓰였지만, 괜찮겠지. 줄리앙이 곁에 있으니 괜찮을 것이다. 그 노인은 자신이 죽기 전에는 두 후계자가 상처 입는 꼴을 보지 않으려 했던 양반이니까 말이다.

제냐가 한숨도 아닌 기묘한 감탄을 입 밖으로 꺼내든 이유는 자신이 날린 썬더 볼트가 확실하게 무언가에 맞은 감각이 있었기 때문이었다.

감각에 걸리는 희끄무레한 허공의 한 부위를 타격한 빛줄기가 그 자리에 머물며 전류를 방출했다. 푸른 불꽃같은 번개가 튀어대며 비참하게 떨리는 반투명한 무언가를 감쌌다.

제냐는 그 옆에 자신의 기감으로 덩치가 큰 누군가가 있는 것을 발견했고, 곧바로 썬더 볼트를 장전시킨 뒤 날렸다. 화살 전통은 세 통 째를 비워내고 있었다. 한 통에 서른에서 마흔 발 정도가 들었는데, 적중률이 그리 좋지는 않았다. 계속해서 견제 사격을 하는 것만으로도 마차의 부담이 줄어들기에 마구 날리고 있었다.

뒤쪽에서 지원 사격을 하는 줄리앙 등의 처지도 아마 비슷할 것이다. 고속으로 달려 나가는 마차 속에서 절벽 위를 맞추는 일이나, 그 반대의 일이나 어렵기는 매한가지였다.

마차에 타고 있는 이들이 공격적으로 훨씬 고수였기에 적중률이 좋기는 하다.

날아간 썬더 볼트가 절벽 위의 한 놈을 맞추었다.

푸른 번개가 튀며 보이지 않는 적을 하나 더 지져댔고,

줄리앙과 제냐의 기감에 살을 째는 듯한 비명 소리가 울려퍼졌다.

["으아아아아!"]

호기롭게 외치는 기합성과는 달리 의지를 잃고 내뱉는 절규였다. 그러면서, 서서히 절벽 위에 있던 투명한 형체가 드러난다.

먼 거리였으나 제냐의 여러 개로 분할된 시야 속에서 정확하게 보였다.

비명 소리가 연기를 걷어내는 일을 하는 것처럼, 투명한 장막 속에 가리워 있던 사내의 모습이 서서히 드러났다.

희끄무레한 형체로 그 자신의 위치를 간신히 알리던 존재였으나 이제야 실체가 나타났다.

아래에 있는 페이브와 질리언의 눈, 헤슈나와 아드리안의 시야로도 이제 볼 수 있게끔 되었다. 사람이었다. 대머리, 가죽옷 따위를 대충 걸쳐 입고 전류로 인해 감전되어 부들부들 떨어대는 백인. 거구.

근육질로 이루어진 그는 그렇게 몸을 떨더니, 곧이어 제 몸을 가누지 못하고 중심을 잃었다. 절벽 위에서 감전되어 발을 헛디뎠고, 바위 덩이나 굴려대던 낭떠러지에서 제 몸을 그대로 굴려버렸다.

"오우."

제냐가 탄성을 질렀다. 상상되는 장면은 별로 보고 싶지 않은 것이었다. 아마 실제로 볼 수도 없을 테다. 비련의 시나리오는 지나치게 선정적이거나 잔인한 장면들을 알아서 모자이크

처리해주는 친절한 게임이었다.
사용자들의 연령과 일반적인 정서를 고려해서 말이다.

그러나 우회적인 표현이라 할 지라도 먼저 상상하고 눈살을 찌푸리는 것이 아무래도 사람이다.
스쳐 지나간 상상을 지우며 제냐가 계속 그러했듯 시위에 화살을 걸어 겨누었다.

그 대머리 사내의 모습이 드러난 것이 결정적이었다. 절벽 위에 몇 명의 인형이 더 분명하게 나타났다.
이제까지 비가시화 스킬로 보호받던 강도단들의 모습이었다.

마치 유령처럼 모습도 없이 절벽 위에서 마차를 공격하던 자들이었다. 초상적인 현상이 비교적 빈번하게 일어나곤 하는 콘란드 대륙에서도 눈에 보이지 않음은 곧 두려움의 다른 말이기도 했다.
감각할 수 없는, 이해할 수 없는 대상이 자신을 노린다는 게 얼마나 큰 공포가 되는가.

심지어 아드리안도 그런 점 때문에 조금 더 두려움에 떨었던 것 같다. 전투가 지속되며 오히려 어린 소녀는 자신에게 다가오는 공포감을 조금씩 떨쳐냈다. 대단한 일이었다. 도저히 소녀라고는 생각할 수 없을만큼.

달리 말하면 로멜리아 가의 피가 맹장, 용장의 가계로서 그런 기질을 전하고 있는 것일지도 몰랐다.

사실 헤슈나도 이제야 성인으로서 삶을 살기 시작한 지 얼마 되지 않은 어린 아가씨였다. 몇 년 되지 않았다.

그럼에도 강인한 정신력으로 전투를 마주하며 마차 내부에서 단도로 원거리 사격을 쏘아내는 건 아직 전쟁이 벌어지고 있는 야만의 시대를 살아가는 자로서의 담대함인지, 로멜리아 가의 기질인지. 둘 다 일지도 몰랐다.

웅크린 사자.

산슈카 왕국 내부에서 늘 외적을 주시하며 다가오는 마수의 목덜미를 물어 뜯고자 하는 수호자가 로멜리아의 정체성이었다.

작힘과 로멜리아는 이전 제국기의 말엽에 산슈카를 지탱하던 큰 두 축이었으나 지금은 둘 다 위세를 잃고 많이 영락한 모습이었다.

개중에서 더 심한 퇴락을 꼽으라면 단연 로멜리아를 선택해야 하리라.몇 번의 보상받지 못하는 희생을 거치고 나서 가문의 위세가 점차 꺾여 나갔다. 중부 대륙은 많은 왕국들이 난립하는 치열한 격전지였고, 콘란드의 어떤 대륙도 평화기만 지속된 곳이 없었을 것이나 중부의 가혹함은 개중에서도 손꼽을만한 것이다.

두 가문 중 어떤 곳이 더 일어나 영락한 산슈카의 이름을 빛낼 것인가.

예전의 동화책 속 언약으로 시작된 두 가문 이야기는 나아가 산슈카의 이야기가 되고, 거기서 더 범위가 커져 중부 대륙의 역사를 결정짓는 갈림길이 될 테다.

……쿵-!

거친 낙하음이 들렸다.

돌덩이가 떨어지며 낸 묵직한 소리는 아니었다. 그보다는 조금 무른 것이다. 피와 살, 그리고 뼈로 이루어진 인간의 몸덩이가 절벽 끝으로부터 땅에 닿는 소리였다.

그만한 위치 에너지를 당연히 견디지 못한 작센 숄츠의 몸뚱이는 산산이 부서져 비산했다.

끔찍한 꼴이 나오지는 않았다. 바닥에 닿는 순간 '상처'를 표현하는 빛의 입자가 그의 몸뚱이를 대신 그려냈다.

빛이 산란한다. 진짜 빛은 아니었다. 아주 작은 입자, 빛의 알갱이가 흩어진다. 떨어진 자리의 물방울이 튀며 사라지듯이.

흩어진 빛가루로 표현된 작센은 그렇게 끝을 맞이했다. 잠시간 남아있는 흰 빛이 그가 떨어진 자리를 중심으로 사방에 퍼져 있었다. 얼마 지나지 않아 소멸하리라.

제냐는 그가 두목인 것을 몰랐지만, 결과적으로는 알게 되었다. 거대한 남성 하나가 떨어진 뒤에 다른 잔당들이 모습을 드러냈으니까 말이다.

투명화 스킬은 제법 고급스런 스킬이었다. 일반, 희귀, 유일, 전설에서 최소한 희귀 급의 스킬이다. 기감계 탐지 스킬로도 어느 정도 잡아내기 어려운 것을 보면 희귀 중에서도 상위에 랭크된 스킬이리라.

떨어져 게임 오버 당한 NPC가 가지고 있던 스킬이었든, 혹은 그가 아티팩트로 유용하던 기술이었든 급수가 높은 물건이다.

황야의 강도 무리가 그런 물건을 갖고 있는 것이 당연히 자연스럽지는 않다. 누군가 뒷배가 있으니까 전쟁터에서도 요긴하게 쓰일만한 전략 자원이 강도들의 손에 들려 있는 것이겠지.

제냐는 흩어지는 빛의 가루와 그 자국을 슬쩍 바라봤고, 이내 달려나가는 마차의 마부석에서 다른 자들을 조준해 화살을 날렸다.

뚜렷하게 보이는 덕분에 쉬웠다.

“으아악!”

저들도 초상 스킬의 효력이 풀린 것을 눈치챘는지 위에서 비명을 지른다. 이제 질리언과 페이브도 그들을 노려볼 수 있었다.
헤슈나의 시선에 노출되는 것이 그들에게 있어 가장 안타까운 변화일 것이다. 그녀에게는 작은 단도가 하나 있었다.

평범한 검이 아니라 MP를 먹고 초상력으로 만들어진 화살을 던질 수 있는 아티팩트였다.

먼 거리였지만 약간의 유도 기능도 있었다. 고급 인챈터가 만들어낸 물건이라고 할 수 있다. 단순한 스킬만이 아니라, 그 스킬의 작용을 고려해서 사용자에 대한 배려까지 주입된 물건이었으니까.

조준에 미숙한, 원거리 공격의 달인이 아닌 사용자의 손에 들릴 경우를 생각해 마치 제냐가 사냥꾼의 감각 같은 스킬로 궁술의 보정을 받듯, 헤슈나 역시 어느 정도 자동 조준이 되고 있었다.

완벽한 자동까지는 아니었지만, 그 근처에 가져다 대었을 때 적중을 위해서 미세하게 칼끝이 스스로 움직이는 변화가 있었다.

헤슈나는 그 움직임을 느끼고 그대로 따르는 훈련을 많이 했고, 스킬의 능력을 100% 끌어내는 것에 집중했다. 그 이상을 생각하는 건 충분한 능력을 갖추고 난 다음에 할 일이리라. 아직은 가지고 있는 도구의 온전한 분량만큼도 능력 발휘를 못하고 있었다.

26. 제이미 숄더

절벽 위에 있는 도적들은 자신들을 감싸고 있던 투명화의 망토가 사라졌음을 금세 깨달을 수 있었고, 그럼에도 불구하고 꿋꿋하게 임무를 속행하던 놈들이 절반쯤 되었다. 나머지 절반은 절벽 너머로 도망을 쳤다. 제냐나 줄리앙이 봤을 때, 육안으로는 더 이상 잡을 수 없는 각도로 넘어가는 일이었다.

퉁,

하고 그럼에도 제냐는 아무렇지 않게 시위를 당겼다 놓았다.

하늘 위를 장식하는 폭죽처럼 철시가 높이 올랐다가, 그대로 최고점을 찍은 뒤 포물선을 그리며 떨어져 내렸다.

곡사, 였다.

그게 가능한 이유는 제냐에게 있는 궁술 스킬의 보정 덕분이었고 또 천공의 눈 같은 감지계 스킬의 도움 덕이다.

곡사의 궤적마저 그의 시야 내에 붉은 점선으로 표현이 되었고, 절벽으로 가려져 있는 최종 궤적의 도착지까지 천공의 눈이 보여주는 움직이는 카메라의 화면으로 잡아낼 수 있었다.
상대가 빠르게 움직인다지만 그것까지 계산해 조금 더 행동 방향의 앞지점을 목표하고 쏘아냈다.

기력술의 묘리를 담아 날아가는 철시를 쏘는 일은 연사가 얼마든지 가능했다. 연사, 속사 역시 궁술의 경지가 높아지면서 가능한 기술이었으나 제냐도 어설프게나마 발휘할 수 있었다. 퉁, 퉁 퉁 하고 현악기의 음처럼 연속적인 소리를 내면서 복합궁의 시위가 흔들려댔다. 현악기와 달리 철로 만들어진 묵직한 화살을 통째로 날려 올려보낸다는 점이 흉악스러웠다.
도망가는 강도들에게는 더욱 더 무서운 일일 테다.

곡사포가 그러하듯 지면에 날아 꽂히는 철시의 촉이 도망가는 강도들의 뒷덜미를 뚫었다.

그대로 연수를 관통한 철시가 참수도와 비슷한 위력으로 강도들의 목숨을 앗아간다.

순식간에 도망치던 이들의 절반이 다시 게임 오버를 당했다. NPC로서는 시나리오의 하차란 곧 죽음을 의미한다.
AI가 만들어낸 연극 배우들의 퇴장이었다.

의지를 잃지 않고 끊임없이 응전하던 작자들은 줄리앙과 헤슈나의 화살로도 금세 처리가 가능했다. 협곡의 끝이 얼마 남지 않았다.

길었던 질주가 끝나가고, 흑마는 지친 숨을 토해내면서도 발걸음을 멈추지 않았다.
질리언과 페이브, 그리고 아드리안은 딱히 할 수 있는 일이 없었다. 마부석에 앉은 질리언은 최선을 다해서 마차의 방향을 유도하고 날아드는 화살을 몇 대 정도 쳐냈으나 조금 더 적극적인 개입을 하고 싶은 심정이었다.

"씨발, 작센 단장이 죽었어. 튀어 이 새끼들아!"

"으아악!"

"튄다고 살 것 같냐고! 세슈칸 영주가 우릴 죽일 거야!"

얼마 남지 않은 인간들을 과녁 삼아 화살을 쏴날리면서, 제냐와 줄리앙의 귓전에 들리는 강도들의 말소리가 있었다.

제냐는 줄리앙을 처다보지도 않았지만 해야 할 일을 알 것 같았다. 제 입으로 작힘 백작의 직위 명을 꺼낸 놈은 살려둔다. 제냐가 퉁, 하고 한 발을 더 날려 강도 하나를 게임 오버 시켰다. 그리고 벤치에 앉아 마차 외벽을 퍽, 말아쥔 주먹의 하단으로 쳤다. 소리가 울리며 객실 내부의 사람들이 기척을 느꼈다.

제냐가 말했다.

"저 놈 잡으러 갑니다, 줄리앙!"

"여기는 맡기게."

제냐는 절벽을 가늠했다. 그리고, 화살을 잠시 내려놓고 두 손을 앞으로 뻗었다.

협곡의 종반부를 다와가는 마차의 앞에서 그는 뒤를 돌아보는 각도로 강도들을 노려야 했다.

제냐가 뻗는 두 손 앞에 거친 전류가 나타나 제 몸을

뒤틀어댔다. 푸른 번개가 앞에 모인다. 썬더 볼트를 일반적으로 발동하는 데 드는 MP는 300정도이다. 파이어 볼이 그러했듯, 이 역시 얼마든지 MP를 과량 투입해서 폭탄을 만들어 볼 수 있었다. 물론 쉬운 작업은 아니었지만, 본인의 의지력과 초상술사로서의 노하우, 해당하는 원소 계열에 대한 적응도와 적합도 등이 필요한 일이기는 했지만 제나는 일단 시행했다.

번개는 화염과 닿은 구석이 있었다. 원소를 잘게 분해해서 생각해보면, 결국 뇌전도 열을 포함하고 있으니까 말이다. 잘 탈 것이 있다면, 산소가 주어진다면 번개술사들은 얼마든지 불길을 일으킬 수 있었다.

그런 상상력은 곧 의지력에 대한 보정이 되기도 한다.

비련의 시나리오는 초AI가 관할하고 주관하는 시스템이었다. 그 내부에 어떤 작용이 일어나고, 플레이어들이 갖고 있는 여러가지 요소들이 게임 내로 들어와서 어떤 융합 반응을 일으킬 지 다 알지 못했다. 개발진을 비롯한 게임 사의 직원들조차 말이다.

모든 것을 게임사의 전신이 되는, 현재 운영되는 태Tae보다 규모가 작은 핵심 인원들이 관측은 하고 있었다. 그들이 발명해낸 초 인공지능, '만물박사'는 시간이 지나고 게임 내에 많은 데이터를 얻어내면서 계속해서 발전해나가고 있다.

이전에 닿지 못했던 한계 너머의 기능을 향해서 게임과 그 주관자는 나아간다. 결국 결론적으로, '태Tae'의 목적은 인류 과학사의 발전이었고, 그로 인한 효용과 혜택의 증가였다.

비련의 시나리오는 최고의 게임으로서 지구촌 수많은 사람들의 취미 생활이 되었고, 단기간에 어마어마한 데이터 군을 형성하며 만물박사에게 지식을 제공했다.

아무리 게임을 정교하게 만들더라도 어딘지 인위적인 이음새나 디테일이 느껴져서, 현실의 그것과는 다르다는 것이 가상현실을 즐기는 이들의 공통적인 평이었지만 비련의 시나리오는 그런 한계에서 가장 많이 벗어난 게임이며 프로그램이다.

아무리 디지털 단위를 세밀하게 깎아도 초확대를 해보면 아날로그의 곡선을 표현할 수 없고 직각으로 꺾이는 부분이 있는 것처럼.

그 한계 지점을 향해서 비련의 시나리오는 나아간다. 그것을 즐기고 있는 제냐는 그런 한 부분을 경험하고 있는지도 몰랐다.

초상 스킬에 있어서 공략본에도 잘 나와 있지 않은 다양하며 세밀한 감각들은 실제로 사용자가 초능력을 가진 것 같은 착각을 불러 일으킨다.

그 초능력이 마치 실제 자연적 지구에 있는 것처럼, 절묘한 논리와 합치성, 분야의 공식을 가지며 놀랍도록 작용하는 것이다.

현실에 대한 하나의 비유처럼도 보이는 그 절묘함이 플레이어들을 매료시킨다.

새로운 초상 스킬을 익히고 그 질감을 느끼듯 스킬을 연구하며 깊이 있는 실력을 쌓아가는 과정은 그런 즐거움이었다.

고작 게임 시뮬레이션 내부의 일이었으나, 현실에서 자신의 기술을 연마하는 장인들의 감각을 느낄 수 있게 해준다.

제냐는 제법 즐거웠다.

파지직, 하고 불꽃이 튀듯 전류의 형상화된 연출이 여기저기로 튀어나가며 둥근 모습을 만들어냈다. 양 손바닥 앞, 파이어 볼이 생기듯한 모양이다.

최초에 둥글었던 그것이 점차 가느다랗게 변해갔다. 썬더 '볼트'가 아니라 '스피어'라고 불러도 좋을만한 모습으로까지 변화한다.

작은 단창이 아닐까 싶게 변한 썬더 볼트다. 제냐의 팔꿈치로부터 손가락 마디 끝까지, 혹은 그보다 조금 더 긴 길이였다. 두께감은 일반적인 화살보다 훨씬 두꺼웠다. 타원형이라고 불러야 자연스러운 느낌이었다.

곡선형의 투사체의 겉면에 일그러지며 나아가는 직선적 움직임이

번쩍거렸다. 밤하늘에 내려치는 번개의 형상처럼.

푸른빛과 하얀빛이 섞여서 명멸하는 모습이 마치 닿는 모든 것을 모조리 소멸시킬 것 같은 권능의 가시화된 형체처럼도 보인다.

그러나 그만큼 고도의 초상 스킬이거나, 다량의 MP가 투입된 물건은 아니었고, 분위기는 그러했으나 그보다는 훨씬 못미치는 위력이다.

제냐는 협곡을 지나면서 몇 개의 물약병을 땅바닥에 버렸다. 아마 며칠 정도 시간이 지난 뒤에 자연스럽게 사라질 것이다, 게임 내에서는.

마지막, 곧 지금의 썬더 볼트를 형성하기 전에 그의 MP량은 약 3,800정도의 총량에서 3,000정도를 채우고 있었고, 지금의 발동으로 벌써 1,000 이상이 날아갔고, 계속해서 소모되고 있다.

제냐는 의지력이 아주 강한 편이었다. 최종적으로 1,300정도의 MP가 스킬 한 발에 담겼다.

여기저기로 튀어나갈 듯 계속해서 운동하는 썬더 볼트의 기세가 심상치 않다.

MP를 과용한다는 건 자신이 다룰 수 있는 지휘력 이상의 군사를 다루는 것이나 마찬가지였다. 하나하나 명령을 듣지 않는 놈들이 나오기 시작하고, 지휘관의 명령과 반대로 움직이거나 오작동하는 부분들이 생겨난다.

그러나 그런 폐해를 감안하고서, 대략적인 효과와 결과를 유추할 수 있다면 급할 때 구명기로 써먹을 수 있기도 하다.

방향성을 제대로 가늠할 수 없다면 막대한 양을 발휘한 뒤 근접 거리에서 터뜨려버리는 것도 좋은 공격법이기도 하고.

제나는 자신의 MP의 삼분지 일 정도를 다루면서 어느 정도 형식화된 결과를 도출해내고 있으니 아주 준수한 명 지휘관이라 할 수 있었다. 썬디 볼트의 속도, 파괴력, 정확성은 조금 떨어질 지언정 원거리 공격으로서 충분히 기능하고 있었으니.

어느새 뭉툭하게 변한 썬더 볼트가 겨누어졌다.

제나의 시선에서 보이는 붉은 점선의 궤적은 정확하게 절벽 한 귀퉁이를 조준했다.

사람을 맞추기에는 어려움이 많았다. 상대는 어수선하게 움직이고 있었고, 거리가 멀었으니까. 이 정도로 난폭한 운용을 하면서 정밀 저격은 농담이거나 단순한 불가능이었다.

그러나 적당한 자리를 맞추어서,

겨누고 제나는 자신이 앉은 마부석에서 벗어났다.

거칠게 달려대는 마차의 앞자리에서 가볍게 툭, 발끝으로 뛰니 그가 허공으로 길게 떠올랐다가 바닥에 닿을 때 즈음이 되었다. 그 과정에 제냐는 이미 썬더 볼트를 출발시켰다.

공기를 태우고 찢는 듯이 흉폭한 소리를 내고 썬더 스피어에 가까운 투사체가 날았고, 절벽 위에 선 채 석궁을 겨누고 있는 어떤 털복숭이 산적의 아래 자리를 향해 간다.

그 속도는 산적이 쏘아대는 석궁의 화살보다 훨씬 빨랐다. 썬더 볼트답지 않게 비교적 깔끔한 직선 궤적을 그리면서 번개의 창끝이 돌벽에 닿는다.

쾅!

하고 터져나갔고,

*

"으아아아아아아!"

아무런 초상 스킬도, 이렇다 할 재주도 없는 강도 하나, '제이미 숄더'라는 이름의 41세 남성은 비명을 질렀다.

석궁의 끄트머리를 협곡 바깥으로 향하고 있는 마차의 뒤꽁무니에 향한 뒤 방아쇠를 당긴 찰나에, 변화가 생겼던 탓이다.
그가 노려보고 있던 마차 쪽에서 빛줄기 하나가 날아들더니 그가 서 있는 절벽, 그 낭떠러지 아래 바위를 때렸다.

쾅! 하는 귀가 먹먹해지는 폭음이 들렸고, 그는 보지 못했지만 바윗덩이에 충돌한 번개가 터져나가면서 돌을 부수어댔다.
번개가 돌에 맞는다고 쪼개지는 것이 자연스러운 광경은 아니었지만, 번개의 속성과 그것을 연출한 형태를 가졌을 뿐이지 본질은 고농도로 압축된 MP체였다.

콘란드 대륙에 존재하는 초자연적인 에너지는 폭탄 그 이상의 파괴력으로 얼마든지 전환될 수 있었고, 1,000P 이상이 함유된 푸른 창은 이미 대포와 비슷한 물건이었다.

그가 딛고 서 있는 지면이 출렁거렸다. 땅이 출렁거렸다? 라는 문장에 떠올리는 스스로도 의문을 품을 때, 절벽의 말단이 그대로 부서져 떨어진다.

아슬아슬한 지점에서 사격을 하고 있던 제이미 역시 그 충격과 낙하 범위에 포함되어 있다.
산사태에 휩쓸리는 등산객처럼 제이미는 자신의 발밑이 그대로 부서져 나가면서 절벽 아래로 미끄러졌다.

"으아아아아악!"

아까부터 질러대던 비명이 더욱 커졌고, 목이 온통 쉬도록 소리를 냈다. 아무리 내도 모자라다. 얼핏 보아도 수십 미터 이상의, 아득한 낭떠러지가 그를 반긴다. 그의 생의 마지막이라고 생각하면 어떤 처절한 절규도 차라리 가벼운 것이었다.

흑인, 붉은 머리칼을 더벅머리로 기르고 누더기나 비슷한 옷을 입고 있던 중년의 사내 제이미는 토사물들과 함께 균형을 잃고 곧 빙글빙글, 허공에서 돌며 자유 낙하를 시작했다.
절벽의 일각 속에 섞여 떨어지는 와중에 그의 몸을 여러가지 잔해물들이 긁고 치고 지나갔다. 순식간에 몸에 상처가 났으나 가벼운 생채기 수준이었다. 저 지면에 닿은 뒤에 얻게 될 종말에 비교한다면 그렇다.

그 때, 아래에서 달리는 푸른 그림자가 있었다. '보법'은 갈수록 효과를 더해갔다. 기형적인 움직임을 보정하는 보법 스킬은 제냐의 움직임이 초현실적인 것이 될 수 있도록 힘을 실어준다.
숲에서의 입체 기동처럼, 제냐는 쿵, 쿵 거리면서 그 발을 절벽의 가파른 벽면에 찍어댔다. 양 손과 양 발을 이용해서 거미처럼, 개미처럼, 뭐 그런 종류의 동물들처럼 오르는 기세가 예사롭지 않다.

숲에서 온갖 괴수 무리들을 상대하며 얻어낸 입체 기동은 제냐에게 새로운 시각을 부여했다. 숲이 아닌 지형에서도 충분히 발휘되는 기능으로 그를 절벽 위쪽으로 인도한다.

마치 클라이밍 운동장에 온 것처럼, 그가 짚어야 하는 방향과 경로를 정확하게 그려내주고, 제냐는 그 그림을 따라 손이나 발을 짚어가면 되는 것이다.

거기다 일반적인 장정의 5, 6배에 달하는 근력과 또 순발력 따위가 합쳐지니 거의 나는 것이라고 봐도 좋을 정도의 속도감이 나왔다.

제냐 스스로의 시야는 어마어마하게 흔들리고 있다. 고레벨로 갈수록 움직임은 마치 제트기의 조종사가 느끼는 것처럼 빠르게 변화한다. 그 감각을 잡아채는 것이 플레이어들이 적응해야 할 가장 큰 숙제였다.

초인적인 움직임에 대한 감각적 보정은 '순발력'과 '집중력'에 영향을 받는다. 제냐는 스텟들이 골고루 분포되어 있는 편이었으므로 육체 활동에 감각이 쫓아가지 못하는 일은 아직 없었다.

스텟이 받쳐줌에도 불구하고 스스로 어지럼증을 느끼는 이들도 간혹 있었다. 그건 개인의 체질에 관한 문제였으므로, 보통 그런 자들은 스텟을 높이고 빠른 속도의 전투 플레이를 즐기지 않는다.

전투 직종Class를 갖지 않아도 얼마든지 즐길 거리가 많은 시나리오 온라인 내부였으므로, 그런 이들은 조금 더 평화로운 스토리에 집중하며 다양한 시나리오를 구경한다.

제나는 스스로 그런 스릴에 딱 맞는다고 생각했다. 절벽 사이를 헤집듯이 손을 박아넣고 올라가는 감각이 참으로 즐거웠다.

어린 시절 읽은 동화 속의 주인공, 혹은 영화 속의 등장인물이 된 것 같은 간접 체험을 이토록 시켜주니 그에게 있어서 즐거운 취미이자 고마운 시뮬레이션 프로그램이 아닐 수 없었다.

그것도 조잡한 수준의 체현이 아니라 거의 완벽한 현실적 광경과 감각을 나타내고 있다. 어떤 영화도 이렇게까지 입체적이지는 못하리라.

영화 산업은 입체적인 비쥬얼과 사운드, 약간의 진동 따위로 발전하고 있었다. 완벽한 초현실적 오감 구현으로 가다 보면 아직은 기술력의 부족으로 도리어 정밀성이 떨어지는 일이 발생했기에, 차라리 몇 가지로 감각을 제한한 뒤 하나하나의 퀄리티를 높이는 쪽으로 가는 것이다.

그러나 그런 영화 산업의 최정상에 있는 작업물이라 할 지라도 비련의 시나리오에 들어와서 느끼는 자연 환경에 비한다면 한 두 수 아래인 것이 사실이다. 거기다가 생각하는대로 움직일 수 있고, 제한된 감각이 아닌 완벽한 오감 체현이 가능하다면 비련의 시나리오를 영화 대신 접속해 즐기지 않을 이유가 없다.

대부분의 컨텐츠의 상위 호환 격인 이 게임은 그야말로 선풍적인 인기를 끌었고, 지금도 억 단위의 사용자들을 보유하고 있었다.

제냐, 현실에서 김서원은 그다지 얼리어답터도 아니었고, 새로운 기술이나 유행에 둔감한 편이었으므로 관심이 없다 한참 나중에 시작한 것이었지만.

그의 시야에 잡히는 화면이 두 가지로 나누어졌다. 하나는 제냐의 눈으로 바라보는 바로 앞의 장면들이다. 또 하나는 절벽 전체를 조감하는 거대한 3D 맵이었다. 그 가운데 한 부분이 툭 튀어나온 것처럼 붉게 물들어서 빛나고 있다.

그 지점이 바로 제냐가 쫓고 있는 장소를 가리킨다. 작힘 백작의 직위를 이야기했던 강도단의 어느 한 사내를 쫓는 추적점이었다.

고양이가 재빠르게 장애물을 넘는 것과 같은 동작으로 제냐는 몇 번 눈을 깜빡이거나 호흡을 할 정도의 시간만에 절벽을 올랐고, 그건 위에서 떨어지고 있는 제이미 숄더의 낙하 과정 중에 일어난 일이었다.

제이미 숄더의 움직임은 제냐의 레이더에 정확하게 걸리고 있었다. 애초에 그를 떨어뜨리기 위해서 쏘아낸 썬더 볼트다. 청명한 하늘. 바윗덩위와 흙더미, 그 비산하는 부유물들 속에서 함께 쓰레기처럼 자유낙하를 하고 있는 흑인 사내는 정신이 점차 아득해져갔다.

차라리 정신을 잃는다면 덜 고통스러우리라. NPC의 사고 체계를 초AI, 만물박사가 아주 디테일하게 구현해냈다.

제이미는 침통한 안색으로, 어딘지 먼 곳을 바라보는 듯 해탈한 눈빛이 되어서 거꾸로 뒤집혀 푸른 하늘 저 멀리를 바라보았다.

'아, 새가 난다…….'

강도질로 제 목숨을 연명했던 어느 흉악한 중년 사내의 마지막 감상, 이 될 뻔한 단상이었다.

제이미는 자신의 몸을 강하게 잡아끄는 충격을 느꼈다. 억, 하고 정신이 조금 들었지만 소리는 나지 않았다. 이미 쉬어버린 목이다. 건장한 흑인 사내의 몸집이 누군가의 손아귀에 걸려 흔들렸다.

공중에 나타난 손아귀의 주인은 제냐의 것이었다. 그는 절벽 위로 순식간에 타고 올라가, 떨어지는 제이미 숄더를 발견했다. 절벽의 벽면에 붙어 있던 제냐가 온 힘을 발휘해 뛰었고, 벽면에 균열을 일으킬 정도로 강력한 점프는 그의 몸을 허공을 밀어냈다.

떨어지는 제이미 숄더에게 간신히, 그러나 정확히 닿았다.
'순발력' 수치는 몸의 말단의 근력에 관여한다. '소근육'이라고 불리는 곳들 중 일부이다. 동작의 디테일을 잡게끔 도와주고, 정교한 작업에 절대적으로 관여하는 스텟이다.

제대로 닿지 않는 거리에 있는 무언가를 끌어 잡아당길 때, 이 순발력 수치야말로 큰 도움이 된다. 근력은 전체적인 근육의 향상을 돕지만 비율적으로 볼 때 크기가 큰 근육들, 신체 전반적인 영향력에 더 큰 보정을 더한다.

제냐의 뻗어낸 오른 손에 떨어지고 있는 제이미 숄더의 한 쪽 어깨, 가죽 보호구의 틈이 걸렸다. 손아귀로 그것을 강하게 붙든 제냐는 온 힘을 다해서 끌어당겼고, 공중에서 힘을 쓰자 두 명이 가까워졌다.

제냐는 그 스스로의 HP도 일 만에 가까워지고 있는 초인적인 내구성의 사내였지만 그가 들듯이 잡은 흑인은 아마 평범한 인간일 가능성이 높았다. 그와 같이 기사급의 능력을 가진 NPC들은 아무래도 흔하지 않다.

이런 야지에서 활동을 하는 낭인, 강도 따위가 그런 신체 능력을 갖고 있다면 명백한 밸런스 붕괴일 것이다.

기사급의 인원들로 구성된 떠돌이 강도단이라니. 국가적 규모의 토벌군이 와야 안정적으로 잡을 수 있을 골칫덩이이리라.

괘씸한 놈이었지만 일단은 살려야 한다. 제냐는 공중에서 재주넘기를 하듯 제 몸을 홱 잡아 돌렸다. 그 과정에서 오른 손에 걸려 있는 제이미의 몸 또한 움직였고.

알알이 흩어지는 모래, 흙, 바윗덩이 사이에서 부리고 있는 묘기였다.

제냐가 허공에서 돌면서 제이미를 강하게 끌어당겼다. 거구의 중년 사내를 바짝 끌어당겨 두 손으로 잡는다. 그대로 자유 낙하.

제냐는 별다른 부유 스킬을 갖고 있지 않았다. 이전에 그가 피스 시에서 경험했던 어느 고양이 변신술사같은 스킬이라도 있었다면 상황이 더 쉬웠으리라.

그러나 스킬이 없다고 꼭 못 해내는 법은 없었다. 비련의 시나리오 온라인은 그런 게임이다. 자신의 손과 같은 MP가 있었다. 그건 비가시적이지만 찰흙과 같아서 상상력만 받쳐준다면 온갖 다양한 현상을 만들어낼 수 있는 힘이며 동시에 물질이었다.

제냐는 떨어지는 공중 한 가운데서 MP를 쏟아냈다. 절반 가까이 닳은 MP때문에 약간의 빈혈기가 찾아올 것도 같지만, 지금 그런 것에 집중력을 잃고 포기했다간 그대로 게임 오버이리라. 그가 갖고 있는 내구성이 초인적이라지만 아무런 대책도 없이 이런 높이에서 꼴아 박아도 좋을 정도는 아니었다.

운 좋으면 살아서, 회복 스킬의 혜택을 누릴 정도가 될 뿐이다. 즉사가 아닌 중상 상태로 말이다.

'바람' 속성은 아직 제냐가 다루지 못하는 것이었다. 그는 파이어 볼과 썬더 볼트, 그 무엇도 아닌 것을 자신의 발 밑에 형성했다. 오른 손으로 꽉 잡은 제이미를 두고 왼 손을 늘어뜨려 아래로 향하게 한 뒤였다.

왼 손바닥 아래로 붉고 푸른 기운이 몰려들었다. MP다. 아직 어떤 속성을 정확하게 갖추기 전이다. 사실은 파이어 볼의 형성 과정에 가깝긴 하지만, 일단 그가 발휘 가능한 정신력 에너지를 다 쏟아넣는다.

불꽃의 모습으로 바꾸는 연출은 없다. 번개와 같은 모습도 없이 그저 둥그런 에너지체가 생겨났다. 열량, 파괴력, 반발력을 최대치로 높인다.

제냐가 염두에 두고 있는 것은 한 가지였다. 초상 스킬은 직접적으로 사용자에게 피해를 미치지 않는다. 그건 1차적인 일이었고, 거대한 파이어 볼이 폭발을 일으킨 뒤 그 잔여물이 쏟아지는 것에선 얼마든지 피해를 받기는 했지만.

일단 초상 스킬은 설계 자체가 사용자에게 데미지를 주는 일을 피하도록 되어 있다. 온갖 스킬을 사용하면서 동시에 그에 대한 저항력과 방호력까지 계산해 자신의 MP나 내구성을 깎아먹어야 한다면 지나치게 게임이 어려워지고 복잡해지리라.

상대의 속성까지만 생각하고 공략을 하도록 설계가 된 배려였다.

물론 화염 속성의 초상 스킬을 다루는 화염 술사가 불꽃 내성이 높아지는 건 당연한 수순이기는 했다. 말했듯, 최초의 데미지는 입지 않더라도 그로 인해서 발생한 '자연적'인 변화는 충분히 사용자에게도 충격을 줄 수 있었으니까.

자신이 발 딛은 전장 전체를 불길로 뒤덮은 뒤 그 불길이 초상력으로 인한 것이 아니라 일반적인 불길로 바뀌기 시작하는 지점부터 술사 본인에게도 데미지가 들어가기 시작한다.

원소술을 익히는 술사들은 초반에 다양한 액티브 스킬, 발동형 공격 스킬을 익히며 육성을 하지만 점차 시간이 지나면서 해당 분야의 패시브 스킬들을 많이 얻게 된다. 그런 패시브 스킬들 중에 해당하는 원소의 저항력이 포함되어 있는 것이다.

한 가지만을 깊이 파고 드는 자들은 그렇게 된다. 그러나 단발적인 사용, 분야에 얕게 파고드는 이들에게까지 모두 자신의 스킬로 인한 데미지라는 제약을 줘버리면 게임 플레이의 다양성 파생에 지나친 저해점이 되리라.

제나는 그런 점을 노리고 있다. 그는 아직 초상술사로서는 아주

기초적인 단계로, 파이어 볼2를 익혔지만 별다른 패시브 스킬도 없었다. 그런 단계의 그라도 단순한 발출은 할 수 있었다.
그 왜, 파이어 볼을 익히기 위해서 수업을 듣던 퀘스트 과정 중에 어느 플레이어 하나가 급발진을 해서 파이어 볼을 형성했던 일이 있지 않은가.

당시의 스킬을 알려주던 교수직 NPC는, 그렇게 MP가 부족하고 실력이 없는 경우에는 차라리 화구를 만들어낸 뒤 직접 적의 몸에 갖다 박는 식이 유용하리라고 설명했다.
뭐 비슷한 일이었다. 제냐가 지금 하는 일은.

제이미와 제냐의 수직 낙하 중, 그 아래에 만들어지는 거대한 빛의 공은 무식한 폭발력을 가진 무언가였다. 방향성만큼은 제대로 제시를 했다. 아래를 향하게끔 말이다. 다만 그로 인한 반발력은 술자에게도 영향을 미칠 것이다.
엄밀한 계산보다는 뚜렷한 상상에 불과했다. 하지만 원래 스킬은 그런 식으로 사용하는 것이었다. 기력술의 요체 역시 비슷하다.
시나리오 온라인에 접속한 수학자들은 가끔 시스템 AI가 관할하는 다양한 수치들을 계산한 뒤 일일이 모든 요소를 정확하게 기입하려고 한다.
물론 스킬 시스템의 메커니즘을 더 깊이 이해할 수 있는 좋은 연구법이었지만 대개의 스킬러들, 술사들은 그렇게 쓰지 않는다.

결과에 대한 명확한 이미지가 있다면 비련의 시나리오는 그에 맞게끔 발동하는 편이었다. 보편적인 상상력이라는 게 있었다. '파이어 볼'을 만들면서 나타나는 여러가지 이미지와 물리적 현상들은 그 스킬 하나에 이미 다 들어가 있는 정보였다. 처음부터 그리 애를 쓰지 않아도 좋았다.

하얀빛의 광구는 어느새 일렁거리며 만들어져 제냐의 상반신 몸집보다 커져가고 있었다. 고체보다는 유체에 가까운 움직임을 보이면서 약동하는 에너지체다.

제이미는 반쯤 정신이 날아간 상태였다. 자신의 발밑이 부서지면서 갑자기 협곡 밑바닥으로 끝없는 추락을 시작할 때 이미 그런 꼴이었다. 칼밥으로 먹고 황야를 버티며 살아온 중년의 강도라기엔 심약한 정신머리였지만 어쩔 수 없다.

항거할 수 없는 힘이라고 느꼈기에, 그로서는.

콘란드 대륙에서 다양한 기현상이 자주 발생하지만 초상 스킬과 관련이 없는 평범한 NPC들은 그에 대한 내성이 없거나 적다.

현실에 비하면 어마어마하게 다양한 초능력자들이 실제로 존재하는 셈이었지만, 그래도 마냥 흔한 편은 아닌 것이다. '있다'와 '없다'의 차이였고 그것이 가장 큰 간극이었으나 그럼에도.

실성을 해서 동공이 풀리고 입을 조금 벌리고 있는 제이미를 데리고, 제냐는 속으로 숫자를 센다.
그가 느끼고 있는 조감도에 자신의 위치가 명확하게 드러났다.
자신이 머무르는 전체 환경을 한 번에 보여주는 기력 감지 스킬, 탐지계 스킬들은 전투에 있어서 압도적인 이점을 준다.

객관적으로 거리를 잴 때 그보다 더 정확할 수 없는 것이다. 제냐는 자신의 스킬의 위력과, 지면에 충돌하는 시기를 가늠하면서 초를 재듯 속으로 타이밍을 잡았다.

적당한 시점이라고 생각되었을 때, 그 몸으로 허공에서 그들을 때리는 바윗덩이 따위를 막으면서, 최후의 순간에 제냐는 몸을 빙글 반회전 시키며 제이미를 위로 끌어올렸다. 자신이 아래를 바라보게끔, 그 아래서 터져나가는 충격파를 제 몸으로 감당하게끔 말이다.
몸은 위를 바라본 채, 고개와 왼 팔만 아래로 향한다. 그 상황에서 훅, 하고 에너지체를 쏘아냈다.

파이어 볼을 닮았고, 썬더 볼트를 발동시키는 것 그 이상의 에너지가 들어간 광구가 아래로 날았다. 묵직하게 생긴 생김새만큼이나 천천히 날아 지면에 닿는다. 그들이 낙하하는 속도보다는 조금 더 빨랐고,

빛의 광구는 협곡의 바닥에 닿으면서 출렁거렸다.

제냐의 몸집만한 거대한 공이 반쯤 사라지며 퍼졌고, 협곡의 바닥을 집어 삼킬듯 굴더니 곧이어

거대한 폭발이 일어났다. 콰-콰과광. 귀가 먹먹해져서 중간부터는 제대로 듣기도 어려울만한 굉음이다. 흙바닥 그 깊은 곳에 있던 돌덩이나 토사가 거꾸로 튀어나왔고 흩어진다. 그와 함께 폭발력이 바람을 형성했다.

제냐는 나머지 모든 MP를 쥐어 짜서, 간신히 탈진을 면할 만큼만 남겨두고 다시금 광구를 만들고 있다. 폭발의 순간에는 제이미를 한 번 끌어안듯 자신의 품에 구겨넣어 충격으로부터 보호했다.

땅바닥까지 얼마 남지 않았다. 그들 근처에 있던 절벽 위쪽의 돌덩이나 부스러기가 많이 사라졌다.
공중에서 참 다양한 짓거리를 한다, 고 제냐는 스스로 생각했다.
그것이 가능한 이유는 물리 계열 스텟과 집중력이 높아져서 짧은 순간을 나누어 느끼고 정밀하게 행동할 수 있기 때문이었다.

다시금 아까처럼 빛의 에너지체가 생겨났다.

귀로는 허공을 가르고 있다는 증거처럼 들려오는 바람 소리를 맞으면서, 제냐는 집중한다. 그리고 그 광구가 아까의 그것보다는 못미치는 크기로 커졌을 때, 더 이상 키울수도 없이 땅바닥에 거의 가까워질 무렵.

그는 다시 한 번 빛의 구를 터뜨렸고, 조금 더 직접적인 반탄력이 생겨났다. 최후의 MP로 자신의 기력술을 사용해 자신의 몸을 감싸안았다. 그리고 제이미는 자신의 몸으로 보호했다.

쾅!

폭발력 있는 폭탄이 제 몸을 산화시키듯 굉음이 울렸고, 제냐와 제이미는 그대로 터져나가는 폭발의 충격을 힘입어 낙하의 반대 방향으로 밀려나갔다.

그것에 그치지 않고 얼마쯤 더 튕겨나가, 대각선 방향으로 포물선을 그리며 날고는 흙바닥에 퉁겨 나뒹굴었다.

“으어어어어…….”

실성한 듯 흰소리를 내고 있는 흑인 사내다. 제냐는 천운으로 강도 새끼가 살아남았다는 걸 인지했다.

지독한 어지럼증이 몰려왔다. 푸른 물약을 빨리 마셔야 한다. 고갈 상태에서는 몇 개를 들이켜도 모자라다. HP는 0이 되거나 그에 가까이 되었을 때 육체적으로 아무것도 할 수 없는 꼴이 되고, MP가 그렇게 될 때는 잠시 전투 불능에 가까운 혼란 상태가 찾아온다.

육체 계열 스킬에 통증과 손상에 내성을 부여하는 스킬이 있듯 정신 계열 패시브 스킬에는 그런 종류도 있다. 현실에서 느끼는 현기증과는 조금 이질감이 있었고, 사용자의 정신을 보호하는 시스템이 가동 중이기에 직접적인 영향을 끼치지는 않았지만 어쨌든 게임 내 제냐의 신체는 잠시 그 자리에 누워 있어야만 했다.

"으어어어…."

입이 벌려지며 헛소리가 튀어나왔다. 제이미의 것은 아니었다. 제냐의 소리였다.

그는 바닥에 누운 채 잠시 있었고, 얼마 지나지 않아 간신히 인벤토리를 열어 푸른 물약 하나를 꺼내들었다.

*

"말해보게."

"……."

줄리앙이 낮게 말했다.

노인은 다양한 경험을 했다. 그리고 그 경험 중에는 포로를 고문하는 기억 역시 들어가 있었다. 험난한 야만의 시대. 중부 대륙의 전장터를 전전했던 줄리앙은 백전 연마의 기사였다. 지금은 집사장의 이름을 달고 있었지만, 로멜리아 가의 집사장은 원래 선임 기사의 다른 말이기도 했다.

단장 급의 기사가 부재할 때 집사장은 가문의 기사단을 지휘할 수 있는 실력과 권한을 갖고 있었다.

그런 노인의 앞에 무릎 꿇은 채 앉은 자가 있었다.

제이미 숄더.

거구를 자랑하는 흑인, 붉은 머리의 사내였다. 자신의 몸집처럼 선이 굵은 얼굴을 하고 있었다. 뺨을 가로지르는 붉은 흉터가 있다. 검은 피부에서도 두드러지는 물건이다.

그는 초췌한 꼴로, 반쯤 넋이 나간 듯한 표정을 아직도 하고 있었다.

절벽 위에서 단장의 명령을 따라 마차를 쏘아대던 것이 아까의 일 같았는데, 어느새 자신이 여기에 잡혀 와 있다는 말인가.

상황의 흐름이 그가 이해하기에 지나치게 빨랐다.

하지만 정신을 차리기 위해 노력했다. 눈 앞의 노인의 기세나 눈빛이 심상치 않았다. 말을 머뭇거리다가는 사지 중 몇 개가 날아갈 지도 몰랐다.

툭, 툭.

하고 줄리앙 리스트는 실제로 자신의 애검을 들고 있었다. 칼집에 넣은 것을 한 손으로 가볍게 쥐어 들고, 다른 손바닥 위를 검면으로 두드렸다. 칼집에 담겨 한 손바닥에 조금 버겁게 잡히는 검이 위협적이다.

여차하면 집에서 나온 쇠붙이의 잘 갈아진 날이 제이미의 목을 상대로 날카롭기를 시험할 지도 몰랐다.

제이미는 정신 없는 와중에 자신의 처지는 비교적 분명하게 인식했다. 왜냐면, 그가 그토록 죽이려고 애를 쓰던 작자들이었으니까.

별다른 사적인 원한 관계는 아니었고 또 사연도 없었지만 그는 단장의 명령을 충실하게 수행하는 부하 중 하나였다.

별다른 의리나 충심이 있다기보다, 그것 외에는 딱히 살아갈 방법을 생각해보지 않은 단세포적인 정신 상태 때문이었다.

그는 칼밥을 먹고 살았다.

그렇게 말하면 어떤 낭인의 낭만 넘치는 삶이 연상될 수도 있겠지만, 그는 조금 더 지저분하고 추악하게 살았다.

길거리에서 죄 없는 양민들을 상대로 노략질을 했고, 그렇게 얻은 양식과 물건들을 다시 도시의 더러운 상인들에게 팔아서 이득을 챙겼으니까.

산슈카 지방에서 나름대로 이름을 떨치는 '삭센 일당'의 일원인 그는 창술에 일가견이 있는 놈이었다. 성인이 되기 전부터 도시 바깥에서 살아온 그가 생존을 위해서 익힌 기술이다. 온갖 사람들의 목덜미를 꿰뚫으면서, 자연스럽게 익혀온 하류 창술이었다.

대개의 무기술은 '하류'가 붙는 이름이 많았다. 그건 일반적인 무기술을, 별다른 배움이나 가르침 없이 실전에서 조악하게 익히기 시작했다는 의미였다. 다른 의미로는 실전적이라는 뜻도 되었고, 하류가 붙은 스킬 역시 마스터 그 이상의 단계로 나아가면 훌륭한 능력이 된다.

보통 가야 할 길이 먼 스킬들은 단발적으로 끝나지 않고 그 뒤에 숫자가 붙어 여러 개의 스킬을 순차적으로 익혀야 했다.

작센은 아직 하류 창술2도 익히지 못했고, 1에서 6, 7단계 즈음을 머물고 있었다. 로멜리아 가의 검술을 익힌 페이브나 질리언과 언뜻 비슷해보이는 수치였으나 그들이 익히는 검류가 훨씬 고급스러운 종류였다.

정통파에, 단순히 형식적인 검술이라는 의미에서 '고급'이 아니라 정말로 더 어렵고 강력한 기술이라는 의미에서 말이다.

페이브나 질리언 역시 자기들만의 실전적 검술, '기본 검술' 따위를 먼저 익혔고, 그 스킬의 8단계 이상을 지나면서 다음 수준인 로멜리아 가 검술을 익혀온 전적이 있었다.

줄리앙도 그간 익혀온 무기술이 한 두 가지가 아니다. 오랜 세월동안 켜켜이 쌓인 스킬들의 순차적인 패시브 효과들은 그대로 전투력으로 환원된다.

이 세계에서 노인은 얕잡아 볼 수 있는 대상이 아니었다. 스테미나나 체력의 문제는 특수한 내력이 없다면 동급의 젊은이보다 조금 낮을지 몰라도 그 이상의 요령과 기술이 있었다.

속도나 순간적인 근력에 있어서 전혀 부족하지도 않았고.

눈 한 번 잘못 깜빡이면 목이 날아가고 마는 것이 오랜 세월 '스킬'을 연마해 온 NPC들이었다.

비슷한 논리로, 플레이어들 중에서도 노인이 들어와 게임을 즐기는 경우에 얕잡아보기 어려운 점이 있었다.

비련의 시나리오에서 얻어낸 것들은 대개 현실에서는 써먹을 수 없다. 어떤 경험이나 신경 반응의 반복으로 익혀낸 연습같은 건 조금 전해질 지 모르겠지만. 또 지식이나 정보도 갖고 나갈 수 있겠지만.

아무래도 현실에 유용한 것으로 바꾸기 위해서는 변환 과정이 필요하고, 그 중간에 많은 손실이 일어난다.

게임 내에서 어떤 공부를 했다고 하더라도 그 지식이 그대로 쓸모가 있을 수는 없지 않겠는가. 다만 공부를 할 때 써먹는 집중력이나, 게임 내의 지식이라고 하더라도 집대성 되어 있는 그 논리 체계를 이해하는 법, 이해력 따위는 밖으로 나가 학문을 팔 때 좋은 연습이 되리라.

반면 현실에서 어떤 기술을 익힌 장인들은, 게임 내에서 그 동작을 그대로 수행하는 데 남들보다 쉬운 점이 있었다.

본인의 감각으로 움직이는 비련의 시나리오 내 캐릭터들은 현실의 신경 반응을 그대로 이식한 듯 자연스럽게 동작한다.

거의 현실의 육체와 다를 바 없다고 느껴질만큼 딜레이 없는, 초가상현실 내부에서 솜씨 좋은 대장장이는 남들보다 훨씬 수월하게 대장장이 직종으로 플레이를 할 수 있었다.

오랜 세월 무언가 익혀 온 이들은 비련의 시나리오에서 추가적인 경험치를 갖고 시작하게 마련이었고, 그런 경험은 겉모습으로 판단할 수 없는 노릇이었다.

이곳에서는 모든 이들이 공평하게 건장한 육체 능력을 갖고 시작해서 초인적인 지점까지 발전해 나가기에, 거기에 경험과 지식이라는 요인을 더하는 노인들이 만만치 않은 존재가 되는 것이다.

게임 세상에 그토록 진지하게 집중하며 플레이를 하는 노인이 그리 많을까 싶겠지만, 예상 외로 비련의 시나리오는 별다른 부작용 없이 현실적인 플레이가 가능한 공간이었으므로 젊은이들만큼, 혹은 그보다 더 집중하는 노인들이 간혹 있었다.

현실에서 전쟁을 경험했던 어떤 명사수는 이곳에 와서 원거리 공격 직종을 가지고서 그대로 자신의 능력을 구현해내기도 한다.

그런 논리는 플레이어들보다도, NPC들 사이에 더욱 뿌리 깊이 박혀 있고 알려져 있는 사실이었다.
이곳은 현실과 다른 초인들이 있는 세계관이기에, 백발에 수염이 성성히 나 있는 노인들이라 할지라도 어떤 종류의 초인적 기술을 한계까지 연마한 진짜배기 괴물일 가능성이 있는 법이다.

전장터에서 만난 묘하게 활기찬 노인을 보면 일단 극도의 경계심을 가지라는 게 콘란드 대륙에서 병사들 사이에 암암리에 떠도는 생존 노하우였다.

그런 이야기를 또 알고 있는 제이미가 천천히 입을 열었다.

'그…'

퍽.

타이밍이 조금 좋지 않았다. 질리언이 나서서 검집으로 제이미의 뺨을 후려쳤다. 둔탁한 소리와 함께 사내의 고개가 돌아갔다.
건장한 장한의 몸이 기우뚱, 기울 정도로 강력한 한 방이었다.

'억…….'

제이미는 입을 달싹이며 소리를 차마 뱉기 전에 신음을 뱉어야 했다. 이빨이 흔들거리는 느낌이 들기도 한다. 볼에 감각이 없었다.
'질긴 피부'라는 스킬을 선천적으로 갖고 있는 제이미 솔더다.
타고난 용력과 거친 성정으로 강도단에서도 오래도록 살아남아 그 나이까지 단장의 곁을 보필하고 있던 인간이었다.

그는 얼얼한 한쪽 뺨의 감각에 고개를 흔들어대며 정신을 다시금 차렸다. "크, 흠."

제이미가 말을 시작했다.

"나… 그… 나는 작센 숄츠 강도단의 제이미 숄더라고 하오."
"흠."
"이름보다, 당신네들이 어째서 그 위에서 우리를 노렸는지 설명하시오."

줄리앙이 소리를 낸 게 첫번째였고 그 다음 페이브가 옆에 팔짱을 낀 채 서서 물었다.

타닥, 거리면서 불티를 튕겨내는 모닥불이 근처에 있다.

그들은 협곡을 지나왔다. 그들이 나온 협곡의 이름은 '붉은 다리' 협곡이었다. 위에서 바라보면 초원에 있는 두 봉우리가 길쭉하고 붉게 보여서 대강 붙여졌다. 데슈칸 산맥, 개중에서도 로키 산쪽으로 가는 방향에 있는 협곡이라 출발지를 알 수 있다면 그 길을 지나리라는 건 예측이 쉽다.

많은 사람들이 지나갈 수 있는 길목이었지만 하필 그들을 노린 듯한 인상을 받는 건 어쩔 수 없다. 넓은 콘란드 대륙의 땅에는 무수한 사람들이 여행을 하고 있었지만, 아무도 지나지 않는 곳이 훨씬 많다.

정비된 가도나 사람들이 많이 찾는 특정한 지역이 아니라면, 개척되지 않은 자연 그대로의 길목들에는 말이다.
소식을 들었기에 시기를 맞추어서 기다릴 수 있었던 것이리라. 그 소식을 알려준 인간이 누구냐고 묻는 중이었다.

제이미는 뺨의 감각을 찾기 위해 잠시 기다려봤지만 돌아오지 않았다. 그는 양 손발목이 밧줄에 제대로 묶여 길바닥에 앉아 있었다. 무릎을 대고 있는 불편한 자세다.

협곡을 성공적으로 탈출한 로멜리아 가 일행은 그대로 마차를 끌고 로키 산 쪽으로 여정을 지속했다.
터프한 일정이었다. 골짜기를 지나면서 화살과 돌무더기 세례를 받고 강도단과 조우했는데도 아무렇지 않게 멈추지 않고 계속 가다니.

마차에 걸려 있는 다종의 보호 스킬들 덕분이었다. 제나는 목재로 이루어진 마차가 현대의 탱크처럼 느껴지기까지 했으니 말이다.

흑마의 체력을 고려해서 갈 수 있을만큼의 속도로, 거리를 더 지난 뒤 로키산 근처에 다다라서 야영을 하고 있다.
어느 바위 언덕 근처에 있는 그림자 속이었다. 바위로 가려져 있어서 피우고 있는 모닥불의 불빛이 멀리까지 가지는 않으리라.

연기는 다소 보일 수 있겠지만 밤하늘에 흩어지는 흰 연기가 그렇게 쉬이 눈에 띄지는 않는다.

야영용 경계 스킬 또한 아티팩트 몇 개를 꺼내들어 발동하도록 설치를 해놓았다. 야영지를 완성시킨 뒤, 그들은 가져 온 짐덩이 하나를 풀어서 신문하고 있는 중인 것이다.

제냐가 묘기를 부리면서까지 절벽 위에 있던 놈 하나를 데려왔다. 정신을 잃은 제이미 숄더, 거구의 사내를 그가 직접 들쳐 업고 달려 왔다. 협곡을 벗어나 기다리고 있던 마차의 지붕에 남자 하나를 싣고, 밧줄로 묶은 뒤 마차가 덜컹거리며 여행을 이어나갔다.

절벽 위에 있던 강도단들은 아마 거의 다 죽었을 것이다. 게임적으로 말하자면, 게임 오버 당했을 것이다. 개중에서 몇몇 운 좋은 작자들은 기어코 봉우리 아래로까지 내려가 자기들의 살 길을 위해 도망친 것 같지만, 많지는 않다. 제냐나 줄리앙이 파악하기로 고작해야 두 셋 정도였다.

성공적인 토벌이라고 할 수 있었다. 매복으로 기습을 당했음에도 도리어 보다 심한 피해를 주고 그들은 다친 자가 아무도 없었으니까.

다만 배터리 형식으로 이루어진 마차의 보호 술식이 꽤나 달았다. 충전에는 시간이 필요했고, 조금 더 빨리 회복시키기 위해서는 직접 MP를 쏟아내 주입시키는 일이 필요했다.

제냐가 푸른 물약을 인벤토리에서 토해냈고, 아무도 상처 입은 자들이 없었으므로 다행히 다들 과소모한 MP만 회복시켰다.

헤슈나가 단도를 들고 '라이트Light 애로우'를 남발하느라 가장 심각하게 MP고갈에 시달렸다. 프로그램에 의해서 보호 받는 제냐가 느끼는 것보다 훨씬 진지한 종류의 현기증을 앓으며 헤슈나는 마차 내부에 드러누웠고, 다른 이들이 그런 헤슈나를 보살폈다.

아드리안은 아무것도 하지 않았지만 아무것도 하지 않은 그 태도가 굉장히 칭찬해줄 만한 점이었고, 괜히 경기를 일으키며 뛰쳐나가지 않은 것만 해도 제 몫을 다한 것이었다.

어린 소녀는 이제 점점 더 거친 세상의 바람과 파도에 익숙해져야 하리라. 콘란드 대륙에서 전쟁 중인 곳이 여러 군데 있었지만, 중부 대륙은 아니었고 또 산슈카 왕국도 아니었다.

그러나 전쟁이 벌어지지 않았다고 늘 평화롭기만 한 것은 아니다. 물밑에서 움직이는 칼날은 셀 수도 없고, 전쟁을 만들고 싶어하는 야심가들의 계략 또한 늘 진행중이었다.

산슈카는 나라의 기틀이 온전히 반석 위에 올라섰다고 하기엔 어려운 상황이었고, 까딱 잘못 해서 어느 플레이어가 국가적인 시나리오 퀘스트를 건드려서 내일이라도 변란이 일어날 수도 있었다.

콘란드 대륙은 아직까지 안정기와는 거리가 아주 먼 상태였다. 칼과 초상 스킬, 정신력 에너지로 만들어진 온갖 원소 계열의 탄환과 화살, 총알이 날아드는 전장이 이 세계의 본질에 가까웠다.
양식화된 도시에서의 삶 역시 즐길만한 것이었지만, 인류는 외적이라 할 수 있는 몬스터, 괴수 무리들과도 싸워야 했고 내적들과도 사투를 벌여야 했다.

그 끝에 어떤 결말이 기다리고 있을지, 만물박사가 그것을 가늠하고 있다면 대단한 일이리라. 수많은 플레이어들의 움직임 속에서 아무도 예측할 수 없는 마지막이 나타나고, 게임이 끝날 것이었다.

“크흠…….”

제이미 숄더는 제 어깨를 움찔거렸다. 불편하다는 제스처였다. 그러나 그의 몸짓에 그를 편하게 해줄만큼 아량이 넓은 자들은 이곳에 없었다. 어디까지나 로멜리아 가가 숨겨온 아티팩트가 성능이 뛰어났기에 아무도 다치지 않은 것이었지, 조금만 그 준비가 소홀하고 능력이 부족했어도 협곡에서 그대로 생매장 당할 수 있던 상황이었다.

절벽에서 굴러 떨어지는 바윗더미들은 제냐가 몇 번의 MP고갈을 견디면서 푸른 물약을 물처럼 마시고 초상 스킬을 남발했어도 다 견뎌낼 수 있을까 말까한 일이었다.

다행히 흑마가 주변 상황에 동요하지 않고 굳건하게 달려주어서, 탱크가 제 역할을 할 수 있었다. 끊임없이 전진했기에 협곡을 살아서 나올 수 있었다.

이미 시간은 저녁이 지나고 밤이었다.

그들 일행은 챙겨온 건식을 냄비와 불, 물을 이용해 죽처럼 끓여 먹었다. 아드리안과 헤슈나도 불평 없이 배를 채웠다. 제이미는 당연히 먹지 못했다.

아까의 사투 속에서 온갖 고생을 하고 물 한 모금 제대로 마시지 못한 거한이 자신도 모르게 손끝이나 발끝 등 말단을 덜덜 떨어대면서 마저 이야기를 했다.

"……운트 작힘. ……. ……그가 시켰소."

"씨발."

줄리앙이,

드물게 욕을 토해냈다. 서슬퍼런 기세에 제이미 숄더마저 흠칫거렸다. 아드리안과 헤슈나는 그 말에 반응하지 않았다, 아니 못했다. 포로를 신문하는 꼴을 굳이 보여서 좋을 게 없었기에, 이미 마차 안에 모셔둔 상태였다. 그렇잖아도 헤슈나는 MP 고갈로 어지럼증을 계속해서 호소했기에, 저녁을 먹고 객실에 다시 누워 있었다. 아드리안은 문을 헐겁게 잠근 뒤 객실 내부에서 그녀의 언니를 두고 노닥거리고 있었다.

네 명의 사내에게 둘러싸인 제이미는 자신이 말을 잘 골라서 해야 하는가, 갖은 고민이 떠올랐다. 이들은 강도는 아니었다. 자신들에게 잡힌 포로가 있다면 아무런 개연성도 없이 그저 그들의 기분에 따라서 목이 날아가거나 험한 꼴을 보았을 것이다.

콘란드 대륙 내의 세계에서는 그런 일들이 자행된다. 물론, 그건 설정 상의 이야기였고 시뮬레이션이었으므로 플레이어들이 볼 일은 거의 없다.

퀘스트가 주변 플레이어의 움직임에 따라 반응하고 생성되며 진행되듯이, 게임적으로 굳이 보여 줄 이유가 없는 연출들은 주변에 플레이어가 없는 상황에서 흘러가고 끝난다.

소설 속에서 '그저 그랬다더라'하는 몇 문장으로 지나가버리곤 하는 서술과 비슷했다.

어쨌든, 제냐가 있는 상황에서 그런 잔인한 연출이 그대로 드러나지는 않는다. 어디까지나 우회적으로 표현되거나, 혹은 씬 자체의 전개가 에둘러 갈 것이다.

그럼에도 제이미 숄더가 느끼는 불안함이나 공포는 AI에게 진실되게 작용하고 있었고, 그 가상의 인격은 비밀들을 토설하기 시작했다.

이들은 양식이 있는 도시민들이었고, 심지어 귀족으로 알고 있었다. 그러나 그들의 안위를 위협하는 일이라면 귀족들은 어떤 야만적인 강도보다 더 지독한 종자들로 변할 것이다.

그들이 가진 양식은, 아마도 순순히 협조하고 있는 이를 포로라는 이유로 제 기분에 따라 목을 치지 않는 그런 것일 테다.

제이미는 작힘 가와 로멜리아 가 사이에 끼어서 자신의 목숨을 잃고 싶지는 않았으므로, 말한다.

"……작힘 백작, 작힘 가의 가주이자 세슈칸 성의 영주 말이오. 운트 작힘.

뱀같이 빛나는 눈을 가진 사내이지만… 우리는 제대로 그를 본 적은 없소. 그저 그가 부리는 기사의 명령에 따라서 움직였을 뿐.

벌써 몇 년 전의 일이오. 우리가 세슈칸 시 근처의 평야와 초원을 뛰어다니며 강도질을 한창 하던 때가.

그 때도 여느 날과 다름 없이 시민들을 털고 있었는데……"

자랑이다, 라고 제냐나 질리언이 말하고 싶었지만 참았다. 상대가 이야기를 토해내고 있으니 듣는 것이 시간을 아끼는 길이다.

"그것이 조금 심해졌는지, 양민들의 분노가 작힘 가의 문을 두드렸는지 가문의 사자가 찾아왔소.

순식간에 우리 강도단을 제압한 기사는 우리를 무릎 꿇리고, 죽이는 대신 작힘 백작의 전언을 읊었지.

여태까지 여전히 그래왔던 대로 행동하라, 다만 작힘 백작의 명령에 따라서 언제든지 목숨을 바쳐 움직여라.

우리 중에서 대장… 작센 강도단의 우두머리인 작센 숄츠가 그 목에 아티팩트 목걸이를 찼소. 그건 신기한 기능이 있고… 우리들의 모습을 상대에게서 보이지 않게끔 해주는 기물이었지만 동시에 위치를 추적당하고 작힘 백작의 의지에 따라 언제든지 폭발할 수도 있는 물건이었지."

"오호."

제냐가 입을 벌렸다. 투명화 스킬은 작힘 백작이 준 아티팩트로부터. 깔끔한 정리였다. 그 때 도시에서 만났던 용병들처럼, 여기저기에 백작이 뿌려둔 칼날들이 있는 모양이었다.

작힘 백작. 운트 작힘이라고 말했던가. 제냐는 아직 보지 못했으나, 줄리앙은 그 사내의 얼굴이 선명하게 떠오르는 듯 이를 짓씹었다. 눈 앞에서 단 한번도 그런 속내를 드러내지 않고 긴 세월 로멜리아 가와 인연을 맺어온 남자의 흉계에 치가 떨리는 모양이었다.

흉악한 낯빛을 하고 피묻은 칼날을 들이대는 강도보다 무서운 일이었다.
한 치의 빈틈도 보이지 않으며 웃는 낯으로 다가오는 강도가 말이다.

줄리앙은 어딘지 늘 이상하다고 여기기는 했지만, 이렇다 할 물증은 없었다. 전 로멜리아 남작은 조금 더 의심했을 지도 모른다. 남작에게는 가주에게 전승되는 가문 간의 대여 계약에 대한 정보가 있었을테니.

남작도 자신이 이렇게 빨리 마지막을 맞이할 줄 알았을까. 아마 몰랐을 것이다. 그렇다면, 그토록 가문과 아이들을 생각하던 남자가 이렇다 할 준비도 없이 떠났을 리는 없었을 테니까.

작힘 백작이 이토록 교묘하게 수를 쓰고 있다는 사실이 명확해지면 당연히 떠오르는 의심은, 이전 로멜리아 남작을 독살한 주변 영주들의 수작도 작힘 백작이 관여했을지 모른다는 사실이었다.

그렇다면 이제는 단순히 가문의 유산에 관한 이야기는 아니었다.

피에 대한 대가를 받아야 하는 복수극이 되는 것이지.

"……우리는 나름대로 살아남기 위해서 운트 작힘의 명령을 들었지. 그가 명령하는 것들 중 대부분은 더러운 일이었소. 강도단을 시켜서 할 만한 일들이었지. 평범한 사람, 아무런 죄도 없는 인간들을 강도의 습격이라고 덮고 죽이기 위해서 자세한 정보와 시간을 주었고, 백작이 준 투명화의 목걸이는 대부분의 일을 처리하기에 충분한 능력이었소.

……그런데 당신들만은 달랐지. 백작은 용의주도하여 뱀같은 인간이었는데… 그의 계산이 틀렸다는 말도 되오. 그의 생각에는 그것이 충분하다고 여겨졌기에 계획을 짠 것일 텐데…….

우리들도 정작 맞닥뜨린 다음에 놀랐었으니까. 살아남은 형제들이 있기는 한 지……."

"……살아남은 자는 없다. 있어도 없으리라. 네놈들이 여태껏 죽여 온 시민들의 목숨 때문이라고 생각해라. 네가 다른 이의 형제를 죽였듯 네놈들의 형제들도 그렇게 끝나는 거야."

페이브가 입을 열었다. 줄리앙은 굳이 많은 말을 하지는 않았다.

"후우."

노인이 한숨을 쉬었다. 그가 무릎을 꿇었다. 한 쪽 무릎을 꿇으며 거한의 시선과 대충 높이를 맞춘다. 제이미 숄더는 다가오는 노인의 안면을 보았다.

근처에서 타오르고 있는 모닥불의 열기가 뜨겁다. 한쪽, 얻어 맞은 뺨은 아직도 얼얼하니 감각이 둔하다. 흑인은 붉은 눈동자로 노장의 갈색 눈동자를 바라보았다. 그 이글거리는 원한이 섬찟하다.

제이미는 못 볼 꼴이 없다시피 하며 살아온 강도답잖게 그 볼을 푸르르 떨었다. 단지 기분이나 기세의 문제는 아니었다. 조용하게 분노하는 줄리앙의 기력은 그의 기분을 유형적인 것으로 바꾸어낸다.

스킬로도 있는 것이었다. 기력술의 묘용을 깨달은 자들이 써먹기 좋은 '피어Fear'류의 스킬이다. 공포라는 이름의 기술은 그 자신에게 해당하는 것이 아니라, 스킬의 사용자와 마주하는 이들에게 정신적으로 압박을 가하는 스킬이었다.

뱀 앞에 마주 한 개구리처럼, MP가 무의식중에 흘러나오며 보이지 않는 바늘이 되어 상대의 피부 아래를 찌른다.

그 은은한 자극과, 조금만 더 격화되면 언제든지 심한 상처를 입을 지도 모르겠다는 본능적인 위기감은 자연스레 위축되는 정신을 만든다.

거대한 드래곤Dragon 급의 괴수라면 저런 피어만 가지고도 실제 물리적인 영향력을 크게 나타내며, 주변의 적들을 다 몰살시킬 수도 있었다. 그런 괴물을 공략하기 위해서는 기본적인 수준이 되지 않는 이들은 참여하지 않는 것이 나았다.

줄리앙 리스트는 드래곤은 아니다.

하지만 백전연마의 노장이며, 그의 기세가 비참한 강도의 살갗을 따끔거리게 하고, 거기서 더 나아가 심장께를 아릿하게 만들 수는 있었다.

"……."

몹시 속이 안 좋은 듯 어디가 아픈듯 인상을 찡그리던 제이미는 조금 더 적극적으로 입을 열기 시작했다. 자신이 아는 것을 다 토해내겠다는 듯.

*

날이 밝았다.

제나는 푹 자고, 다음 날 게임에 접속했다. 바깥에서 편안하게 시간을 보내고, 아침까지 먹고 씻은 다음이었다.

게임을 오래 하다 보면 운동이 필수적으로 필요하다.

비련의 시나리오는 생각보다는 그렇게 몸에 해로운 물건은 아니었지만, 그러니까 신경과 연결된 근육 반응이 계속해서 움찔거리면서 운동성을 주었기에, 그럼에도 불구하고 그게 온전한 운동은 당연히 아니었다.

아침에 일어나 스트레칭을 하고, 가볍게 집 밖으로 나가 동네 거리를 뛰어댔다. 도심 지역은 공기 정화 시스템이 돌아가고 있는 구간들이 많아서 맑은 공기를 자랑했지만, 그럼에도 불구하고 황량한 느낌이 드는 건 어쩔 수 없다.

도심 지역에 있는 공원, 센트럴 파크 같은 것을 여기저기 조성했다면 좋을 텐데. 그 놈의 땅값이 뭐라고, 일반적으로 부지가 남는다면 고층 빌딩을 올리고 용적 대비 금전적인 회수율을 최대로 높이기 위해서 애쓸 뿐이었다, 대부분은.

몇 개의 가로수가 있고, 인조적인 회백색 질감의 현대 도시를 구경하며 한 바퀴 돌고나서 게임에 들어온 참이다.

시간은 흘러 그들 일행의 여정이 다시 시작되었다.

마차는 지치지도 않고 다그닥거리며 로키 산을 향해 나아갔다.

이제 얼마 남지 않았다. 흑마가 이끄는 이두 마차가 지나가는 길 뒤에는 지난 밤의 흔적이 뒤쳐져 있었다.

야영지에 모닥불을 피웠던 흔적이나, 그들이 자리를 깔고 누웠던 자국이 남아있었다. 그리고 그 곁에, 기절을 한 한 흑인 사내가 있었다.

제이미 숄더였다.

어디 한 구석 상한 곳은 없었다. 최초에 제냐가 그를 포획하기 위해서 벌였던 무리한 묘기 중간에 관절이나 뼈가 나갔을 지는 모르겠다.

그 외에 그들 일행은 강도에게 심하게 손을 대지 않았고… 물론 질리언이 뺨을 후려치기는 했다만 그가 한 짓에 비해서는 애교스런 상처였다.

물리적으로는 슬쩍 까진 뺨의 피부가 지난 밤 제이미가 당한 고통의 전부였다. 비물리적이며 비가시적인 형태로는, 줄리앙 리스트의 정신력 에너지가 그의 심장을 조였다가 풀었다가를 반복했다.

협심증에 걸린 사람처럼 은근한 답답함을 느끼던 제이미는 자신이 아는 것을 서둘러서 모두 말했고, 충분한 정보를 얻었다고 생각한 그들은 제이미를 놓아주기로 했다. 마지막으로 그들이 출발할 때의 모습은 보지 못하게끔 만들었다.

간단했다. 줄리앙이 '방랑 기사의 살기'라는 피어Fear류의 제압 스킬을 최대한 발휘하자 자연스럽게 정신을 잃었으니까.

널브러진 강도는 야영지에 쓰러져 있고, 그렇게 로멜리아 가의 일원들은 가던 길에 다시 올라섰다.

다그닥, 다그닥.

로즈와 덴드가 사이좋게 발걸음을 맞추어 마차를 끌었다. 마차에 매인 두 놈 중 왼쪽 놈이 로즈였고, 오른 쪽 놈이 덴드였다.

마부석에서 바라봤을 때의 이야기다.

거의 쌍둥이가 아닐까 싶은 외형이었지만 로멜리아 가에서 태어나 오랜 세월 살았던 말이었고, 마찬가지로 가문에서 많은 시간을 보낸 이들은 구분하는 모양이었다. 마부석에 자주 같이 앉게 되는 질리언이 구분법을 설명해줬지만 제냐의 눈에는 별다른 차이가 없었다.

로즈가 목덜미 한 부위의 갈기 색깔이 다르다고 한다. 흑마 두 마리의 갈기는 회색빛이었는데, 로즈의 갈기 중 한 군데가 불그스름하다고 했다. 제냐는 그 말을 듣고 곰곰히 살펴봤지만 눈에 띄는 차이는 아니었다. 밝은 낮에 가까이서 관찰을 하면 보이지만 급하게 두 마리를 놓고 본다면 구분할 자신이 없었다.

뎀드는 로즈보다 키가 아주 약간 작고, 정면에서 보면 눈이 왼쪽 눈이 아래로 쳐졌다고 한다. 그리고 뒤에서 봤을 때도 몸통 부위에 여기저기 상처가 있다고 하고.

그 역시, 눈에 띄는 수준은 아니라 가까이서 손을 대고 그 피부를 쓸며 관찰해야 보이는 수준의 상처였다. 질리언의 눈에는 뚜렷하게 보이는 차이인지, 그는 그 다름을 설명하면서 똑같은 곳을 가리키며 계속해서 이야기했다.

제냐는 그저 시간을 보내기 위한 소일거리 정도로 이해했고, 잠깐 도전하고 포기했다.

이전과 똑같은 발걸음이지만, 마차의 분위기는 달랐다. 여정의 끝자락에 닿고 있었으니.

'로멜리아 가의 재흥'이라는 주제를 놓고 본다면 이 여정은 아직 시작도 채 하지 않았지만, 적어도 중간 목표인 로키 산에는 거의 다 와간다.

어제밤을 보내고, 야영지에서 출발한 마차가 부지런히 달려 산 어귀가 보이는 즈음에 다다랐다. 점심이 되기 전에 다다를 것이다.

평원 지역은 멀리 목적지가 되는 오브젝트까지 거리가 얼마나 남았나 가늠하기가 편해서 좋았다. 별다른 장애물이 없으니까, 점점 가까워지고 커져가는 산맥의 크기를 보면서 간단히 남은 시간을 잴 수 있었다.

물론 그것이 아니더라도 맵Map, 목적지 기능을 통해서 여행 거리를 잴 수 있었으니 지도만 있다면 언제든지 추론할 수 있기는 하다.

시나리오 온라인 내의 여러 직종들 중에는 이런 여행에 최적화된 클래스와 스킬군도 존재했다. 패스파인더, 트래퍼, 매퍼Mapper, 그런 이름들로 불리는 이들은 탐지, 색적 계열의 스킬들을 우선적으로 익히고 스킬군에서 파생되는 복합 스킬, 상위 스킬과 노하우를 통해서 콘란드 대륙의 지형을 누구보다 빠르고 자세하게 알아내는 이들이었다.

당장 제냐와는 관련이 없었다. 지금 일행들 중에도 없었고. 그나마 비슷한 역할을 하는 자라면 줄리앙 리스트였다. 마차에 앉아서 먼 거리에 있는 지역을 기감 계열의 탐지 스킬로 확인할 수도 있었고, 산슈카 내부의 지리라면 훤하게 꿰고 있었으니까.

평온한 여정의 끝에, 마차가 산맥 초입에 닿았다.

로키 산.

어느 유럽 신화의 장난꾸러기 신의 이름과 닮은 산이 데슈칸 산맥의 초입이었다.

닮았다고 표현하는 점은, 영문으로 철자가 달랐기 때문이다.

*

로키Lokye 산.

녹음이 우거진 산의 오르막길은 마차가 오르기에 적합한 길은 아니었다. 그러나 그럼에도, 그리터 가의 산중 성채로까지 이어지는 길목은 잘 정비된 등산로였기에 마차를 버리지 않고 이동할 수 있었다.

두 마리의 흑마, 로즈와 덴드는 전천후로 이용될 수 있는 훌륭한 짐승들이었다. 초원이건, 황야건, 협곡이건, 산길이건 가리지 않고 뚜벅이며 걷는 말들이 늠름하다.

제 때 건초와 물만 챙겨준다면 마치 모터 엔진이 달린 기계처럼 그들이 탄 마차를 끌어올렸다. 일반적인 말들에 비해서도 상당히 근력이 센 것 같았다. 로멜리아 가 특유의 품종인 것인지, 혹은 산슈카의 말들이 다 저런 건지.

별다른 특이 설정이 없을 때 비련의 시나리오 온라인 내부의 동식물들은 현실의 그것과 비슷한 세팅 값을 갖게 된다.
초마馬적인 활약을 보이는 녀석들이니 세기에 한 번 나오는 명마라던가, 혹은 특수한 종자의 말이라던가, 뭐 그런 설정이 덧붙을 것이다.

굳이 질리언이나 누구에게 물어보지는 않았다. 제냐는 세세하게 파들어가면서 게임을 하는 편은 아니다. 그러려니.

정한 뒷 얘기나 그럴싸한 설정들이 다 있겠지, 하면서 넘어가는 편이다. 소설이나 영화 류의 작품들을 감상할 때도.

지금은 경사진 길을 걸어 올라가는 말들의 궁둥이를 시야에 담으며, 그저 마부석에서 등을 기댄 채 한가로이 놀고 있었다.

제냐의 곁에 질리언도 그러고 있다.

로키 산은 정비가 아주 잘 되어 있다. 사람들이 지나다니기 편하도록 평탄하게 다져진 흙길에 억새풀인지, 뭔지 모를 것으로 엮은 천같은 게 깔려 있었다. 흙바닥에 약간 파묻혀서 걷기 편하게 도와주고, 또 기껏 다진 길이 상하지 않도록 하는 물건이었다.

성채로 향하는 길을 안내해주는 역할도 겸한다.

현대의 산책로와 비교해도 크게 떨어지지 않는 퀄리티에 놀라며

멍을 때린다.

데슈칸 산맥은 중수들이 찾는 위험 지역이었지만, 초입은 아직 별다른 문제가 없는 모양이다. 그도 아니면 그들이 이 길을 찾기 직전에 어떤 플레이어나 NPC 집단이 등산을 해서 거치적거리는 몹들을 한 번 깔끔하게 치웠다던가.

후자가 조금 더 설득력이 있는 것 같았다. 제냐는 뒤뚱거리는 흑마를 보고, 우거진 활엽수가 가득찬 산림을 바라보고, 그리고 퍼런 하늘과 구름을 처다보면서 손깍지를 꼈다. 제 뒤통수에 갖다대어 발을 아래로 쭉 뻗고, 좋은 경치를 구경했다.

공기도 맑다. 바람도 시원하고. 중부 지방은 습기가 그리 많지 않았다. 아주 메마르냐, 하면 그도 아닌 것이 이렇게 선선하게 바람이 부는 곳이 종종 있다. 여행을 즐기기에 좋은 날씨다. 플레이어들을 위한 배려일지도 모른다.

스타팅 포인트로 선택하는 이들이 많은 도시 근처가 캐주얼하게 여행을 하기 괜찮은 지형으로 구성되어 있다는 사실은.

질리언이 마부석 옆에서 입을 열었다.

"제냐 공."
"경이라고 하십시오. 씨라고 하던가."

제냐가 처다보지도 않고 뚱하게 답했다. 질리언에게 무언가 모난 감정이 있는 건 아니었다. 지난 여행 중에 그만큼 편해졌을 뿐이다.

질리언 역시 오랜 시간을 지내며 제냐를 동료로 받아들였다. 페이브나 헤슈나, 아드리안마저도 깨나 익숙해졌다.

그러나 그런 친밀감과 별개로, 질리언은 자신도 해내지 못할만한 일을 언제나 거뜬하게 해내는 제냐를 바라보며 일종의 존경심을 갖게 되었다. 자신과 비슷한 또래의 청년이면서, 그로서는 도저히 따라잡기 어려운 수준의 강함을 갖고 있다는 건 확실히 동경의 이유가 될만한 점이었다.

그만큼 질리언은 '강함'에 대해서 늘 진지하게 생각하고 있었다. 그는 전심으로 검도를 수련하는 검술가였으며, 로멜리아 가의 기사가 될 청년이었으니까. 페이브도 그렇고 질리언도, 재능이 모자라지는 않았다. 도리어 아주 뛰어난 편에 속했지.

그러니까 기사가 아닌 자들 중에서 가장 강력한 전투 능력을 가졌다고 평가 받아 줄리앙의 손에 이끌려 이렇듯 긴 여행을 떠난 것이다. 정식 기사는 아니었으나 기력술을 다르며 가문의 검술을 훈련했고, 기사에 준하는 힘을 보유했다.

장래가 유망한 무술인들이었는데, 그런 이들이 보기에도 제냐 킴은 불가사의한 인간이었다. 자신들보다 몇 살 차이가 나 보이지도 않음에도 불구하고.

인종 자체가 다르다고 느껴지기까지 한다. 여정 중에 마차가 황야의 갈라진 틈새에 빠진 적이 있었다. 한쪽 뒷바퀴가 완전히 움푹 들어간 골에 먹혀서 도저히 전진이 안 되던 때. 로즈와 텐드가 아무리 힘을 써도 각도가 나지 않을 때 제냐가 나서서 거뜬히 마차를 들어올렸다.

기본적으로 통짜 목재 구성이었고, 거기에 다양한 종류의 소재가 부품으로 섞여 들어간 데다, 넉넉한 객실 크기까지 보유하고 있어 1톤이 가뿐히 넘지 않을까 싶은 물건이었는데 그것을 사람의 손으로 든다는 게 과연 말이 되는가.

제냐로서도 애를 쓰는 것같이 보이기는 했다만, 질리언이나 페이브는 일단 자신이 없었다. 바퀴가 빠진 골이나, 마차의 자세가 영 좋지 않았기에 들만한 곳도 마땅치 않았고. 질리언과 페이브, 줄리앙까지 모두 달려들어 애를 쓴다면 가능할 지도 모를 일이다. 실제로 제냐가 없었다면 그렇게 했었어야 하리라.

그 외에도 붉은 다리 협곡에서 강도들을 토벌할 때 제냐가 보여준 것은 신위에 가까운 궁술이었다. 질리언도 페이브도, 또 집사장도 화살은 깨나 다루는 양반들이었지만 제냐 정도의 솜씨는 나지 않으리라. 장궁을 이용해서 철시를 날려대는 기력술 보유자의 사격은 투창에 가까웠고, 놀라울만큼 정확했다.

줄리앙의 경우 제냐보다 궁술 경지는 높았으나, 그만큼 넉넉한

MP를 보유하지는 않았기에 화살 쏘기에 기력술을 적극적으로 활용하기는 어려웠다.

그래서 잘 만들어진 석궁을 활용하는 것이기도 했고.

제냐 역시 협곡에서 전투를 치르면서, 이 인원들이 그리 녹록치 않은 양반들이란 사실을 새삼 깨달아서 기분이 좋은 상태였다.
퀘스트의 난이도가 가히 짐작할 수 없을 정도였고 또 길이도 길어 보였는데, 한 편으로 움직이는 이들이 저력이 만만찮다면 그래도 낙관적으로 결과를 가늠할 수 있다.

그래, 가능하니까 시켰을 것이었다. 아무리 비련의 시나리오가 지독한 시나리오를 플레이어들에게 들이밀기로 유명하다고는 해도. 게임인 이상 클리어 확률이 없는 물건을 유저에게 주지는 않을 것이다. 그건 애초에 설계의 오류였으니까.

"……제냐."
"……아무것도 안붙이는 겁니까?"

질리언 역시 제냐가 불편하거나 멀게 느껴지는 건 아니었다. 시덥잖은 농담을 주고받을 정도의 사이는 되었으니까.

"그 강함은 타고난 강함인가?"

"멍청한 질문이군요. 전에 말했잖아요. 이상한 짓거리들을 많이했다고. …뭐 물론 체질적인 부분도 부정할 순 없습니다만."

"……그래."

질리언이 말을 멈췄다. 몇 초 정도 정적이 흘렀다. 제냐와 같이 허공을 처다보던 질리언이다. 제냐는 옆을 바라봤다.

제냐보다 어리거나, 혹은 비슷해 보이는 젊은 청년의 면상이었다. 어딘지 공허해 보이는 눈으로 하늘을 올려다보는 꼴이 인상적이어서 말을 걸었다.

"뭐, 자신도 강해질 수 없는가, 그런 종류의 얘기입니까?"

"……."

질리언은 대꾸하진 않았다. 그 말에 고개를 천천히 끄덕거릴 뿐이었다.

제냐도 속으로 고갤 끄덕거렸다. 확실히 중요한 문제였다. NPC 강화. 같이 플레이를 하는 팀원들이 강할수록 퀘스트의 난이도가 내려가는 건 당연한 일이었다. 이미 진행되고 있는 퀘스트 상황에서 클리어 팀의 수준에 따라 난이도가 조정되지는 않았다.

물론 퀘스트 진행을 하면서 선택지에 따라서는 상황도 바뀌고 난이도도 차이가 날 수 있겠지만. 갑자기 수련 좀 한다고 멀쩡히 있던 작힘 백작가 병사들의 수준이 급변하지는 않는다.

"…그렇습니까. 강해질 수 있긴 하죠. 필요하기도 하고요."

질리언이 제나를 보았다. 제나는 고갤 끄덕거리고 있었다.

"어차피 아가씨들을 지키려면 그래야 할 것 아닙니까. 우리가 가는 길이 쉬운 여정도 아니고. 우선… 여태까지 전투 경험은 얼마나 됩니까? 때려 잡은 몬스터의 수라던가. 겪어온 전장의 횟수라던가."

제나는 손깍지를 풀지 않고, 늘어지듯한 자세로 계속해서 말했다. 질리언 역시 한 손으로 고삐를 몰아쥐고 벤치에 등을 깊이 댄 상태였다. 로키 산의 등반 여정은 목가적이란 말이 어울렸다.

"글……쎄? 세어본 적은 없어서 모르겠군. 남작가에서 병사로 일하면서 수십 번은 나갔을 거네…. 괴수나 맹수, 영지 근처의 도적단 따위를 상대하기 위해서 말야. 근처 영주들의 병사들과 벌였던 소규모 교전도 꽤 될 테고……."

"흐음."

NPC건 플레이어건 콘란드 대륙에서는 공평하게 경험치를 먹게 되어 있었다. 전투 직종의 강함이 올라가려면 전투를 벌이는 게 가장 직접적인 일이다. 인간들끼리 없던 다툼을 만들어 싸우는 건 이곳에서의 삶이 현실인 NPC들에게는 가혹한 방법일 것이고.

가만히 있는 괴수 류를 토벌하면서 영토 확장을 하는 게 가장 좋은 일일 테다.

전투와 훈련. 플레이어들이 해내고 있는 그 반복 노동을 결국 따라온다면 NPC들도 강해지게 되어 있었다.

물론, 게임 오버가 가상인격의 종말인 만큼 플레이어들처럼 고된 수준으로 하지는 못할 것이다. 게다가 일괄적으로 건장하며 체력적으로 우세한 기본 세팅 값을 받는 플레이어들과 달리, NPC들은 특성에 따라 유약한 자들도 얼마든지 있었다.

견딜 수 있는 한계 이상의 트레이닝을 받는다면 강해지기 전에 죽는다.

NPC들도 각기 적성이라는 건 있었지만, 어쨌든 콘란드 대륙의 논리대로 계속해서 강해질 수는 있을 테였다. 세계관이 품을 수 있을 만큼은 끝까지 스텟을 올릴 수 있는 법이다.

마침 자신에게는 포션이 두둑하게 있었다. 치유 스킬은 없었지만. 돌아가면서 굴리는 정도는 괜찮을 것이다.

느리고, 약소하지만 치유 효과가 있는 아티팩트가 두 아가씨에게 있었다. 붉은 물약을 때려박고 붕대를 감고, 약품을 쓰고, 아티팩트까지 쓰면 누가 죽지는 않으리라.

제냐는 그런 계산 속을 굴리며 기감을 확장시켰다.

그의 반경 수십 미터 정도로 감각이 넓어졌다. 3D 데이터 맵처럼 대략적인 정보가 그에게 들어왔다. 특정 조건으로 범위를 좁혀서 무언가를 찾아낸다.

산길의 중심지에는 별다른 소요가 없었지만, 그 너머 조금만 들어가도 이미 짐승들의 영역이었다. 시나리오 온라인 내부의 자연 지형들은 현실 지구의 그것과 달리 아주 야만적이며 인간에게 불친절한 곳이었다.

피스 시 근처의 파란 귀 토끼만 하더라도 그렇잖은가. 한 번 싹 점검을 하고 토벌을 하고, 도리어 희귀 생물들의 멸종을 걱정해야 하는 지구의 사정과 달리 이곳의 숲과 자연은 언제 날카로운 어금니를 들이밀 지 모르는 위험천만한 곳이었다.

설령 초인들이라고 해도 경계를 늦추어서는 안되는 그런 수준이다.

데슈칸 산맥의 초입.

로키 산의 수준이 감당하지 못할 정도는 아닐 것이다. 레벨링 역시 필요했다. 평화로운 것도 좋지만 전투는 플레이어를 플레이어로 만드는 근본적인 행위 중 하나였다. 전투 직종의 이야기였지만, 제냐는 전투 직이다.

기감의 영역을 확장시켜가며 주변을 더듬었다. 평범한 감각으로 느낄 때 그러했듯이, 기감 탐지 스킬로 색적을 해나갔지만 근처에 이렇다 할만한 놈이 없었다.

그 반경을 백 수십 미터 정도로 넓혔을 때 적당한 놈들이 걸렸다. 생각보다 가도 근처가 깨끗하게 소탕되어 있었다. 산지기 가문이라는 그리턴 가에서 일을 상당히 잘 하는 모양이었다.

봉우리 위쪽의 성채까지는 아직 갈 길이 남아 있었다. 3D 맵에 드러나는 정보, 특히 적당한 위험도의 몬스터 위치를 보며 제냐는 머릿속으로 시뮬레이션을 돌려봤다. 이대로 주욱 올라가면 넉넉하게 저녁 전에 닿을 것이다. 그 전에 한 두 차례 소요가 일어난다고 해도 여정에 무리는 없겠지.

툭, 툭. 제냐가 마차 내부를 두드렸다.

"왜 그러나."

열린 창문 새로 줄리앙의 목소리가 들렸다. 제냐가 말했다.

"어르신. 듣고 계셨는지 모르겠습니다만. 저한테 질리언을 맡겨주시면 빡세게 굴려보겠습니다."

"호. 이를 말인가. 바라던 바라네."

줄리앙은 제나와 많은 대화를 나누었다. 개중에는 두 청년의 미래에 대한 말도 포함되어 있었다. 실전은 사람이 가장 빠르게 성장할 수 있는 방법이었다. 적당한 훈련 교관이 옆에 붙어있다는 전제 하에 말이다.

그리고 줄리앙은 체험적으로 캐릭터가 성장하기 위해서 몬스터를 잡아 죽여야 한다는 사실을 인지하고 있었다.

적과의 싸움에서 살아남을 때마다 그 노인 역시 계속해서 강해졌으니까 말이다.

플레이어의 신체와 달리 NPC들은 이 세계에서 무수한 시간들을 보냈으므로, 나이에 따른 노화와 전투 능력의 열화가 있었지만 그 이상으로 레벨업을 한다면 큰 문제는 아니었다.

전투 능력의 열화는, 신체적으로 다소는 어쩔 수 없는 일이었다. 젊은이보다는 같은 수련을 해도 체력적으로 성장세가 둔화되게 되어 있다.

특질의 체질이나 스킬들을 갖고 있지 않은 이상은.

"…가는 길에 사냥을 좀 해도 괜찮겠습니까? 아무런 방해 없이 처리하겠습니다."

"마음껏 하게."

줄리앙이 대답했다.

그가 그렇게 말한 이유는, 제나를 믿기 때문이었다. 아드리안과 헤슈나는 괜찮아 보였다. 오는 길에 소란이 하나 있었지만 그녀들에게 충격이 간 바는 없었다. 마차가 심하게 덜컹거렸고, 보이는 곳에서 화살과 돌무더기가 떨어져서 어린아이가 조금 놀라긴 했지만, 그뿐이다. 그녀 역시 로멜리아 가의 여식이었고 이런 소란과 전투에 결국은 익숙해져야 했다.

언젠가는 그녀가 직접 지휘관으로서 가문의 군대를 이끌 날조차 오리라. 지금은 먼 미래였지만.

견디어 낼 수 있는 소란이라면 줄리앙은 기꺼이 바라는 바이기도 했다.

두 명의 아가씨를 모시고 있는 입장에서, 그녀들의 안위에 무리가 간다면 어떤 일도 사실은 해서는 안되겠지만 컨트롤 할 수 있는 리스크의 한도 내에서 호위자들의 무武력이 올라간다면 결과론적으로 일행이 안전해지는 길이었다, 그건.

줄리앙은 여유가 많지는 않았다. 마차가 움직일 때마다 그가 알고 있는 지형도 내에서, 매복이나 기습이 올 수 있는 길목 쪽으로 원시遠視 계열의 탐지 스킬을 계속해서 쓰고 있었다. 거대한 범위를 한 번에 알 수는 없었고, 먼 거리의 일정한 구간을 탐색할 수 있는 스킬이기에 여행을 눈으로 미리 답사하듯 소규모의 색적을 긴 시간, 반복해서 해야만 했다.

줄리앙이 산슈카의 지형을 머리에 넣어두고, 또 원시 스킬이 있었기에 미리 알고 쓸 데 없는 위험들을 피할 수 있었다. 어쩌면 세슈칸 가는 길목에서, 그토록 아무런 인적도 없는 시간대에 그들의 마차와 조우했던 것도 나름의 필연일 지 몰랐다.

제냐로서는 다른 위험들을 운좋게 피했기에 로멜리아 가의 마차를 만날 수 있었던 셈이었고.

마차는 약간 경사진 길을 끊임없이 올라갔다. 산책로는 아주 가파른 부분이 별로 적었고, 완만하게 죽 이어지는 오랜 길이었기에 마차가 다니기에도 편했다. 가만히 올라가는 과정 중에 생각을 해보면, 데슈칸 산맥 초입에 가문의 성채를 지어낸 그리턴 가문이 그들의 물자를 올릴 방도 또한 마련해야 했기에 이런 편리한 길이 있지 않은가 싶었다.

편리한 길은 필연적으로 군대와 병사가 사용할 수도 있었다. 자신들의 성채로 이어지는 길을 모두가 이용할 수 있는 산 입구로부터 뻗게끔 만들어 두고 정비하며 살아가는 산지기 가문의 자신감이란 어떤 것일까.

제냐는 산슈카에 대해서도, 콘란드 대륙 내의 이야기에 대해서도 별로 아는 바가 없었다만. 막연하게 상상해보자면 대단한 성채와 수성 준비를 마쳐놓고 외적들을 물리쳐 온 그리턴 가문의 악착같음이 그려진다.

국경 부근이 아닌 산슈카 중심지에서 약간 남쪽에 있는 지역이어서 특별한 변란이 나라에 일어나지 않는다면 적국의 침입을 받는 일은 별로 없겠지만.

말했듯 산슈카 국내에서도 상황이 불안정하기에 가문의 보물이나 지위 따위를 노리고 계략을 꾸며 덤벼드는 도적같은 자들이 있을 수 있었다.

또한 데슈칸 산맥이 그 자체로 플레이어들에게 개방된 사냥, 전투 필드인만큼 몬스터들의 접근을 막는 일도 상당한 수고로움일테고. 산지기 가문. 고도로 훈련된 레인저들을 정병으로 거느린 유서 깊은 귀족가의 모습일까.

작힘은 직접적으로 아티팩트에 욕심을 내면서 로멜리아와의 언약을 배신했지만, 그리턴 가문은 어떤 반응을 보일 것인가, 의 문제도 있기는 했다.

전 남작의 유언에 따라 해결책으로 가고 있는 여정 중이기는 했다만 직접 만나본 바는 아니니 대면해서 이야기를 해야 결론이 나리라.

제냐로서는 당장 고민을 해봐야 답도 없고, 쓸모도 없는 문제들이었다. 그는 제 검은 앞머리칼을 조금 매만지면서 해야 할 일을 하기로 했다.

그들이 마차를 탄 채 오르고 있는 흙길에서, 제냐의 기준으로 10시 방향 122m 부근에 고블린들이 있었다. '몬스터', '비인간', '적정 레벨' 따위의 정보를 조건으로 찾다가 발견한 것들이었다.

'적정 레벨'이라는 건 기본적으로 캐릭터가 감각하고 선택하고, 시스템이 약간의 플레이를 위한 보정을 더하는 게임 내부의 일관적인 메커니즘처럼 제냐가 어림짐작으로 파악할 수 있는 강함의 척도였다.

고블린은 이미 잘 알고 있는 몬스터 종류였고, 그가 판단했을 때 별다른 특이점이 보이지 않아서 괜찮은 대상으로 골랐다.

농담으로라도 인간으로 부를 수 없는 녹빛의 피부를 가진 이족 보행형의 소악귀들은 오크보다 훨씬 체구가 작았다. 인간보다 거대한 체격을 가진 오크와 달리 인간보다도 작은 형태로, '소형'으로 분류되는 크기였다.

일반적인 사람 체격의 상식적인 수준을 벗어나지 않는 크기라면 소형으로 분류되었다. 소형의 최대 크기가 건장한 사내 정도였고, 최하 크기는 일반적으로 마주할 수 있는 다양한 소형 짐승들이었다.

토끼, 고양이, 다람쥐, 박쥐, 뭐 이런 것들.

곤충 중에서 작은 포유류 동물과도 맞먹는 크기를 가지는 놈들은 소형이었고, 일반적으로 느끼는 손가락만한 크기 아래의 벌레들은 전부 '극소형'으로 분류된다.

육안으로 관찰 가능한 평균적인 벌레들이 '극소형'의 최대 크기였으며, 그 아래로 무수한 생물군이 존재했다.

몬스터로 분류되는 행동 양식과 생명을 가진 몹들 중에는 안개 따위의 형태로 뭉쳐서 사람을 공격하는 '균류'의 일종이나 그 외에 판타지적 모티브로부터 탄생한 입자 형태의 괴물들이 있었다.

마치 게임 속에서 상처와 피가 빛의 입자로 표현되는 것처럼, 그와 비슷한 모습으로 의태를 하며 플레이어와 인류를 공격하는 고약한 성질의 몬스터들도 있었고.

소형의, 그들보다 몇 수 아래의 전투 능력을 갖고 있고, 골치 아픈 특성도 없이 리스크를 충분히 제어할 수 있는 대상인 고블린 7마리가 타겟이다.

데슈칸 산맥과 그 초입인 로키 산은 고블린보다 훨씬 더 강력한 몬스터와 야수, 짐승들이 많았지만 그것들과 훨씬 약한 소형 동물들은 공존하고 있었다. '자연계'가 이루어져 있는 것이 시나리오 온라인 내부의 환경과 모습이었고, 주로 사냥을 위한 적정 난이도의 필드라는 건 경험치를 먹을 만한 해당 레벨의 몹들이 많이 있느냐, 만을 따지는 이야기였다.

초고레벨의 유저들이 애용하는 사냥 필드에도 얼마든지 초보자가 잡아낼 수 있는 몹들이 서식한다. 그런 사냥 도중에 예기치 못한 위험을 맞닥뜨리고 그것을 컨트롤할 새도 없이 한 방에 게임 오버를 당할 가능성이 있으니 접근 금지나 비슷하게 된 것 뿐이고.

언제나 주의를 기울여야 하는 비련의 시나리오는 플레이어들의 신경을 곤두세우게끔 하는 서바이벌 게임이었다.

제냐 역시 티를 내지는 않지만 귀족 가의 시나리오에 휘말렸을 때부터 내심 긴장하는 면이 있기도 했고.

살아남기 위해 할 수 있는 일은 모두 한다. 시간을 아끼기 위해, 제냐는 인벤토리를 열어 활을 꺼냈다. 벤치에서 갑자기 붉은 색의 목재 장궁을 꺼내 잡자 질리언이 눈을 동그랗게 떴다. '지금 갑자기 뭐하는…' 하고 미처 물을 시간도 없이, 제냐는 철목시 하나를 꺼내들어 시위에 걸었다. 살짝 벤치에 걸터 앉으며 몸의 방향을 바꿨다.

경사 위를 불규칙적으로 걷는 마차의 마부석 위에서, 약간 몸을 앞으로 기울이며 각도를 만들어 장궁을 조작한다. 자연스러운 손놀림으로, 마치 십 수년 이상 그 행위만 반복해온 장인마냥 깃을 말아 쥐고 팽팽하며 강력한 시위를 흉근과 배근 등을 써서 주욱 당겼다. 대흉근과 광배근 등 커다란 근육들이 어지간한 소형 기계보다 강력한 압력으로 수축하며 괴물같은 힘이 필요한 시위를 붙들어 늘어뜨린다.

대근육도 중요하지만 말단 부위의 소근육들도 상당한 역할을 한다. 모든 일이 그렇듯, 결국 장인들 사이의 퀄리티란 디테일에서 승부가 나는 것이었으니까.

손목, 말아 쥔 손과 손가락, 몸짓 하나마저 미세하게 움직이며 조준한 시위를 약간씩 틀고 활대, 화살촉의 끝이 변한다.

제냐는 이미 스킬이 발동하며 붉은 궤적이 뜬 시야를 바라보고 있었다. 감지 계열 스킬을 쓰고 있는 궁사의 화살을 벗어나기란 거의 불가능에 가까웠다.

뭐, 물론 그 화살을 맞는 상대방들도 늘 초인적이며 초현실적인 기술과 능력들을 가진 콘란드 대륙이라 얼마든지 빗나가기는 한다만.

적어도 지금 노리는 고블린들은 재주가 부족했다.

주욱 뻗어 나가는 화살의 예상 궤적에 나뭇가지나 그 몸통의 끄트머리가 몇 군데 걸렸지만, 상관하지 않았다.

기력을 담은 중급 복합궁은 말이 화살이지 이미 투창 그 이상의 위력을 원거리에 투사하는 무기였다. 또 말이 투창이지, 기계식 병기의 탄환보다 강력할 것이다. 지금이라면 거목을 뚫고 그 너머에 있는 오크를 관통할 수 있었다.

부과하는 기력술-궁술의 위력에 따라 그보다 더한 짓도 가능할 지 모른다. 컨트롤이 불안정해지고 정확도가 급감하기에 자주 쓸 수 있는 방법은 아니다.

제냐의 손은 현실의 김서원의 그것과 크게 다르지 않았다. 게임 내에서 궂은 일을 반복해서 그런지 조금 거칠어지기는 했다.
사진을 찍어 나란히 놓고 본대도 같은 손의 모습이라고 할 것이다.
대단한 변화까지는 아니다.

그럼에도 게임 내, 가상의 일이라 무지막지한 부하를 견디며 장궁을 다루었다. 장력의 최고점에 이른 시위가 팽팽하다.

활대 역시 그 몸을 뒤틀면서 투사체를 날려낼 준비를 했다.

붉은 궤적이 고블린의 근처에 닿았다.

한 번에 격살하려는 의도는 아니었다. 그들이 있는 곳까지 불러오려는 의도였지. 제냐는 열의 초상력을 사용했다. 그가 당긴 시위에 불꽃이 넘실거리, 는 것 같은 환상이 덧입혀졌다. 실제 불은 아니고 모습이다. 그러나 초능력이 실존하는 이곳에서 모습이란 중요한 요소였다.

열량을 가진 MP가 일시적으로 인챈트 되었다는 사실을 알리는 효과적인 시각 연출이었다. 시위를 타고 들어간 불의 MP가 철목시에 닿았고, 곧 그 머리끝 화살촉 말단에 닿기까지 얼마 걸리지 않았다.

다그닥, 혹은 또각. 로즈와 덴드 두 마리는 무심하게 걸었다.
마부석에서 보면 왼쪽에 자리한 놈이 로즈다. 흑마는 인간은
아니지만 마치 표정이라고 생각될만치 얼굴 근육을 풍부하게
움직였다.
심드렁한 눈빛이라고 보일 수 있는 기색으로 덜 다듬어져
튀어나온 돌멩이를 툭, 제 앞발로 차고 걷는 와중이었다.

나뭇잎을 본다면 몇 개가 바람에 날려 후두둑, 떨어지고 있었다.
제냐가 화살을 조준한 채 바라보고 있는 시야로, 바로 앞 몇
미터에 있는 활엽수 한 개에서였다.

식물은 잘 모르지만 수종은 대강 비슷한 것 같았다. 엇비슷하게
생긴 모양새가 주욱 이어진다. 흙길에 인위적인 멍석 따위를 길게
깔아놓은 모양이고, 마차 두 세대가 간신히 지나갈만치 폭이
나왔다. 그 산책로 양 옆으로는 빽빽하게 산림이 형성되어 있었고.

나무와 나무 사이, 그 틈새로 먼 거리에 있는 고블린의 그림자를
본듯도 한 제냐가 시위를 잡던 오른 손아귀를 툭, 놓았다.
툭, 이라고 표현했지만 손가락을 떼는 그 미세한 움직임 외에
그의 근육은 정지한 듯 보이는 절묘한 사격이었다.

명필가가 움직여야 하는 붓 끝만을 미세하게 조작하듯 흐트러짐 없이 시위를 놓아준 제냐의 선택에 철목시 한 대는 허공으로 자유로이 비행했다.

바람도, 산의 거목들의 버티어 선 방해도, 흐드러지게 떨어지는 여러 잎사귀들의 눈가림도 제쳐놓고 날아간 화살의 끝이 매섭게 빛났고,

숨 한 번 들이쉴만한 타이밍에 몇 개의 장애물을 패도적으로 시나쳐 목적지에 다다랐다.

절묘한 힘 배분이었고, MP량의 투입이었다. 적절히 궤적 상에 걸리는 물질만 분해하고 목표가 되는 나무 몸통에 깊이 박혀들어갈만큼 세게 날린 화살이 딱 그렇게 나무 한 그루를 쑤셨다.

열기를 미약하게 띄었던 그 불길의 연출은 게임 내에서는 사실적인 정보였고, 미리 주변인들에게 일렀던 암시를 그대로 실현시켰다.

"끼이이익!"

하고 고블린 몇 마리가 화들짝 놀라며 울었다. 놈들은 숲 어귀,

자그마한 공터에 모여 나무 뿌리에 상처를 내고, 몇 놈은 금방 잡은 토끼를 해체하며 놀고 있었다.

먹기 위한 짓이었지만 몬스터로 분류되는 괴물들은 잔혹하며 상종하기 어려운 면이 있어 생물들을 이유 없이 파괴하곤 한다. 먹이의 숨통을 지저분하게 끊는다던가, 요리가 아닌 의미 없는 행위로 그 사체를 분해한다던가 말이다.

물론, 플레이어의 시각이 닿을 가능성이 있다면 그건 곧바로 게임적 모자이크 연출로 처리되어 빛가루가 날릴 뿐이다.

그렇게 제 성정대로의 일을 하고 있던 놈들이 기겁한다.

놀란 건, 화살이 날아오면서가 아니었다. 이미 콰지직! 소리를 내며 깊이 박혀 들어간 이후였다. 눈으로 좇을 새도 없이 빠르게 비행한 화살의 궤적은 눈치채지도 못했다.

그 다음으로, 나무에 깊이 박힌 철목시가 스스로 불꽃을 바깥으로 토해내며 열기를 띄었을 때 더욱 놀랐다.

나무 한 그루에 불길이 옮는듯 하며 연기가 피어올랐다. 강한 불꽃은 아니었다. 고블린들을 놀라게 할 목적으로 뿌린 한 수였으니, 가급적 요란스런 연출이 보인다면 그걸로 족하다.

생목에서 자욱하게 연기가 피었고, 고블린들은 황급히 그 자리를 피하려 했다.

제냐의 목적이 그것은 아니었다. 놈들을 이곳으로 유인하는 것이었지.

"이야-!"

고블린들이 낸 소리가 아니었다. 그것들이 있는 숲 내부에서 듣기로는, 멀리 바깥쪽에서 울리는 사람의 고함 소리였다. 찌르는 듯한 소리가 그들이 있는 방향으로 전해져 왔다.

제냐가 온갖 사투를 벌이며 얻어낸 '전장의 고함'이라는 스킬이었다.

세슈칸에서 파티 플레이를 하다가 먹었다. 일반 스킬 중에서 희귀도나 유용성이라는 위력을 따졌을 때 상위 스킬이었고, 플레이어들의 사용평도 호평인 기술이다.

제냐는 자세한 조건을 알지 못했지만 '전사warrior'로서 자신보다 체격이 큰 몬스터에게 근접전으로 싸워 이기는 경험이 누적되면 얻을 수 있는 기술이었다. 근접 전사들은 자연스럽게 얻게 되는 필수 스킬에 가까웠고, 몬스터들의 주의를 끄는 플레이인 어그로Aggro 관리를 위해서도 꼭 필요한 부류였다.

보통 RPG에서 흔한 용어로는 '도발'류의 스킬이라고 한다. 상대의 이성, 침착성을 무너뜨리고 호흡을 빼앗는 용도로 유용하다.

고블린들은 대개의 경우 플레이어들보다 늘 약자의 위치에 서는 소형 몬스터이다. 초보자 딱지를 뗀 이들이라면 대부분 아래로 볼 수 있는 놈들이었고.

그러나 '야성野性'을 지닌 몹, 개중에서도 인류를 향한 적개심을 갖고 있는 귀신 류의 몬스터들은 그들보다 강자의 도발이라고 쉽게 도망가지 않는다.

피어Fear가 물리적인 영향력을 발휘해서 압살할 정도의 격차가 아니라면, 소악귀들은 언제나 무모한 돌진을 감행한다.

그 귀성과 야성을 깨워주기 위한 고함 소리였고, 지향성을 가진 외침이 멀리 제냐가 있는 위치에서 고블린들에게까지 닿았다.

시야를 돌려 산책로의 마차를 바라보면,

마부석에 있다 갑자기 화살을 쏘아 날리고 고함을 지르는 제냐의 모습이 미치광이처럼 보이기는 했지만, 생각보다 전장의 고함이 핀포인트로 날아가는 음향이라 내부에 있는 아가씨들이 경기를 일으키지는 않았다.

소리 자체의 성질도 그러했고, 소리로써 전파되는 SP의 작용 역시 그러했다. 사용자가 스킬의 타겟으로 삼은 목표물이 아니라면, 근거리에 있는 아군은 더더욱 아무런 영향을 받지 않는다.

”왁.“

하고 아드리안이 졸던 고개를 치켜 들며 잠에서 번쩍 깨기는 했다. 잠결이라 정신이 없어서 놀랄 새도 없었을 것이다 그리고.

헤슈나는 움찔 떨며 바깥 쪽의 창문을 바라보았다. 줄리앙과 제냐가 하는 말은 들어서 알고 있었지만, 구체적으로 어떤 형태가 될 지는 가늠할 수 없었다. 저렇게, 하는 모양이었다.

줄리앙은 고요하게 집중하며 객실 내에서 로키 산의 풍경을 전체적으로 훑고 있었다. 한 번에 보는 것은 불가능했지만, 그 모습을 확대해서 샅샅히 또 일일이 보는 것은 가능했다.

그가 가지고 있는 색적 스킬, ‘감시자의 원시’는 약 반경 100에서 200m정도의 범위를 대략적으로 파악할 수 있었다. 사용자의 근거리를 기준으로 펼쳐지는 ‘천공의 눈’, ‘매의 눈’같은 스킬보다 정확성은 조금 떨어지지만 정찰용으로는 최고의 무기였다.
해당 범위에 존재하는 사람 크기 정도의 물체는 잡아내지 못하는 것이 더 어려운 일이었고, 기감 계열의 일종이라 기력술이 발전하면서 조금 더 세밀한 운용과 색적까지 가능해진다.

희귀 급의 스킬이었고, 이전 투명화 스킬로 협곡 상부에 숨었던 강도단들처럼 상대가 비책을 갖고 있다면 파훼하지 못할 때가 많았다.

그러나 그런 은엄폐 기술을 전문적으로 갖고 있는 이들이 그리 흔하지는 않기에 줄리앙은 상당한 신뢰도를 가지고 써먹고 있는 편이다.

말 그대로 그럴싸한 장소에, 상당한 자원과 인력을 투입해서 그들을 노리는 귀족가나 그 이상의 집단이 아니고서야 그의 원거리 정찰을 피할 수 없는 것이다.

그것을 위해 가장 중요한 건 결국 그들 일행이 움직이는 여행 경로를 알리지 않는 것이었고. 같은 길도 목적지를 짐작하지 못하도록 흔히 다니는 선택지를 피해 골라가는 중이었다.

그럼에도 불구하고 어쩔 수 없는 길목이 있어, 붉은 다리 협곡 같은 곳을 지나게 되고는 했고.

'감시자의 원시'로 산 내부의 정보를 파헤치고 언제라도 위급 상황에 대처할 수 있도록 보유하고 있는 다양한 장비나 무기들을 염두에 두며 유지 가능한 수준의 긴장을 하고 있었다.

바깥에서 제냐가 '눈'의 역할을 하고 있을 때는 조금 쉬어도 좋았지만 지금 그가 여행 중의 틈새를 사용해서 질리언을 훈련시킨다고 하니, 객실 내에 있는 그가 체력을 소모해야 하는 것이 맞았다.

페이브는 오래도록 줄리앙과 함께 여행을 다녔으므로, 정확히 집사장의 내력과 기술을 알지는 못해도 비슷하게 짐작하며 자신의 기세를 갈무리했다.

성채까지의 길은 그리 복잡할 것도 없었고 위험한 지형도 없었다. 붉은다리 협곡처럼 매복하기가 딱 좋은 곳도 별로 없다. 로키 산은 완만한 산세를 가졌고 멀리 있는 성채까지 굽이진 길을 계속해서 걸어가면 될 뿐인 등산로를 가졌다.

아마 성채 쪽에서는 그리턴 가의 길을 사용해 정면에서 올라가고 있는 마차를 인식했을 확률이 높았다. 산등성이에 가려 지금은 성채의 모습이 보이지 않았지만 몇 개의 고개를 넘으면 육안으로도 보일 것이다.

산지기 가문이 평범한 대비로 산 위에 군림하지는 않을 테니, 아마 방문하는 자들이 어떤 의도를 가졌든 일찍 알고 준비하기 위한 정찰용의 초상 스킬 따위는 있으리라.

반대로, 줄리앙은 그리턴 가의 산중 성채를 정확하게 확인하기 어려웠다. 그 외관은 이미 보았지만 내부는 스킬로 방비가 되어 있어 감시자의 원시가 먹혀들지 않는다. 희귀급 이상의 은엄폐 기술이 적용된 것이다.

아이템일 수도 있었고, 스킬일 수도 있다.

보통 어느 정도 세력이 있는 귀족가는 방비 용의 아티팩트를 충분하게 구비해둔다. 어지간히 가문의 재력이 부족하지 않는 이상에는 말이다. 혹은 규모가 아주 작고, 일어난지 얼마 되지 않은 소귀족의 가문이라거나.

로멜리아 가도 많은 것을 잃어버렸고 영토 또한 대귀족들에 비하면 자그마한 것 하나 뿐이었지만 초상력을 사용한 대비는 철저한 부류다.

영지에 남겨두고 온 여러 도구들과, 부하들을 이용해 기사단장이 잘 지키고 있으리라.

줄리앙은 목적을 되새기며 기력을 움직였다. 초상력을 운용하는 의지력은 결국 몸을 쓰는 기사들 또한 상급으로 올라갈수록 중요해지는 능력이었다.

정신적인 집중은, 육체적 근육의 작동만큼이나 중요했고, 때로는 그것이 더 앞설 때도 있었다.

*

고블린들은 달렸다.

소악귀라고 불릴만한 찢어진 입매, 툭 튀어나온 뾰족한 이빨들,

초점이 없는 풀린 동공, 광기 어린 표정, 파충류를 닮은 녹빛의 피부가 매끈하다.

자신들의 키보다도 큰 수풀도 거침없이 뛰어넘으며 그것이 달렸다. 짐승들의 질주에는 거리낌이 없다. 그것들은 야성과 귀성에 따라 행동하는 AI였고, 인류의 적대자다.

식인과 살인을 위해 달려나가는 몬스터들의 행각과 외형은 때로 어린 플레이어들에게 트라우마를 주기에 충분하다. 전투 직종은 일정 나이 이상의 플레이어들에게 권장되었고, 미성년이며 심지어 연령대가 더욱 어리다면 데포르메 되거나 다양한 형태로 모자이크가 된 광경들이 보여졌다.

제냐는 성인이었고, 정신병력도 없었으며, 그런 모드에 동의하며 체크해둔 세팅도 아니기에 그것들을 그대로 바라볼 수 있었다.
뭐, 조금 혐오스러울 수 있었지만 현실에도 얼마든지 끔찍한 것들이 많았다. 말 그대로 아가리를 디밀고 달려오는 짐승류라고 생각하면 그리 기이할 것도 없는 광경이다.

이족 보행을 한다고 치면, 흉폭한데다 광기라도 든 야생 원숭이를 만났다고 생각하면 적응하기 어렵잖다.

백 여 미터의 숲 길을 제 집 안마당처럼 순식간에 질주해서 달려드는 여러 고블린들을 제냐는 정확히 인지하고 있었다.

"끼기긱!" "기이이이!"

하나같이 성대를 긁으며 괴상한 고음을 질렀다. 나무 껍질에 제 몸이 쓸리고 부딪혀도 전혀 개의치 않고 달린다. 전사의 고함은 아주 효과가 좋다.

죽을 자리도 모르고 달리는 고블린들의 입매가 더욱 길게 찢어진다. 이빨이 날카롭다. 그것으로 뜯어먹는 육식을 하는 놈들이라, 충분히 무기였다. 몇 놈은 단단한 나뭇가지의 끝을 뾰족하게 갈아 들고 있었다. 두어 놈은 쇠붙이, 단검류를 양 손에 들고 있다.

맨 손과 맨 발로 뛰어대고 있지만, 무기가 없는 놈들도 한껏 손발톱을 세워 낸 동작으로 거슬리는 수풀더미를 치워내며 전진한다.

고블린들은 점프력이 좋은 편이다. 생각보다 작은 몸집에 방심하고 있다면, 입체적인 움직임을 보고 당황해 순식간에 게임 오버를 당할 수도 있었다.

대개의 몹들이 그러하듯, 지형과 특성에 따라서 같은 고블린이라 하더라도 강함의 정도도 신체 능력의 수준도 전혀 달랐다.

로키 산의 고블린은 스타팅 포인트로 꼽히는 초보자 도시들 근처에서 마주하는 고블린들보다는 조금 강력한 부류다. 그래보아야 레벨 10대에서 잡히는 수준이지만. 준수한 전투력을 보유한 제냐나, 기사 급의 전력인 질리언에게 위협적인 존재는 아니었다.

적극적으로 반항한다면 다소 까다로울 순 있어도, 전투가 성립한다는 것 이상의 큰 의미는 없다.

그러나 언제든, 가리지 않고 계속해서 전투를 하는 감각이 중요하다. 결국 이 시나리오 온라인 세계는 가혹한 성장 법칙을 도입하고 있었다. 현실 역시 노력의 땀은 배신하지 않는다. 이곳엔 수치적인 성과가 더해졌을 뿐이었다.

현실의 인간의 육체는 초인적으로 변해갈 수 없지만, 이곳은 경험치를 쌓고 적절한 부하를 걸면 그만큼 강력해지고 그 한계는 사람의 몸으로 드래곤을 이길 수도 있게 된다.

아주 먼 옛날의 일이고, NPC들에게는 더욱 상상이나 다를 바 없는 이야기지만.

적대적인 생물체를 잡아 죽이고 전투를 통해서 얻는 경험치도 중요하다. 강도와의 싸움이 제냐에게 경험치가 되었듯, 줄리앙, 질리언, 페이브, 그리고 심지어 헤슈나에게도 경험치 수준이 올라가는 사건이었을 테다.

규격을 정하고 행동과 결과, 만물에 숫자를 매겨버린 디지털 세상에서는 그 법칙대로 강함을 추구하는 것 역시 중요했다. 시험 결과를 만들기 위해서 방식대로 객관식 문제를 풀고 체크를 해야 하듯이, 이름을 적고 시험지를 제출해야 하듯이.

여기서는 몬스터를 사냥해야 했다. 전투직이라면.

직관적으로 알 수 있는 형태의 세상이었고, 경험적으로도 확신을 갖게끔 되지만 의외로 명시화된 정보를 갖는 플레이어들과 공략법이 없는 NPC들과의 행동의 격차는 상당히 컸다.

지혜나 지식의 부류로 뼈저리게 알고 있는 베테랑, 혹은 노인들, 지자들이 아니고서야 어리거나 젊은 캐릭터들은 모르는 것이 아주 많다.

고블린들이 발치에 걸리는 흙, 돌멩이, 나무뿌리, 수풀 따위를 밟고 쳐내고 달려서 그들에게 가까이 닿는 동안 제냐는 질리언을 일깨웠다.

맨 살에 원시인이 연상될법한 가죽이나 천 옷 따위를 대충 걸쳐 입은 고블린들의 행색이다. 그마저 없는 놈들도 있었고. 일반적인 짐승이 그러하듯 생식기 따위가 있어야겠지만, 굳이 표현하지는 않았다, 이곳에서.

인류형 캐릭터들, 그러니까 NPC들 역시 완전한 맨 몸은 플레이어들이 관측할 수 없었다. 피나 상처가 모자이크로 처리되듯이 중요 부위는 가려진다. 유일하게 볼 수 있는 건 자신의 몸이었는데, 그것도 설정으로 가릴 수 있었다.

비쥬얼 설정을 오픈으로 해둔 채 옷을 벗는다고 해도, 타자의 시선에서는 NPC가 그러하듯 모자이크 처리가 되어 보이지 않는다. 남성의 경우 하물과 그 부근, 허벅지 근처까지가 모자이크의 범위였고 여성이라면 하체 부위와 상체의 유방 부위가 모자이크 처리가 된다.

현실에도 있는 동물의 경우엔, 동종의 짐승끼리의 자연적인 교미에는 성인에게까지 락을 걸지는 않는다. 미성년도 아니며, 별다른 모드 설정도 하지 않고, 해당하는 비쥬얼 그래픽에 노출될 수 있다는 주의문에 동의를 해 둔 플레이어들은 간혹 동물 다큐멘터리를 보듯 생태계의 흔한 모습을 관찰할 수도 있었다.

녹색의 피부가 녹음이 우거진 산림에서 내달린다.

자신의 살갗이 까지고 상처가 입는 줄도 모른 채 달리는 소악귀들의 기세가 흉흉했다.

곧, 그것들이 수풀이 우거진 곳에서 벗어나 산책로에 닿았다.

햇살이 잔뜩 쬐고 시계가 확 넓어지는 그 순간 너른 허공에서 불어오는 바람이 고블린들을 맞이했다.

그것들만 고블린을 환영한 건 아니었다.

쉬익,

하고 화살 한 대가 날았다.

고블린은 분간하지 못했으나 그건 철목시의 화살이었고, 제냐는 마부석에 앉아 있다가 고블린들이 오는 방향을 가늠해서 노리고 있었다.

모습을 드러내자마자 한 발 날린 것이 코 앞의 목적지에 닿았고, 제일 먼저 튀어나온 놈의 왼쪽 어깻죽지를 꿰뚫었다. 아니, 관통해서 지나갔고 연결 부위가 통째로 사라지는 격통을 느낀 고블린은 자신의 왼팔 있던 자리가 허전하다는 걸 알았다.

"캬아아아아아악!"

찢어지는, 새된 비명과 함께 전투가 시작 되었다. 제냐가 질리언의 등치를 발로 퍽, 밀었다. 그의 양 손은 장궁을 쥐고 있었다.

질리언과 제나는 마부석에서 내리며 다소 떨어진 자리의 숲 속에서 튀어나온 고블린들을 반기며 칼날을 휘둘렀다.

*

”…헉.“

갑자기 떠밀린 질리언은 급속도로 전개되는 상황에 머리가 쫓아가지 못했지만, 몸은 정직했다. 그는 전투를 위해서 반평생 이상을 칼날을 휘둘러 온 엘리트 병력이다. 기사 작위는 받지 못했지만 기사에 준하는 전투 능력을 갖고 있었다.

생각보다도 그의 칼날이 먼저 반응했다. 그는 제냐가 떠밀자 마부석에서 넘어질 듯 위태로이 내렸고, 그 관성을 이용해서 그대로 내달렸다.

십 수 미터 정도 떨어진 위치에 나타난 놈들을 향해 뛴다. 금방 거리는 좁혀졌다. 제냐만치는 못해도 그 역시 기사의 일종으로, 기력술을 다루며 또 초인의 반열에 올라선 사내다.

몇 호흡에 순식간에 거리가 좁혀지고 질리언은 자신의 허리춤에 차고 있던 한 손 검을 빼들었다. 달림과 동시에 검집에서 칼을 뺐고, 허리춤으로부터 시작해 대각선으로 위를 향해 올려 벤다.

어마어마한 속도감의 달리기를 하고 있기에 금방 움직여 금방 칼날이 닿는다.

쉬익, 하고 바람을 가른 쇠붙이는 질리언의 손에 가볍다. 그는 그 가벼움을 그대로 속도로 바꿔냈다. 기력이 움직인다. 질리언의 MP는 그의 머리칼을 닮은 듯 갈색빛이 돌았다. 희미한 빛이 그의 칼날과 몸 이곳저곳에 어른거린다.

근육이 꿈틀거림과 동시에, 날아들듯 달려온 고블린 한 마리를 야구공이 배트에 걸리는 모습처럼 그대로 베어 날렸다.

콰악-! 하고, 사람의 한 반 만한 크기를 가진 소악귀가 그대로 반쪽이 났다. 깊게 베인 상흔은 상흔이라고 말하지도 못할 만큼 큰 상처였고, 한 마리는 덜렁거리는 몸을 가지고 그대로 절명했다.
빛이 쏟아져나왔고, 그 상처부위로부터, 그건 고블린의 HP를 넘는 데미지였다. 한 마리의 눈빛에서 불이 꺼졌다. 한 마리는 가장 먼저 달리다 한 팔이 날아갔다. 제냐는 질리언의 뒤에 있었다. 장궁을 여전히 겨눈다. 한 발 더 걸었다. 그의 선 자리 옆에 철목시 두 발을 더 흙바닥에 꽂아 두었다. 휘이, 하고 날아간 것이 한 마리의 발치를 꿰뚫는다.

발등으로 들어간 화살촉은 화살이라기보다 투창이나 도끼같은 힘을 보였다. 그대로 신체를 절단시키면서 녹색깔의 신체 부위가 날아간다.

그 단면은 흰 빛이었고, 날아간 신체 부위는 점차 흘러 나오는 피를 표현하듯 빛에 휩싸여갔다. 기우뚱, 하며 발을 잃은 놈이 흙바닥에 쓰러졌다. 놈은 애처로운 비명을 질렀지만 동정의 여지는 없었다.

귀신 류의 몬스터들, 대개의 몬스터들은 사람을 근본적인 적으로 여긴다. 그것들은 그렇게 프로그래밍된 설정이었고, 인류와 공존하거나 상생할 수 없는 성질이다. 쿵! 질리언은 호기롭게 칼을 휘두르며 몇 놈들이 달려드는 것을 멀찌감치 쳐보냈다.

위협적인 칼의 궤적에 걸리지 않기 위해서 소악귀들이 몇 발 물러섰고, 그 틈에 질리언이 움직여 땅바닥을 밟은 소리다.

그 발 아래에는 발목 아래로 빈 자리가 되어 땅바닥에 넘어졌던 고블린의 대가리가 있었고, 그대로 사라지며 한 마리가 또 죽었다.

"휘유우우우우."

질리언은 호흡을 가다듬었다. 체력에 문제는 없었지만 운동이라는 건 리듬감이 중요하다. 또 신체적으로든 정신적으로든 준비가 되어야 최고의 효율과 위력을 발휘할 수 있는 것이었는데, 준비도 없다가 갑자기 등을 밀려 싸우고 있는 것이니 잠깐 여유를 찾아볼 필요가 있었다.

고블린들의 눈매를 바라본다. 초점도 없는 눈동자 주위로 핏발이 서 있다. 어린아이, 혹은 소년만한 크기의 놈들이었지만 흉폭성은 이루 말할 수 없다. 아마 죽이기 전까지 멈추지 않을 것이다. 확연하게 그들이 우세하며 고블린은 약세라는 것이 밝혀져도 잘 도망가지 않는다.

아마 전사의 고함이 아니었다면 고블린들도 더 전략적으로 움직였을지 모른다. 그것들에게 내재되어 있는 인류를 향한 적개심이 고양되었고, 한 번 끓어오른 놈들은 쉽게 멈추지 않는다.

약한 놈이든 강한 놈이든 그렇다. 콘란드 대륙 어딘가에는 고블린 군집체가 있다고도 한다. 수 천에서 수 만 단위가 넘는 몬스터들의 군단을 잘못 건드리면 악몽과 같은 일이 벌어지고, 상황이 악화일로를 걷다 보면 결국 메인 스토리 급 퀘스트로 넘어가는 서사시의 시작이 될 지도 모른다.

세계의 실황에 대해서 질리언은 아는 게 별로 없지만, 몹들에 대해서는 상식적으로 알고 있었다. NPC들은 몬스터에게 적개심을 품는다. 그들이 NPC 인류들에게 적대감을 갖고 파괴하려고 행동하기에, 뿌리깊고 근원적인 저항감이었다.

질리언은 칼날을 수직으로 바로 세웠다. 그렇게 해서 중단세로 앞에 놓는다. 자신의 시선 높이에 칼끝 부분이 오도록 앞으로 하고, 마찬가지로 기회를 엿보는 다섯 마리의 고블린들을 노려 본다.

검이지만 기세를 겨누고 있었다. 질리언은 MP를 불러 일으킨다. 그의 손목 부근에서 타오르듯 일어난 정신력 에너지가 검날로 스며들어 톱날처럼 검날 위에 덧씌워진다. 일렁거리는 톱날은 유동적이다. 기력술을 실전에서 계속해서 쓰고 감각을 익히는 것 역시 중요하다.

제나는 뒤에서 화살만 겨누고 있다.

그들이 고블린과 대치한 시간은 얼마 되지 않는다. 앞서 나가는 흑마 두 마리의 마차 역시 그리 멀리 가지 않았다. 다그닥 거리며 평화로운 걸음을 걷기에도 그렇다. 확실히 두 마리의 말, 로즈와 덴드는 걸물이었다. 옆에서 그런 소란이 벌어지는데도 자신들의 일이 아니라는듯, 혹은 주인인 로멜리아 일행을 믿는다는 듯 큰 동요 없이 산길을 오른다.

마차 내부에서는 페이브가 타이밍을 보다가 문을 열고 나와, 움직이는 마차 위에서 능숙하게 뛰어 마부석으로 자리를 옮겼다. 다시금 누군가 고삐를 쥐고 천천히 박자를 세어주자 말들은 그것에 맞춘다. 제나는 기감을 쓰고 있으므로 주변의 움직임을 대강 안다.

여기서 써야 하는 시간도 머릿속으로는 가늠하는 바가 있었다. 질리언이라면 그리 오래 걸리지 않을 것이다. 그가 말했다.

"어서 끝내십쇼. 질리언. 앞으로는 여정 중에 틈이 날때마다 이런 일을 반복해야 할 겁니다. 이 세계는 결국 몬스터를 죽여야만 당신이 급성장할 수 있는 구조에요."

뭐, 대련이나 가혹한 훈련 역시 경험치를 일부 주기는 한다. 그러나 전투 직종이라면 전쟁을 경험하는 것만큼 급격하게 수준을 높일 수 있는 방법이 없는 게 사실이다.

직접 죽이지 않더라도 어시스트를 한 것만도 경험치가 부가된다. 중요한 건 제냐가 몬스터를 몰고 어시스트를 하며 질리언이 직접 타격을 많이 입히는 것이었다. 질리언의 차례가 끝나면 페이브를 굴려봐도 좋을 것이다.

줄리앙은 나이가 많고 이미 그들보다는 뛰어난 편이었으니, 뒷전으로 밀어놓고 생각을 하자. 그와 동시에 제냐 역시 성장을 해야만 했다. 그렇잖아도 평화로운 여행의 시기에는 계속해서 MP를 굴리며 소모시키고 의지력을 증가시키기 위해 연습하고 있었다.

제냐가 지나친 파괴력으로 단발에 전투를 끝내서는 별로 훈련도 경험치도 되지 않는다. 제냐가 덧붙였다.

"마차가 40보 걷기 전에 끝내죠. 안 움직이면 제가 뒤를 쏠

겁니다."

물론 뒷 말은 농담이었다. 독전관 흉내를 내고 있지만 진짜 그럴 수는 없다. 그러나 그 말에 묘한 무게감이 있어서 질리언은 등줄기에 땀이 조금 흘렀다.

수더분하고, 헛소리나 농담을 잘 받아주는 청년의 실력은 진짜였고 터무니없는 짓을 한다고 해도 이상하지 않은 기인이었다.

제냐의 말에 질리언은 자신의 어린 시절을 되새기면서, 다시금 걸음을 내딛었다. 그가 로멜리아 영지군에 들어와서 초기에 경험했던 전투들은 대개 이런 것이었다. 고블린이나 임프Imp(소악마, 고블린보다 조금 작은 키가 평균이며 생쥐나 고양이의 외형을 섞어 놓은 듯한 이족 보행의 괴물)따위의 소형 몬스터들을 토벌하고 잡아 죽이는 일 말이다.

그 때는 믿을 것이 튼튼한 두 팔 두 다리, 그리고 길다란 창 한 자루 밖에는 없었다. 배운 기술도 노하우도 경험도 없던 때라, 가장 약한 적을 상대하던 시기지만 체감적인 공포와 어려움은 극심했다.

당시의 떨림은 언제나 전투 전에 복기해보곤 하는 기억이었다.

그 때의 긴장감을 이겨냈기에 자신이 살아남아 여기까지 온 것이니. 그 마음을 그대로 갖고 난관이 있어도 뚫고 이겨내겠다는 각오의 되새김이다.

그가 난적이나 고난을 맞닥뜨렸을 때 하는 짓이었는데, 우습게도 제냐와 대련을 하던 그 날 밤, 호텔의 후원에서도 각오를 다졌었다. 그런 인간이 지금 뒤에 있다. 한 편이 되어서 함께하고 있지만 영 내력은 다 알 수가 없는 사내이다.

"후."

숨을 가볍게 뱉으면서 빠르게 움직였다. 탈력감과 동시에 유연하게 몸을 접어 들어가는 행동이 암살자의 그것처럼도 보인다. 고블린들은 제대로 반응하지 못했다. 질리언의 움직임은 빠르다. 자신보다 무게가 훨씬 적게 나가며 튀어대는 움직임을 하는 고블린들보다도 더 말이다.

초록빛의 소악귀들이 한낮에 산책로 주변을 떠돌아다닌다. 사람의 기사라면 토벌해야 할 일이었다. 시잉, 하고 얇은 한 손 검은 음악처럼 소리를 냈고, 바람과 함께 고블린들의 피륙을 베어나갔다.

다섯 마리가 튀었다. 무규칙적으로 땅바닥을 향해 던진 고무공들처럼 제각기 산란했고, 질리언의 눈은 그 궤적들을 읽어내면서 잡아야 할 것을 잡았다.

한 놈은 팔이 날아가서, 몸이 굼떴다. 질리언은 가장 가까이 있는, 자신의 시선에서 오른쪽으로 튀던 놈의 목덜미를 갈랐다. 그놈이 튀던 방향에 마주 보도록 칼을 휘두른 것이라, 고블린은 자신의 목을 질리언의 칼날에 가져다 대듯 끝났다.

촤악, 베었고 몸을 빙글 돌리며 왼쪽으로 뛰었다. 한 놈이 뒤로 거리를 벌렸지만 질리언이 더 빨랐다. 그는 달려가면서 자세를 잡았다. 훨씬 빨랐기에, 한 발을 찍고 그대로 발을 차올려서 턱을 날릴 수 있었다.

앞으로 발이 날아갔고, 위로 올랐기에 고블린은 그대로 승천하듯 몇 미터 정도 떠올랐다. 고블린의 턱뼈가 부러지고 내부 장기도 맛이 갔다. 목뼈 역시 아작이 났을 것이다. 질리언은 타격감을 고스란히 느끼면서 기감을 활성화시켰다.

그 역시 그리 넓지는 않지만, 근접전이나 난전을 벌이는 전장 내의 상황 정도는 유연하게 파악할 수 있는 탐지 스킬이 있었다.

'경계하는 기사'라는 이름의 스킬이다. 그가 기력을 운용하자 그의 안광이 갈색빛으로 덧씌워졌다. 희미한 빛깔이었지만 제냐에겐 분명하게 느껴진다. 시각적 효과가 아닌 기력의 움직임과 파동을 감지할 수 있기에.

일반적인 NPC나 기력 감지가 없는 플레이어는 보기 어렵겠지만 제냐의 감각에는 뚜렷한 빛으로 보이고, 또 약간의 진동으로 피부에 와닿아 느껴진다.

밀집된 SP는 이 세계에서 가장 위험하며 변화무쌍하고, 경계해야 할 대상이었다. 사용자의 의지에 따라 어떤 기적적인 일을 벌일지 모른다.

질리언은 자신을 중심으로 원형의 범위를 그려나간다. 약 10m정도 부근의 움직임이 그에게 선명하게 잡힌다. 설령 신체의 눈을 감고 귀가 막혀도 느껴지는 정보들이었다. 검은 시계 속에 3D맵 데이터가 펼쳐지는 것처럼 고블린들의 난선적인 움직임이 뚜렷하고 느리게 보였다.

그는 뒤로 반 바퀴쯤 돌아 자신의 사각을 노려오는 한 마리를 보고 있었다. 고개를 돌리지 않았음에도. 그래서 그대로 자신의 몸을 빙글, 돌려 보지도 않고 검날을 베었다. 단검을 들고 그 등 뒤를 찌르려던 놈의 몸이 반 쪽으로 갈라졌다. 위 아래의 두 조각이다.

강력한 충격으로 소악마의 몸이 빛에 휩싸였고, 금세 사라졌다. 두 마리가 잠깐 머뭇거린다. 그러다 이내 기색을 죽이고 다시 공격적으로 움직인다. 이번에는 양쪽에서 달려든다. 한 놈은 단검을, 한 놈은 제 손톱을 잔뜩 세워 할퀴려는 듯 군다. 고블린의 손톱이나 이빨은 훌륭한 무기였다.

나무를 갈아낼 수 있었고 그 끝에 생물학적인 독이나 균이 조금 있었다. 씻지 않고 여러 생물들을 손으로 파헤친 뒤에 묵혀두니 생기는 자연적인 독이었다. 고블린 스스로는 그런 병균이나 독에 내성이 강한 편이었고.

질리언은 한 쪽으로 몸을 돌렸다. 왼쪽에서 다가오는 놈을 마주봤다. 질리언의 시선이 그쪽을 향하자 다가오던 놈은 '캬아악!' 더욱 성을 내며 뛴다. 질리언은 한 발 앞으로 내딛는다. 그리고 검을 쭉 빼서 밀었고, 타이밍을 재다가 휘둘렀다. 검날의 궤적보다 한 치 정도 더 길게 베여나가는 공격이었다. 고블린은 그 칼끝에 복부를 베여서 속에 든 것을 쏟아내야 했고, 검격은 그대로 한 바퀴를 길게 돌아 뒤쪽에서 오던 놈을 반으로 갈라버렸다.

좌악, 하고 살가죽이 갈렸고 전투가 끝이 났다. 질리언은 자신의 검날에 묻은 피, 살, 혹은 빛의 입자로 보이는 걸 털어냈다. 고블린 한 마리가 입은 헤진 천조각에 그것을 닦아내었다. 소란스러웠던 소악귀들은 움직임을 멈춘다. 두 마리로부터 아이템 박스가 떠올랐다.

NPC들이 싸워서 몬스터를 죽인다고 푸른 빛의 정육면체가 나타나지는 않았다. 그건 플레이어들의 고유한 권한이었으므로.

다만 플레이어와 함께 싸웠을 때는 나타난다. NPC들도 그 기이한 물질에 놀라거나 하지 않고 자연스럽게 받아들인다. 그들이 평소에 사냥을 하고 사체로부터 전리품을 챙기듯, 자연스런 과정으로 뇌내에서 변환되어 기억하고 인식한다.

한 박스는 제냐가 상처를 입힌 놈으로부터 나왔고, 제냐의 소유였다. 다른 하나는 질리언의 것이다. 제냐는 훌쩍 뛰어 그들이 있는 곳에 가까이 가서 아이템 박스를 발로 툭 쳤다. 질리언도 사체를 정리하며 나타난 물건을 건드렸다.

그의 기억에는 아이템의 종류에 따라 자연스런 습득 과정을 거친 것으로 이해할 것이다. 질리언이 푸른 박스를 건드리자 겉면이 사라지며 나타난 건 날이 빠진 단검이었다.

[로키산 고블린의 습격용 단검-1]

대단한 공격력이나 내구성은 별로 기대할 수 없는 물건이었다. 이가 빠진 구석이 있고 손잡이도 조금 헐겁다. 암기로 쏘아낼 수는 있겠다. 그리고 고블린의 손발톱과 같이 비슷한 시독이 묻고 녹이 슨 부분이 있어서 상대에게 지속적인 데미지를 가할 수 있을지 모르겠다.

제냐가 얻은 건 [고블린의 어금니x10]였다.

몬스터의 사체로부터 얻는 신체 일부는 훌륭한 아이템 제련의 소재가 되어주기도 한다. 다만 저레벨에, 이런 산에 있는 흔한 고블린의 어금니는 당연히 큰 가치가 없다. 어쨌든 인벤토리에 들어간 것을 수납해 놓고, 제냐가 질리언에게 다가가 말했다.

"고생했습니다. 잘 하는데요. 갑시다."

"제냐 공……."

질리언이 말했다. 제냐가 무릎 꿇어 아이템 박스를 처리하고 있는 그를 내려다보며 핀잔을 주었다.

"그냥 경이라고 부르십쇼. 씨라고 하던가."

"이게 대체 뭔 짓거리냐, 제냐."

"아니… 바로 반말짓거리입니까."

제냐가 헛웃음을 지었다. 질리언이 일어나 그를 바라봤고, 제냐는 그의 어깨를 툭툭치며 마차를 가리켰다.

그들은 마차를 향해 뛰었다.

제냐가 말한다.

"말했잖습니까. 특이한 체질에, 이상한 짓거리를 좀 많이 했다고. 시도 때도 없이 싸우고, 여행의 안전을 해치지 않는 선에서 몬스터를 계속 잡아 족치십쇼. 제가 도와드리고, 훈련도 시켜드리죠. 잦은 실전은 싫어도 당신을 강하게 만들 겁니다."

NPC들마다 특성이 있고 재능이 있다. 전투 직종에 관련된 재능이라면, 질리언은 아주 출중한 편이었다. 실제로 젊은 나이에 전문화된 트레이닝을 거치지 않고도 기사 급의 무력을 보유한 인물이었고, 로멜리아 가에서 특별히 뽑혀 이곳까지 온 인물이 아닌가.

신체도 건장하고, 그 신체가 강해질 수 있는 폭도, 트레이닝을 견딜 수 있는 내구성도 거의 최고일 것이다. 기력술의 단련과 함께 신나게 신체를 굴려대면 싫어도 강해질 테다.

“하악.”

질리언은 그 말에 헛숨을 뱉었다. 제냐가 말하는 투가 왜인지, 상식적인 수준에 있는 훈련이나 실전 빈도를 뜻하는 게 아닐 것 같아서였다. 싫어도 강해져야 한다. 그래, 두 아가씨를 지키고 목적을 이루기 위해서는 말이다. “…….”

질리언은 마차에 거의 다다라서 말했다.

“잘 부탁해.”
“아무렴요.”

“왔나.”

페이브가 마부석에 앉아 있다 둘을 반겼다. 제냐는 마부석에 셋이나 앉을 필요가 없기에 그대로 마차의 지붕 위로 올라갔다. 평평한 구석이 많아서 앉거나 누워 있기 편하다. 검은 색으로 칠해진 지붕에 한낮의 태양을 오래도록 받으면 목이 마를 정도로 따사롭긴 하지만, 잠깐은 아주 좋다. 객실보다도 더 편할 지경이다.

제냐는 지붕 위에 드러누워 그대로 손깍지를 끼고 다시 그러고 있던 것처럼, 뒤통수를 받치며 머리를 뉘였다.

산길이 좀 남았다. 잠깐 쉬다가 한 번 더 질리언을 데리고 사냥을 하던가, 아니면 그리턴 가의 집에 닿을지 몰랐다.

*

27. 그리턴, 갈색 사슴

"어서 오게!"

광장한 환대까지는 아니었다.

그러나 아주 반긴다고 느껴진다. 작힘 가의 태도를 느꼈기에 그럴 테다. 아티팩트로 직접적인 얽힘이 있던 곳은 아니라 그들을 내칠 대단한 유인은 없겠지만, 반대로 환대를 해줄만한 이유도 별로 없다.

로멜리아 가家는 영락했으며 내어줄 것도 별로 없었으니까.

그럼에도 불구하고 환히 웃는 백발 성성한 중년 사내는 그들을 맞이하는 데 거리낌이 없었다.

그리턴 가의 산중 성채의 위용은 대단했고, 산봉우리 위쪽에 암석과 목재를 적절히 이용해 지어낸 거대한 성채 내부로 들어오기까지 별다른 거절감도 난관도 없었다.

그들이 타고 온 마차와 가문의 인장을 보자 그리턴 가의 문지기가 곧바로 성문을 개방했고, 수월하게 다그닥거리며 마차를 마저 끌어 성채 내부, 본관에 들어선 것이 금방의 일이다.

건물 내부에 들어선 이들을 선 채로 막 반긴 것이 희끗한 수염과 눈썹을 가진, 적안을 빛내는 주름진 백인 사내였고 말이다.

고급스런 천옷, 자수가 화려하게 들어간 것을 늘어뜨려 입고 있는 귀족이었으며 풍채가 좋았다. 성채 내부에서 깨나 부족함 없는 생활을 하고 있는 것 같았다.

그들이 들어선 본관의 홀은 자리가 아주 넓었고, 까마득한 천장에 샹들리에마저 있다. 석재로 지어진 건물의 바닥 질감은 딱딱했고, 내부 인테리어는 어두운 톤이었다. 실용적인 느낌이었다.

중년 사내가 두 팔을 벌렸고, 그 곁에 비슷한 나이대로 보이는 여인이 하나 있었다. 홀에는 두 부부같은 귀족말고도 병사와 가신들이 시립해 있었다. 홀의 가장자리에 레더 아머를 규격화해서 맞춰 입은 정병들이 줄지어 있는 것이 약 2, 30여 명 정도. 몇 명의 신하들이 중년 사내와 부인 뒤쪽으로 공손하게 서서 입을 다물고 있었다.

하이샨 그리턴, 그들을 반긴 것은 그리턴 가의 가주이자 로키 산의 산지기인 그리턴 자작이었다.

산슈카의 왕가인 '사슈나' 가문에서 갈라져 나온 형제의 집안이나 마찬가지였다. 왕위를 둘러싼 오랜 이야기가 반복되다 보면, 개중에 어느 한 형제 정도는 자신의 성을 바꾸어 다른 자리를 차지하는 사연 정도는 생기게 마련이었다.

산슈카의 고가古家를 말하면 보통 네 가문을 댄다. 로멜리아, 사슈나, 그리턴, 알사드.

산슈카 왕국의 제국기 이전부터 존재했던 까마득한 집단들이다. 중부 대륙의 고국인 산슈카의 역사가 태동할 때 주도적인 역할을 했던 곳도 있었고.

선이 굵고 산사람철머 생긴 하이샨 그리턴 자작은 부드럽게 눈을 휘게 웃어대며 두 아가씨를 반긴다.

"환대에 감사드립니다, 그리턴 공."
"감사드립니다."

아드리안은 어리고 멋모르지만, 적당히 중요한 때와 장소에 헤슈나의 행동을 따라하면 된다는 사실은 분명하게 인식하고 있었다. 그녀는 앞장서서 인사를 받는 헤슈나의 곁, 그 로브자락을 고사리같은 손으로 움켜쥐며 끝말을 따라했다.

하이샨 그리턴은 푸근하게 웃었다. 그는 오랜 친구였다, 자힌 로멜리아 남작의 말이다. 나이에 비해 늙어보이는 백발은 그의 특징이었다. 심적인 고생이 심했던 것인지, 일찍 새버린 터럭들이다.

그 곁에 단아하게 웃는 미모의 중년 여성이 있었다. 마샨 그리턴 자작 부인. 그리턴 가의 안주인이었다. 본가는 그리 멀지 않은 곳에 영지를 둔 산슈카의 어느 자작가였다.

그리턴과 로멜리아는 그리 사이가 나쁘지 않다. 가주들끼리도 말이다. 생전에 자힌은 하이샨에게 자주 의지를 하는 면이 있었다. 물리적인 거리가 떨어져 있어 자주 만나거나 지원을 해주는 건 조금 힘든 일이었지만, 정신적인 상담이라면 얼마든지 가능하다.

전통을 가진 고가의 일원으로서 명예를 지켜야 하는 일, 또 그들의 혹시 모를 유산과 보물들을 노리는 이리같은 자들에 대한 대항법 따위도 같이 나눌만한 고민의 주제였다.

로멜리아 가는 일찍 가주를 잃었다. 그 안주인을 먼저 떠나보낸 것도 작지 않은 슬픔이었는데, 이번에 닥쳐온 비극은 과연 어린 아이들이 견딜만한 일인가 싶을 정도이다.

로멜리아가 죽었다는 소식을 그리턴 역시 들었다. 산슈카 내부의 소식은 여러 영지를 떠돈다. 영주끼리의 연락책도 있었고, 개인이 운용하는 정보원들도 있었다.

초법적 스킬과 아티팩트가 곁들여지면 이 전근대 사회에서도 전화 연락망 못지 않은 속도로 이야기를 접할 수 있다.

로멜리아 가 부근은 그리턴 가도 몇 명의 연락책을 파견해둔 곳이었고, 줄리앙도 아는 자가 있었다. 그리턴 자작은 먼저 사과를 건넨다.

"미안하네."

그 말이 뚝 떨어지자 헤슈나는 입을 다물었다. 슬픔은 표정을 얼어붙게 만드는 면이 있었다. 아버지가 죽은 것은 그리 오래된 사건이 아니었다. 장녀는 찡그려지는 낯빛을 평이하게 유지하면서 힘을 주었다. 말을 받은 건 줄리앙이었다.

"무슨 말씀이십니까, 그리턴 공."
"친구로서 그 마지막을 지켜야 했어. 이렇게 급박한 사정이 될 줄은 나도 몰랐지. 친우로서 그 뒤를 지켜주어야 했는데……
근처의 놈들 짓이겠지, 아마 분명. 건강했고 또 훌륭한 전사였던 남작이었으니."

아버지를 말함에 아드리안도 그 고개를 헤슈나의 로브 자락 그 뒷면에 얼굴을 파묻었다. 제냐만은 깊이 공감할 수 없었지만, 그런 감정의 발생과 달리 보여지는 연극이 너무나도 훌륭했기에,
자연스럽게 분위기를 맞출 수 있었다.
진짜로 소중한 사람을 잃은 어떤 이들의 이야기처럼 보였다.

시나리오 온라인의 AI는 어떤 연극과 영화 연출보다도 정교하다.

"……자작님의 심려에 감사드립니다."

줄리앙이 무거운 말을 건넸다.

침잠된 분위기가 잠깐의 침묵이 지나 조금 환기될 때까지 그들은 말이 없었고, 그리턴 자작이 그들을 응접실로 안내했다.

긴 여행이었을 테니 여독을 풀라며 객실의 위치도 일러주었다. 쉬기 전에 우선, 응접실에 모여서 이야기를 나눌 것이 있었다.

응접실은 어둔 톤의 인테리어의 연속이었다.

거기에 그나마 협상과 대화를 위한 분위기를 조성하려 했는지 밝은 색으로 꾸며진 가구들을 조금 놓고, 장식물들을 여기저기 배치했지만 성채의 전체적인 분위기를 바꿀 만큼은 안되었다.
그래도 소파는 따뜻한 색깔의 가죽제였고 몸을 파묻으면 지난 여행이 잊혀질만큼 편안한 가구였다.

너른 응접실, 자작 부부와 두 명의 신하, 그리고 몇 명의 병사들이 함께 들어왔다. 한 수십 명 정도는 넉넉하게 들어와서 스탠딩 파티를 열어도 좋을만치 큰 곳이었다. 그런 공간감이 자연스럽다. 애초에 큼직하게 지어진 석조 성의 내부라서 그러한가.

현실의 대도시에서 이만한 건물 내부를 실내로 가지려면 비용이 상당할 것 같다. 시나리오 온라인 내부, 이곳에선 이런 크기가 그리 과하지 않고 자연스럽다고 느껴졌다.

제냐는 안내를 받아 응접실의 손님용 소파에 몸을 묻었다. 두 아가씨가 소파의 가운데 자리에 앉았다. 줄리앙이 그 옆이고, 줄리앙의 옆에 제냐가 있다.

다른 쪽 옆에는 페이브와 질리언이 앉았다. 여섯 명의 일행을 마주하고 반대편 소파에 자작 부부와 신하 두 명이 있다. 한 명은 노老신이었고, 다른 한 명은 청년의 사내였다. 세 사내와 한 명의 여인, 자작 부인이 로멜리아 일행을 마주본다.

"……어찌 할 이야기인가."

자작이 물었다. 앞으로의 계획이 어떤가, 묻는 말이었다.

많은 이야기가 생략된 물음이었지만 그 물음이 친근하게 느껴졌다. 마치 오랜만에 본 친척의 말처럼도 들렸다. 대개의 사정은 알고 있으며, 당신들이 하는 일을 지지해주겠노라 하는 전제가 깔린듯한 말투였다.

줄리앙은 신중하게 말을 골랐다. 헤슈나와 줄리앙 중 줄리앙이 말한다.

"제가 공께 아뢰자면…….

단도직입적으로, 남작님께서는 로키 산의 그리티턴 자작님을 찾으라고 하셨습니다.

남작님의 유지는… 로멜리아 가를 노리는 자들로부터 가문을 지켜내고, 부흥시키라고…. 그러기 위해서 언약에 따라 작힘 백작을 찾아가 물건을 받아오라고 말입니다.

다만 작힘 백작이 신의를 져버렸을 경우 그리턴 가를 찾아가 가주님께 도움을 청하라고 하셨습니다.

세슈칸에는 이미 당도했었으나 작힘 백작은 저희를 만나주지 않았고… 도리어 뒷거리의 칼들을 이용해서 몰래 암습을 도모하더군요.

그곳에 있는 게 위험해서 바로 이쪽으로 향해오는 길입니다. 오는 여정 중에도 한 차례 작힘 백작의 습격이 있었고요."

"작힘의 짓이란 건 밝힐 수 있나?"

"증언이 있었습니다. 그 강도를 잡아다 산슈카의 법정에 세워봤자 썩 이렇다 할 효력은 없겠죠. 세슈칸의 영주가 그렇게 호락호락하게 당할 리도 없고. 다만 저희로서는 심증과 물증이 더욱 깊어지는 중입니다.

……남작님을 해쳤던 흉수가 변방의 소귀족들이라고만 생각했는데… 카샨과 호드 남작은 직접적인 손일 뿐 그 뒤에 작힘이 있지 않나 생각하고 있습니다."

"……."

그리턴 자작은 고개를 무겁게 끄덕거렸다. 그리고 아래를 처다본다. 두 소파 사이에는 응접실에 으레 그렇듯 낮은 높이의 테이블이 멋들어진 것으로 깔려 있었다. 소파보다도 더 긴 원목 테이블의 위에는 시종이 놓아두고 간 티가 펼쳐져 있다.

그리턴 자작은 자신의 앞에 놓인 찻잔의 수면을 바라봤다. 파문 하나 없는 블랙 티의 빛깔이 아름답다. "……."

하이샨 그리턴은 자힌 로멜리아라는 사내를 꽤나 좋아했다. 아니, 그 이상으로 존경하는 면이 있었다. 사슈나는 왕가로서 산슈카 국의 역사를 당연히 함께하는데, 언제나 그 곁에는 로멜리아의 이름이 있었다. 산슈카 왕국 초기에 일어난 로멜리아 가는 국가의 격변기 때 언제나 왕국을 지키는 길을 선택해왔고, 지금까지 살아남은 명예로운 가문이다.

그 집단의 후예인 자힌 로멜리아는 정신이 있는 사내였다. 오랜 역사를 안다는 말이다. 어느 정도 과학과 농경이 발전한 이 시대, 아티팩트 기술과 초상력을 이용한 공학적 발명이 빛을 발하며 많은 이들이 그 혜택을 보고 있는 시대는 비만한 돼지들이 많았다.

겉으로는 돼지이지만 속으로는 이리의 어금니를 감춘 자들이었다.

산슈카 왕국은 태평기처럼 보이고, 중부 대륙의 현황 역시 그래보이지만 마냥 잔잔하지는 않다는 것이 하이샨의 생각이었다.

그리턴 가를 물려받기 전 그의 아버지 역시 그렇게 말했었고.

산슈카 왕국은 오랜 전통을 이어온 고류 가문들과 신흥 가문들이 각기 다른 파벌을 이루고 있었다. 사슈나는 왕가이고 알사드는 공작위를 가진 대귀족이었으나 로멜리아와 그리턴은 사정이 달랐다.

왕실의 권위는 보이는 장소에서는 명백하게 절대적이었지만 국내에서조차 변방으로 가면 그 효력이 약해진다.

오래도록 주변에 치이며 약소화된 산슈카 국의 귀족들은 다양한 불만을 갖고 있었다. 오랜 안정기 속에서 국력보다는 자신들 가문의 사병과 개인적 저력을 키워온 자들이 어떤 꿍꿍이를 가지고 있을지 모른다.

그런 작자들에게 오랜 전통을 가진 고가들 중 약소해진 그리턴이나 로멜리아는 좋은 먹잇감일 것이다.

현대의 아티팩트 공학이 막 발전해가고 있다고 하지만 역사서의 내용을 써 온 고대의 아티팩트들에 미치는 물건은 아직까지 별로 없으니까 말이다.

그런 대단한 재산과 저력이 남아있는 게 없을 수 있겠지만, 그 흔적이나 티끌이라도 얻어낼 수 있다면 해볼만한 도박이 아닐 수 없다. 제국기의 아티팩트는 부르는 게 값인 물건이었다. 기본적으로 아티팩트는 값비싼 보구가 되는 것이 보통이었으나 산슈카 국에서 고대의 유물은 더욱 그러하다.

값이 문제가 아니라 각 가문들의 위세와 운명을 바꿀만큼의 위력을 가졌을 수도 있다.

그리턴 자작가에도 그런 숨겨둔 유산들이 있었다. 노출시키지도 않았으며, 로멜리아 가보다는 그래도 철저하게 지켜온 산중의 성채이자 본가였으므로 사정이 조금 나았지만, 비슷한 처지로 느끼고 동정심이 가는 건 자연스럽다.

산슈카 국내에 신의를 아는 진정한 귀족이 얼마나 될런가.

세태를 한탄하는 고가의 후예는 홍차의 표면을 바라보던 시선을 들어 헤슈나의 눈빛을 살폈다.

그를 똑바로 마주하는 장녀의 표정이 나쁘지는 않다. 자힌 로멜리아를 닮은 것은 확실했고, 그의 부인이었던 월더 로멜리아 남작 부인의 모습도 얼핏 보인다.
자힌을 닮았다면 아마 성정이 곧고 대가 셀 것이다.
유약해보이는 표정을 짓고 있지만, 외압에는 농담으로라도 굽히지 않던 사내였다.
그렇기에 산슈카의 웅크린 사자였고, 국내에 변고가 생긴다면 로멜리아는 반드시 가장 먼저 일어나서 왕국의 적을 치리라.

그리턴 가의 상징은 사슴이었다. 산림에 살아가는 큰 덩치를 가진 와일드 디어였고, 갈색 가죽에 길다란 뿔을 가졌으며 체격이 큰만큼 맹수에게도 그 뿔을 들이미는 성정을 가진 놈이었다.

자신의 영역과 둥지를 철저하게 지키는 습성이 있었고, 초식 동물이라 먼저 다른 짐승을 쉽게 해치지는 않았다.

그 고기는 맛이 좋고 또 기름도 풍부하게 나와서 산악 지방에 살아가는 이들에게 많은 혜택을 주는 짐승이다. 지금도 로키 산을 비롯해 데슈칸 산맥 곳곳에 자생하고 있었고, 산슈카의 산림 어딜가나 살 찾아볼 수 있는 짐승이다.

큰 와일드 디어가 달리는 모습을 옆에서 그린 것이 그리턴 가의 문장이었다. 달리는 사슴은 자신의 둥지와 새끼를 지키기 위해 이빨을 가진 맹수에게 돌진하는 모습이다. 그리턴은 산악 지형의 싸움에 언제나 전문가였고, 유서 깊은 산중 성채를 적은 희생으로 지켜온 수성전의 대가들이다.

전쟁이 일어난다면 그리턴의 레인저들은 언제나 가장 위험한 적지에 침투해 정찰, 척후의 임무를 맡는 스페셜리스트들이었다. 병사 개개의 수준이 높고 그리턴 가의 기사는 다른 가문의 기사들보다 강하다.

대귀족들의 사병과 맞닥뜨린다면 세에서 밀리겠지만, 동급의 귀족가와는 견주어서 지지 않는 힘이었다.

작힘 백작과 비교하면 어떨까.

하이샨 그리턴은 줄리앙에게 말했다.

“집사장.”

줄리앙 리스트 집사장은 하이샨도 잘 알고 있는 노인이었다. 그와 그의 친구, 자힌보다도 나이가 많은 노신은 로멜리아 가를 오래도록 보필해 온 충성스런 신하였다.

무가武家인 로멜리아 가의 집사장으로서, 자격을 다하기 위해 기사 가운데서 뽑는다. 줄리앙이 기사로서 전장에 나선 것을 하이샨 역시 본 적이 있다.

예전 그가 어린 후계자였을 때, 몇 명의 기사들과 함께 로멜리아 가의 토벌 작전에 합류해 실전 경험을 쌓던 시절의 일이었다. 당시 자힌도 함께였고, 그들을 앞장서서 이끌던 기사가 줄리앙이다.

남작가에 있기에 아까울 정도의 노련한 기사였고, 세월이 흘렀으니 더욱 날카로우리라. 시간이 너무 많이 흘러 체력은 조금 떨어졌을지 모르지만, 검날의 예리함을 지키고 있다면 전장에서 제 몫을 다하기엔 충분할 것이다.

“예.”

줄리앙이 진중하게 답하며 자작을 마주했다.

"……자힌은 내 친우였네."

"……남작님께서도 자작님을 친우로 여기셨음을 알고 있습니다."

"……."

하이샨 그리턴이 입을 열었다.

"작힘이 자힌 로멜리아를 죽인 흉수라고 한다면, 그는 이 순간부터 하이샨 그리턴의 원수라는 말도 되네.

그리턴 가의 가주의 뜻이니, 가문의 병력 또한 전폭적으로 도와줄 것을 약속하지. 그대가 해야 할 일을 하게. 나도 돕겠네."

무거운 말이고 돌이킬 수 없는 이야기였다. 하이샨은 돌이킬 생각이 없었고.

줄리앙은 희미한 미소를 띠면서 말했다.

"자작님의 용단에 감사드립니다."

"용단은, 무슨. 내 영지 옆에, 내 친구를 죽인 새끼가 있다면 참는 게 더 우스운 일이야."

중년 사내의 말은 진담이었다. 거짓없이.

아버지의 친구를 본 헤슈나가 살풋 웃었다. 웃을만한 내용의 이야기는 전혀 없었지만, 그녀가 웃는 이유는 그녀 또한 같은 마음이라는 뜻이었다.

유물을 둘러싼 전쟁이었다. 가문의 생존과 안위를 건 여정이고.

시대의 파도를 타고 살아남는 쪽은 누가 될 것인가.

몇몇 신진파 귀족들 중 급진적인 자들은 적극적으로 전쟁을 도모하고, 또 준비한다. 작힘은 그런 파벌의 이리들을 이끄는 대장이었다. 아마 수도에도 연이 있을지 모른다. 치밀한 연계를 한다고 하더라도 이토록 직접적이고 대담스럽게 일을 벌이는 걸 보면.

하이샨 그리턴이 몇 마디 말만 듣고 거취를 결정한 데는 국내의 정세 또한 이유가 되어주었다. 한 놈이 혼자서 미쳐 날뛰는 경우는 잘 없다. 믿을만한 뒷구멍이 있으니 나대는 것이고, 결국 역학적으로 온통 얽혀 있는 이 국내 정세에서 한 명의 미치광이가 벌이는 지랄은 돌고돌아 자신의 가문의 일도 될 테다.

그들이 사는 땅이었고, 집이었다. 그리턴 가는 예로부터 책임을 져왔다. 왕국의 자부심이라 할 수 있는 오랜 왕실 가문에서 떨어져 나온 분가이니, 그들 또한 왕실의 일원이라는 의식은 있었다.

실제로 아직까지도 국왕이 주관하는 대사大事에는 늘 그리턴 가의 자리가 있어서, 형제의 예우를 받으며 행사에 참여하게 된다. 지금도 그들 가문간의 역사와 전통을 잊지 않았다는 증거였다.

아드리안은 지나다니는 이야기의 속뜻을 정확하게 파악하지는 못했다. 듣는 단어는 있었으나 어른들이 모든 사정과 지난 이야기들을 일일이 설명하며 말을 하지는 않는다. 아드리안이 내력을 전부 알기에는 어려운 것이었다.

그녀는 시종이 내어준 따스한 밀크티와 쿠키 조각을 집어 먹으며 헤슈나의 곁에 앉아 있었다. 본인이 참여할 만한 일이 없다는 걸 바로 알아채는 것도 참 똑똑한 아이라는 증거이기도 했다.

페이브와 질리언은 표정을 굳힌 채 가문의 주인들이 나누는 결정을 듣고 있었다. 헤슈나는 직접 적극적으로 입을 열지 않지만 어쨌든 오래된 충신인 줄리앙이 그 대화를 도와 대신하고 있었고. 젊은 두 무사는 싸움이라도 벌어지면 적극적으로 몸을 바칠 뿐이다.

제냐는 애매한 표정을 지으면서 팔짱을 끼고 있었다. 문득 인테리어 전경을 구경하고, 응접실의 창문 밖으로 보이는 성채의 외관을 조금 보고, 진지하게 이야기하는 하이샨 그리턴 자작의 모습이나 그 옆의 부인을 힐끗 봤다가, 다시 할 게 없어지자 주변에 시립해 있는 병사들의 수준을 가늠해봤다.

'…….'

가벼운 경갑옷 위주의 차림을 하고 있는 병사들이다. 성채 내부에서도 자작이 어딜 가던 따라오는 것 같은 모양새였다. 자작의 뒤쪽으로 선 자들이 네 명이었다. 조금 거리를 띄운 채 응접실의 벽면쪽으로 자리했다.

제식 무기인지 각자 허리춤에 숏소드를 칼집에 넣어 걸쳐두었다. 그 장갑이 가죽제였고 손끝이 나와 감각적인 작업을 할 때 편리해보인다. 조금 복잡한 외곽선으로 그려야 하는 갈색 가죽 장갑이다. 두터운 두께감이 있고, 그와 마찬가지로 여기저기 복식에 주머니 따위로 쓸만한 공간이 많이 보였다.

한 눈에 외견으로 드러나 보이지는 않지만 아마 가문에서 특별히 만들어 쓰는 이들만의 소도구, 아이템들이 있는 모양이었다.

'기력술'을 사용하는 기사 수준으로 보이지는 않았다. 뒤에 선 자들은. 그러나 가만히 서 있는 자세에서도 흐트러짐 없는 기세 따위를 보건데 상당한 훈련을 견딘 정병으로 보인다.

질리언이나 페이브는 사실 수준으로 치면 정식 기사와 맞먹었고, 그들에게는 못미치지만 일반적인 남성들보다 신체 능력도 뛰어날 것처럼 보인다. 일종의 무술 수련자가 아닌가 싶었다. 무도가의 기도氣度라는 게 있다. 안정된 호흡이나 눈빛, 가만히 멈춰 있을 때의 경직도만 보더라도 오래 관찰하면 근육의 형태가 조금 보인다.

근력보다는 순발력 위주로 스텟이 찍혀있고, 유격전에 능할 것 같은 전사들이었다. 저 상태에서 활 하나만 쥐어주면 게릴라전에 돌입할 수 있을 것 같기도 하고. 사실 제냐나 최태현같은 부류였다. 제냐도 초상 스킬에 쏟는 경험치만 뺀다면 결국 레인저가 가장 근접한 클래스였다.

'산지기'라는 가문의 위명에 걸맞는 병종들이었다. 그렇게 두리번거리던 제냐에게 눈길이 간 하이샨이었다. 중년 사내는 적안을 그에게 두며 말했다.

"저 친구는……?"

줄리앙이 눈짓으로 제냐를 바라봤다. 제냐가 반응하기 전에 먼저 이야기한다.

"부끄러운 일이지만, ……영지에서 출발해 긴 시간 여정동안 제가 넋이 나가 아가씨들을 위험에 빠뜨린 적이 있습니다. 세슈칸, 작힘 백작령에 도착해서의 일이었고… 당시 기습을 받았던 저희를 도와준 사내입니다.

킴 경."

"아, 예. 맞습니다. 그리턴 공. 모험가로서 중부 대륙을 유랑하고 있는 제냐 킴이라고 합니다. 미천한 떠돌이의 신분이니 불편함없이 대해 주십시오."

뒷말은 반쯤은 헛소리였고, 반쯤은 예의였다. 진심은 하나도 없었지만 어쨌든 귀족가의 작법을 모르는 데다 어려운 양반을 만난 터라 어쩔 수 없었다. NPC들과의 상호작용은 비련의 시나리오의 핵심 컨텐츠라고 할 만하다.

사람이 혼자 살 수 없듯, 정말 어지간해선 플레이어가 혼자 사회적 관계 없이 게임을 풀어나갈 수 없었다.

굳이 아득바득 솔로 플레잉, 철저한 외딴 섬의 길을 간다면 가능이야 하겠다만. 더 편하게 많은 일을 할 수 있는 방법을 두고 돌아가는 괴짜들은 수가 적다.

그런 자들은 선천적, 그러니까 게임을 시작할 때 처음 그렇게 마음을 먹은 이상한 부류이거나 혹은 후천적, 게임을 플레이하다가 괴랄한 퀘스트 난이도에 질려버려서 변수 없이 게임을 하겠다고 결심을 해버린 상처입은 플레이어의 종류였다.

제냐는 둘 다 아니었다. 솔로 플레이를 하려고 했던 건, 혼자서도 클리어를 향해 나아갈 수 있도록 능력을 갖추겠다는 의미였지 마음 맞는 플레이어나 그를 도와주는 NPC가 있을 때 그 손길을 내칠 필요는 없었다, 굳이.

"호오."

자작의 눈이 반짝거렸다.

제냐는 그 눈길에 비친 빛을 알고 있었다. 저건, 무인의 눈이었다. 호승심이거나, 혹은 한 번 재어보고자 하는 군주의 안색이다. 쓸만한 물건이 있나, 인재를 살피는 욕심 많은 눈이다.

그리턴 자작은 깨나 호전적인 면이 있는 것 같았다. 전혀 그런 면을 드러내보이지 않더니, 제냐를 보고서는 그렇다.

제냐 역시 걸어오는 시험대를 피하는 편은 아니었긴 하다. 그로써 더 큰 신뢰와 수월한 퀘스트 진행을 해낼 수만 있다면야.

그리턴 자작이 곧바로 어떤 상황을 발생시키지는 않았다.

그는 응접실에 앉아서 못다한 소식을 주고받으며 길게 이야기를 했고, 헤슈나와 아드리안을 위로하고 또 처음 본 젊은 무인인 페이브와 질리언에게 관심을 가졌다.
가장 오래 알고 또 잘 아는 사이인 줄리앙과 많은 대화를 했고, 그들이 성채 내부에 도착해서 저녁이 되자 식사 자리를 위해 그들을 안내했다.

그리턴 가의 검은 성은 어떤 특이한 종류의 암석을 가져와 만든 것인지, 혹은 그렇게 칠한 것인지 모르겠지만 전체적으로 거무튀튀한 외관을 갖고 있었다.

성채 건물 사이에는 너른 공터나 정원, 사람들이 다니는 길도 있었고, 요새처럼 보이는 몇 개의 석조 건물 외에 마을 또한 있었다.

봉우리 상부 전체를 사용하고 있는 그리턴 가의 영지다. 로키 산 전체가 그들의 영토였으나, 그 땅 전체의 몬스터들을 토벌하는 건 지나친 비용과 인력이 드는 일이라 그렇게 살고 있진 않았다.
다만 협곡처럼 굴곡진 지형을 이용해서 성채의 관문을 만들었고, 그 뒤쪽으로도 낮은 틈새에 성벽을 세워 거대한 성채를 완성시켰다. 봉우리 위에는 분지마냥 평지가 넓게 펼쳐져 있었고, 높낮이의 차이가 다소는 있지만 그 너른 지대가 전부 그리턴 가의 식솔들과 병사들, 영지민들이 살아가는 거대한 마을이었다.

로키 산의 뒤쪽은 산책로가 없었다. 영지민들이 사용하는 샛길이 있기는 했다만 비밀스런 경로고 길목도 좁다. 뒤쪽으로 주욱 넘어가 산등성이를 따라 계속 장정을 이어나가면 데슈칸 산맥을 구경할 수 있었다.

데슈칸 산맥은 여러 산들로 이루어져 있었고, 로키를 넘어서 아그랏산, 뤼옹, 발탁 등의 봉우리가 이어진다. 심부 최고조의 봉우리는 '데스'였다. 영단어로 죽음을 뜻하는 어감이라 오싹하지만 어원은 다르다.

그러나 플레이어들 중에서도 고수 소리를 듣게 되는 레벨 100근처의 유저들이 파티 사냥을 와야만 하는 보스몹의 서식지라는 점에서 죽음이라는 별명은 묘하게 어울리기도 하다.

어쨌든 그렇게 로키의 뒤쪽은 산맥과 이어져 있다. 데슈칸의 입구산이니 당연한 말이었다. 후방 지형이 천혜의 요새였고, 그 요새를 지키고 있는 원시 산림의 몬스터 군단이 있었다. 성채를 타도할 정도의 인간 군대가 들어선다면 봉변을 면치 못할 상황이다.

그런 점에서, 산책로와 맞닿은 관문의 반대쪽 성벽, 그 뒤쪽에는 성채 바깥으로도 사람들이 기거하는 마을들이 형성되어 있다.

석재와 목재 등이 섞여서 지어진 단단한 성벽과 달리 바깥 마을의 외부는 목조 울타리로 막혀 있었는데, 그럼에도 제법 높이가 아득하고 튼튼한 모양새로 만들어져 시민들의 안전을 책임진다.

영지민들의 수는 다해서 약 12,000여 명 정도였다. 개중에서 사병이 2,000에서 3,000여 명 정도 되는 규모이니 어마어마한 비율이다.

그 모두가 엘리트 병사들이었고, 개중에서도 뛰어난 자들은 다른 대귀족가의 사병들과 비교해도 모자람 없으며 도리어 나은 수준이다.

산악 지형에 적응하고 살아가는 개척민들의 규모가 상당했고, 성채를 중심으로 외적의 침입이 적은 후방 지역을 개간하고 넓혀서 촘촘한 마을들을 형성했다.

산에는 계곡수와 빗물이 있었고, 산맥 근처로 흐르는 강물을 위로 퍼올리는 거대한 수류 시스템이 있어서 영지민들이 사용하기에 모자람 없었다.

고대 제국기 시절에 만들어진 기계 장치를 후대에 보강하고 복원해서 완성시킨 물건으로, 산자락에 위치한 마을이지만 풍부한 생활용수가 있는 환경이다.

사람들은 밭을 일구거나 과수원 따위를 만들었고, 많은 이들이 자체적으로 자경단을 조직해 움직이고 또 데슈칸 산맥에서 수렵 활동을 이어나갔다.

산맥은 풍부한 자연과 그 속의 수많은 동식물들이 있었고, 도시 규모의 영지민들이 탐닉해도 삶을 영위할 수 있을만한 강력한 자연계와 순환 시스템이 존재했다.

데슈칸은 어지간한 중수급 플레이어들도 조심해야 하는 위험한 지역이지만, 심처와 몬스터들의 영역도를 자세히 파악하고 있는 생활자들이 요령껏 지낸다면 살 수 있는 곳이었다. 어디서나 살 수는 있다. 위험할 뿐.

심지어 현대 도시에서도 늘 교통 사고는 일어난다. 21세기 후반에 다다른 현대였고, 자동화 시스템이 일반적인 것이 되어서 대개의 운전이 AI에 의해 이루어지지만 기계란 고장이란 변수가 있는 물건이었고 조물주가 하사한 특별한 금속이 아닌 이상에야 물질은 모두 마모한다.

완전 자동 운전 기술이 상용화된 지도 시간이 꽤 흘렀지만 그럼에도 불구하고 직접 수동 운전을 고수하는 운전자 비율도 상당히 높았다. 기술력을 가진 기업이나 정부에서도 그런 선택에 대해서 따로 어떤 선전을 하지는 않았다.

AI로 인한 자율 주행을 하던, 사람이 직접 손을 쓰던 사고만 나지 않으면 되는 것이다. 사고가 난다면, 어느 쪽이든 문제가 있는 것이었고. 발전한 도구를 사용할 것이냐 보다 전 세대의 도구로 불편함을 감수할 것이냐의 문제이지 결국 도구를 쓰는 사람은 어느 시대에나 존재했다. 앞으로 다시 수 백년이 흘러 우주를 활보한다고 해도 마찬가지일 테였다.

그런 점에서 봤을 때, 중세, 전근대를 배경으로 한 이 산악 도시의 주민들은 나름대로 잘 적응하고 납득하며, 이해하고 살아가고 있었다.

자신들의 삶이 어떤 것인지 말이다.

겉보기에 위험이 적은 평화로운 현대에 태어나 자라는 아이들은 가끔 모질이처럼 굴 때가 있었다.

삶의 본질은 늘 거친 파도 속에서 살아남기 위해 갖은 애를 쓰는 항해와 닮아 있다. 평생에 걸쳐 잔잔한 바다만 보리라는 생각은, 어떤 어른도 어린아이에게 심어줄 수 없는 것이다.

어떤 인생의 진가는 늘 문제와 맞닥뜨렸을 때에야 나오는 것이었으니 말이다.

바다, 와 파도라고 하니 헤밍웨이가 쓴 노인과 바다가 생각났다, 제냐는, 김서원은.

초반부만 보고 끝은 흐지부지 읽었던 기억이었다.

"음식은 입에 맞는가?"

란 말을 듣고서 상념에서 깨어났다.

제냐가 답했다.

"어, 예 아주 맛있는걸요."

그리턴 자작과 함께하는 만찬실에서의 저녁 식사였다. ㄷ자로 펼쳐진 테이블에 몇 명의 시종이 오가면서 음식을 날라주고, 또 치워주었다.

자작이 가장 상석, 윗 자리에 앉았고 그 옆으로 헤슈나, 줄리앙이 앉았다. 그 다음에 제냐가 앉아서 있다가 자작의 말에 정신이 들었다.

산악 도시라고 생각되지 않을만큼 풍성한 재료로 만든 갖가지 요리가 나왔고, 그 날은 그렇게 마지막을 맞이했다.

각기 객실로 옮겨졌고, 여독을 풀며 잠을 청한다.

시나리오 온라인 내부의 태양이 하늘 위에서 움직이며 밤이 왔고, 제냐는 로그아웃을 했다.

*

28. 운트Unt의 의뢰

깡!

소리가 난다. 회색 빛깔의 석조 성. 세슈칸의 백작성에서 유리 도자기가 깨지는 소리였다. 곱게 염료로 칠해진 녹빛의 사물이 카펫 너머 돌바닥 한구석에 박았고, 다시는 이어 붙여질 수 없을 것처럼 산산히 부서졌다.

어떤 인간이 화를 낼 때 그렇게 표현하곤 한다. 말을 하는 것보다도, 물건을 집어던지고 부수는 행위는 자신의 마음이 그만치 참담하고, 또 누구라도 없애버리고 싶다는 뜻이리라.

어느 가정집의 사내가 지랄을 한다 해도 가정이 요란스럽고 벌벌 떨텐데, 작힘 가의 가주가 그러고 있으면 백작가의 가솔과 시종들, 수많은 이들이 눈치를 봐야 했다.

운트 작힘Unt Jakkhim.

체격이 커다란 사내였다.

작고한 자힌 로멜리아나, 제냐가 만나고 있는 하이샨 그리턴 자작과 비교하자면 확연히 젊기는 했다. 30대 후반, 혹은 40대 초반.

슬하에 남자 아이 하나를 후계자로 둔 작힘 가의 가주는 금발의 백인이었고, 근육질의 몸을 가진 남자다.

부드럽다, 기 보다는 약간 느끼한 인상이었고 이목구비가 뚜렷하다. 미남까진 아니었으나 잘 차려 입으면 그렇게 불릴 법도 했고.

강렬하고 공격적인 눈매는 아니었다. 그가 눈을 휘며 웃는 낯으로 다가가면, 대개의 사람들은 그의 호의를 의심하지 않는다.

목소리는 사내다운 평범한 톤이었고, 말끝에 ㅌ,ㅊ,ㅅ 발음 따위가 들어가면 힘을 주는 습관이 있었다. 흥분하면 말이 빨라지고 억양이 격해지면서 평범한 말도 조금 더 욕설처럼 들린다.

혀가 조금 짧은 것을 후천적으로 티를 내지 않으려고 애써 말하다 보니 생긴 버릇 같기도 하다.

그는 통이 큰 가슴팍에 딱 맞는 옷을 입고 있었다. 상체의 가슴

둘레는 맞으나 그 아래는 펑퍼짐하게 쭉 내려오는 품이다. 바지도 따로 입고 있었으나 치렁한 옷자락이 그 위를 다시 덮는다.

상아빛에 붉은 자수를 놓았고 다시 금실로 디테일을 더한 옷차림이었고, 원단이 곱고 동시에 튼튼해 매만지면 단번에 고급스런 옷감이며 값비싼 것이라고 알 수 있었다.

귀족적이다, 라는 말이 어울리는 행색이었다. 운트 작힘은 왼쪽 손목에는 금팔찌를 하나 끼고도 있었다.

사내가 장신구를 하는 것이 이상한 정도까지는 아니었지만, 그의 체격을 생각하면 조금 아이러니할만치 여성스럽고 세밀한 디자인의 팔찌였다. 그 둘레의 한 지점에는 에메랄드가 작게 박혀서 방점을 찍는다.

운트 작힘이 금빛 눈동자를 빛내면서 표정을 일그러뜨렸다.

막 도자기 하나를 깨먹은 참이다.

가주가 거하는 본당 집무실, 신하들이 보고를 위해 자리한 곳에서 벌인 일이라 넓은 방에 들어와 있는 사내들이 하나같이 숨소리조차 감추며 고요하다.

씩씩대는 호흡을 고르는 운트 작힘의 기척만이 날 뿐이고.

회색빛 석조성의 상층부에 위치한 집무실이었고, 운트 작힘이 등지고 있는 넓은 채광용 창에서 햇빛이 들이닥치고 있었다. 실내

조명도 하나 켜둔 터라 빛이 부족하지는 않다.

운트는 따져 묻는다.

“로키 산으로 들어갔다고?”
“……예.”

그 말에 사내가 주먹을 말아 쥐었다. 예, 라고 대답한 20대 정도로 보이는 젊은 신하도 손을 뒤로 감추며 그랬고, 운트 작힘은 앞으로 보이도록 들고 있는 주먹을 세게 쥐었다.
뭐라도 하나 부숴버리고 싶다는 제스처다. 직관적이었고, 신하들은 그 대상이 자신들이 되지 않기를 바랐다.

운트 작힘은 성정이 그리 유하지 못했다. 대외적으로 활동을 할 때는 아주 여상스럽게 인상 좋은 사내를, 자애로운 백작을 연기하지만 실상은 전혀 다르다. 뱀같은 자였고, 휘하의 가솔들에게는 잔인한 면을 드러내기를 거리끼지 않는다.

집무실의 가운데, 가구들을 사이에 두고 신하들이 모여 서 있었다. 운트가 물었다.

“…하이샨 그리턴과 만났겠군?”
“예, 그런 줄로 사료됩니다.”

"……."

운트 작힘은 침묵했다. 그 시간이 도리어 더 지독했다. 고함을 지르고 발광을 할 때는 차라리 피하면 되니까. 언제 피해야 할 지 모르는 긴장감이 더 건강에 좋지 않다.

벅 캐니언은 젊은 사내였다. 옆에 있는 다른 가신들과 보이지 않게 눈치를 맞추며 조심하고 있었다. 운트가 입을 뗐다.

"작센은 왜 실패한거지?"
"……."

쉬이 대답하는 자는 없었다. 운트가 눈을 부라릴 때 즈음이 되어서야 가장 가에 서있던 중년의 가신이 말했다. 요이츠 카펜터라는 이름으로, 흑발 흑안의 백인이었다. 수염이 덥수룩하게 난 풍채 좋은 중년이다.

"…로멜리아 가에 조력자가 있는 듯 합니다. 뒷골목에서 벌였던 시도도 수포로 돌아갔고…. 게다가 생각보다 로멜리아의 마차가 더욱 튼튼한 아티팩트로 보호받고 있어서……."
"씨발."

운트는 그 말을 듣다가 중간에 욕지기를 내뱉었다. 혀가 짧은 운트는 거친 욕을 발음할 때 더 힘을 주어 뱉는다. 침이 튀도록 뱉은 욕설에 신하의 말이 멎었다.

"좆같은 강도 새끼들을 믿었던 게 잘못이지. 다 죽었나?"
"아… 확인되지 않고 있습니다."

운트가 말을 한 요이츠를 노려보았다. 불길처럼 이글거리는 눈빛에 살기가 있다. 제 주인은 분노를 하고 있었고, 아무거나 태워버려도 좋다는 심리다. 요이츠는 자신이 대상이 되지 않도록 간절히 바라며 대화를 이어나갔다.

"다 죽여버려. 벌레같은 새끼들을 놓아주고, 살게 해줬더니 아무 일도 못하는 군. 제대로 되는 일이 없어."

"알겠습니다……."

운트는 천천히 걸었다. 제 발에 걸리는 것을 찬다. 집무실 바닥, 걸릴 것은 소파의 다리 밑동 정도였다. 목재의 그것을 가죽 신발의 앞 코로 걷어차며 명령한다.

"어떤 미친 새끼가 로멜리아 가에 붙었든 상관 없다. 죽여. 어차피 유명무실한 망국의 잔재들이다, 로멜리아는. 고가古家라고 거들먹거리는 꼴들이 늘 보기 싫었지.

어차피 정세는 재편될 거다. 작힘이 힘을 얻기 위해선 사라져야 할 존재들이지."

"……분부하신 대로 하겠습니다."

"어떻게."

운트의 말에 중년의 신하가 말을 받았다. 그 짧은 대답에 운트 작힘의 심기에 거슬리는 구간이 있었나보다. 요이츠는 내리깐 눈을 잠시 올렸다가 다시 아래를 처다보았다.

"……주군께서 허락하신다면 가문의 사병을 출정시켜서라도 끝을 내겠습니다.

로키 산으로 들어갔다 한들 그들이 할 수 있는 건 없을 겁니다. 나오는 순간이 로멜리아 가의 마지막이 될 테지요."

"그러니까, 어떻게."

"……."

요이츠는 고개를 숙인 채 눈을 한 번 감았다 떴다. '이 새끼 또 지랄이네…'라고 생각했다. 티를 내지 않는 게 중요했다.

"로키 산에 엘리트 병력과 솜씨 좋은 암살자들을 함께 배치해 두겠습니다. 마물술사를 용병 길드에서 고용해 데슈칸의 괴물들을 이끌어 시선을 분산시킨다면 필시 암살에 성공할 수 있을 겁니다.

…연락용 아티팩트로 면밀하게 살피고 있다가 저들이 그리턴

가의 산악 성채에서 나오는 순간 바로 일을 벌이겠습니다."

요이츠 카펜터는 제법 일을 잘 하는 사내였다. 머리도 잘 돌아가고, 무엇보다 적극적인 실행력이 있는 면이 좋았다. 그래서 살아남았고, 그래서 살려두었다.

운트 작힘은 고개를 천천히 끄덕거렸다. 다른 가신들, 세 명은 말조차 하지 않고 있었다.

쓸 데 없는 혼선이 일어난다거나, 운트의 분노가 자신들에게 불똥 튈까봐서였다. 요이츠는 독박을 쓰고 있었지만 다른 이들을 원망하지는 않았다. 이중에 최선임이자 최고권자가 자신이었으므로, 어차피 그가 했어야 할 일이었다.

백작가의 내무관 중 서열로 치면 다섯 번째 즈음이었고, 그의 윗급들은 성채 어느 집무실에 처박힌 채 운트가 맡긴 다른 프로젝트에 골머리를 싸매거나 자기의 업무를 하고 있었다.

이리저리 불려다니며 보고를 하고 뒷감당을 하는 놈들 중에서는 요이츠 카펜터가 가장 높은 위치였다.

"알겠나."

"……예."

운트는 헛소리처럼 몇 가지 말을 빼놓고 대화를 걸지만 그것을 잘 맞추는게 신하로서 살아남기 위한 도리였다. 생존 도리.

"어수선한 놈들을 빠르게 치워버리고, 우리는 우리의 길을 가야지. 산슈카 왕국을 위해서라네. 모든 건. 그 번영의 길에 작힘이 함께해야 할 거야.

가문과 조국의 영광을 위한 일이니까, 어떤 수단도 가리지 말고 해치우게. 요이츠 카펜터."

"예……."

"자네에게 맡기지. 놈들이 로키 산에서 살아서 나와 산슈카의 다른 영토를 밟는다면,

……무슨 말을 해야 할 지 모르겠군. 그 때 자네가 듣게 되겠지."

"……뜻대로 이루실 것입니다."

요이츠는 그 말을 마지막으로 주군과의 불편한 보고 겸 대담을 마쳤다. 집무실에 있던 다른 고용인이 서둘러 움직여 신하들이 나가는 길에, 깨진 도자기 자국을 치우며 같이 나가길 원했다.

썰물 빠지듯 사람들이 물러가고 운트가 혼자 남았다.

그는 자신의 집무용 테이블 의자를 놔두고 접객용의 소파에 털썩, 앉더니 이내 길게 누웠다.

천장에 달린 유리 조명 장식을 보며 운트는 생각했다.

운트 작힘.

그 자신의 이름이었고,

작힘 백작가의 가주

란 자신의 직책이었다.

세슈칸의 대영주, 라는 말도 있다.

마지막 것은 아직 마음에 들지 않았다.

왜냐면 세슈칸은 대도시였고, 산슈카의 주요한 혈맥 중 하나였으며, 물류 교통 사회 경제의 중심지 중 하나로 수많은 이방인들이 머물다 가는 곳이기에 그렇다. 한 명의 영주가 완전 지배하기에는 지나친 힘이라고 느꼈는지, 사슈나 가에서는 중앙군을 파견해 그들을 통제하고 있었다.

이방인을 제어하기 위한 군대라지만 결국 운트 작힘 백작이 느끼기에는 영주의 자유권을 침해하는 짓거리였다.

거대한 도시와 인력, 자원을 손에 쥐고도 선불리 움직일 수 없다.
그가 할 수 있는 건 늘 소수의 병력과 뒷세계에 심어둔 칼들을 이용하는 것 뿐이다.

수도로부터도 그리 멀지 않은 위치에 백작령, 세슈칸 시市가 있었으니 그의 삶은 반쯤은 감시당하는 것이나 마찬가지였다.

수많은 외국인들이 찾는 대도시의 영주란 국내의 영토를 다스리는 귀족임과 동시에 외교관의 역할도 겸하는 것이어서, 대외적인 이미지를 신경쓰는 일이 봅시 고달프다.

중부대륙의 국경은 헐겁다.

여러 중소약弱국들이 자생을 위해서 하나로 힘을 모았던 것이 수 세기 전의 일이다. 예전, 산슈카가 제국이던 시절에는 결국 산슈카의 영토였던 곳임도 영향이 있을런지 모른다.
국경은 변하고 국명도 변했으나 땅은 여전하고 그 위에 사는 사람들의 풍토와 문화도 남은 것이 있으니까.

십 수세기 전의 국경은 거대한 산슈카 제국이 중부 대륙 중심부에 영역을 퍼뜨리고 있었고, 그 주변국들이 웅크린 상태였다.
제국기를 지나 왕국기에 접어들면서 주변국들의 영토가 중심부 쪽으로 확장되고 산슈카는 자연스레 줄어들었다.

이름이 변했고 여러 나라들이 갈라먹은, 그러고도 수 백 년 이상이 넉넉하게 지난 땅들에서 새로운 나라가 만들어지거나 망하거나 했다.

지금 중부 대륙의 패권은 산슈카 국의 위쪽에 있는 '아릿시안Aritcean'이라는 제국이 차지하고 있었다. 중북부에 위치하며 거대한 영토를 자랑하고, 철기로 무장한 정병을 자랑하는 대국이다.

아릿시안의 태동기에 무수한 나라들이 살아남기 위해 발악했고, 그 때의 연합이 중부 대륙적으로 안정기에 접어든 지금까지 이어졌다.

공고했던 연합과 연맹의 유산은 지금도 산슈카의 경제와 물류를 관통하는 요소이고, 산슈카와 주변 나라들은 국민들간의 국경 이동이 자유로운 편이다.

중부 대륙 필리아Philla의 중심부는 '자유 연맹'이라는 중소국들의 연합체가 자리하고 있는 곳이며, 산슈카 또한 그런 연맹의 중요 회원국이었다.

중부 제국 아릿시안의 정복 전쟁이 마무리되고 그 위협이 어느 정도 가시자 자연스레 연맹의 공고함은 헐거워지긴 했다.

형식적인 제도와 관습, 국민들간의 분위기는 남아 있었으나 위정자들은 서로 다른 꿍꿍이 속을 하고 있는 것이 현실이었다.

위쪽으로 제국이 있기에 어느 하나가 대단한 일을 벌이지는 못하겠지만 그래도 적절한 기회가 온다면, 그들간의 경쟁으로 누군가를 도태시키고 일개국이 연맹의 맹주로 올라서도 이상하지 않은 상황이다.

산슈카의 국왕 벨케임 사슈나 7세는 그런 치열한 신경전에는 그다지 관심이 없는지 태평스런 외교 정책과 국내 정세의 유지만을 원하고 있는 실정이었고, 국내 귀족들 중에서도 야망이 넘친다거나, 위기감에 지나치게 민감하다거나 하는 작자들은 자신들의 안위를 위한 뒷구멍을 만들기 급급했다.

작힘의 수작 또한 그런 일의 일환이었다.

제국기의 황혼기를 장식했던 1급 아티팩트가 자신의 가문의 손에서 찬란하게 빛날 수 있다면, 어떤 내란이나 외적과의 전투에서도 든든한 방패막이 되어줄 것이다.

로멜리아나 그리턴의 역사서에 적혀 있는 무수한 제국기 아티팩트들이 소실되고, 타국의 손에 빼앗기고, 혹은 왕실인 사슈나 가의 보물고에 들어간 상황이다. 그런 와중 아직까지 뚜렷이 기록과 성능과 실체가 남아있는 물건은 참으로 값진 보물이었다.

그것이 작힘 가의 손아귀에 있다는 것을 백작은 천운으로 여겼고, 도리어 백작가가 가져야만 하는 하늘의 뜻이라고까지 자위했다.

운트는 날카로운 사내다.

평생 검을 수련했고, 검날의 예리함에 눈을 두고 살아왔다. 그 속내는 잔인한 편이었고, 또한 교활했다.

장남으로서 백작가를 물려받아 가주가 되었지만 계승이 쉽지만은 않았다. 엄혹한 아버지 아래서 온갖 고난과 시험을 치러야 했고, 자신의 자리를 노리는 형제들 사이에서 가치를 증명하기 위해 애썼다.

마지막 순간에는 사고를 위장해 둘째를 먼저 제 손으로 보내주고, 셋째는 세슈칸 가의 승계권 근처에 얼씬거리지 못하도록 유배를 보냈다.

드러나게 한 짓은 아니었으나 완벽했다.

그는 아직까지도 자신이 잘했다고 생각했고, 다음 단계를 밟아나가기 위한 과정 중이었다.

로멜리아 가의 멍청한 남작이 자신을 경계하지 않고 받아들이던 그 날부터 시작된 일이었다. 영락한 가문의 주변 놈들을 부추겨서 남작을 견제하도록 했고, 그의 신경이 예전의 약속과 유물에 닿지 않도록 애를 썼다.

그러고도 남작이 잊어버릴 기미가 없자 최후의 수단으로 없앴다.

이미 산슈카 남서부 변방 로멜리아 가 영지 근처의 소귀족들은 작힘 가의 충실한 종복이나 다름 없었고, 카샨이나 호드는 그의 말을 잘 듣는 사냥개들이었다.

모든 것이 순탄하고 또 만족스럽다.

검술에 재능을 보이는 아들이 마스터의 경지에 닿을지도 모르고, 혹은 자신이 이룩할지도 모른다. 그도 아니라면 서약의 초상술을 사용한 뒤 가문에서 가장 뛰어난 기사의 손에 들려주어 아티팩트를 써도 좋을 테다.

가문의 저력을 늘리고 미래를 길게 볼 수 있게끔 하는 일이라면 무엇이든 할 준비가 되어 있었다. 그것을 위한 로멜리아 가 잔당 소탕이다.

그의 뒤에는 왕실은 없었으나, 든든한 후원자가 있었고 다음 시대의 산슈카 국의 정세를 위해서 오늘도 힘차게 걸을 것이다.

운트는 생각을 정리하고 마무리했다.

암살에 쓰일만한 쓸만한 칼을 찾아봐야겠다.

요이츠는 일을 잘 하는 놈이었고 밥값 정도는 하는 새끼였지만,
자신이 직접 손을 보는 것이 언제나 가장 깔끔하다.
그는 용병 길드의 등록된 이들 중에서 가장 비열하고 뒤 탈
없을, 또 실력좋은 인물상을 찾기 위해 일어섰다.

백작가에 길드 간부가 상납한 인명부를 보아도 좋을 것이고,
직접 찾아가 마땅한 놈이 있는가 살펴도 좋겠지.

발품을 팔아서까지 없애고 싶은 게 헤슈나와 아드리안, 그리고
줄리앙이었다.

노집사장의 이름과 얼굴은 운트의 눈에도 뚜렷이 박혀 있었다.

다 몰락한 산슈카의 번수番獸, 로멜리아 가문의 늙은 번견이었다.
그에게 대들만한 작자를 처리하고 나면 두 계집아이는 무력하게
마지막을 당할 것이다.

그는 엉킨 실타래같던 속내가 조금 풀어지는 걸 느꼈다.

누군가를 죽일 생각을 하니 기분이 좋은 탓이다.

그리고 그런 심성은, 사이코패스의 그것이었다.

*

"예?"

용병 길드의 길드장은 한 명을 불러다가 이야기를 했다.

산슈카 시내에 있는 용병 길드, 산슈카 지부의 이야기였다.

정갈하게 지어진 목조 건물은 오랜 세월도 버틸만치 아름다운 조형미를 갖춘 심플한 형태였고 제법 넓은 실내 구조에 5층짜리 건물이었다. 1, 2층은 수많은 사람들이 오가는 홀이나 공공 영역이었다. 용병이나 의뢰주들이 본인들의 업무를 보기 위해 시도 때도 없이 들르는 곳으로 언제나 시끌벅적하다.

3, 4층은 용병 조합의 구성원들이 조금 더 중요한 업무를 보는 공간으로 길드에 맡긴 의뢰금의 전달이나 전리품 처리, 회담이나 용병 길드의 소규모 행사가 치러지는 곳이었다.

5층은 길드의 간부들이 사용하는 공간으로, 고위 용병이나 지부장 등 임원들이 가끔 묵거나 집무실로 쓰는 곳이다.

지부장은 산슈카 용병 길드 계급으로 금강金剛, 금, 은, 동, 철, 석, 박석薄石, 목木의 계급 중 금 계급의 고위 용병을 불러다 의뢰에 관한 말을 전한 참이었다.

금급은 곧 2급으로, 특급이나 1급으로 불리는 금강급을 제외하고는 가장 높은 계급이었다. 금급중에서도 특출난 공헌을 세웠거나 현격한 전투 능력의 차이를 보이는 자가 아니라면 금강급이 되기는 어려웠다.

지부장의 입장에서도 실전에 투입할 수 있는 재원 중, 현실적인 최선책이 금급이었다. 금강급들은 수도 몇 안되거니와 길드의 통제에도 하나같이 개의치 않아하는 성격들이라 다루기가 어렵다.

반면 눈 앞의 거한은 그래도 양식적인 태도로 길드와의 관계를 유지하고 있는 용병이었고, 최근 실적도 좋은 조합원이었다.

“음, 의뢰가 하나 들어왔다네. 말했잖은가. 다만 비밀을 좀 철저히 지켜줘야 하고 자네가……. 할 수 있지? 금급의 능력이라면 가능할 걸세. 혼자하는 것도 아닐 테고…….”

“어…….”

호아킨 팍스Joaquin Pax는 말끝을 흐렸다.

그는 구릿빛으로 몸을 태웠는지, 원래 그랬는지 모를 피부를 하고 있었고, 거대한 체격이라 앉아 있는 소파가 비좁은 느낌마저 드는 청년이다.

나이를 정확하게 가늠하기 어려운 얼굴태이긴 했지만 실제 나이는 이제 30대 초반이었다. 31세.

이곳에서의 본석은 세슈칸 시市일 것이다. 세슈칸은 중수中手 플레이어의 도시였지만 스타팅 포인트 중 하나이기도 했다.

그는 미국인으로, 비련의 시나리오를 플레이 중인 평범한 청년이었다.

클래스를 굳이 따지자면 근접 전사Warrior같은 이름이 붙을 테였고, 실제로도 체격이 큰 편인 라틴계의 미남이었다.

세슈칸에서 플레이를 한 지 어언 일 년이 다 되어가고 있었고, 시나리오 온라인에 참여한 플레이어들 치고는 늦게 시작한 편이었지만 안정적으로 지금까지 레벨링을 해왔다.

게임에 투자할 수 있는 시간은 언제나 적다. 생업에 종사하는 것도 만만찮은 일이었고, 여가에 늘 모든 걸 쏟을 수 없으니까 말이다.

그럼에도 그의 생활에 있어서 비련의 시나리오는 제법 재미있는 취미였고, 어디 먼 곳을 나가 여행하기 귀찮을 때에라도 시뮬레이터 하나만 있으면 살갗에 와닿는 수준의 끝내주는 자연 경관을 경험할 수 있었다.

체대를 졸업하고 직업 군인의 길을 갔다가, 전역한 뒤 중견 기업의 사무직으로 일하고 있는 그는 자신의 삶에 제법 만족하고 있었다.

스펙타클한 삶의 굴곡이었지만 그 여정이 헛되다고 생각해본 적도 없고. 게임 내에서의 처지도 마찬가지로 만족하고 있었다.

세슈칸 시의 인정 받는 금급 모험자라는 신분적 위치는 플레이 하기에 편했다. 그의 레벨은 71이었고, 스텟 수치도 괜찮은 편이었다. 40대에 접어든 스텟들은 준수한 파괴력을 낼 수 있다. 짬짬이 들어와 즐겼던 게임이지만 게임 내에서는 나름대로 부지런하게 돌아다니고 활동을 했으므로 스킬도 어느정도 스택Stack이 쌓였고, 명예 점수도 축적했다.

안정적인 중수 플레이어의 반열에 올라서 시나리오 온라인 내의 준비된 여러 이야기들을 즐기고, 여행을 다니고, 가끔 지겨우면 전투와 사냥으로 액션 게임의 묘미를 맛보고. 그렇게 퇴근 후 저녁

먹고 난 다음의 취미였는데 갑자기 다가온 상황이 그에게 약간 당황스러운 면이 있다.

민머리, 구릿빛 피부에 근육질 몸매를 가졌고 헐거운 가죽 보호구를 걸친 호아킨은 조심스럽게 다시 물었다.

길드 조합장이 딱히 그의 상관은 아니었으나, 세슈칸 시에서 지금처럼 안정적으로 플레이를 하기 위해 도움을 많이 주는 NPC였다.

조합에 가입한 용병이 길드의 지시에 반드시 따를 필요는 없었지만, 길드의 혜택을 받기 위해선 상호적인 타협이 필요한 게 사실이다.

"……꼭 받아야 하는 의뢰입니까?"

"……."

조합장은 마른 체형에, 볼이 움푹 들어가고 길쭉한 얼굴상을 한 장년의 사내다. 키도 그보다는 훨씬 작았고 앉는 자리에 앞쪽으로 엉덩이를 빼고 걸터앉은 자세가 진취적으로 보인다.

눈두덩이도 조금 들어간 편이고, 갈색 눈동자와 회색 머리칼을 가졌다. 전부 뒤로 곱게 빗어 넘긴 머리칼은 으레 중년 사내들이 하듯한 깔끔한 스타일로 보인다.

움직이기 편한 복장이지만 원단은 고급스러운 걸 쓰고 있었고, 나름대로 부유함을 가진 간부급 인원이라는 걸 보여주는 것 같은 복색이다.

조합장, 마르게리타 발락은 꺼끌하게 난 볼의 수염을 매만지며 잠시 고민했다.

대충 날치기로 시켜 먹으려고 했더니 영 쉽지 않다.

그냥 받아줬으면 좋겠는데.

그로서도 걸리는 점이 참 많은 의뢰였다. 얼마 전, 직접 그가 길드 지부를 운영하고 있는 세슈칸 시의 영주가 행차해서 길드장인 그와 깊은 대화를 나누고 갔다.

의뢰주의 자격 요건은 정당한 내용과 의뢰 대금 지불 능력을 갖춘 모두였으므로 물론 영주라고 해도 길드를 이용할 수 있다.

가지고 있는 개인의 위세가 용병 길드보다 더 거대한 대도시의 귀족이 왜 길드를 쓸까, 는 의문이 드는 일이지만.

의뢰의 내용에서 그 의문마저 풀렸다.

세슈칸의 작힘 백작이 죽이고 싶은 이들이 있다. 그들은 정당한 신분을 가진 죄 없는 시민들이었고, 심지어 귀족이라고 한다.
자세한 내용을 결코 듣고 싶지 않았지만 뱀같은 사내는 얽히고 싶지 않아하는 마르게리타의 마음을 읽었는지 기어코 그의 사정을 토해내 듣게 만들었다.

허술한 작자가 그런 일을 벌인다면 모르는 체 하고 넘기겠지만 작힘 백작의 성정에 관해서, 세슈칸 시의 주요 인원 중 모르는 이가 없다.

바깥에서야 자애롭고 명망 높은 대도시의 주인이지만 그는 세슈칸의 왕이었으며 뒷거리의 지배자였고, 무엇보다 미친 싸이코 새끼였다.

귀족에게 감히 그런 수사를 붙이는 간 큰 놈은 없지만, 쉬쉬하며 알 만한 자들은 다들 알고 있었다.

사람 목숨을 파리의 것보다 그리 귀하게 생각하지 않는 운트 작힘은 자신의 명예와 가문의 부, 이익을 위해서라면 무엇이든 하는 경우 없는 인간이었다.

그는 아마 산슈카의 유명하며 오래된 명문가 로멜리아 가문의 사람들과 문제가 생긴 모양이었고, 쓰기 좋은 암살자를 용병 길드에서 고용하기 원하는 모양이었다.

기본적으로 암살을 위한 칼을 찾는다면 용병 길드를 찾는게 정확한 짓거리는 아니었다. 암살자 길드, 가 심지어 따로 있었다.

그 정체를 드러내놓고 다니지도 않으며 접선 방법도 비밀리에 감춰져 있지만 귀족가의 일원들이 못알아챌만큼 견고한 비밀은 아니다.

도리어 암살자의 주 고객이 뒤가 구린 권력자들이었으므로, 운트

작힘이라면 필히 알 테지,

그럼에도 불구하고 세슈칸 지부, 용병길드의 5층을 대뜸 찾아와 길드장에게 고민 거리를 안겨준 그는 심각한 악취미였다.

누가 선량한 귀족을 죽이고 싶어 한단 말인가. 선량한 귀족따윈 없다, 라고 외치는 미치광이 혁명주의자도 아니고. 일반적으로 선량한 평민이라 하더라도 그 손에 망설임이 가득 찰텐데 하물며 귀족가의 일원이라면야.

갚을 수 없는 원한을 지는 일이고, 그저 모른 채 임무를 받았고 실수로 저질렀다고 변명을 하는 수밖에 없었다.

그래서 그는 그나마 가장 신뢰할만하고, 믿음직한 행보를 보여왔고, 실력도 좋은 어느 용병에게 자세한 상황을 알려주지 않고 의뢰를 맡길 셈이었다.

그게 길드장도, 그 의뢰를 맡을 용병도 사는 길이었다.

다만 세상 일이 다 그렇듯 쉽지는 않은 모양이었다. 얼치기처럼 굴기에 금급 용병은 지나치게 노련하고 솜씨 좋은 사내였다.

마르게리타는 길드장 집무실에 들이닥치는 햇볕을 목덜미 뒤로 느끼면서 할 말을 골랐다.

"……."

“…….”

한 숨 돌릴 정도의 시간동안 머리를 굴려도 마땅한 말이 없다는 걸 깨닫자, 마르게리타는 솔직해지기로 했다, 조금쯤 말이다.

“솔직히… 그렇진 않네. 꼭 받아야만 하는 의뢰는 아니지.

…… 하지만 상황이 영 좋지 않아. 용병 길드는 세슈칸 시에 지부를 두고 있고, 이 대도시에서 활동을 하면서 세슈칸의 영주의 심기를 거스르면 피곤해지거든.

적어도, 내 목은 날아갈지 모르지.”

“그게 무슨 말입니까? 영주라면, 작힘 백작이요?”

호아킨은 외형에 어울리는 멋들어진 목소리였다. 사내답고, 중저음이 풍부한 음색이다. 그는 노래를 좋아한다. 바깥에서도.

“……그렇네. 작힘 백작 말이지. ……. 자네도 이 바닥에서 깨나 활약을 해 온 용병이니 알지도 모르겠네만… 우리 시의 영주님은 성정이 보통이 아니시지.

……여태껏 용병 길드를 이용해오는 많은 고객들이 있었고 개중엔 귀족가의 일원들도 많았네.

……때로 지체 높으신 분들은 우리같은 이들에게 일감을 맡길 때 자신들의 사정이 알려지길 원치 않으신다는 말이지.

어쩐 특별한 사정으로 본인들이 직접 움직이기가 꺼려질 때,
일을 맡긴다는 말이네…….

나는…… 정말 원치 않았지만 가주님의 사정을 들어버렸고,
일을 처리해야만 하는 상황이 되어버렸어.

자네가 만일 이 세슈칸 시의 용병 길드에 어떤 일말의
고마움이나 좋은 마음이 있거든, 부디 도와주길 바라네.

……은급 아래의 용병들에게 맡겼다간 그 치들의 안위를 보장할
수 없고… 금강급은 내 통제 바깥이며 연락이 닿지도 않네.

신의가 높기로 유명한 자네가 최선이야. 부탁이네."

"……."

호아킨은 머리가 아파왔다. 일단 응접실에서 길드 사무원이 내온
음료를 들이켰다. 길드 조합 건물에서 팔기도 하는 에너지
드링크였다. 포션 류의 대단한 효과를 가진 건 아니었지만 허기를
달래줄 수 있고 스테미나가 떨어졌을 때 일반적인 음식 만큼의
효과는 있었다.

시원하게 마시는 건강 음료였고, 깔끔하고 단맛과 신맛이 약간
섞여 있는 푸른 색이다.

커다란 나무컵에 한가득 들어 있는 걸 그 큼지막한 손으로 잡고
벌컥대자 목마름이 가시면서 머리가 조금 돌아가는 것도 같았다.

이건, 퀘스트인 모양이었다.

여태까지 비련의 시나리오 속에서 플레이를 하면서 그가 적극적으로 찾아간 단발적인 퀘스트 외에는 받아본 적이 없었는데.

명예 점수를 올리고 이 근방에서 평판을 쌓아가다 보니 이런 상황도 벌어지는 듯하다.

시나리오 온라인에 대한 이야기들은 그저 심심풀이 삼아 인터넷을 뒤적거리며 찾아보기도 한다. 이미 공략법도 발생 조건도, 내용도 다 알려진 대동소이한 반복용의 퀘스트가 아니라 제대로 된 길이와 분량의 시나리오가 포함된 장기 퀘스트의 경우라면 상황 진행 도중 퀘스트 규모나 단계가 업그레이드 될 수도 있었고, 그만큼 보상도 좋을 확률이 높았다.

플레이어들이라면 찾아서라도 하고자 하는 것들이었고, 그런 퀘스트들을 많이 진행할수록 결과적으로 콘란드 대륙의 사회 속에 깊이 뿌리내리게 되는 것이므로, 다음 장기 퀘스트를 맡게 될 확률도 높아진다.

중수 정도의 플레이어에서 그 다음 단계로 가는 요소라고 할 수 있었다. 이런 이야기 식의 길다란 사연을 가진 퀘스트들은 말이다.

다만, 한 가지 고려해야 할 점은…

그 퀘스트의 방향성이 어디로 뻗어있느냐 하는 점이었다.

장기 퀘스트라고 냅다 다 참여했다가 봉변을 보는 경우도 참 많다.

기본적으로 서바이벌 게임에, 시뮬레이션 게임 등이 합쳐진 이 시나리오 온라인은 플레이어의 순간적인 선택이 많은 것들의 운명을 좌우한다.

사람처럼 디자인되어서 사람처럼 기능하고 사고하는 고도의 NPC들이 떼몰살 당하는 경우도 있고, 그 서슬퍼런 숙청의 칼날에 플레이어의 목도 뎅겅 날아가서 게임 오버 당하는 일도 심심찮게 벌어진다.

옳다구나 하고 관계성 깊은 NPC가 비밀스런 임무를 맡길 때 발을 들였다가, 메이저 세력의 전복을 노리는 악의 비밀결사 따위에 휘말려서 고생은 고생대로 하고, 클리어의 근처에도 못가본 채 끝나는 사람들의 이야기가 커뮤니티에 늘 퍼져있다.

무용담처럼 자신의 사연을 길게 적은 유저들의 하소연은 그 나름대로도 재미가 있었지만, 자신의 이야기가 되면 영 웃지 못할 일이다.

목숨이 하나밖에 없는 극악한 난이도의 게임에서 위험한 다리를 건너고 싶어하는 자는 아무도 없다.

호아킨 팍스는,

제법 위험을 즐기는 사내였고 군사적 훈련을 받은 인재인데다 심지어 적성도 맞았던 인간이다. 사무직으로 일하면서도 늘 운동과 레저는 빼놓지 않고 정기적으로 즐기는 취미였다. 지금은 그것들에 비련의 시나리오가 하나 더 추가되어있는 꼴이었고.

어차피 게임인 이상, 그는 위험도만이 선택을 바꿀 요소가 되진 못한다. '옳은가 그른가'를 따지는 게 더욱 그의 취향일 것이다.

그는 세슈칸 시의 용병 길드장, 눈앞의 장년인, 마르게리타 지부장을 조금 더 파볼 생각이었다. 정확한 퀘스트의 정보와 전후 사정을 다 토해낸다면, 그에 따라서 행동을 결정하리라.

해볼만한 일이라고 생각된다면, 그의 파티원인 릿샤를 데려와서 함께 움직이는 것도 좋을 것 같았다.

*

*

“어머, 정말 대단하군요.”

“허허허…….”

마샨 그리턴 자작 부인은 열심히 훈련하고 있는 이들을 바라보며 경탄했다.

멀리, 산중성채 ‘로키 캐슬’의 한 구석 공터에서 구르고 있는 사내들이 있었다.

자작가의 병사들도 짜여진 훈련을 자기들끼리 소화하거나, 혹은 엘리트 병력들이 자유롭게 자기 단련을 하고 있었고 그런 연무장의 한 자리에서 줄리앙과 페이브, 질리언이 검을 꼬나들고 발광을 하고 있는 꼴이었다.

그리턴 부인은 머리를 길게 길러 뒤로 묶은 스타일이었다. 붉은기가 도는 갈색 머리는 흔한 것으로 보인다. 유럽인처럼 생긴 외견이었고, 백인에 금안이다. 그리 화려하지 않은 단정한 디자인의 원피스를 입고 있었고, 발치까지 치마가 내려오고 목 위까지 천이 감싸는 따뜻해 보이는 모습이다.

제법 두께감이 있는 연두색, 회색, 갈색이 섞인 옷에 지나치게 수수하지 않게 쇄골 즈음에 자수가 고급스럽게 놓인 종류로 자작 부인의 온화한 분위기와 잘 어울리는 차림새였다.

약간은 주름진 미소를 띄며 마샨이 훈련에 매진하는 남정네들을 바라보았고, 그 곁에서 자작 부인을 상대하는 건 줄리앙 리스트, 로멜리아 가의 집사장이었다.

그래도 그리턴 가에게 의탁하고 있을 때는 비교적 안심할 수 있었다. 세슈칸 시에서 고급 호텔 내부에 처박혀 있을 때보다 훨씬 운신도 자유로웠고, 일단 그들의 대적이라 할 수 있는 작힘 백작의 손아귀에서 떨어져 있다는 것이 줄리앙의 스트레스 지수를 낮춰주는 요인이었다.

의도를 알 수 없는 이들과 함께 있는 것만큼 불편한 것도 달리 없었다. 확실하게 적이면 적, 아니면 아군인 것을 알 때가 차라리 낫지, 작힘은 태도도 애매한 데다가 앞서서 적대하지 않으면서 뒤로 숨긴 칼로 로멜리아 가를 적대했기에, 줄리앙은 그렇잖아도 샌 머리가 빠지기까지 할 정도로 정신적 괴로움을 받고 있었다.

어떻게 행동하고 앞서 나가야 할 지, 그리턴 자작의 도움이 있다면 그래도 한결 나으리라.

작힘 백작을 공식적인 석상에 세워 로멜리아 가의 입장을 전하고 물건을 받는 것이 가장 상책이었고 분명한 해결책이었다.

그러기까지 많은 위험이 있을 수 있었고, 가문 소유의

아티팩트를 받고 난 이후의 안전까지 누군가 책임져줄 수 있느냐 하는 게 문제였다.

'언약'을 기억하고 있다면 작힘 가는 내어주어야 할 것이다.
그렇기 때문에 애초에 백작이 그들을 만나지 않았던 것이고.

약속을 이행할만치 최소한의 공정성을 보장해줄 수 있는 보증인, 심판, 중간자가 있다면 문제가 더 수월할 것이다.
그만한 권위를 가진 자는 많지 않았다.
일단 대영주인 작힘 백작과 비교해서 그리 밀리지 않는 권력과 병력을 지닌 어떤 집단의 수장이어야 할테니 말이다.

전 남작은 그리턴 가의 하이샨이 그런 역할을 해주기 바랐던 건지도 모른다.
그리턴 역시 적극적으로 도와주겠노라고 했지만 그 혼자만으로 작힘 백작의 의도를 꺾을 수 있을진 자신할 수 없었다.

그리턴 가도 만만한 집단은 아니었지만 작힘 가는 대도시의 영주직을 수행하며 그간 많은 힘을 축적해왔고, 작힘 백작 본인조차도 계략에 능하고 뒷처리가 되는 선에선 암살조차 서슴치 않는 괴물같은 인간이었으니 말이다.

확실하게 그의 야욕을 누를 수 있는 사람이 필요하다.

그리턴 가와 비슷한 세력을 가졌으며 로멜리아 가에게 우호적인 이들이 몇 명 모여서 작힘 가를 규탄한다거나, 그들에게 진정성 있는 약조의 실천을 탄원한다면 모르겠다.

그게 되지 않는다면 중앙에 속한 고관이나 왕실의 누군가가 그리턴 가의 연으로 이곳에 와서 그들을 도와줄 수 있겠는가.

줄리앙은 머리가 복잡했다.

어쨌던, 상황이 어떤 식으로 흘러가던 간에 그들 일행의 사내들이 수련에 매진하는 것은 바람직한 일이었다. 그는 성채의 건물들 사이를 잇는 석재 도보에서 좀 떨어진 자리의 연무장을 지켜보았다.

훈련하는 이들의 전경이 눈에 들어와 구경하기 좋은 자리였다. 햇살이 그리 따갑지 않게 그들을 비추고 있었고, 습도도 적당하며 메마르지 않아 운동하기에 괜찮은 시간대였다.

아침 식사를 하고 얼마 지나지 않은 오전이었다.

"으랏."

질리언의 시선으로까지 가까이 가보면, 그는 날아드는 검을 피하고 있었다.

그는 기합인지 비명인지 모를 것을 내며 제냐의 것을 피하고 있었다.

제냐는 칼집에서 검을 뽑아들지 않고, 자작가의 연무장에서 철검 하나를 빌린 걸 휘두르고 있다. 연습용의 검이라 날이 없음에도 굳이 칼집을 채운 채 흩뿌리듯 여기저기 궤적을 만든다.

무게가 상당할텐데도 전혀 부담이 없는 점은 제냐의 완력과 신체 각부의 근력이 초인적인 수준에 달했기 때문이었다.

엉성하게 대강 휘두르는 것 같아 보여도 중심이 안정되어 있고 질리언의 빈틈을 노리고 있기에 위협적이었다. 질리언이 조금만 방심해도 그의 허점으로 검극이 날아들고, 속도 또한 순식간에 빨라졌다 느려졌다를 반복하기에 타이밍을 잡기도 어렵다.

그의 시선에서는 거의 채찍이나 다름없는 선형의 움직임이었다. 유연하게 휘어대는 검격은 스쳐도 데미지가 상당해 보인다. 근처에도 걸리지 않게 피하는 것이 가장 좋은 일이고, 질리언은 계속해서 뒤로 물러나거나 큼직하게 움직이느라 공격은 생각도 못하고 있었다.

휘휘,

적당히 무게를 잡고 칼을 휘두르는데도 제냐의 신체 능력이 그들보다 압도적이라 좋은 훈련이었다.

그로서는 '하류 검술', '외날 검술'등이 보여주는 경로를 따라 신체를 움직이고 가끔 자기만의 변형을 섞어보는 일의 반복이었다.

어쨌든 검을 휘두르는 건 좋은 일이었고, 스킬 성장에 도움이 된다. 질리언과 페이브를 동시에 상대하면서 제냐 역시도 이득을 보고는 있었다.

아침, 오전의 공기가 적당한 온도로 다가와 몸을 쓰기에 괜찮았다. 햇살 아래 펼쳐진 너른 공터였고, 그들이 아니더라도 수십 명의 남정네들이 땀냄새를 풍기면서 수련을 하고 있다.

제식 훈련을 받는 자들도 있었고, 자기만의 검류를 수양하는 엘리트 기사들도 있었다. 캉! 빠른 속도로 춤추던 제냐의 철검이 그 검집 째로 페이브의 칼날에 부딪혔다. 페이브와 질리언은 함께 제냐를 상대하고 있다.

제냐의 칼이 주로 질리언을 압박하면서 뒤로 물러서게 만드는데, 페이브는 상대적으로 부담이 적어지자 자유롭게 움직였다. 제냐의 측면 등 사각에서 칼날을 매섭게 찔러온다. 질리언과 페이브는 칼집 없이 일반적인 철검을 들고 있었다.

평소에 그들이 쓰던 애검은 아니었고, 마찬가지로 연무장 한 구석 무기고에 있는 낡은 연습용 검들이었다.

날이 없으나 맞으면 피부는 반드시 상하고 골절도 일어날 수 있는 물건이었다. 일반적인 사람의 손에 들렸다면 이미 HP가 10,000 근처에 다다르는 제냐의 몸에 큰 충격은 아니겠지만 질리언과 페이브도 기사의 일각이었다.

어쨌거나 기력술을 쓸 수 있을 정도로 신체를 단련한 무술가들이었고, 지금은 검날에 직접 두르고 있지는 않지만 어쨌든 신체의 속력을 올리기 위해서는 MP들을 소모하고 있었다.

평범한 검류와 움직임에서 더욱 가속화된 휘두르기는 철검 그 이상의 위력을 발휘한다. 묵직한 통나무라도 그대로 쪼개버릴 듯한 기세로 둘의 검격이 점차 매서워진다.

페이브의 검을 한 번 쳐내고, 제냐는 질리언에게 앞서 다가가며 앞차기로 명치를 찍었다.

피하려 했지만 페이브보다는 질리언이 미세하게 실력이 달렸다. 검술의 조예는 둘 다 제냐보다 높았지만 굳이 비교하자면 그것도 질리언이 페이브보다 아래였고, 신체 능력도 그러했다.

나이의 차이는 어쩔 수 없는 일이었다. 둘 다 뛰어난 재능을 가진 천재류의 검사였으니, 나이가 많은 쪽이 더 많은 훈련을 했고 높은 경지에 다다르는 건 당연스런 일이다.

햇살에 반짝이는 철검들이다. 낡고 손때 묻은 검이었지만 닦아 두기는 늘 하는지 그 쇠붙이의 겉면이 햇빛을 받아 산란시킨다. 옆에서 번뜩이는가 싶더니, 제냐의 곁눈질 시야 사이로 페이브의 검격이 뱀처럼 휘어 들어왔다.

찌르기였으나 단순한 일직선이 아니라 팔을 틀어 각도를 바꾸어대며 들어온다. 빈틈을 노리는 일격이었고 시야로 보이는 화려함에 당황해서 제대로 막기까지 반 호흡이라도 느려질만한 비기다. 제냐는 그냥 크게 몸을 움직여 피했다.

질리언을 퍽, 차버리고 든 발을 회수할 새도 없이 그냥 한 발로 뒤로 뛰듯이 거리를 벌렸다. 페이브는 허공을 갈랐으나 조금의 지연도 없이 그대로 따라 들어온다. 제냐는 MP를 사용했다.

신체 전반에 힘이 돌았다. 간단한 속력 증가, 근력 강화는 이제 순식간에 할 수 있는 일이었다. 기초적인 기력술이라 할지라도 MP를 때려박으면 어쨌든 헤이스트 그 이상의 효력이 나온다. 제냐는 갑자기 저 혼자 시계를 빨리 돌리는 영상 속의 인물처럼 움직였고, 페이브의 쫓아오는 검을 피해 도리어 거리를 좁혔다.

손가락 한 두 마디 정도의 차이로 날아드는 찌르기를 피했고, 일점 공격에서 페이브가 검의 궤적을 바꿔 베기로 다가오는 제냐를 크게 치려고 들었다. 가로 누인 검이 선형의 공격으로 다가오니, 제나는 그대로 몸을 아래로 숙이며 페이브의 몸통 근처로 다가간다.

묘기나 서커스와 같은 움직임이었지만, 비인간적인 신체 능력과 그것에 동반되는 감각이 있기에 가능한 일이었다.

순발력은 동체 시력 따위에도 어느 정도 긍정적 보정 효과를 준다. 반사 신경에도 마찬가지이다. 집중력도 영향을 미치고.

전투 감각이 발휘되며 피가 끓는다. 어떤 스킬들은 실제로 약간의 고양감을 불러 일으키면서 플레이어가 전투에 적응하기 편하도록 만들어준다.

스킬의 사용 자체는 플레이어의 선택이었고, 사용자의 성향에 맞는 음식을 추천해주듯 그의 플레이 스타일에 따라 주어지는 것이 스킬이었으니 그리 작위적인 느낌은 아니다.

정신 계열의 스킬들은 희미한 잔향 정도의 효력으로 플레이어들의 정신에 영향을 미친다. 차분해지는 효과가 있는 허브티나 향초 따위가 있듯이, 온화한 분위기를 이끌어내는 스킬 효과의 음악 연주는 그런 작용을 플레이어들에게 일으킨다.

NPC들의 경우에는 그 스킬에 포함된 MP에 따라 조금 더 극적인 효과가 연출되는 편이었고.

제냐는 고조되는 집중력 속에서 페이브의 명치 즈음을 바라보고 노렸다. 계속해서 직시할 필요는 없었고, 움직이는 가운데 슬쩍 시야에 담았으면 충분하다.

다가오는 그의 움직임을 계산해서 칼을 들지 않은 왼 손을 뻗는다.

손바닥 가운데, 펼친 왼손의 장심으로 그 명치를 찍듯이 밀었다.

보법은 그의 전투 전반에 영향을 미친다. 기초적인 박투술 스킬이 세세한 동작의 호응을 돕는다.

페이브가 걸친 가죽 보호구 위로 그의 손바닥이 걸린다. 손가락 한 마디 정도의 두께감인데, 제냐가 그대로 쿵, 찌르자 페이브의 몸이 덜컥 멈춘다.

체중은 그대로이되 근력의 양이 달랐다. 비현실적인 모습이 연출된다. 시나리오 온라인 내에서는 일정한 근육의 양이 가질 수 있는 에너지의 한계가 다소 헐거웠다.

진각을 밟듯 앞발을 세게 내딛으며 그 반탄력까지 고스란히 담아 날린 일장에 페이브는 숨이 멈추는 느낌을 받았다. 스스로 호흡을 멈춘 적은 없는데, 폐가 강렬한 압박을 받았고, 달려드는 그 기세가 타의로 멈추자 충격이 배가되었다.

마주 다가오는 사람을 들이박았을 때 당연히 충격이 더 크다. 그게 적절한 공격법이냐, 가 카운터에서 따져보아야 할 점이겠지만··· 제냐의 무식한 완력이 한 손으로 명치를 찌르는 일조차 적절한 타점을 지닌 공격법으로 바꾸었다.

숨이 눌린 페이브는 다가오던 자세 그대로 멈춰서 몇 초간 저항 상태를 가졌고, 그 뒤에 관성에서 자유로워지자 제냐가 시원하게 주욱 날려버렸다.

"컥억."

숨을 토해내면서 페이브가 뒤로 날아, 나뒹굴었다. 우스운 꼴이었지만 재밌지는 않았다. 당하는 입장에서는 땅에 발 딛고 뛰다가 갑자기 놀이기구에 올려진 것과 같은 일이리라.

페이브의 눈 앞은 거친 회전각과 속도로 반전되었고, 그는 강렬한 충격과 함께 하늘을 올려다보고, 다시 땅을 바라보게 될 때 즈음엔 바닥에 널브러져 있었다.

쿵! 하고 연무장 바닥을 격하게 쓸었다. 인간 대걸레처럼 야외 바닥을 청소해주는 모습이 희귀한 것도 아니다.
거친 장정들이 격한 수준의 훈련을 하는 로키 캐슬에서는 심심찮게 볼 수 있는 일이다.

비단 그만이 아니라 여러명이 등판으로 연무장 바닥을 쓸고 있긴 했다.

페이브가 날아가는 찰나에 질리언은 자신의 자세와 충격을 회복했다. 한 방 한 방이 묵직해서 어디 거대한 짐승에 채인 것 같은 느낌이었다. 말 뒷발굽이라거나, 소라거나 말이다.

페이브 역시 땅바닥을 한 차례 굴렀다가 일어섰고, 예기는 없으나 검날을 곧추세우며 달려든다. 기력은 여전히 활발하게 돌고 있다. 충격의 순간 타점을 보호하기 위해 MP를 집중하는 것 역시 전투의 요점이다.

초인적인 수준까지 단련하면 사람이 닿을 수 있는 이 세계에서, 재능을 다해 스텟을 높이고 기력을 계속해서 사용하는 게 결국 일이다. 수준 높은 공방에서 한 번의 휘두름은 가히 괴물같은 위력을 갖기에 MP가 바닥나면 결국 맨 몸과 맨 손으로 전장터에 나가는 것이나 비슷하게 된다.

점차 모든 공방에 기력술이 고정값이 되는 수준에서의 일이었다. 제냐나 질리언, 페이브같은 입문 단계의 기사들, 근접 전사들은 아직 모든 움직임에 MP를 소모하기엔 양이 좀 부족하고, 같은 양을 최대한 적당히 분배해서 오래도록 전투 호흡을 이끌어가는 게 관건이었다.

기력술 역시 초상 스킬을 사용할 때 MP를 사용하는 감각과 같이, 정확한 발상과 운용이 있다면 한 번의 사용에 쓸모없는 손실이 적다. 근력을 사용하는 운동 에너지와 같이, 물리적인 힘이기에 잘 쓰는 인간이 있고 못 쓰는 인간이 있었다.

사소한 운용의 차이는 최상위급의 경쟁에 있어서 필수적인 요소다. 거대한 힘을 칼같이 다루는 이들이 결국 세계관의 최상위권 전투 능력자의 자리에 앉게 된다. 플레이어들은 NPC에 비해서 세심한 요령에 있어서 밀리는 경향이 있다.

이 세계가 실제라고 느끼며 오래도록 살아온 자들과 여가 시간을 활용해서 급격하게 적응한 자들의 차이였다.

페이브와 질리언이 가진 능력은 아직 제냐가 어거지로, 힘의 총량으로 깔아 뭉갤 수 있는 수준이었다.

페이브가 앞차기를 당해서 땅바닥에 엉덩이가 닿도록 넘어지고 난 다음에, 호흡을 가다듬고 다시 일어나서 제냐에게 직진으로 달려들 때 즈음 제냐 역시 페이브를 마무리하고 안정 상태였다.

여유롭도록 정신을 차린 제냐에게 별다른 수도 없이 달려드는 일은 자신을 다시 정통으로 걷어차달라고 부탁하는 뜻의 적극적인 표현이었다.

빠악,

소리가 났다.

별다른 차이도 없이 순식간에 다음 순간에, 제냐는 그 부탁대로 질리언을 걷어차주었다. 유연하게 휘는 돌려차기가 질리언의 턱을 갈겼고, 다행히 정통으로 맞지 않고 MP를 넣어 보호력을 형성한 뒤 맞았기에 중상을 입거나 블랙 아웃이 오지는 않았다.

그럼에도 불구하고 얼얼한 기분과 함께 다시금 뺨을 흙바닥에 대야만 했다.

제냐가 한 발 한 발에 실은 힘이 만만찮고 무거워서, 둘은 그들의 생각보다 일찍 다운되었다.

제냐는 NPC들, 질리언과 페이브의 재능과 신체적 능력, 가능성에 대해서 다 알지는 못하지만 대강 콘란드 대륙임과 그들이 기사급의 인재들이란 걸 생각했을 때 더 지독하게 굴려도 좋겠다고 생각하기는 했다.

죽지만 않으면 된다, 죽지만 않으면.

잠깐의 휴식 시간을 가지고 그 다음엔 직접 타격 없이 검격만을 나누면서 서로의 기술 교류를 했다.

직접 몸으로 부딪히면서 훈련을 하고, 제냐가 하는 식의 과중량 웨이트를 스케쥴에 넣기도 하고, 또 마침 펼쳐져 있는 데슈칸 산맥이란 천혜의 트레이닝 장소를 뛰며 그들은 시간을 보냈다.

준비의 과정이었다. 결정자가 시기와 행동의 내용을 정하기까지 말이다.

줄리앙과 헤슈나, 그리고 그리턴이 머리를 굴리며 작힘을 도모하기 위한 계획을 세우고 있었다.

*

퀘스트는 실제적이다.

가급적 게임이기 때문에 오랜 상황이나 세월을 끌지 않고 급변하는 것이 일반적인 시나리오의 진행법이었다.

그러나, 실제적이라는 말은, 최소한의 개연성을 위한 시간 지연 역시 중간 중간 있다는 말이었다.

게임적 작법으로 시간을 빨리 감듯 NPC들의 대이동이 있다손

쳐도 상황을 인지하고 대비할 만한 호흡은 계속해서 준다.

또한 게이머의 행동이 다음 상황을 지연시키는 경우 역시 있었다. 전쟁으로 이어지는 퀘스트라면 자신이 몸을 담고 있는 집단의 방비를 단단히 한다던가, 공격 측의 NPC파벌이 함부로 움직이지 못하게끔 플레이어의 행동으로 환경이 변할 때 진행도가 바뀔 수 밖에 없었다.

질리언과 페이브, 제냐의 단순한 훈련이었지만 성채에 틀어박혀 준비를 하고 있는 그 행동이 그렇게 작용했을 지도 모른다.

얼마간 자유롭고 안전한 시간이 지나갔다.

그러던 사이 제냐는, 김서원은 현실에서 시험이 끝났고, 더욱 널널한 시간 속에서 게임을 즐길 수 있게 되었다.

개멋진나 최는, 바깥에서의 일이 역시 끝났다. 파티 플레이가 잠시 멈추었다가 회사일이 끝난 그가 연락을 하면서 제냐 역시 그를 반겼다.

[여.]

[시간 되십니까? 로키 산으로 오실래요? 아직도 전에 말한 퀘스트 중입니다. 끝나질 않는데요 이거. 웬 귀족가 NPC 몇

명이랑 세슈칸 시 영주한테 대적하는 내용입니다. 와서 같이 깨주시면 감사하고요. 절-대적으로 열세입니다.]

퀘스트 난이도가 상당히 빡셌다. 죽으라는 법은 없고 시나리오 온라인 역시 그러므로 적은 인원으로도 뚫고 나갈 길이 있기야 하겠지만.

일단 대략적으로 봤을 때 계란으로 바위치기 그 이상인 것이 현황이었다.

모든 상황에서 그렇지만, 특히 전투에 있어서 플레이어의 도움은 큰 힘이 된다. 죽음을 잘 두려워하지 않으며 수많은 포션을 물처럼 쓰고, 죽지만 않으면 얼마든지 부활할 수 있는 괴물같은 전사들.

전쟁과 전투를 경험할수록 더욱 강해지기만 하는 그들은 일단 전투용 클래스의 플레이어기만 하면 도움이 되었다.

개중에서도 솜씨가 좋은 편인 최태현은 더욱 큰 도움이 될 것이다.

퀘스트 규모가 커질수록 NPC들만의 일은 아니게 된다. 어차피 콘란드 대륙 내에서 함께 살아가는 공동체적 사회 구성이었으므로. 범위가 큰 일이 되어갈수록 필연적으로 플레이어들도 얽히게 된다.

자잘하게 NPC들과 관계성을 맺지 않고 플레이하(살아가)는 유저는 없다시피 했으니까.

일이 커질수록 퀘스트는 세분화되고 다각적으로 분열되어 상대쪽 파벌에서도 플레이어가 섞여 들어올 수 있었다.

플레이어의 가장 흔한 신분은 용병이나 모험가였으니, 전쟁 중에 용병을 고용하는 건 자연스런 선택이다.

그들에게도 조력자가 붙고 용병이 추가된다면 더할 나위 없으리라.

[오··· 아직도요? 마을급 아니었습니까? 유니크라고 했었나··· 다음 급으로 넘어가는 건가 보네요? 세슈칸 시요? 작힘 백작? 아니··· 그 양반이랑 싸운다고요? 중수 도시여도 영주인데··· 일단 알겠습니다. 로키 산이면 좀 걸리긴 하겠네요. 가는 중에 연락할게요.]

[얍. 감사합니다. 아직 절정부도 안 넘은 것 같긴 한데요. 오면 말씀하십쇼. 마중 나갈테니.]

이야기는 조금 길어졌다.

[뭐 챙겨갈 거 있을까요?]

[몸만 잘 오십쇼. 일 터질 때 도와만 주시면 됩니다.]

[얍. 오랜만에 흥미진진한 게 있네요.]

[레벨업도 빡세게 해봅시다.]

사소한 말을 조금 더 나누다가 멎었다.

최태현이 로키 산에 닿을 때 즈음엔, 그리턴 자작의 수手와 노력이 결실을 맺었다.

*

*

시종이 급하게 뛰었다. 일의 중요도에 따라 편지를 배달하는 어린 시종의 달음박질은 빨라지거나 한다.

열댓살 정도로 보이는 소년은 왕실에서 일을 하며 삯을 받는 시종이었다.

하얀 낮, 고풍스러운 곡선이 아름다운 산슈카의 왕궁 사이로 키가 짧은 소년이 뛰고 있는 것이다.

"하."

숨을 뱉으며 손아귀에 곱게 잡은 종이 한 장이 소중하다. 고급스런 인장으로 봉인된 붉은 봉투가 상하지 않도록 품으로 가려 안은 채다.

왕궁의 건물들은 띄엄띄엄 지어져 있고 정원을 비롯한 조경이 넓은 전경에 탁 트인 시야를 보장한다. 본궁과 별궁등 거대한 건축물들이 있지만 거기까지의 길목은 야트막한 높이와 소담스런 美로 꾸며진 뜰의 연속이다.

장미 화단이 소년의 허벅지 즈음에 닿는 높이로 길가에 장식되어 있었다. 장미길을 달려 어린 시종은 어느 별궁에 닿았다.

궁은 왕실의 소유였고, 왕가의 식솔들과 산슈카에서 가장 고귀하고 지엄한 양반들이 머무는 곳이었다. 각 부의 고관들은 수도에 자신의 저택을 마련해 출퇴근을 하는 자들도 있었고, 더러는 집무실을 제 집처럼 여기며 사는 자들도 있었다.

개중에서 소년이 닿는 곳은 왕족이 기거하는 궁은 아니었다. 산슈카의 법관 중 가장 높은 이가 법무부장이었다. 기나긴 왕국의 역사와 세월만큼이나 길다란 직책 명이 달리 있었으나, 일반적으로는 그렇게 줄여 불렀다.

그 아래에 있는 것이 법무부차장으로, 사슈나 가家의 사위로 들어온 머킷 그리섬 그리턴이었다.

소년은 법관들과 행정관들이 함께 머물고 있는 건물, 금사자 1궁에 다다라 들어갔다. 소년의 목적은 개중 부차장인 머킷 그리섬 그리턴 자작이었다.

화창한 낮의 날씨가 소년의 머리 위를 비추고 있었다.

어느 흥 많은 사내는 일을 하러 가다가도 쓸 데 없는 바람이 들어 샛길로 나들이를 떠날지 모르는 그런 날씨다.

소년을 비롯해 여러 고용인들과 고관부터 그 아래 직급의 세부

실무자들까지 자신들의 책무에 여념이 없다.

정부 조직이라 할 수 있는, 나라의 본부랄만한 곳이 그런 근로 의욕에 불타는 분위기라면 당장 그 나라는 큰 걱정이 없을 것이다.

우환이 있어도 단결된 충정은 몇 차례 고비를 넘길 수 있을지 모른다.

소년은 익숙한 듯 금사자궁에 발을 디뎠고, 정문을 호위하고 있는 근위병도 별다른 말 없이 그를 들여보냈다.

늘 오는 얼굴임과 동시에, 소년이 들고 있는 편지가 무엇인지 대강 알기 때문이었다. 붉은 색 봉투에 금색 인장. 붉은 색은 가급적 즉각적인 회신을 청한다는 의미였고 금색 인장은 각 부처의 결정권자 이상에게 전해지는 편지라는 뜻이었다.

결정권자 이상이란, 법무부장, 부차장, 그 아래 차장보補까지를 의미했다. 부장이 바쁠 때는 부차장이, 부차장이 자리에 없을 때는 차장보가 일단一旦 결제를 하고 사후 보고를 하는 식이다. 물론 부차장의 권한으로 직인이 찍힌 안건은 추후 문제가 생길시 도루묵이 될 수 있다. 부장의 선에서 반려가 된다면 말이다.

차장보의 결단 역시 부장 선에서 바뀔 수 있었고.

그러나 부차장의 가장 주요한 업무란 부장의 법적 일처리의 흐름을 파악하는 일이었고, 차장보의 가장 중요한 재능은 부차장의 마음을 읽고 결정의 개연성을 깨닫는 것이었다.

윗 사람의 선택 원칙을 파악하기에 그 보조를 할 수 있다. 다른 부서 역시 직속 상사와 직속 부하의 관계란 긴밀한 것이었지만 법무부는 특히나 사이가 좋은 편이었다.

부하들도 상사와 '사이가 좋'다고 여길런지는 모르겠지만, 각별하게 협조하며 일처리의 신속성을 자랑하는 부서이기는 했다. 일이 빠르고 또 좋게 처리가 된다면, 일을 위해 모인 자들은 서로에게 불만이 없는 법이었다.

법무부장, 메기 그리섬 사슈나는 지방 관청으로 순방을 떠난 차였다. 왕실 법무부 관청인 금사자궁에 남아 있는 최고위자는 자연스레 머킷 그리섬 그리턴 자작이 되었고, 금사자궁의 단골인 붉은 머리의 어여쁜 소년은 몇 차례 그를 가로막는 내부 사무관들에게 목례를 하며 지나쳤다.

석조 궁이었고, 내부로 들어서면 웅장한 소리의 울림과 시각적 공간감이 있는 모습이다. 근위병을 지나쳐 정문 복도에 발을 디디면 한 두 걸음만에 암녹색의 카페트를 밟게 된다.

정갈하게 다듬어져 한 치의 오차도 없이 깔린 돌바닥 위에, 귀퉁이에 금빛 수가 놓아진 푹신한 카페트 위를 지났다.

궁 내부는 거대한 집회실과 대회의실을 지나쳐 안쪽 사무실로 이어졌고, 1층은 전부 일하는 공간이었다. 복잡하게 나누어진 다양한 방들과 복도 사이를 지나 거하는 모든 이들에게 눈도장을 찍으며 부차장의 방까지 다다랐다.

소년은 가쁘게 쉬던 숨을 세 번에서 다섯 번 정도 천천히 골랐고, 늘 그렇듯 짧은 시간 만에 호흡을 되찾으며 침착하게 문 앞에 선다.

소년이 있는 곳은 작은 복도칸으로, 그가 지나쳐 온 법무부 관리들의 사무실 쪽으로 난 문이 뒤에 있었다. 앞은 갈색의 고급스런 목재로 만들어 둔 부차장실의 문이다.

관리들이 일하고 있는 널찍한 사무실이 하나 있었고, 문을 통해 방 안에 들어서서 주욱 직진하면 부차장의 방이고, 직진하다 왼쪽으로 꺾어 들어가면 법무부장의 방이었다. 차장보는 테이블과 서류로 복잡한 사무실 상석에 앉아 관리官吏들을 관리管理하며 일을 하고 있었다.

총 세 명이었고, 소년은 언제나 보던 얼굴이라 익숙한 사내들 중 두 명만이 자리에 있다는 걸 알았다. 한 명은 어딜 갔는지, 외근을 하고 있을지도 모른다. 혹은 열심히 일하기 위해 자리를 지키는 법관들을 두고서 콧바람이라도 들어 나들이를 떠났는가.

소년이 생각할 바도, 알 수 있는 바도 아니었다.

열 한 두 살 정도 되는 소년은 조심스레 목을 가다듬고, 문에 달린 금빛의 손잡이를 잡고 통통, 정직한 박자로 두드렸다.

그 다음 한 두 호흡 정도를 다시 쉰 다음에 소리를 낸다.

"머킷 그리섬 그리턴 법무부차장관님. 법무 행정궁 배달부가 급속 회신 편지 배달 왔습니다."

"……."

그 말에 뜸을 들인 건 안쪽에서의 일이었다. 소년은 늘상 하던대로 말을 했고, 얼마 지나지 않아 내부에서 말소리가 들렸다.

"……들어와."

땡, 하는 종소리도 함께 울렸다. 보통은 종만 울려도 알아 듣고 들어가면 되는 일이다. 법무부차장인 머킷 그리턴은 늘 소년에게 말로 한 번 더 언질을 주곤 했다.

끼익, 하고 작은 소리가 나며 문이 열렸다. 소년은 한 쪽을 열었는데, 소년의 키보다 과장을 조금 보태 두 배 정도 되는 높이의 문이었다. 묵직할 것 같은 크기와 달리 부드럽게 당겨지며 열린다.

장정 대여섯 명이 서 있으면 비좁고 꽉 찬 느낌이 들듯한 작은 복도방 쪽으로 문이 열리며 내부가 나타났다.

소년에겐 익숙한 방의 전경이었다.

방의 안 쪽 멀리, 집무실의 테이블에 앉아 안경을 슬쩍 밀어 올리는 중년의 젠틀한 사내가 그를 바라보았다.

"켈릭. 이리 주렴."

오후의 햇살이 그 뒤를 비추었다.

한 쪽 커튼을 활짝 열어두어 하늘의 햇빛을 받으며 일을 하고 있던 부차장이다. 40대 정도의 남성으로, 나이답지 않게 날렵한 느낌이 드는 외견이었다. 다만 동안인 얼굴에 비해 희끗한 터럭이 섞인 금발을 뒤로 깔끔하게 넘겼고, 으레 궁에서 이래야 한다는 듯 정갈한 정장을 입고 있는 사내였다.

에메랄드로 만들어진 단추가 인상적인 검은 빛의 재킷이었다. 안쪽으로 흰 셔츠를 입고 있다.

"예, 자작님. 여기 있습니다."

켈릭은 땡그란 눈을 곱게 뜨며 다가가 편지를 건넨다. 빠르게 달려왔으나 궁 안뜰의 잘 정비된 블럭 위만 밟아서 왔으므로 신발에 이물질은 없었다. 전체적으로 갈색, 주황색, 상아색 따위가 섞여 있는 인테리어와 분위기다. 바닥에는 얇고 검붉은 카펫 하나가 회색 석재 위에 깔려 있었다.

소파나 탁자, 집무실 중앙에 있는 여러 가구와 집기들 아래에 깔린 것으로 방 전체 바닥을 덮는 물건은 아니었다. 켈릭은 가구를 피해 천천히 안쪽 테이블의 머킷에게 다가갔다.

쫑쫑거리며 오는 듯 보이는 행색에 머킷은 속으로 웃음을 지었다. 귀엽고 어설픈 꼬맹이었다. 자신이 어설프지 않아 보이도록 늘 애쓰는 꼴이 가엽고 기특하다. 왕성에서 일을 하는 몇 명의 시종들이 있었고, 보통 이런 잡무는 그런 시종들 중 아이를 가진 이들이 지원을 해서 맡게 된다.

왕실에서 일을 하는 고용인이라 하더라도 혼자서는 벌이가 부족할 때가 종종 있었고, 식구가 많은 집은 이렇게 부업을 시켜 살림을 낫게 하는 경우가 있다.

켈릭 아르펠Kellic Arpell. 법무부 소속의 편지배달부로, 궁 내 우체郵遞소에 들러 늘 그에게 가장 빨리 소식을 전달해주는 고마운 꼬맹이였다.

그보다 더 긴급을 요하는 경우는 이런 꼬마의 발이 아닌 성인 남성의 다리를 빌려 오는 경우도 더러 있었다.
어디에서 귀족 영주들간에 불명예스런 전면전이 일어났다거나, 내란이나 역병 등 국난이 될법한 일이 터졌다거나 하지 않는 이상 대개의 일은 켈릭이 가져온다.

작은 손에서 붉은 편지 봉투를 빼앗아, 머킷은 테이블 한 켠에 널브러져 있던 편지칼을 집어들어 자연스런 손놀림으로 개봉했다. 사각거리는 소리와 함께 부드럽게 입구가 열린다.

부차장은 그 감각이 제법 마음에 들었다. 허구한날 앉아서, 전해져 오는 서신을 뜯어보는 게 그의 일 중 상당 부분을 차지했다. 물론 내용에 따라서 생각해야 할 바나 결정할 논리의 종류는 천차만별이었지만.

붉은 색 봉투가 자주 오는 일은 아니다. 그것도 금색 인장을 달아 그의 앞으로 오는 것들은 말이다. 그 아랫급에서 일하는 자들의 사정이 조금 다를는지는 모르겠다.

머킷은 사락거리며 접힌 종이를 펼쳐 내용을 보았다.

[친애하는, 또 존경하는 대 산슈카 왕국 법무부차장관 머킷

그리섬 그리턴 자작님.

오랜만에 편지로 전하는 인사에 사과의 말씀을 먼저 드립니다. 수도로부터 떨어진 데슈칸의 산지기가 이렇게 몇 자 글을 적어 보내니 부디 넓은 마음으로 읽고 반려치 말아주시기를. 늘 그대의 건강과 안녕을 기원하고, 또 왕국의 정기와 평화가 그와 같이 하길 바랍니다.

본론으로 들어가, 고류가문의 일로 아뢰는 바입니다.

위세가 이전과 같지 않으나 산슈카의 정기를 수호하는 명예로운 사대 고가 중 로멜리아 가의 후계자들이 그리턴을 찾아왔습니다.

안타깝게도 자헌 로멜리아 남작은 이미 유명을 달리했으며 그 두 딸아이와 유명한 집사장이 로키 캐슬을 방문했고, 그들의 사정을 아뢰기를

'산슈카와 로멜리아 가의 역사서'에도 기록 되어있듯 세슈칸의 '작힘 가家'는 제국기 1급의 아티팩트 두 종을 오래 전 로멜리아로부터 대여한 뒤 반납할 의무를 가지고 있습니다.

가문의 안위와 부흥을 위해 로멜리아 가의 후계자들이 세슈칸 영주에게 언약의 이행을 요구하고자 하였으나, 운트 작힘 백작은 교묘하게 그들을 피하고 따돌린 뒤

심지어 용병과 강도를 통해 암살 교사를 했다,

고 합니다.

더욱이 로멜리아 령 근처의 소귀족들 중 카샨과 호드 남작은

로멜리아 전 남작의 죽음에 부정적으로 관여했다는 의심을 사고 있습니다. 그들의 손속에 대해 세슈칸으로부터 많은 시달림과 습격을 당한 줄리앙 리스트 집사장은 작힘 백작의 관여를 심증적으로 고민하는 중입니다.

명예로운 머킷 그리섬 그리턴 자작님.

부디 영명한 대 산슈카 국의 법적 정의의 빛을 가꿔온 법무부차장관으로서, 이 산슈카 중남부에서 벌어지고 있는 황당무계한 사건의 올바른 결말을 위해 도움을 주십시오.

왕실 깃발의 상어 눈이 붉게 타오르고 있는 작금 이 현대에 법리와 귀족 가의 명예, 그리고 산슈카의 역사를 거스르는 실정법實定法의 파괴자들에게 적당한 처우가 무엇인지 알려주시길 간절히 탄원하는 바입니다.

데슈칸 산맥, 로키 산의 산지기, 사대고가 그리턴 가의 가주家主, 하이샨 올드 그리턴 자작 올림.

추신.

잘난 사촌 덕 좀 보자.]

"……."

머킷 그리섬 그리턴은 마지막 문장을 보면서 자신이 똑바로 읽었구나, 생각했다.

그의 사촌형제가 이토록 진지하고 또 절실하게 자신의 도움을 바라는 일은 확실히 흔치 않은 것이었다.
장황하게 긴 설명이었지만 어쨌든 뜻은 전해졌다.

세슈칸의 작힘 백작.
운트 작힘.

수도의 어느 관직 파벌에서도 요주의 인물로 거론되고는 하던 뱀 같은 작자였다.

산슈카는 오래된 나라였고, 수많은 역사동안 많은 영웅과 범인들이 나고, 지고, 타오르고, 죽었다.
그들의 이야기만큼 켜켜이 높게 쌓인 역사서는 늘 고국古國으로서의 자랑이었고, 오랜 역사와 함께한 옛날부터의 충신들과 새로이 힘을 기른 신진파 가문들과는 늘 알게 모르게 반목이 있어왔다.

결국 같은 나라의 한 국민이며, 오래되고 새로 만들어진 것은 아무런 의미도 없는 차이일진데.
중앙에서 행정 처리를 하는 여러 관리들에게 있어서는 골칫거리나 다름 없는 파벌 분리였지만 귀족들은 그런 분쟁이 자신들의 주 업무라는 듯 늘 수도 지방에게 고민을 안겨주었다.

사슈나는 왕가로서 지엄하고 고고했고, 알사드는 공작가로서 위세가 대단했다.

그들만큼 오래되진 않았으나 나름대로 왕국기의 대부분을 함께한 귀족가로 이루어진 고류파들과, 그 반대되는 신진파들은 국내 대회의가 열리면 늘상 반목하는 모습을 보여주었다.

로멜리아와 그리턴은 사대四大고가의 일부로 명예로운 이름과 역사를 가졌지만 지금은 영락해서, 고류파에 있어서도 그리 대단한 입지를 다지지는 못했다.
그리턴과 다시 로멜리아를 비교하자면 로멜리아가 거기서 더 연민을 부르는 처지였고 말이다.

거센 힘겨루기를 은근하게 해대고 있는 것이 국내의 실정이다.

왕가의 권위는 있으되 그것이 절대적이거나, 진실로 모든 국토의 국민들을 지배하고 있지는 못했다. 그것이 진솔하고 실정적인 이야기였다. 그가 법관이기에, 더욱 잘 안다.

그리턴 가의 일원이었다가 사슈나 가의 한 명과 결혼을 해서 왕실의 사위가 된 머킷은 오랜만에 받은 사촌 형제의 연락에 편지 봉투의 질감을 느끼며 종이를 매만졌다.

'…….'

사촌 형님이라 하더라도, 지나치게 직접적인 문장 구사는 법무부차장으로서의 직업 윤리와의 갈등을 일으켰다.

법 안 지키는 놈은, 아주 많다.

그러나 개들 중에서 심각한 놈을 잡아내고 그래도 산슈카의 법적 정기를 올바르게 해내는 것이 법관 중 서열 2위로서의 의무였다.

수도의 눈길과 권력, 그리고 병력이 닿는 거리에 있는 세슈칸에서 대놓고 귀족가의 일원을 핍박하며, 부당한 대우를 하고 있다면 당장 치안부 소속의 수비대가 출동해도 괜찮은 안건이기는 하다.

그의 말이 온전히 다 사실이라면 그러하다.

얼마 없는 형제들 중 그리턴 가에서 친형제처럼 가깝게 지냈던 하이샨의 얼굴이 떠오른다.

"크흠."

머킷은 답잖게 헛기침을 했다. 쿨럭이는 소리에 가만히 있던 켈릭은, 조심스레 눈치를 살피더니 그에게 눈짓을 했다. '가도 좋을까요?'라는 뜻의 몸짓을 소극적으로 표현한다.

그는 소년에게 한 손을 들어 휘휘 저으며 허락했고, 편지 배달을 마친 소년이 들어왔을 때처럼 단정한 걸음걸이로 집무실을 가로질러 나갔다.

짹.

창 너머, 별궁 옆에 정원수가 하나 있었다.

왕가의 일원이나 요직을 맡은 고관들이 있는 집무실 바로 근처로 은엄폐물이 있는 것은 그리 지혜로운 조경법은 아니었지만, 저 나무는 다소 떨어져 있기도 하고, 또 그가 좋아하는 향취를 풍기는 것이라 개인적으로는 마음에 들었다.

게다가 평범한 나무는 아니었다. 이전 제국기의 말엽 완성된 현재의 산슈카 왕궁은 다양한 유물적 아티팩트의 향연이라고 봐도 좋을만치 초상력학적으로 경계가 삼엄한 자리였다.

금사자 제1궁의 방비를 지키는 술식이 있던 자리에 훗날 심겨진 나무였고, 후대의 학자와 술사들이 갖은 연구 끝에 만들어낸 기이한 나무였다.

생목에 초상력이 스며들어 그 자체로 살아있는 아티팩트나 비슷한 것이 되어서, 인공적인 방어 의지를 가진 바이오 공학

경계탑같은 물건이다.

학자들이 하는 말은 반의 반도 알아듣지 못하지만, 대강의 내용과 그 위력만큼은 깨닫고 있었다.

더군다나 그가 좋아하는 유자나무라 향이나 가끔 떨어진 열매를 주워다 차를 끓여 먹으면 맛이 좋다.

이따금씩 새들이 날아들어 지저귀기도 하는데, 업무 중의 피로나 졸음을 깨워주는 고마운 알람이기도 하다.

여름이었고, 슬슬 매달린 녹색 유자가 노랗게 익어가기 시작할 무렵이었다.

그는 오후의 일처리를 잠시 미루고 십 분 여 쉬기로 했다.

똑딱거리면서 한 손에 어느새 쥐어든 만년필의 끝을 가지고 테이블을 두드린다.

잠깐 햇살을 받고, 나무를 구경하면서 고민하던 그는 결정했다.

하이샨 그리턴의 양심이 올바르며, 그가 파악한 사실이 진실에 근접하다고 했을 때, 그는 왕국의 법관 중 당장의 우두머리로서 사실에 근거한 판단과 조치를 취해야 한다.

일단, 몇 명의 사무관과 치안대 일부를 그리턴 가에 파견하기로 했다.

그들이 조사관의 역할을 하며 사실을 물어올 것이다.

초상 스킬이 발달한 이 세계에서 도시 간의 연락은 그리 오래 걸리지 않는다. 적절한 준비와 아티팩트, 자원 등이 있다면 말이다.

일단 로멜리아 가의 일원이라면 산슈카 국으로서도 보호해야 옳다.

사대고가는 산슈카의 역사와 함께 존재해 온 명예로운 이름들이었고, 왕가와 공작가가 그러하듯 영락한 남작과 자작가 또한 면밀하게 보호받을 권리가 있었다.

이 일이 잘못 건드려져 국내에 곪아 있는 파벌 간의 반목적 감정을 터뜨리는 일이 되지 않기를 기원하면서, 머킷은 보낼 부하 인선을 머릿속에서 고르기 시작했다.

***

29. 호아킨 팍스Joaquin Pax

*

"하악."

소년은 아니었으나 숨을 고르는 목소리가 있었다.

거한, 구릿빛 피부, 몸매를 다 드러낸 헐거운 상체 차림새. 몇 종의 레더 아머만 맨살에 걸치고 있는 사내의 몸에는 지난 날의 기억을 증명하는 상흔들이 새겨져 있었다.
현실에서는 볼 수 있을까 싶은 거칠고 커다란 흉터들이 여기저기에 있다.

누구보다도 게임을 터프하게 했다는 뜻도 되는 이야기들이었다.

현실에서 흉터 등이 있는 이들은 비련의 시나리오 속 캐릭터를 만들 때 본인이 지울 수 있었다. 일부러, 현실의 그것을 가져오는 이들은 많지 않았다. 없다고 봐도 좋을 정도.

비련의 시나리오 온라인에서 상처가 생기기란 쉽지 않은 일이었다. HP가 전체의 20%대로 떨어진 상태에서 1%이상 단위로 깎이는 중상을 입을 때 보통 남았고, 그것 역시 게임 내의 치료술로 지울 수 있었다.

목숨이 하나밖에 없는 서바이벌 게임에서 누구보다도 게임 오버에 가깝도록 거친 플레이를 하고서, 상처도 지우지 않은 그는 눈에 제법 띈다.

플레이어가 아니라 NPC인가, 하는 시선들도 종종 있었다.

말 수가 많은 사내는 아니었던 그는 호아킨 팍스였다.

호아킨은 산을 오르고 있었다. 멀리서부터 이어진 긴 여정의 마지막에 닿는 와중이다.

세슈칸 시에서 두 발로 출발한 그는 그의 파티 멤버, 릿샤Rissha와 함께 등산 중이다.

나름의 이동기를 보유했으므로, 그보다 이동이 느린 릿샤를 등에 태우고 달린 여정이었다. 강대한 근접 전사 클래스, 워리어Warrior임과 동시에 변신술사로서의 능력을 가진 그는 다른 이들보다 달리기가 훨씬 빠른 편이다.

네 발을 한 짐승의 형태로 탈바꿈한 뒤 달리는 건 더욱이 훨씬 빨랐고.

중수 중에서도 나름대로 중견이라 할만한 그와 릿샤는 파티원이었다.

세슈칸 시를 스타팅 포인트로 삼아 나름의 세월 동안 시나리오 온라인 내부를 탐험하고 떠돌았고, 알만한 정보들을 어지간히 다 안다고 생각한다.

그런 그에게도 '유일'급의 퀘스트는 처음이었다.

차곡히 쌓아오던 명예 점수가 빛을 발한 것인지, 길드장의 부름에 따라 받게 된 퀘스트를 일단 그는 수락했다.
그의 성향 수치에 영향이 갈만한 일인가 고민하기도 했으나, 대강 귀족들간의 분쟁 정도로 이해했고, 어느 쪽이던 공과 과가 있으며 의뢰인의 불과한 그가 대단한 도덕적 책임을 뒤집어 쓸 것 같지 않아서였다.
무엇보다 퀘스트가 수월해보이는 것도 한 몫을 했고.

정 반대의 입장이었다면 일이 조금 어려워졌으리라. 얼마 되지도 않은 몰락한 남작 가의 일원으로 세슈칸의 영주와 맞서야 한다면.

흔치 않은 기회라고 생각했고, 여태까지 얻지 못했던 희귀한 무언가를 얻을 수 있을지 모른다는 계산으로 릿샤를 불러 함께 하고 있다.

또 머리로 탁상공론을 해봐야 그다지 대단찮은 결과가 나오지도 않으니, 일단 실제 상황에 부딪혀보자는 것도 한 켠에 품은 생각이었다.

비련의 시나리오는 게임이었고, 그는 이곳에서 현실보다 조금 더 널럴한 자세로 여러가지 것들을 계산하고 행동할 수 있다.

과도한 책임감과 프레셔에 지친 그로서 비련의 시나리오라는 가상 세계는 제법 쓸만한 속풀이 도구였다.

정신병력까지는 아니지만 전장을 경험했던 그는 이따금씩 악몽을 꾸긴 한다.

일상생활에 영향을 미칠 정도의 무언가는 아니었고, 그는 건실하며 성실한 태도로 업무를 볼 수 있을만치 되었으며 또 행정 사무 처리에도 능숙했기에 지금의 직장에 들어갈 수 있었다.

그는 체대에서 몸을 쓰는 일을 전공으로 했지만, 동시에 체육 교육과 행정도 배웠으며, 군인이 된 이후에 행정병으로 근무한 시기도 있었다.

머리를 쓰는 일과 몸을 쓰는 일 두 쪽 다 떨어지지는 않는다.

둘 중에 지금 어느 것을 선호하냐고 묻는다면, 몸을 쓰는 일이기는 하다.

이곳은 현실도 아니었고, 조금 더 실수를 해도 좋은 공간이었으니.

비련의 시나리오 속에서 몸을 쓰는 일이 정말로 몸을 쓰는 일인가에 대해서는 다시 한 번 생각해봐야 할 주제이기는 하다만 어쨌든.

그는 그 감각에 익숙했고, 또 전문가라고 할 수 있었다.

비련의 시나리오에 처음 접속해서 여러가지 경험들을 하고, 전투와 사냥 컨텐츠에 이끌리면서 남들보다 더 수월하게 여러가지 스킬들을 얻었다.

그가 이미 체득해서 알고 있는 다양한 운동의 요령들은 이곳에서도 적용이 되었고, 물리 법칙 내에서 적용되는 지혜들은 남들보다 더 양질의 경험을 하게끔 캐릭터를 이끌었으며 그건 더 쉽게 고급 스킬을 익히는 방법이었다.

완숙한 전사 플레이어가 된 그도 스테미나는 있다.

변신 스킬을 사용해서 먼 거리를 주욱 달려왔으니, 지칠만도 하고.

거기다 지금 그의 익숙한 사냥터인 데슈칸 산맥을 향해 오르고 있는 길은, 늘 지나는 산책로를 이용하는 것이 아니라 길도 없는 험지를 통한 길이었다.

'산책로'는 산지기 가문의 소유였다.

넓고 또 평탄하게 다져진 산악로는 이 중세, 전근대 시대의 세계상을 가진 게임에 어울리지 않는 것이다. 산지기 가문이 오랜 세월 만들고 관리하고 있는 길이었고, 그 길목에는 초상 스킬이 담긴 아티팩트가 숨겨져 있었다.

플레이어들이 위치를 발견한 곳도 있었고, 아티팩트의 모양까지 확인한 자리도 있었다. 그것이 전부일 것이라고는 생각하지 못하나, 어쨌든 산지기 가문은 로키 산의 산책로를 관찰하고 감시할 수 있다.

로키 산을 향해 오르는 이들의 행태를 파악하고, 개중에서 불온한 의도를 가진 자들을 걸러내기 위함이다.

로키 산의 꼭대기 봉우리 전반을 차지하고 있는 거대한 산악 요새와 그 뒤로 이어지는 도시와 마을은 그야말로 장관이었고, 현실에서는 떠올리기 어려운 광경이었다.

아마 현대 지구에도 고원 지대에 지어진 도시나 마을이 있기는 하지만, 기술력의 차이로 전혀 다른 풍광을 지닐 것이다.

지금의 눈으로 바라보면 낙후된 기술과 시설로 이루어진 중세 시대 풍의 산악 도시는 구경하고 있으면 신비로움마저 자아내곤 한다.

실제의 그것이 아니라 게임 상의 이야기임을 알지만 워낙 현실적으로 만들어진 게임이라 어쩔 수 없다.

지구에도 옛 문명의 유적지 중에서 고원 지대에 세워진 도시들이 있기는 했었는데…….

그는 가본 바가 없었다.

유적지를 시간내어 탐험하는 것은 그의 실제 취미 중에는 없는 일이었고, 그 시간에 운동이라도 하는 것을 차라리 좋아한다.

트래킹을 할 수 있는 산을 찾던가. 유적지는 책이나 사진으로 보는 것으로 족하다.

그렇게 멀리하며 살아왔기에 시나리오 온라인에서 눈으로 보듯한 감각을 느끼는 것이 생경하게 다가올 지도 모르겠고.

"……후, 하."

그의 곁에서 부지런히 걸어 올라가고 있는 릿샤 역시 숨을 토해냈다. 그녀도 물리 계열 스텟이 낮은 편은 아니었다.

굳이 말하자면, 낮은 수준의 레인저Ranger 클래스에 술사 클래스를 섞은 부류였다.

스스로 기동력을 가지면서 원거리에서 초상 스킬을 뿌려대는 강력한 데미지 딜러Damege dealer였고, 레벨은 그와 비슷했다.

73으로, 그보다 레벨이 높으나 스텟은 조금 떨어졌다. 정신 계열 스텟은 그에 비해서도 높은 편이었으나 물리 스텟이 그보다는 많이 낮다.

플레이어들의 전투력을 측정하는 3대 요소인 스텟Stat(us), 스킬, 아이템 중에서 한 가지를 얘기한 것 뿐이니 릿샤가 그보다 약하다는 뜻이 될 수는 없었다.

파티원끼리 싸우게 된다면 결론이 어떻게 날 것인가에 대해선 당연히 고민해본 적은 있다.

릿샤는 그와 같은 미국인이었고, 그와 같이 있을 때 지나치게 작아 보이지만 20대 중반의 대학원생이었다.
물리 계열의 석사 학위를 따기 위해 노력하는 중이었고, 그녀가 거치고 있는 교육 과정에 비해서 천재적인 면이 있는 여자였는데, 그런 뛰어난 머리가 가끔 게임 플레이에 있어서도 긍정적인 영향을 미쳤다.

초상 스킬을 사용하는 공식과 형식들은 수 셈에 빠른 인간들이 탁월한 면이 있었다. 감각적으로 다양한 아이디어를 도출해내는 릿샤는 분명 까다로운 초상술사였으며, 잡기 어려운 상대가 되겠지만 호아킨 역시 만만한 수준의 플레이어는 아니었으므로 아마 그가 이길 것이다.

열 번을 같이 겨루면 그가 대부분 이기겠지만, 전부 치명상에 준하는 상처를 입을 것이며 한 두 번은 릿샤를 잡고도 얼마 지나지 않아 같이 게임 오버를 당하겠지.

팀원의 능력을 잘 파악하는 건 중요한 일이었다. 협력을 할 때, '우리'가 어디까지 할 수 있나를 가늠하기에 아주 좋은 도구였으니까 말이다. 내 동료의 정보라는 건.

"얼마 안 남았어, 릿샤."

"거짓말 하지 마. 빤히 같이 맵 찍어서 보고 있는데."

"가끔 선의의 거짓말은 사람의 기분을 행복하게 해준다고."

호아킨이 말했고, 릿샤가 받았다. 릿샤 애드윈. 붉은 단발머리를 찰랑이며 걷고 있는 레인저 복장의 여성이었다.

별다른 염료를 사용하지 않았고, 평범하게 갈색이니 검은 색이니, 잿빛이니 하는 빛깔로 이루어진 무구나 복식들이다.

내부에 입은 긴 천옷은 제 머리를 닮은 붉은 색이 섞여 있다.

그녀가 움직일 때마다 귀걸이도 같이 흔들린다. 붉은 색의 루비처럼도 보이는 굵은 알의 보석을 금줄로 늘어뜨렸다.

복색 여기저기에 가려져 가끔씩 드러나는 보석류의 장신구들이 여러 종이었다. 레인저처럼 보이지만, 물리 계열의 소도구와 무기들은 그녀의 주특기가 아니다. 장신구 형태의 다양한 아이템에서 뽑아내는 추가 MP를 이용해 다량의 마법을 난발하는 것이 그녀가 싸우는 방식이었다.

정신력 스텟 위주로 올리고, 스킬을 먹은 상태였고, 다시 말하면 육체적으로는 조금 수준이 떨어졌다.

그렇다 해도 레벨이 레벨이니만큼 물리 계열 스텟도 30은 다 넘었다. 초인적인 수준의 체력이었지만, 그녀는 오래 걷는 걸 좋아하지 않는다. 단순하게 개인의 취향 문제도 있다.

비련의 시나리오엔 '숨통'이라는 개념이 있었다. 거의 현실적인 육체를 구현해낸 물리 세계에서의 게임이었고, 운동을 자주 하지 않는 인간들은 충분한 근능력이 있어도 몸을 본격적으로 움직이기 전의 스트레칭이나 예비 운동이 필요하게 된다.

릿샤는 싸울 때 외에는 그다지 움직이려 들지 않았다. 지금 이 험악한 등산이 그녀의 예비 운동인 셈이다. 스테미너 데이터가 요동치며 자극이 왔다.

데슈칸 산맥의 험지를 등반하며 그녀는 지루함 따위를 느꼈다. 자연 경관에 경탄을 하는 취미는, 많이 가지고 있지 않았다. 그 시간에 개인 공부나 연구에 몰두하는 걸 선호하는 편이고.

어느 분야의 종사자라도 결국 극의를 향해 걷다 보면 자연 세계에 대한 경탄으로 돌아서게 되는 편이지만, 릿샤는 세세한 감각과 아름다운 조형에 '아 그렇구나'라고 생각하는 부류의 인간이었다.

감수성이 부족한 걸 수도 있고, 마음 어디가 조금 굳은 걸 수도 있다. 그녀의 성격은 복잡하다.

예민하며 머리 좋은 그녀에게 호아킨은 좋은 파트너였다. 이성적인 감정은 터럭만치도 없었지만, 자기보다 몇 살은 나이가 많고 또 아저씨로 보이는 라틴계 미국인은 그녀가 느끼기에, 긍정적인 면이 있었다.

그런 삶의 태도나 성격은 배워야 할 부류이리라.

"…나는 그런 말을 살면서 여러 번 들어왔지만, 늘 진짜일까, 하고 고민하게 돼."

릿샤가 원시림의 거대한 나무 둘레를 지나며 말했다. 그에 한 발 앞서가던 호아킨이 답했다.

"고민하지 마. 길이 있으면 그냥 걷는 거고, 가다 보면 목적지에 닿겠지. 어차피 시간이 상대적인 거라면 다 왔다고 생각하면서 걷는 게 좋은 거 아니겠어."

"……상당히 어려운 말인데?"

"쉬운 말이야, 릿샤."

릿샤는 그의 말에서 상대성 이론에 대한 고찰을 떠올렸다. 호아킨은 핀잔을 주듯 말한다.

릿샤는 더욱 어려운 주제로 들어갔다.

"시간이 정말 상대적이라고 생각해?"

"……."

호아킨은 대화를 단절했다.

대화의 단절.

깔끔한 개무시에 릿샤는 스릉, 하고 허벅지 춤에 감춰두었던 날리기 용 단검을 빼들려 했다.

칼집을 벗어나는 서슬퍼런 소리가 나자 호아킨이 입을 열었다.

"아인슈타인은 난제를 던져놓고 죽었지. 이 시대의 학자들도 결국 상대성 이론이 말하듯 '세상'은 '잘 모르겠는 것'이다, 라는 이야기를 멋있게 풀어 말하기 경쟁을 하고 있고."

"호오."

대답은 아니었지만 쓸만한 주제였다. 릿샤는 지루한 등산이 조금 재미있어지기 시작했다.

"타임머신은, 발견될 수 있을까."

커다란 바위 하나를 팔로 집고 제 몸을 받치며 훌쩍 뛰어넘는다. 소녀같은 체형의 릿샤가 힘겨운 자세로 등산을 하며 말을 이어나갔다. 뛰느라 호흡이 끊어져 문장이 분절되었다.

호아킨은 거구이지만 날렵했다. 근력과 순발력을 골고루 찍은 안정된 전사의 모습이었다. 강한 근력을 가지지만 순발력이 낮은 이들은 자세를 민첩하게 바꾸는데 어려움을 겪었고, 디테일한 방향 변화에도 난점을 보였다.

"발견인 거야?"

호아킨이 물었다.
릿샤가 뚱한 투로 답했다.

"그럼 발견이지. 세상 모든 건 따져 보면 발'견'이야. 누가 조물주의 자리를 대신 차지할 수 있겠어. 남들보다 몇 발자국 앞서서 발견한 천재들이 멋대로 발명이라고 할 뿐이지. 범재들과의 차이를 두기 위해서."
"흐음. 우리같은 범재들은 결국 발명이란 용어를 써주는 편이 역사 공부를 하기 편하긴 한데."
"그런 점도 있을 거고."

릿샤는 호아킨이 범재라는 말에는 동의하지 않았다. 그는 똑똑했다. 충분히. 명민하고 사려 깊은 남성이다. 게임 중이라 할 지라도 굳이 말을 터가면서 같이 시간을 보내는 건 취향이 맞고, 또 생각을 나눌만치 말이 통하기 때문이다.

릿샤는 자신의 머리를 객관적으로 좋은 편이라고 생각했다. 그 때문에 좋은 일도 있고, 힘든 일도 있었기에 자연스런 사실로 납득하기에 아무렇지 않은 자기자랑이었다.

"웃샤."
"불렀어?"
"농담이 느는데."

호아킨이 바위와 바위 사이를 뛰어 넘으며 군소리를 내는데, 기합 소리가 이름과 닮아 릿샤가 헛소리를 했다.

"호호호호."
"소름 돋으니까 그렇게 웃지 마."
"날 처음 보는 사람은 이렇게 안 웃는 걸 더 이상해 할 걸."
"우린 오래 봤고 말야."

스릉, 하고 그녀가 다시 암기를 꺼내려 했다. 호아킨은 의연하게 대처했다.

"찔러라, 죽여. 맘대로 해라."
"호오… 팍스 경. 생각보다 의연한 걸."
"너처럼 감정기복이 심한 애랑 다니다 보면 누구나 그렇게 되지."

휙, 하고 그녀가 암기를 날렸고 호아킨은 반응하지 않았다. 그리고 그것이 그들 간의 장난스런 대화 속의 정답이었고 말이다. 애초에 엉뚱한 곳을 노린 묵빛의 수제 단검이 걸어가던 호아킨의 옆을 지나쳐 멀리 나무에 찍혔다.

"하악."

호아킨 팍스는 일부러 숨소리를 내며 등산을 했다.

공기가 맑다.

귀 옆으로 뭐가 날아갔던 것 같지만 신경쓰지 말자. 경치가 좋다. 데슈칸의 초입인 로키 산은 그들에게 적정 레벨에서 조금 아래인 사냥터였다. 애초에 색적-숲 스킬을 쓰고 있었으므로 어지간한 맹수나 괴물들은 피해가고 있기는 하지만.

그들은 지금 만남의 장소로 가고 있는 길이었다.

로키 산의 산지기 가문, 그리터 가의 산중성채는 유명한 오브젝트였다. 거무튀튀한 색깔의 성채는 멀리서 바라보는 것만으로도 상당한 위압감을 주었고, 산슈카의 고대로부터 이어진 명문 귀족가의 위엄을 나타내는 듯했다.

플레이어들은 NPC에게 호의적이다.

수비적인 의미에서 그렇다.

자유로운 플레이가 가능한 비련의 시나리오 온라인인 고로, 어떤 선택지도 택할 수 있고 그 결과를 자신이 감당하면 되는 일이었지만 서비스 기간이 수 년 지난 지금까지도 플레이어들은 NPC들의 세력에 비해 한참 부족했다.

최상위권의 강자들과 비교하자면 따라잡지도 못했고, 어마어마한 수의 전사들이 대륙 위를 유랑하며 플레이하고 있지만 NPC들의 그것처럼 조직력을 가지지는 못했다.

별개의 뛰어난 전투능력자들은 집단을 만나면 결국 잡아 먹힐 뿐이었다. 공고한 사회망을 구축하고 조직을 만들어낸 오랜 역사의 NPC들에게 일부러 시비를 건다거나, 먼저 공격적으로 나가는 이들은 아주 적었다.

아주아주, 특별한 플레이를 한 번 경험해 보고 싶은 이들은 간혹 미친 짓거리를 하기는 했지만.

그런 점에서 산중성채는 그 자체로 상당히 굳건해 보였고, 그 건축물을 함부로 넘으려고 시도하는 세슈칸 시의 유저들은 많지 않았다.

무모한 도전임에도 덤벼 드는 이들이 소수 있었다는 게 늘 플레이어들의 놀라운 실험 정신이다.

물론 유저들 중 최상위권의 강자들, 혹은 레벨이 100이 넘고도 오랜 시간이 지난 고수들은 가능한 일이겠지만 뒤탈이 날 것을 생각해 일부러 하지는 않았다.

중수 정도의 플레이어들이 모여 있고 가장 흔한 세슈칸 시의 유저들은 더욱이 성채의 성벽을 함부로 넘을 생각을 하지 않았고.

그러나 지금은 유일 급의 퀘스트로 인한 상황이다. 사세한 사연은 가리는 부분이 조금 있는 것 같지만, 어쨌든 세슈칸의 대영주가 보장하는 일이었고 영락한 귀족가의 소규모 인원을 상대하면 될 뿐인 일이다.

성벽을 넘어서 그 내부의 인원을 암살한다거나 하는 건 정말 최후의 수단이었고, 그마저도 작힘 백작 측에서 준비한 인력이 도울 것이다.

가장 쉽게 예측할 수 있는 다음 상황은 산 봉우리 근처에서 백작이 고용한 다른 암살자들과 조우해 바깥으로 임무 대상들이 나오기를 기다렸다가 일을 치르는 것이었고.

세슈칸은 대도시였고, 플레이어들도 그곳의 영주가 온전하게 거대한 도시를 무소불위로 휘두르며 다스리지는 않는다는 걸 안다.

어마어마한 수의 유저들이 있는 곳이며, 여러 곳에서 오는 외국인들이 시끌벅적하게 떠들고 지나가는 곳이 세슈칸이었다. 중부 대륙의 자유 연맹 내에 속한 나라들의 여행자는 중부의 중심지인 산슈카를 자주 방문하기 일쑤였고, 개중에서도 적당한 건널목 위치에 자리한 세슈칸은 좋은 교역지이자 쉼터였다.

플레이어들이 아니었다면 그만큼 여행 산업이 활발해지지는 않았을 테지만, 억 단위의 유저들이 대개 선택하는 모험가나 용병이라는 직업이 대륙 여러 나라들의 생활상과 문화, 경제 구조를 바꾸었다.

외부자들이 무수한 세슈칸은 외교적으로도 중요한 도시가 되었고, 대영주 혼자에게 전권을 위임하지 않고 늘 중앙의 병력이나 관리자가 나와서 일을 돕는다고 알고 있다.

세슈칸에서 머무르며 플레이를 꽤나 했다는 유저라면 모두가 아는 사실이며 상식이었다.

그럼에도 불구하고 운트 작힘 백작은 상당한 영주로, 세슈칸 실권의 반 정도만 갖고 있다고 하더라도 대단한 권력자였다.

거기다가 알려진 바로는 스스로가 상당한 수준의 기력술 사용자에 근접 전사 클래스라고 한다.

양질의 사병을 거느리고 있었고, 여기저기 암흑가에 마수를 뻗친 인간이라 플레이어들은 어지간해선 얽히려고 하지 않는다.

호아킨 역시 딱 그 정도의 생각과 마음을 가지고 있었으나 어찌저찌하다 운트와 얽혀 버렸다.

영 바르기만 한 성향의 NPC는 아니기에 조금 걱정되는 부분도 있다. 그러나 퀘스트일 뿐이었고, 명분이 중요했다.

길드 마스터는 적당한 구실로 누군가를 구워 삶아서 운트의 의뢰를 처리해야 했고, 금급에 명예 점수도 높으며 길드에 대한 공헌도 많은 그가 떠안듯이 맡게 된 일감인 것이다.

로멜리아 가의 의뢰 대상들이 '선' 성향의 캐릭터들인지, 운트의 성향 설정 중 '악, 혼돈'이 발동해서 잔악한 짓을 하는 건지 확신할 수 있는 방법은 없었다. 그럴 수도 있겠다, 막연하게 추측할 뿐이지.

그 정도라면 호아킨에게 주어지는 패널티가 그렇게 심하지는 않다. 또 의뢰가 무조건 성공할 수 있으리라 보는 것도 아니었고.

어쨌든 퀘스트 상황을 이어나가고, 유일 단계의 퀘스트에 깊이 관여하는 것만으로도 여러 기회로의 파생이 있을 테다.

호아킨은 마침 게임 플레이의 목적성이나 흥미가 서서히 반감되기 시작할 무렵 일어난 상황에 기꺼워했고, 의뢰 내용 상 법적 제재를 크게 받을 일이 없을 듯하자 릿샤 역시 불러서 함께 수행중인 상황이다.

릿샤는 게임 내에서 선, 악 성향 수치에 크게 관심이 없는 히피 같은 마인드의 플레이 스타일이었고, 복잡한 것, 정치적 알력 관계, 게임 내 사회에서 부과하는 도덕적 의무나 책임들을 크게 신경쓰면서 플레이하고 있지는 않았다.

그저 자신의 흥미 본위에 따라 이것저것을 경험하고 탐구하듯 여가를 즐기고 있었지.

고단한 대학원 생활 중에 게임을 할 새가 있느냐고 물었지만, 생각보다 그녀는 학업적 진취가 빠른 편인 모양이었다. 경제 사정 역시 그리 어렵지 않았고.

그녀 나름대로도, 은둔자 같은 생활을 하는 와중에 잠깐 스트레스 해소를 위해 하는 것이라고 한다.

호아킨보다도 오래 플레이를 했고, 일 년 반 정도만에 그 정도 레벨에 다다른 참이었다.

비련의 시나리오는 89년 1월에 세상에 오픈 베타로 모습을 드러냈다.

그리고 제냐가 시작한 시점이 90년 5월 경이었고, 지금은 8월 2일이었다. 초기에 공개되자마자 어마어마한 수의 접속자들이 모였고, 폭발적인 초기 가입자들을 '스타터'라는 이름으로 부르기도 한다.

아직까지도 살아 남은 이들이 많은 스타터들에 비해서, 깨나 느린 시점에 호아킨은 게임을 시작했다. 작년 9월 즈음이 그가 아이디를 만든 날이었으니.

릿샤도 스타터들에 비하면 늦었으나 호아킨 보다는 몇 달 빨리 게임을 즐기고 있었다.

89년 3월 4일. 그녀가 게임을 시작한 때다.

얼마 지나지 않는 시간만에 플레이어들은 미친듯이 경험치를 쌓아갔고, 이 게임에 깊숙히 빠져서 매달리는 자들은 전업이 이것이라도 되는 양 굴면서 최고위권을 형성했다.

레벨은 당연히 위로 올라갈수록 하나하나 높이기가 기하급수적으로 어려워지며, 더 기이한 수준의 묘기를 부리며 다양한 고난을 통과하지 않고서는 최상위권으로 가기 힘들다. 호아킨과 릿샤는 적당한 수준의 레벨링 페이스였다.

그들과 비슷한 기간 플레이를 했으면서 레벨이 100, 200을 넘어가는 자들은 게임 속에서의 운에 더해 현실의 생활을 게임을 위해서 조정하는 수준의 투자를 한 자들이었다.

비련의 시나리오는 통용 화폐의 현금 거래를 지원하지 않고 있었다. 그러나 무형적인 게임 내의 가치를 현실에서 팔아 돈을 버는 일은 가능했고, 공략집이나 플레이 영상 따위는 얼마든지 유용해서 돈을 벌 수 있었다.

게임은 하나의 놀이였고, 한 가지 스포츠를 공유하는 집단의 파이가 커질수록 게임 내 정보의 가치 역시 올라간다.

고레벨 플레이어의 플레이 영상은 그것만으로도 희귀한 구경거리였고, 어떤 영화 산업의 기술보다도 한 발 앞서는 비련의 시나리오 속 다양한 모습들은 그대로 하위의 창작물로 변환되어 게임을 즐기지 않는 이들에게 소비되었다.

질좋은 컨텐츠, 작품이 유명세를 얻으면 그 팬픽 따위가 활발하게 만들어지고 유통되듯, 비련의 시나리오를 소재로 한 여러가지 2차적 창작물들은 이미 한 장르를 형성할 지경이었다.

완벽에 가까운 물리 엔진과 광활한 게임 맵, 그리고 자유롭게 이동과 조작이 가능한 캐릭터의 시야나 혹은 3인칭 전경의 영상은 마음대로 녹화해서 변형이 가능했고, 그건 간편한 영화 제작 툴이나 거의 다름이 없었다.

만일 시나리오 온라인 내에서 운영자 캐릭터 따위가 있어서 게임적 작법과 룰의 제약 없이 모든 행위가 가능하다면 더욱 편하게 영화를 만들 수 있겠지만, 레벨과 능력에 따라 약간의 제약이 있기는 했다.

자연스럽게 상황에 맞추어 행동하는 고도의 AI NPC들은 무료로 섭외 가능한 배우들이었고 말이다.

영상을 위해서 기이한 플레이를 즐기는 이들도 있었지만, 창작물이 그러하듯 지나치게 반인륜적인 정서의 작품을 의도하고 만들어낸다면 제재가 가해지기는 했다.

게임 내에서도 '악, 혼돈' 성향의 행위는 패널티를 먹게 되고, 현실에서도 그러한 창작물을 유통한다면 빠른 시일 내에 영상이 지워지고 지나치게 반복될 시 게임 이용이 제한될 수도 있었다.

"후우우우……."

호아킨이 깊은 숨을 토해냈다.

걷는 와중에 호흡을 쓰던 것과 달리, 목적지에 도달해 깊이 들이쉬고 내쉬는 여유로운 한 숨이었다.

"아이고."

릿사는 영어로 말했지만, 한국인이 듣는다면 그렇게 번역될 것이다.

그녀 역시 호아킨의 곁에 섰다.

멀지 않게 성채가 보이는 자리였다. 로키 산의 가장 높은 봉우리와 비슷한 고도의 한 분지다. 성채 내부, 산악 도시를 볼 수는 없었지만 성벽의 측면부터 출입로까지 살필 수 있었다.

솜씨 좋은 초상술사가 풍부한 지원을 받는다면 이 자리에서 산악 도시 내부를 탐색하는 것도 가능할 지 모른다.

운트 백작의 의뢰로 그들이 이끌린 곳은 그 산 위의 공터였고, 만나기로 한 이들은 아마 대개 NPC일 것이다.

그들 말고도 플레이어가 있는지는 모르겠으나.

산슈카의 로멜리아 남작가 일원들을 노리는 암살자들의 파티였다.

공터에는 릿샤와 호아킨이 가장 먼저 도착한 듯 싶었다.

한낮이었고, 호아킨이 있는 미국 동부의 현실 시간과는 8시간 정도 시차가 있었다. 중부 대륙, 산슈카 지방은 말이다. 이른 아침. 오늘은 근무가 없는 날이었다. 하루를 푹 쉬고 다음날 출근이다. 휴일의 휴식은 달지만 아침부터 이러고 있다.

아마 게임을 끝내고, 잠깐 눈을 붙이며 부족한 잠을 청한 뒤 운동을 하며 보낼 것 같았다. 릿샤가 있는 미국 서부와는 거의 반나절의 차이였다. 그녀의 시간으로는 새벽이었으나, 주로 새벽에 깨어서 아침 나절에 일어나고 일과를 시작하는 그녀에겐 이 때가 딱 좋은 여가 시간이다.

논문 준비, 연구, 수업과 개인 공부 등을 하면서 스케줄이 나름대로 자유로웠다. 자유롭다는 의미는, 그녀가 24시간 그 이상의 성과를 개인적 분야에서 내고 있다는 뜻이었고, 혹독하게 몸을 굴려가며 학문 수양에 정진하고 있다는 말이었다.

본업에서의 성취가 부족했다면 자유로운 여가 시간이고 뭐고 생각할 틈이 없었을 것이다.

호아킨은 저녁 무렵 퇴근을 하고 잠을 청하기 전까지 게임을 하거나, 혹은 일찍 일과를 마치고 잔 뒤 새벽녘에 일어나 비련의 시나리오를 플레이했다.

매일 하는 것도 아니었으나, 이처럼 언제 상황이 급변할지 모르는 유일급 퀘스트를 먹었다면 당분간은 자주 들어와 체크를 해주어야 할 것 같았다.

비련의 시나리오는 전용 소프트 웨어가 구동 가능한 사양의 시뮬레이터가 있어야 했는데, 여타 단말기를 이용해서 현실에서도 게임의 진행 상황을 파악할 수는 있었다.

위급 상황을 파악한다고 뭐 늘 접속해서 문제를 해결할 수 있는 것도 아니었지만, 일단 알 수는 있다.

"뭐…… 한참 기다려야 하려나?"

분지, 혹은 고원이라 불러야 할 자리에서 그들은 전경을 살피면서 있었다. 그들 말고는 인기척이 없다. 릿샤의 말에 호아킨은 하늘을 빤히 바라보고, 흑색의 성채를 잠시 노려보다가 적당한 자리를 찾아 벌러덩 누웠다.

풀썩, 풀밭에 누운 그를 보며 릿샤가 말한다.

"오, 침대가 생겼구만."
"그런 농담은 하지 말게, 릿샤 양."
"……."

정색을 하고 거리를 두는 말에 릿샤는 상처 입었다는 표정을 지어보였지만, 조금의 동정심도 일지 않는 연기에 호아킨은 누운 채로 하늘을 처다봤다.
센트럴 파크의 공원 한 자리에 누워 있는 것처럼.

하늘이 맑다. 구름이 조금 떠간다. 새들이 지나 다닌다. 새…… 같아 보이는데 아닌 것도 같다. 가만 보면 다른 새랑 크기가 많이 이상하게 다르다.
콘란드 대륙엔 집채만한 괴조가 떠가고 있어도 그리 기이한 일은 아니다.

저렇게 보던 놈이 갑자기 땅으로 내려와서 자신을 채간다면 문제가 되지만.

가끔 보는 '신기하게 게임 오버 당한' 순위 따위가 있었다. 비련의 시나리오에 관한 게시물들이 올라오는 인터넷 커뮤니티의 일이다.

정말로, 하늘을 바라보다가 어느 괴조에게 물려가서 내던져진 사례도 있었다.

유저들은 격하게 게임 사에 저항을 하고 항의를 했지만, 서비스가 시작되고 1년 정도 기간 동안 밖이 수그러들었다.

배째라는 식으로 아무런 조치를 취하지 않는 운영진의 태도에 변함이 없으리라는 것을 안 탓이다.

비련의 시나리오는 시뮬레이션 RPG임과 동시에 서바이벌 게임이다.

누가 과연 이 거대한 시나리오의 마지막 씬에 서 있을 것인가. 다들 그런 기대를 하면서, 플레이를 하고 또 플레이어들을 구경한다.

호아킨은 그런 주인공이 될 욕심까지는 없었지만, 아무튼 집 구석에서 시뮬레이터만 켜고도 이런 감각의 바람을 느낄 수 있다는 사실이 좋았다.

가상의 것이었지만, 그로 인해 활성화되는 체내 호르몬 따위는 사실적인 일이다.

실제로 비련의 시나리오에서 플레이를 하며 햇빛을 쬐었다고 느꼈을 때, 실내에만 있던 사람이 유사한 반응을 보인 연구 결과가 있었다. 뇌와 신경계의 작용이라는 건 21세기의 끝자락에서도 아직도 과학계의 미지이며 모르는 부분이 훨씬 많은 탐험지였다.

"……큥."

릿샤는 멋쩍게 코를 먹으면서 근처에 자리를 잡고, 발라당 누워 같이 하늘을 구경했다.

시덥잖은 농담에 반응하지 않고 여유로운 시간을 보낼 수 있다는 게 마음이 맞는 친구의 좋은 점이었다.

*

*

인생은 어디로 왔다 어디로 갈 지 모르는 것이었다.

뜬금없는 생각을 하던 것은 제냐 때문이었다.

질리언과 페이브, 두 사람은 훌륭하게 훈련을 마쳤다.

본디 훈련엔 '마침'이라는 게 없는 법이었으나, 그들이 활용 가능한 시간 내에서 극악의 트레이닝을 마쳤으니 일단 그런 표현을 써봐도 좋을 것이다.

로멜리아 가에서 나와서, 주인과 또 존경하는 집사장과 함께 먼 여정을 떠나기 시작할 때 막연하게 가졌던 두려움이나 긴장감이 다소 희석될 정도의 연습이었다.

제냐는 미친 사람처럼 그들을 몰아붙였고, 개패듯 팼고, 몬스터의 먹이로 던져주는 사이코 패스가 아닌가 싶었다가, 때로 성자처럼 그들을 구해주었다.

성자聖者라.

애초에 그들을 위험 속에 빠트린 것이 그라는 점을 잊어먹을 정도로 괴악한 괴수 소굴에 집어 던져지면 그럼 표현이 절로 나온다.

줄리앙 리스트에게 정당하게 허락을 받은 제냐 킴은, 목적과 의도가 아주 분명한 사내였고, 강해지기 위한 모든 일을 시간 내에 했다.

데슈칸 산맥을 터전으로 삼아 온 로키캐슬과 그리턴 시티의 많은 주민들도 지나가며 그 모습을 보곤 놀라워했다.

죽지 않을 정도로 사람을 굴리거나 자신의 몸을 던져 훈련을 하는 일은, 말이 쉽지만 행동으로 하기엔 참 까마득한 난관이 있는 것이기에 그렇다.

제냐 킴은 그들을 위해서 스텟과 스킬을 늘리려 자신이 했던 트레이닝 방법을 거의 유사하게 시켰다.

생각보다 둘의 재능이 출중했고, 육체적 능력 또한 그 가능성이 충분하게 따라와 주었기에 그럴 수 있었다.

NPC들은 실제 몸이며 고통을 느끼고, 플레이어들처럼 초인적인 회복력을 갖고 있지도 않으니까 사려야 할까… 했는데 생각보다 기사가 될 수 있도록 선택받은 재능의 소유자들은 상당히 남달랐다.

이곳이 NPC들에게 있어 실제라면, '실제'로 그런 말도 안되는 초인적인 근력을 낼 수 있는 재능의 인간들이니 현실과 비교해서 차이가 많은 게 당연할 지도 모른다.

이건 수많은 정보를 취합하고 조합해내는 시나리오 온라인의 관제 AI가 도출한, '초인'이란 무엇인가에 대한 결론일지도 몰랐다.

야채가 강함의 근원이 아닐까 하는 단상에서 튀어나온 듯한 어느 '용공'이란 제목의 먼 옛날 만화 속 우주인들처럼 질리언과 페이브는 두드릴수록 강해졌다.

제냐도 겸사겸사 자신의 일을 했고, 효과를 볼 수 있었다.

혼자서 기행을 일삼을 때는 플레이어이기에 고통에 신경쓰지 않고 과도한 트레이닝법을 쓸 수 있었다.

그러나 플레이어여서, 갖는 한계도 분명히 존재한다. 플레이어는 이 세계가 현실이 아니기 때문에, 게임 오버를 의식하면서 '죽음'에서 분명 몇 걸음 뒤에 자신의 경계를 정해두고 플레이를 한다.

NPC들은 이 세계가 현실이라 쉬이 죽음에 다가가지 못하지만, 만약 죽음을 결단했을 때 그들은 그것을 이겨내고 콘란드 대륙에 존재하는 수많은 기술류의 오의에 다다를 수 있었다.
 플레이어들은 그들만큼 진지하게 콘란드 대륙에 몰입하지 못하기에 죽음의 근처까지는 쉽게 딛지만 그 죽음을 넘어서는 모험에 있어서는 도리어 NPC들보다 쉽게 도전하지 못하고, 그 너머에 있는 심득에도 닿지 못한다.

그게 NPC들의 최상위권 강자와 플레이어간의 격차이기도 했다, 결론적으로 말하자면.

무수한 시간의 차이도 있겠으나 결국 경험의 질 역시 중요한 문제였다.

진지한 삶으로 여기를 살아가는 NPC들 중 수많은 전쟁을 이겨내고 칼날 위에 삶을 살아낸 검사와 그저 재미난 게임으로 기술을 익혀낸 플레이어들 중에서 누가 더 전설급 스킬의 마스터 단계에 가까울 것인가.
 누구에게 물어도 후자일 것이다.

플레이어들은 가상의 세계에서 오는 분명하고 뚜렷한 이질감을 견디어내고, 그만큼 몰입을 하고 나름의 진지함을 찾아내야만 이 게임에서 승리자가 될 수 있을 테였다.

NPC들보다 강해지고, 모든 오브젝트의 정복자가 되는 것이 반드시 승리의 조건은 아니지만, 떳떳하게 어떤 방면으로 겨루어도 이겨낼 수 있을만한 강함에 다다르는 건 분명 중요한 요소였다.

필수 불가결한 요소까지는 아니어도, 시나리오 온라인의 마지막 장면에 닿기 위해서 가다 보면 어떤 방식으로든 얻어야 하고 얻게 되는 점이었다.

아무것도 하지 않고, 어떤 부류의 클래스에서도 극의를 보지 못했으며 단순히 오래 살아남아 플레이어 중에 최후의 1인이 되어서 마지막 장면을 장식하는 법도 있기야 하겠으나.

그래도 기왕 깔린 판에서 주어진 화려한 반찬을 다 맛보는 미식가가 되듯, 혹은 준비된 스테이지 위에서 모두가 기대하는 연출적 하이라이트를 제대로 연기해내는 스타 배우가 되듯 구는 것이 자연스러운 흐름이리라.

게임에서도 진지함이라는 게 있는가.

비련의 시나리오의 의미와 질문은 그런 것이기도 했다.

그건 게임을 만든 개발진들, 태Tae의 질문이기도 했고 그들이 만들어낸 AI, 만물박사의 질문이기도 했다.

제나는 두 재능 출중한 청년을 혹독하게 굴리며 그들의 표정에서 몰입감을 보았고, 비록 NPC의 계산된 데이터 값에 불과하지만 자신의 삶을 조금 반영했다.

이곳에서의 신체는 그 역시 데이터로 이루어진 가상의 복합 그래픽이었지만 그 모든 것들을 관통하는 공통 주제는 있었다.

제나 킴은 김서원의 별명이었고, 게임에 접속해 있을 때도 현실의 시간과 차이가 나는 하루를 살지만 여전히 그는 한국에 사는 어느 대학생이었다.

현실을 도외시하고 어딘가에서 제대로 된 결과나 열매를 얻을 수는 없다.

현실의 가장 초라한 자리에서도 자신의 삶을 제대로 받아들인 뒤에 더 나은 결말로 나아갈 수 있는 것처럼, 그 궁색한 자리가 온라인 게임 내부의 어느 한 구석이라 해도 다를 건 없었다.

게임을 하다가도 어떤 꼬맹이는 삶의 깨달음을 얻고, 한 치 정도는 정신적 성장을 이루어내기도 하는 것이다.

그런 유년기와 사춘기가 모여서 한 명의 어른이 되곤 한다.

결국, 한 머리로 평생 살아가면서 오랜 고민을 하고 또 답을 찾고, 하는 것이 인생이니까. 대신 살아줄 수 없고 벗어날 수도 없는 것이 실제의 삶이니까 말이다.

위와 같은 논리로, 여가 시간에 즐기던 게임이었지만 제냐는 스스로도 조금 더 몰입을 해보았고, 기술의 극의를 찾기 위해서 진지하게 움직여보았다.

어차피 지나가는 1초라면 헛되이 쓰지 않고 극한의 집중력을 발휘해보는 것도 좋다. 무언가에든 집중할 것이라면, 게임 속에서의 현상에 관한 일이라고 해도 말이다. 집중하지 않아도 결국 1초는 지나가버리고 말기에.

옆에 애들이 인생을 걸고 진지하게 공부를 하고 있길래, 독서실에서 대충 시간을 때우려다가 갑자기 공부를 몇 자 더 하게 된 어느 반푼이 학생처럼 제냐는 검류를 비롯한 각종 스킬의 움직임에 집중했다.

나아가서 전투의 본질에 닿았다.

질리언과 페이브를 떠밀다가, 그들을 구하고 자신마저 더 깊은 구렁텅이로 들어간 것이다.

어, 그러니까,

'로키 산 고블린 소굴'같은 곳이었다.

로키 산의 고블린은 종류가 다양했고, 비슷하게 생긴 몹들도 위치와 환경에 따라 강함이 천차만별이다. 그가 발견한 적절한 사냥터는 작은 놈부터 인간 정도 크기에 우락부락한 놈들까지 다양하게 들어찬 거대한 동굴이었고, 산맥 쪽으로 이어지는 깊은 공동과 긴 길은 고블린 집락의 본거지였다.

교활하기 짝이 없는 이족보행류의 괴물들은 신나게 그들을 반겼고, 그 초입에서 질리언과 페이브를 훈련시키다가 열의에 찬 도전을 시작한 제냐는 심처까지 들어가 수 백 마리의 고블린 떼를 상대로 서바이벌을 벌였고, 간신히 살아돌아왔다.

그리턴 가에서 붙여준 여러 안내인들의 도움에 따라 로키 산 곳곳의 사냥터를 돌며 그런 짓거리를 반복했던 제냐는 급격한 성장을 이루었고, 최태현 역시 그보다는 못했으나 나름의 소득이 있었다.

질리언과 페이브는 레벨로 쳤을 때 20대 후반 정도의 전투력을 갖다가, 이제사 30대 중반 정도로 들어섰고 말이다.

제냐가 30대 중반 정도의 레벨로 그들을 만났지만 실질적인 전투력은 40정도에 근접했었고, 일반적인 유저 평균에서의 수치로 30대 중반에 이제 그들이 다다른 차다.

NPC들은 인터페이스가 없기에 그들의 레벨을 볼 수도 없고 있는지도 잘 알 지는 못하겠으나, 어쨌든 제냐가 실제적으로 느낄 수 있는 강함은 대강 그러했다.

로키 산의 고블린 본거지는 레벨 10부터 40대까지 다양하고 강력한 고블린들이 있었고, 제냐보다 강한 놈들이 있어서 정말 죽기살기로 도망쳐 나와야 했다, 몇 번은.

그렇게 제냐와 질리언, 페이브는 짧은 시간동안 많은 우여곡절을 겪었다.

우여곡절의 굴곡과 밑바닥의 깊이만큼 강해졌고, 빠른 시간동안 전투적으로 성장했다.

"……."

질리언은 그 스스로 짧게 자주 다듬는 갈색 머리칼을 매만지면서 여러 생각을 했다. 그러다 잠시 멈추곤 옆에 있는 제냐를 처다보았다.

그는 고된 훈련을 마치고 쓰러지듯 엎어져 잠을 청하고 있었다. 간혹 저렇게 기절한 것처럼 구는 때가 있다. 옆에서 아무리 떠들어도 잘 일어나지 않았다. 연무장 근처에 있는 휴식용 평상에 있던 세 청년이다.

페이브 역시 멀찌감치 떨어져 드러누워서 숨을 고르고 있었다.

지난 며칠 간은 지옥이라고 해도 좋았다.

비유적으로, 말이다.

나름대로 험악한 세월과 험난한 고련을 거쳐 기사 급의 무력을 손에 넣는 질리언과 페이브였지만 그 정도의 흉악한 훈련법을 잘 상상해내지 못했다.
직접 제 목숨을 죽음의 곁자리로 밀어 넣는 훈련은 정상적인 인간이 생각을 해낼만한 범주의 것이 아니었고, 그렇기에 가치가 있었다.

질리언과 페이브는 용감하고, 강했지만, 또 그만큼 두려움이 있었다.
두려움을 이겨내는 이들은 강인하며 지혜로운 자들이었다.
세상에 두려움이 없다고 말하는 자들은 삶을 반만 아는 반푼이들이었고.

둘은 타의로 두려운 자리 근처로 밀어 넣어졌지만, 결국은 이겨냈다. 그 과정에서 얻은 깨달음도 많다. 기술적인 깨달음,

자신의 강함에 대한 이해 따위 말이다.

데슈칸 산맥이 산슈카에서 손에 꼽히는 험지라는 이야기는 들었지만 참 몬스터가 많았다.

무료로, 죽을 때까지 달려들며 심지어 진짜로 죽이려고 드는 훈련 파트너는 참으로 귀했다.

쉽게 구할 수 있는 훈련장과 파트너였고, 전혀 의사소통이 안되는 상황 속에서 진검을 든 채로 목숨 건 트레이닝을 이었다.

검술이 진일보했고, 감각은 이전 그 어느 때보다도 날카롭게 발달했다.

예전의 자신이 눈 앞에 만약 있다면 이제는 수월하게 손목을 비틀어 넘길 수 있을 것 같았다.

고블린이라면 욕지기가 먼저 치밀어오를 정도로 격하고 또 진한 훈련이었다.

그 과정 중에서 그들은 삶의 의미에 대해서 돌아보았다.

죽음을 각오하지 않으면 죽음 너머의 것을 얻을 수 없었다.

죽음 너머라는 의미는,

죽겠다는 말보다는 죽을 위기를 넘기고 살아남아 주변의 지켜야 할 자들을 지켜내겠다는 말이었다.

줄리앙 역시 오래 전부터 목숨을 걸어온 사내였고, 그들보다 강했다. 로멜리아 가는 영락했고, 재흥의 단서는 아주 빈약하다.

작힘 가는 위세가 높고 산슈카의 위용 역시 대단하다.

악의를 품은 세력가의 눈에서 살아남고, 두 아가씨를 보호하고, 집으로 무사히 돌아가 다시금 예전 그 때처럼 평화로운 한 때를 맞이하며 여생을 살아내기 위해서는

지금 그들이 목숨을 던지듯한 각오로 어둔 길에 발을 들여 놓는 일이 필요했다.

고블린의 소굴이나 워 베어의 둥지, 다이어 울프와의 드잡이질 속에서 질리언과 페이브는 그런 것들을 깨달았다.

검술의 오의란 손잡이에 삶이 쥐어져서 도저히 놓을 수 없을 때 닿는 것인지도 몰랐다.

적어도 사력을 다한 검은 그들을 다음 수준으로 인도했고, 아직도 그들이 무수하게 발전할 것이 남았다는 사실 또한 깨달았다.

그들은 강해질 것이다. 앞으로도 더더욱.

제냐라는 미치광이같은 조력자가 있다면 보다 쉽게 될 것도 같았다.

“컹.”

엎드려 자다가 숨이 막히는지 호흡을 뱉는, 자신과 비슷한 또래의 청년을 보며 질리언은 상념을 마쳤다.

인생은 어디로 와서 어디로 가는가.

그들은 마지막 데슈칸 산맥에서의 사냥 훈련을 마치고, 성채로 돌아와 긴 대련을 반복했다.

한계의 한계까지 체력을 쏟아내고 점심 무렵이 지나 바람을 쐬면서 쉬고 있었다.

로키 성채 내부는 활달한 사람들과 고용인들이 여기저기 길목을 채우고 있었다. 해가 뜨거웠고, 그들 외에도 늘 있는 몇 명의 병사들이 나와 훈련장을 채운다.

연무장 모퉁이 부근에 있는 평상에서 그들의 모습이나, 널브러진 자신들의 꼴을 비교하며 바라보다가 질리언은 자신 역시 벌러덩 누웠다.

햇빛을 막는 지붕의 밑둥을 바라보면서 잠시 잠깐 눈을 감았다.

*

최태현은 나름대로 데슈칸 산맥에서 날뛰며 훈련을 했다.

제냐와 NPC들, 질리언과 페이브와 함께 움직이고 사냥을 할 때도 있었지만 주로는 혼자 움직였다.

어엿한 중수 사냥터인 데슈칸 산맥은 사실 슬슬 그들이 와서 레벨링을 할 만한 장소이기는 했다.

마침 퀘스트의 흐름이 알맞은 자리로 그들을 인도했고, 최태현은 자신이 가진 다양한 스킬들을 써먹기 위해서 레인저로서의 전투를 이어나갔다.
제냐가 이전에 그러했듯, 자신보다 체급이 높은 상대들을 사냥해갔다.

레인저의 장점은 높은 체력과 인내심이다, 결국.

지속적으로 사냥감 한 마리를 괴롭히며 그 체력을 바닥낸 뒤에, 천천히 요리를 해나갔다.
그것 역시 물론 쉬운 일은 아니기에 게임 오버에 근접한 위기를 몇 번 맞기는 했지만, 그럼에도 불구하고 버젓이 살아서 사냥을 반복했다.
결국 전투직은 전투를 벌여야 성장을 한다.

제조직은 제조를 해야만 했고.

자신이 클래스를 정하고 주 업무, 성취를 낼만한 분야를 정했다면 그것에 몰입하는 것이 가장 쉬운 강자로의 지름길이었다.

레인저는 레인저의 방식을 사용할 때 가장 많은 경험치를 먹을 수 있는 법이었다.

숨는 법, 상대를 먼저 찾아내는 것, 자신이 들키지 않고 최대한 오래 강력하게 데미지를 입히는 일. 그것들은 최태현 개인의 노하우에 스킬샷이 더해져야 하는 것이었고, 스킬은 관련 행동을 깊이 이해하고 반복할 때 가장 큰 경험치를 준다.

레인저 류의 스킬셋이 다량 경험치를 얻기 위해선 그 스킬셋을 모두 사용하는 플레이를 구사해야 했고.

스텟 또한 플레이 스타일에 따라 자주 쓰이며 올라가는 것이 다르기에 개인의 스타일을 구축하는 일은 비련의 시나리오 온라인에서 주요한 일이었다.

모든 분야를 다 잘하기 위해서 잡다한 느낌의 캐릭터를 키우는 것 역시 가능은 하지만. 그 이상의 특별함, 연계를 위한 좋은 머리, 노동에 가까운 플레이 타임이 없다면 힘든 방식이었다.

제냐는 게임 오버에 한없이 다가가는 것으로 부족한 경험치의 절대량을 메꿔나갔다.

하드한 경험은 이 하드코어 게임에서 가장 보상이 높은 것 중

하나이다.

목숨이 하나 밖에 없는 서바이벌임에도, 두려워하지 않고 앞으로 전진하는 작자가 결국 마지막에 다다를 확률이 높을 테다.

인생과 닮아 있었고,

게임이 끝난다고 아무것도 끝나는 것은 없지만 교훈 정도는 얻을 수 있을 테였다.

삶이 쉽지만은 않다는 류의.

제냐도 최태현도, 레벨에 비해서는 조금 이르게 데슈칸을 활보했고 거칠게 길을 개척했다. 고스란히 캐릭터 스펙으로 바뀌어서, 확연하게 진일보했다고 할 수 있었다.

챙겨왔던 포션이 거의 바닥을 보일 정도로 고생을 한 며칠이었다.

다행히 그런 식의 훈련과 사냥을 반복하며 사지 결손이 일어나지 않은 것이 천운이었다.

어디 한 군데가 크게 날아갔다면 로키 캐슬 내부에서는 처치가 곤란했을 수 있다. 자작가 내부의 치유술사나 외과의사, 자잘한 치료 스킬 보유자와 약재들이 있었지만 그것만으로 완벽하게 회복할 수 있다고 보장할 순 없었고, 플레이어가 아니라 NPC의 경우라면 조금 더 후유증이 심할 수도 있었을테니.

전사들이 시간을 그렇게 활용하고 있었을 때, 정치가들은 자신의 인맥을 활용하고 살 길을 도모하기 위해 애를 썼다.

개중 가장 분명하게 반응이 온 것은 혈연으로 이루어진 인맥이었다.

로키 캐슬에 중앙, 수도에서 온 손님들이 찾아왔다.

*

끼이익,

하고 로키 캐슬 성채의 문이 열렸다.

목재, 암석질, 흙 따위가 섞여 이루어진 외부 방벽은 장엄한 디자인의 건축물이었다. 이 산에서 나는 것들을 모조리 이용해 삶을 구축하기 위해 애를 쓴 흔적이었다.

성문이라 할만치 거대한 문이 도르레를 이용해 움직였다. 평소에는 정문을 사용한다기보다, 그 옆에 나 있는 쪽문을 쓰지만 지체 높은 방문자를 맞이할 때는 의례의 의미로 정문을 개방한다.

방문객의 규모에 따라서 달라지겠지만, 이번에 로키 산을 찾은 자들은 그리 많지 않은 인원으로 이루어져 있기에 정문 가운데

틈새가 살짝 열리며 성 내부를 바깥에 드러냈다.

거무튀튀한 목재가 겹겹이 쌓이고 쇠판이 목판을 연결하며 이루어진 거대한 문 틈새로 몇 명의 사람들이 들어왔다.

제각기 말을 탄 인원들은 수도 사르삿에서 파견된 관리와 병사들이었고, '법무부'에 속한 자들이었다 특히. '법무부'에 소속된 사무관들과 수도의 치안을 맡은 기사 몇 명이 여정을 함께했다.

네 명의 일반병 겸 기사의 시종이 따랐고, 세 명의 중견 기사와 두 명의 사무관이 일행이었다.

기사의 이름은 체인, 드보, 세인이었다. 두 명의 사무관 중 일행의 총 책임을 맡은 고위자는 5급 법무관으로 일하는 '킬 드로얀'이라는 이름이다.

검은 머리의 사무관이요, 하듯한 정갈한 상의 외투를 걸치고 법무-행정에 관한 왕실 사무를 상징하는 금사자 문양을 작게 그 외투 가슴팍에 자수 놓은 차림이다.

아홉 명의 사내들은 전부 말을 타고 왔고, 수도로부터 온 여정에 목을 축이고 싶다는 듯 피곤한 표정들을 보였다.

캐슬의 내무관이 기사들과 함께 마중을 나갔고, 제냐 일행이 그랬던 것 마냥 환대를 받으며 본성에 들어가 곧 그리턴 자작을 만날 수 있었다.

“그리턴 자작님. 로키 산의 명예롭고 온당한 산지기의 책임을 지시느라 고생이 많으십니다.”

제국기 이후, 영락한 그리턴 가가 데슈칸의 입구를 맡으며 산지기로서 살아가기로 했다. 그 이후 그리턴 가의 후예나 가주를 만났을 때 하는 인사로 아주 양식적인 말이었다.

그리턴은 손님을 맞이하는 방 근처에 나와 그들을 환대했고, 정중한 말투의 사무관에 흡족하게 웃으며 손을 뻗었다.

드로얀의 어깨를 가볍게 두드리며 그들을 방으로 이끌었다.

로멜리아들이 그러했듯 마주보는 긴 소파에 앉아 해야 할 이야기들을 나누게 되었다.

“보내주신 급속 편은 잘 받아 그리섬 그리턴 법무부차장관께서 저희를 파견하셨습니다. 들은 바로는 제가 확인해야 할 것들이 있다고 하셨는데….”

“아, 그런가. 알겠네. 좋지, 직접 자네들에게 말을 건네는 것도 좋겠어. 유서 깊은 로멜리아 가의 집사장을 불러오겠네.”

손님이 찾아온 시간은 낮이다. 집사장은 개인적인 단련을 오전에

하고, 아가씨들이 잘 있는가 살피고, 따로 식사를 하고, 성채 내부 도서관 따위에 들어가 자료를 살펴 보거나 했다.

줄리앙의 일과를 대강 알고 있는 하이샨 그리턴은 시종 중 하나를 시켜 집사장을 불러오게끔 시켰다.

아랫 사람의 방문에 가주의 역할을 하는, 헤슈나를 불러 오기에는 조금 민망했다. 어린 여식일 뿐이었지만 실제적으로 로멜리아 가의 수장이니 그녀를 오라가라 할 땐 그들보다 확연하게 윗사람이 올 때여야 했다.

왕실 법무부의 5급관이면 그리 낮은 직책은 아니었지만, 그 지위가 귀족가의 명예를 다 합친것만큼을 대신할 정도는 결코 못된다. 평민의 신분으로 올라섰다고 하더라도 준귀족의 예우를 받으며 기사들과 비슷한 신분으로 취급되리라.

귀족가의 일원이라면 본가의 위세에 힘입어 한 끗발 위의 신분으로 취급받을 것이고.

킬 드로얀과 그 일행들은 조심히 기다렸고, 머지 않아 집사장이 노구를 이끌고 접객실로 찾아왔다.

반갑게 악수를 하며 인사를 하고, 사정을 설명받은 집사장이 다시금 그리턴과 함께 현황에 대해서 중앙 부처의 인물들에게 사연을 설명했다.

이야기를 전부 들은 킬 드로얀의 얼굴은 조금 굳어졌다.

"혹여 확실한 증거라도……."

줄리앙이 입을 뗐다.

"언약에 관한 증거라면 기록된 역사서에 있고… 운트 작힘 백작의 마수에 관한 것이라면 아쉽게 남은 것이 없소. 목격자라면 있지만 '제냐 킴' 경을 제외하면 전부 우리 일행들이고….
세슈칸의 뒷거리 패들은 세슈칸에서 놓아주었고, 강도들 역시 전부 죽거나 도망치는 걸 놓쳤소. 우리도 워낙 경황이 없고 살아남기에 급급했던 터라….
그나마 남은 것이라면 이게 있겠군."

줄리앙은 자신의 양복 품에서 작은 주머니 하나를 꺼냈다. 고운 천에 입구를 끈으로 묶는 물건이었다. 그로부터 다그락거리며 부서진 부품들이 접객실의 테이블 위에 놓여졌다.

부서진… 보석처럼 보였다.

제이미 솔더, 라던 강도단의 일원을 샅샅이 뒤져서 찾아낸 물건이었다. '투명화의 목걸이'를 비롯해서 강도단의 간부들이 함께 쓰고 있던 아티팩트의 일종이었다고 한다. 백작가의 아티팩트와 공명해서 은엄폐술에 강력함을 더한다.

강도단 사이의 연락용으로도 써먹었던 모양이었다. 백작가로부터 온 물건이었고, 그 중심 소재인 강도단장의 아티팩트는 흔적도 남지 않았지만 줄리앙의 손에 있는 건 일단 그것이었다.

"이것으로 뭔가 단서를 찾을 수 있다면 혹시 모르겠소.

그리고… 개인적 심증으로는 로멜리아 령 근처의 호드와 카샨 남작 역시 운트 작힘 백작과 긴밀한 연이 있는 것이 아닌가 싶소.

그들을 추궁할 수 있다면 작힘 백작의 꿍꿍이가 분명해질 수 있으리라 생각하오."

"……알겠습니다."

킬 드로얀과 함께 따라온 후임 사무관, 칼젝 벤더스는 그 보석 조각이라도 다시 곱게 천주머니에 담아 가져갔다.

일이 복잡할 것 같았다.

그들에게 떠맡겨진 일이었지만 영 쉽지 않았다. 머킷 차장관은 늘 어려운 일을 시키긴 한다. 그러나 이렇게 혹독한 난이도의 과제를 던져주는 일은 별로 없었는데, 수도 사르샷에서도 그 목소리가 통할만한 대영지의 영주인 작힘 백작의 비리를 케내는 사건이라니.

그가 왕실을 두려워하지 않고 대놓고 일들을 벌이는 듯 하다는 게 그나마 위안이라면 위안이었다. 그들은 스스로의 위세와 권위를 가지고 운트 작힘 백작의 죄를 추궁하는 게 아니라 산슈카 국의 명예와 법정의를 내세워 일을 하는 것이었으니.
작힘이 명백한 증거가 나올 정도로 백주대낮에 일을 꾸민다면 일은 쉬워진다.

그러나 과연 그런 장면이나 증거를 잡는 것이 쉬운 일이겠는가….
무엇보다 머킷 차장관과 그리턴 자작, 그와 연결된 로멜리아 가의 일원들이 말하는 바가 정확한 지 사실 관계 먼저 파악해야 했다.
로멜리아 가는 산슈카 국 사람이라면 모르는 이가 없는 유서 깊은 가문이었고, 사대고가의 일파였다.

그로부터 오는 괜한 신뢰감이 있었지만 사람의 일이라는 게 모르는 것이었으므로, 조금 더 면밀히 살펴 볼 필요가 있을 것 같았다.
우선 로키 산에 왔으니 그리턴 가의 영토 내에서 얻을 수 있는 정보들을 모두 얻고, 그리턴 자작과 협조하며 세슈칸 시로 넘어가 운트 작힘 백작의 일을 살펴야 할 것 같았다.

백작의 평판이나 그가 하는 일들을 좀 알아보고, 수도 법무부의 권세를 빌려서 대담을 나눌 수 있다면 그 대화 속에서 정보를 얻을 수 있을지 모르겠다.

수도로부터 먼 변방, 드로얀 남작가의 2남인 킬 드로얀은 눈빛을 조금 흐렸다.

차장관, 을 그다지 싫어하지는 않았다. 그러나 기사들을 대동해야 할 정도로 위험한 외근을 시킨다면 조금 원망하게끔 되는 것도 어쩔 수 없다.

수도의 중견 기사 셋이라면 상당한 전력이었는데, 반대로 말하면 그 정도로 위험할 수 있는 임무라는 뜻이었으니.

좋게 생각해보려 해도 이곳에 와서 그리턴 자작과 줄리앙 리스트 집사장의 진지한 얼굴을 마주하고 있노라니, 저들의 말이 전부 사실이고 운트 작힘 백작과 적대하게 되어서, 대영주의 분노와 암수를 그대로 받게 되는 미래가 머릿속으로 그려지는 게 어쩔 수 없었다.

"흐음."

킬 드로얀은 속내를 감추고, 우선 알겠다며 자리를 파했다.

당분간 객실 하나를 얻어 성채에서 이들과의 교분을 다지고, 많은 이야기를 더 들어볼 작정이었다.

*

*

하기 싫은 일을 해야 할 때는 어떻게 해야 하는가.

로웰 드버는 그런 생각을 했다.

그는 마물술사로, 다양한 종류의 초상 스킬을 익히고 있는 희귀한 인재였다. 중부 대륙 태생인 그는 뛰어난 용병으로 이름이 널리 알려졌으며, 그밖에 할 수 없는 많은 의뢰들을 비싼 값을 받고 처리해주는 것으로 유명하다.

초상술, 곧 시나리오 온라인 내에서 '스킬'이라고 표현되는 갈래에는 정말 천차만별의 계통이 있었다.
개중 하나인 '마물술사' 류의 스킬들은, 몬스터 테이밍과 직접적인 관련이 있는 스킬들이었다.

테이머는 여러 종류의 RPG에 심심찮게 등장하고는 하는 유서 깊은 클래스이자 사람들의 상상력의 발상이었는데, 그 모습과 원류는 아마 현실의 지구에서 짐승들을 길들이고 다루었던 많은 조련사로부터 시작할 것이다.

짐승은 사람보다 강력한 육체적 능력을 가지고 발톱과 어금니, 날개가 있었다. 신체적으로는 아득히 나은 점들이 많은 놈들이었으니 그 금수를 인간의 지휘로 부릴 수 있다면 그건 현실적으로 마법이나 비슷한 수준의 일이 가능할 테였다.

말귀를 못 알아먹는 짐승들을 어떻게 다루고 조련하냐가 물론 문제이기는 했다만.

시나리오 온라인은 현실에 대한 열화판 해석이나 다름 없는 판타지 세계관의 게임이었고, 여러가지 설명하기 어려운 논리나 방법적 문제에 대해서는 '그냥 그러하다' 식의 태도를 보이고 있었다.

'마법'이라는 이미지는 편리한 상상이었다.

그리고 그것이 곧 판타지의 이미지이기도 했다.

세상을 유년기적 잣대로 바라볼 때, 자세한 근거나 원리는 모르지만 이미 사용하고 있는 수많은 과학적 혜택들은 마법이나 크게 다름없다.

그것을 그대로 표현하라고 해도, 마법이나 기적으로 말할 것이다.

그리고 그건 작가가 현실에 대한 과학적 이해가 있다고 하더라도, 연출적 편의나 혹은 대상 독자층을 위한 이유로 쓰일 수 있는 방식이었다.

초상술은 애초에 현실에는 존재하지 않는 물리적 에너지인 'SP'를 이용하고 있었다.

무수한, 말도 안 되는 일들이 스킬이라는 이름 하에 가능해진다.

테이머들은, SP를 사용해서 몬스터의 정신을 현혹한다. 현혹이라고 말하고 있지만 그건 고양이에게 개다래나무 열매를 가져가는 것과 그렇게 크게 다르지는 않다.

몬스터들의 특성 별로 해야 하는 일들도 다 달랐고, 방식, 접근법이 모두 달랐다.

그런 방법론을 뭉겔 수 있는 보편적이며 강력한 테이밍 스킬 또한 존재는 했다만, 자연스레 그런 류는 상위 스킬이 된다.

몬스터 한 마리 한 마리를 공들여 포획하게 되고, 스킬로 다양한 종류의 짐승들과 간단한 커뮤니케이션이 가능해진다.

의지력에 따라 MP를 사역하듯,

지휘관이 되어 자신의 능력에 따른 짐승 군단을 부릴 수 있게 된다.

보통 테이머들은 두 갈래의 스킬들을 혼합해서 사용한다.

소수의 정예를 자신의 몹들로 꾸며 한 마리 한 마리를 유니크하게 강화시키는 방법이 있었고, 즉각적으로 다수의 몬스터들을 현혹시켜 자신의 임시 군사로 부리는 계열의 방법이 있었다.

전자는 하나의 짐승을 오랜 친구로 삼아 계속해서 네려가는 불편함이 있었다. 그러나 그런 비용을 뛰어넘을 정도의 특별함을 완성시킨다면 강력한 마물술사가 될 수도 있었고.

후자는 콘란드 대륙에 존재하는 거대한 몹 군단을 제것처럼 부릴 수 있었으나, 주변 상황에 지나치게 영향을 받는 면이 컸다.

당장 몬스터를 만날 수 없는 상황이라면 전력이 0이 되는 것이 현실이다.

그러나 소수의 짐승들로 이루어진 정예가 아무리 강력해도, 거대한 군단을 이기는 일이 힘든 것이 또 사실이었으니 오로지 질이 아닌 양만을 추구했을 때 마물술사는 감당키 어려운 재앙이 될 수도 있었다.

메인 스토리에 숨겨진 갈래 중 하나인 '마왕魔王'의 경우에는, 마물술사의 극의에 달한 것과 비슷한 능력을 보이고 있기도 했다.

어쨌거나 콘란드 대륙에 존재하는 두 종의 극단적인 전쟁이 그 시나리오의 끝이었으니 말이다. 모든 몬스터의 규합과, 이지를 가진 모든 인류종의 연합 후 전쟁이 메인 스토리의 마지막이었다.

메인 스토리의 형태는 플레이어들이 만들어내는 역사와 선택에 따라 얼마든지 달라질 수 있었고, 동시에 여러 종류가 진행되는 것도 가능했다.

아주 예전에 존재했던 게임 중 유명한 것, 각 역사의 문명들을 일으켜서 전쟁을 하고 최종 승리로 먼저 나아가는 턴제 시뮬레이션 게임이 있었다. 그 게임에서 승리 조건이 여러 종류라 전쟁 승리, 외교 승리, 문화 승리 등의 형태가 있었는데, 비련의 시나리오 역시 비슷하다.

전쟁으로 대륙을 일통한다던가, 대단한 문화적, 기술적 발전을 일으켜서 대륙의 모습을 바꾸어버리고 다음 단계로 넘어가게끔 한다던가.

전대륙에 영향을 미치는 다양한 역사적 변곡점들이 메인 스토리급 퀘스트의 기점이었고 어느 분야에 종사하는 플레이어가 그 주인공이 되느냐 하는 건 정해지지 않은 일이었다.

제조직 플레이어가 전쟁사를 바꿀 정도의 도구를 발명해 대륙 내 몬스터들을 전부 소탕한 뒤 인류 제국의 번영이 그려질 수도 있었고, 전투직 플레이어가 끝없이 발전해서 거대한 대륙 전쟁을 일으켜 제조직 플레이어들은 자신의 안온한 공장을 잃어버린 채 그냥 휘말려 게임 오버가 될 수도 있었다.

로웰 드버는 두 종류의 마물술사 스킬 중 후자의 것에 조금 더 집중한 부류였다. 몇 마리의 유니크 몬스터들을 제어하고 있기는 했지만 그것이 그의 전력全力은 아니었다.

특히 대규모의 몬스터들을 일시적으로 자신의 군단으로 부리고 현혹시키는 데 뛰어난 능력과 자질을 가진 그는 몬스터 아웃브레이크Outbreak를 일으키기에 좋은 초상술사다.

데슈칸 산맥은 수많은 몬스터들의 터전이 되는 곳이었고, 초입 로키산의 가장 위에 있는 성채는 그것들이 몰려들기 좋은 지점이었다.

굳이 그리턴 가를 자극하지 않는다고 해도, 로키 산은 그가 활동하기에 편한 곳이었다.

NPC이지만 플레이어의 전투력 단위로 변화시킨다면 상당한 고레벨 능력자였다, 그는. 정신력 계열의 스텟에 모조리 투자를 해버렸기에 약점이 분명하지만 지닌 바 능력만으로도 확실하게 50이상, 80을 넘지 않을까 싶은 수준이다.

로키 산의 몬스터들을 다수 부리기에는 충분하다.

그는 현재 작힘 백작의 의뢰로, 데슈칸 산맥에 와 있었다.

"음."

목을 가다듬으며 작은 소리를 내었다. 그를 둘러싸고 있는 이들이 몇 명 있다. 검은 후드를 뒤집어 쓴 기사같은 자들이 그를 보필하듯, 호위하듯, 아니 혹시 감시하듯 이끌고 있었고.

그 외에 다른 얼굴을 드러낸 자들이 일행을 구성한다.

구릿빛 피부를 자랑하는 거대한 장한 하나, 붉은 단발머리의 소녀인지 아가씨인지 모를 여성 하나. 다른 이들에 비하면 그다지 특색은 없는 평범한 체형과 체격의 용병같은 자들 몇 명.

다 해서 열서너 명은 되는 규모의 일행들이다.

이들이 목적하고 있는 바는 하나였다.

로키 산 봉우리, 그 위에 있는 로키 캐슬. 그 성채에 거하고 있는 어떤 이들의 목숨을 취하는 일 말이다.

벌써 인근에 도착해 캠프를 만들고 기거한 지 며칠이 지났다. 용병들 중 몇은 감지술사였고, 구역을 정해 로키 캐슬 외곽 전방위를 둘러싼 뒤 사람이 나가는 것을 확인했다.

그들이 노리고 있는 '로멜리아 가'의 잔당들은 운트 작힘이 비교적 상세한 정보를 주었기에 특정하는 일이 쉬웠다.

고용된 용병들은 로웰 드버를 비롯해서 전부 '금'급이나 '은'급의 용병들로, 세슈칸 내부에서 상당한 고위층이었다.
용병들의 수준은 용병패를 지급하는 길드 지부에 대한 공헌도, 길드 지부가 있는 도시의 평균 수준을 감안해서 정해지게 된다.

실제 실력과 희귀도, 그 지방에서의 쓰임새나 유용성에 따라 달라지는 것이다. 세슈칸 시에서 금급을 받았다고 하더라도, 강력한 마물이 근방에 넘쳐나는 도시에 간다면 비교적 강함에 따라 급수가 내려갈 수 있었다.

그래도 금급이나 은급이라면 확연히 어떤 상황에서든 뛰어난 활약을 할 수 있는 수준의 용병들이었고, 로웰 역시 그렇게 생각했다.
감지술사들은 거대한 성채 바깥을 전방위적으로 경계할 수 있을 정도의 대단한 역량의 보유자들이었다.
로웰 드버와 마찬가지로 정신력 스텟 위주로 캐릭터가 성장한 자들이다. 플레이어라면 균형을 맞추기 위해 억지로라도 물리적 트레이닝을 거쳤겠지만, NPC들의 경우에는 불균형이 심한 경우가 잦다.

몸을 쓰는 기사들이라면 차라리 고위급에 올라서서 기력술을 다룰수록 균형이 맞아가지만, 애초에 초상 스킬만 쓰는 술사 부류라면 불균형은 극심해진다.

로웰은, '금강' Diamond급이었다.

작힘 백작을 비롯해 많은 의뢰금을 길드에 전해줄 수 있는 이들이 다양한 일을 도모해볼 수 있게끔 하는 주요한 전략 자원이었고, 마음만 먹는다면 몬스터 군단을 일으켜서 전쟁의 일각을 홀로 감당할 수도 있었다.

그런 전투력이 지속 가능하진 않지만, 일순간이라도 가능하다는 게 중요하다.

운트 작힘 백작은 나름대로 상당량의 의뢰금을 세슈칸 용병 길드에 지불했고, 그에 이끌려 모인 자들이었다.

백작가에서 파견된 기사들은 별다른 말도 없이 그들을 이끌었고, 기사의 인도와 계획에 따라 용병들이 협력하는 구조였다.

짜여진 계획은 간단했다. 언제든 로웰이 몬스터들을 충동질시켜 아웃브레이크와 유사한 상황을 만들 수 있게끔 준비하고, 감지술사가 목표물의 위치를 특정하면 그가 마물을 급파하는 것이다.

몬스터들의 유도와 돌진은 암살 목표물에게로 가는 것이 절반,

로키 성채를 비롯해 그리턴 가의 조력자들이 움직이지 못하도록 그 길목에 향하는 것이 절반이었다.

절반으로 나눈다고 하더라도, 로웰이 갖은 힘을 다 쓰면 일시적으로 수 백 마리 단위의 몬스터들이 움직일 수 있었다.

로키 캐슬 내부의 그리턴 가 병력들은 데슈칸 산맥에서 잔뼈가 굵은 정예들이었지만, 그럼에도 수 백 마리라면 시간을 지연시키기엔 충분하다.

거기에 목표물은 소규모 일행이라고 들었으니 그들을 포위하고, 용병과 기사들이 투입되어 마지막 마무리를 하는 식이다.

'로키 산'의 산책로가 그리턴 가의 앞마당이며 그들의 탐지 술식이 걸려 있는 길목이라는 사실은 운트 작힘 백작 역시 알고 있었다.

운트에게 있어서 영향력을 서로 주고 받을 수 있는 거리의 그리턴 자작가는 요주의 인물들이고, 곧 얼마든지 적이 될 수 있는 집단이었다.

로키 산에 대한 파악도 일부 마쳐 놓은 상태였다. 훨씬 오래 전부터.

산책로에 존재하는 감시 아티팩트의 각도와 감지 범위는 일부 알고 있다. 작힘 백작 또한. 그것이 그리턴 자작가가 놓아둔 감시 체계의 전부라고 할 수는 없었지만.

아마 계획은 최대한 그리턴 자작가의 눈이 닿지 않는 구간에서 벌어져서, 몬스터들의 집단 돌격으로 목표물이 되는 일행을 산림 깊은 곳에 밀어넣고, 그 안에서 외형을 감춘 암살자 무리가 일을 저지를 것이었다.

자세한 세부 내용이나 타이밍등을 가늠하면서 그들은 로키 산의 적당한 자리에서 대기하고 있었고,

로웰 드버는 거듭 말하듯 별로 하고 싶은 일이 아니었다.

누가 좋아서 사람을 죽이겠는가. 사이코패스 살인마가 아니라면야 말이다.

물론 자신의 신변적 어려움이 있고, 막대한 재물을 준다면 모르는 인간에게 칼을 들이밀 사람들이 있을지도 모른다.
언제나 상황이라는 건 유동적이고, 사람의 내부에 존재하는 선악도 선택에 따라 흔들리기에 말이다.
그럼에도 불구하고 그런 이유가 아니라면, 극단적인 상황 조성이 아니라면 로웰 드버는 평안하게 살고 싶어하는 부류였고 지금 역시도 그렇다.

금강 급의 용병으로서 세슈칸 시티City의 길드에서 상당한 영향력을 발휘할 수 있는 신분이었지만, 그 개인의 전투력은 그렇게 견고한 편이 아니었다. 잘못해서 과도하게 원한을 샀다가는 어딘가의 암살자라도 맞이해서 그냥 죽을 수 있는, 그런 신세였다.

NPC 초상술사들이 원래 대개는 물리 스텟이 낮은 탓이지만, 로웰의 경우에는 다소 특수한 스킬을 익혀서 많은 짓거리를 저지르고 살아왔기에 위험도가 조금 더 크다.

'마물술사'는 참으로 적절한 클래스였다. 사고를 가장해서 누군가를 해하기에 말이다.

로웰이 원하든 원치 않든 비열한 악의와 계략을 꾸미는 권력자들은 그의 능력을 이용하기 즐겨했고, 그는 어지간해선 일을 더 하고 싶지 않았다.

로키 산에 도착한 뒤 준비 작업을 하고 시간을 보내는 동안 그는 많은 고민을 했다.

깨나 기간이 오래 걸렸고, 로키 캐슬에서 당초의 목표물이 언제 나와도 이상하지 않은 상황이었다.

킬 드로얀을 비롯해서 수도의 파견자들이 캐슬을 방문하고 난 뒤, 거기서 다시 며칠이 지난 때였다.

그 사이 법무부 소속의 인원들은 로멜리아 남작가 측 사람들의 사연과 입장을 전부 듣고, 세슈칸 시로 가서 작힘 측의 정보를 모으기 위해서 움직였다.

먼저 떠난 이들을 두고 로멜리아 가 일행은 로키 캐슬에서 더욱 시간을 보낸다.

로멜리아 가를 노리는 암살자 일행은 로키 산 내부를 서성거리다 산책로 주변으로 위치를 바꾸어 감시하러 가는 길이었다.

반쯤 기사들의 호위나 감시를 받으며 이끌리듯 온 로웰은 산 속에서도 다시 무리들과 함께 움직였다.

운트 작힘이 보낸 기사들의 갑옷 소리가 움직일 때마다 난다. 판금은 아니었고, 견고하게 만들어진 경갑옷 같았다. 그럼에도 불구하고 철판 따위를 덧대었는지 로브 자락 속으로 장비들이 절그럭거리는 소리가 났다. 칼집이나 손잡이와 부딪히는 것 같기도 했고.

말도 없이 로키 캐슬이 보이는 다른 봉우리의 분지 내, 베이스 캠프에서 자리를 옮기는 일행들이다.

로웰은 숲 속을 걸으면서 상념에 빠졌다.

나름 오랜 시간을 함께 보냈지만 그리 친밀한 사이들은 아니었다, 이들이.

운트 작힘에 의해서 고용된 처지였고, 불온한 일을 하는 와중이다 보니 그 속에 인간적인 동료애가 꽃피어나기 어려운 실정이다.

그럼에도 불구하고 거대한 체격을 가진 구릿빛 사내와 붉은 단발머리 여성은 원래부터 친밀했는지 자주 대화를 나누는 것 같기는 했다.

로웰은 숲 속을 일정하게 걷는 와중에 그들에게 조금 다가가 보았다. 말을 붙여본다.

원래 고민이 깊어지면 얘기를 나누는 게 도움이 될 때가 있는 법이다.

"저기……."

로웰이 말했다.

그는 평균 체격에 갈색 머리, 술사들이 으레 그렇듯 평범한 로브를 걸친 행색이었다. 허리춤에는 초상 스킬의 발동을 돕는 아티팩트가 몇 종 걸려 있었다.

여태까지 모아온 의뢰금을 투자해서 사들인 고급의 물건들이었다. 자그마한 목재 막대기, 둘둘 묶여 있는 가죽끈, 뭐 그런 것이다.

별로 효용은 크지 않아 보이지만 강력한 SP가 담겨 있는 것으로 로웰이 가진 보물들이라 할 수 있었다.

로웰에 대해서,

호아킨은 이미 알고 있었다.

세슈칸 시에서 일을 하면서 금강 급의 용병들에 대해서 모르기란 쉽지 않았다. 특히나 같은 길드에서 일을 받아 처리하는 금급 용병으로서는 더더욱 말이다.

구릿빛의 거한, 호아킨이 민둥한 머리통을 돌려 뒤에서 다가온 로웰을 쳐다보았다.

그의 근처에서 걷고 있던 붉은 머리, 릿샤 애드윈 또한 그를 보았다. 릿샤 역시 로웰을 안다. 로웰 드버, 30대 중반의 그 사내는 유명인이었으니까 말이다.

젊은 나이에 탁월한 수준으로 초상술을 익혀낸 천재 마물술사. 세슈칸 시의 금강 급 용병. 홀로 전선을 만들고 유지할 수 있는 남자.

다양한 이명이 그에게 붙어 있었다. 어딘가 어수룩해 보이는 표정으로 말을 걸고 있는 청년에게 말이다.

NPC들 중에는 플레이어들에 비교해 전투능력으로 따져 비교하지 못할 정도로 약한 사람들도 많았지만, 때로는 비교할 수 없을만치 강한 존재들도 많았다. 로웰 드버는 비교가 가능했고, 플레이어 중에서도 상위의 전투 능력을 가졌다고 할 수 있었다.

다만 편향된 능력치로 근접전을 이끌어낸다면 물리 계열 스텟을 찍은 플레이어라면 중수 이상부터 아마 암살 시도나 성공이 가능할 것이다.

유명한 NPC들은 각 지방, 지역 별로 인터넷 공략집 따위에 알려져 있는 경우가 더러 있었다. 어마어마한 콘란드 대륙의 세계관을 총망라하는 정보집은 굉장히 어려운 일이었지만, 거기에 더해 세슈칸에서 실제 활동하고 있는 이들로 범위를 좁힌다면 그들끼리의 정보망은 조금 더 디테일한 부분이 있을 것이다.

실제로 세슈칸에서 활동을 하는 둘은 정보집이 아니라 게임 플레이 중에 알게 되는 이야기로 로웰 드버를 따로 더 알게 되었었고.

콘란드 대륙 이야기를 전문적으로 파는 아주 변태적인 수준의 정보 수집광이나, 세슈칸을 기반으로 한 플레이어들은 어렵잖게 알 수 있는 수준의 NPC라는 말이었다.

물론 로웰은 그런 세상에 대해서는 모른다. 눈 앞의 두 남녀를 자신과 같은 세슈칸 시의 고위 용병이라고 인식할 뿐이었지.

로웰의 다가옴에, 호아킨은 여상스럽게 반응했다. NPC의 행위는 난수에 기반한다. 시스템적으로 갇혀 있는 발상과 행동 양태가 분명 있었지만, 플레이어라는 변수가 콘란드 대륙에 들어감으로 더욱 격해지는 그들의 다양성은 퀘스트 시나리오를 늘 새로운 곳으로 이끌지도 몰랐다.

물론, 어디까지나 주체는 플레이어임으로 예상 가능한 지점들이 있기는 했지만… 돌발적인 상황은 언제나 일어날 수 있었다.

“무슨 일인가.”

로웰은 눈 앞의 금급 용병이 어느 정도 싸우는 인간인지 대충 알고 있었다. 세슈칸 시티의 고위 용병이라면 그 수가 정해져 있으니 자기들끼리 눈도장을 찍는 일이 많기도 했거니와.

이곳 로키산에서 작전 수행을 위한 훈련을 겸하면서 그들의 능력을 알아보는 시간이 있었기 때문이었다.

간단하게 컨디션 점검 겸 로키 산의 마물 몇 마리를 그가 끌어들여오면, 정해진 장소에서 호아킨이나 다른 용병들이 싸우는 식이었다. 호아킨은 아마 로웰 드버를 제외한 모든 용병들 중에서 가장 강할 것이었다. 로웰이 판단한 그의 전투력은 그 정도였다. 금급에서도 상당히 노련한 자다. 더군다나 근접 전투라면 그의 거대한 체구에서 나오는 막강한 완력이 빛을 발했고.

호아킨과 일행처럼 보이는 붉은 머리 아가씨도 만만찮아 보였지만, 근접 거리에서 난전이 벌어졌을 때 가장 높은 전투력을 보일 건 호아킨으로 생각되었다.

호아킨이 나름대로 자신의 실력을 감추는 것 같기도 했다만, 로웰은 눈썰미가 좋았다. 운트 작힘 백작이 파견한 몇 명의 기사들을 합치더라도 호아킨이 개중에서 가장 뛰어난 전사라고 생각했다.

로웰 역시 대단한 능력의 소유자였지만 눈 앞에서 호아킨이 무기를 휘두르면 자신은 아마 크게 반항하지 못하고 죽을 테였다. (그에게 있어서)현실이란 상성이라는 게 존재했고, 아무리 강력한 자라고 하더라도 게임이 아니라 서로 약점을 찌르고 한 번에 죽을지도 모르는 것이 삶이었다.

호아킨에게 다가가는 것은 나름의 용기를 담보로 하는 일일지도 모른다. 로웰은 호아킨의 눈을 보았다. 검은 눈동자가 그를 맞이한다.

표정이나 기색을 살피면, 이미 알고 있었기에 다가간 것이었지만, 의미 없이 흉폭한 작자는 아닌 것 같았다. 어떤 자들은 이유도 개연성도 없이 주변 사람들에게 폭거를 저지르기도 한다. 단지 그럴 힘이 있다는 것만으로.

보통 난폭한 인간은 오래 못살게 마련이었지만, 그런 작자가 죽기 전에 벌이는 난동에 휘말리지 않기 위해 조심해야 하는 법이었다.

로웰이 말을 텄다.

"아, 별 건 아니고…. 세슈칸 소속 용병이라고 하셨지? 오며가며 얼굴을 본 것 같기도 하군."
"……."

그 말에 곁에서 걷던 릿샤가 한 두 걸음 떨어진 자리에서 로웰을 쳐다봤다. '그럴 리가 없을 텐데…….'

왜냐면, 그들이 로웰 드버를 보는 것이 이번이 처음이었기 때문이다. 그는 두 사람이 익히 알고 있던 강한 NPC들 중 하나였고, 만났다면 분명히 기억을 했으리라. 제 입으로 말하기 뭐하지만 머리가 좋은 편인 릿샤 에드윈은 설령 게임 내에서의 일이라고 하더라도, 주요한 인물을 마주친 사실을 까먹지 않는다.
너무 머리가 좋은 것도 고생일 때가 있었다.
잊고 싶은 기억도 잘 잊혀지지가 않으니까.
다른 이야기였고 벗어난 감상이기는 했다만 릿샤는 뚱한 표정으로 로웰의 하는 양을 흘끗 보고, 귀만 기울이기로 했다.

그녀의 작은 몸집이 커다란 호아킨의 몸 뒤편으로 숨었다.
호아킨이 말했다.

그들이 갑자기 붙어서 이야기를 시작하자 근처에 있던 다른 용병들이나, 기사들이 귀를 기울였다.

운트 작힘이 보낸 기사들은 상당한 실력자들이었고, 용병들의 평균과 비교해서도 한 수 위의 전투 능력을 가진 이들이 대부분이었다.

용병들은 운트 작힘이라는 대도시 영주의 의뢰로 움직이는 것이었고, 의뢰자의 감시인이라 할 수 있는 기사들을 약간 불편해하는 경향이 있었다.

기사들은 얼굴을 드러낸 자도 별로 없는 행색으로 용병들을 은근히 감시하고 있었기에 그 짧은 대화에도 귀를 기울인다.

별다른 내용을 말하려고 시작한 대화는 아니었다. 간단하게 말이나 틀 겸, 생각을 좀 정리할 겸 해서 건 것 뿐이다. 로웰은 복잡한 사내는 아니다.

"호아킨 팍스, 라고 하면 자네가 내게 이름을 소개해주기 전에도 들어본 적은 있어. 고작 일 년 여 만에 금급까지 올라선 무서운 신예라고 말이야. 내가 최초에 목패를 받고서 금패로 내 용병패를 바꾸기까진 약 10여 년이 걸렸는데."

"호오."

호아킨이 반응했다. NPC가 적극적으로 자신에 대해서 알고 있다고 어필을 하는 건 또 자주 있는 일은 아니었다. 그가 명예 점수가 높다는 말도 되었고, 세슈칸 시에서 보낸 시간과 그에 비례하는 공헌도가 높은 축이라는 말도 된다.

"그리고 그 옆에 있는 …릿샤 양도 사실은 들어본 적 있네. 호아킨과 릿샤. 세슈칸 시티의 신성들. 자네들이 데슈칸의 검은 용을 잡았지?"

"어…… 그렇소."

호아킨이 고갤 끄덕거렸다. 릿샤도 표정이 조금쯤 변했다. 처음엔 빈말을 늘어놓나 했더니, 실제로 만난 적은 없어도 이야기를 들어본 바 있다는 건 사실인 모양이었다. 생각보다 로웰 드버가 그들을 확실히 알고 있었다.

어디로 튈 지 모르는, 천재 마물술사에게 각인되어 있다는 건 게임 플레이적으로 보자면 호조라고 할 수 있었다.

NPC들과 친밀한 관계를 쌓아나가며 시나리오를 풀어 나가는 시뮬레이션 게임이 이 게임의 큰 본질 중 하나이다.

그들이 잡았다고 하는 '데슈칸의 검은 용'은 그 이름처럼 강력한 존재는 아니었다. 용이라는 이름을 붙인 종류 중 피스 시의 황야 지룡처럼 초보자들을 위한 몬스터들도 있었고, '용'종의 최상위로 불리는 정말로 거대하고 온갖 초상 스킬을 부리며 거대한 SP를 사역해 자연 재해를 일으키는 몹들은 극소수다.
아직까지 플레이어들이 정확한 소재지조차 잘 파악하지 못한 놈들이었다.

그런 용종의 최상위권, 그리고 여타 인류 NPC들의 최상위 강자들. 그런 부류들은 아직 플레이어가 닿지 못하는 구간에 있는 존재들이었다.

데슈칸의 검은 용은 일종의 별칭이었고, 거대한 지렁이를 말했다. '데슈칸 산흙벌레'라고 하는 이름의 몬스터였는데, 실상은 지렁이였지만 그 크기는 용에 근접했다. 대형종 끝자락에 닿는 몬스터였고, '대형종'이란 곧 현실에 존재하는 지구상 생물들 중 가장 거대한 부류를 일컫었다.
가장 작은 단위가 코끼리같은 것들에서, 가장 큰 것을 바다에 사는 흰수염고래로 칠 것이다. 30여 미터에 달하는 거대한 체구와 그에 어울리는 체격, 어마어마한 체중을 부피로 환산하고 그것을 재조합하면 '대형'이었다.

'거대형'은 지구에 존재하지 않는 생물들로, 진짜 최상위 전투력을 가진 용종들이 그런 크기를 가지고 있다고, 비련의 시나리오 개발사에서 제공하는 세계관 가이드에 나와 있었다.
실제로 목격한 플레이어들이 있다고도 하는데, 그런 고급 정보는 아직 시중에 많이 풀리지 않은 것이 현황이었다.

흰수염고래보다 두께감은 얇지만, 길이는 한 두, 세 배 정도 되는 듯한 미친 거대한 흙지렁이를 상대로 호아킨과 릿샤는 몇날 며칠의 사투를 벌였고, 그들과 함께 사냥을 했던 용병들 중 많은 수가 게임 오버를 당하거나 NPC들의 경우에는 죽는 일도 있었다. 중상을 입거나 말이다.

사투 끝에 온전하게 살아남아, 전투를 지속하고 마침내 검은 용을 잡아낸 용병은 호아킨과 릿샤가 유일하다. 온갖 종류의 포션과 버프 아이템을 물처럼 쏟아내면서 가능한 최대의 전투력을 발휘한 결과였고, '데슈칸의 지룡 슬레이어'라는 호칭을 받기에 이른다.

그건 마지막 치명적 타격을 입힐 때까지 적극적으로 전투에 참여했던 릿샤와 호아킨만이 가질 수 있었던 칭호였다.

스태미나를 올려주어 긴 시간 전투 상황이 지속될 때 버틸 수 있게끔 해주고, 지구력에도 보정이 더해진다. 특히 극한 상황, 집중력이 고조되는 전투 시에 지구력 보정이 더욱 강력해지며 자기가 갖고 있는 스텟 이상의 능력을 '무술' 계열, 무기술 계열의 스킬을 쓸 때 낼 수 있도록 해주는 희귀 칭호였다.

콘란드 대륙 전체에 그런 종류의 흙지렁이가 한 마리만 있는 것은 아니어서, '유니크'는 아니었지만 희귀 클래스의 칭호들 중에서도 상당히 효과가 좋은 편으로 유저들 사이에 소개된다.

호아킨이 게임 내에서 얻은 상처들 중 상당수는 당시의 흔적이었고, 아직까지도 전투의 열기를 잊지 못한다는 듯 그는 딱히 흉터를 지우지 않은 채 플레이를 하고 있었다.

릿샤가 로웰에게 고개를 내밀지도 않은 채 뚱한 목소리로 말을 걸어왔다.

"영광이로군요. 세슈칸의 괴물부대 장군에게 알려져 있었다니."
"그런……."

로웰은 눈살을 찌푸리면서 못마땅하다는 표정을 지었다.

"멍청이같은 별명이로군. 다른 곳에선 나를 그렇게 부르고들 있나?"

하기야, 로웰의 앞에서 별명을 함부로 부를 자들이 많지는 않다. 그의 고객이 되는 지체 높으신 귀족가 양반들이 허투루 말을 뱉는 편도 아니었고. 대개의 사람들은 로웰을 직접 만나지도 않는다.
또 나름대로 자유분방한 편인 로웰이 그보다 아래에 있는 모험과들과 어울리는 일도 흔하진 않았다. 대개의 경우 자신의 모습을 감추고 개인 플레이를 하고, 세슈칸 시티의 용병 길드장과만 주기적으로 대담을 나눈다고 알려져 있다.

지금의 이 상황 역시, 세슈칸의 용병 길드 마스터의 입김에 넘어가서 와 있는 것일 테다. 호아킨도 그와 크게 다른 상황은 아니었지만.

어쨌든 여차하면 그는 모든 것을 버리고 그냥 떠날 수도 있었다. 영 마음에 들지 않는 의뢰라면 말이다. 상황을 보다가, 사실 지나치게 의뢰의 뒷 사정이 어두운 것으로 밝혀진다면 자신의 선악 수치 관리를 위해 운트 작힘 백작을 배신하는 수조차 있었고.

플레이어들의 머리털을 빠지게 만들 정도로 흉악한 시나리오 온라인 내의 여러가지 함정들과 뒤통수가 있었지만, 그런 전략은 반대로 말하면 플레이어들도 얼마든지 실행할 수 있는 선택들이었다.

"허허… 뭐, 얼추 어울리지 않습니까. 당신이 마물들을 부릴 수 있다는 것도, 그것들을 그러모아 군대 수준의 병력을 순식간에 보유할 수 있다는 점도."

뛰어난 마물술사는 전황을 바꾼다. 그건 고도의 어그로Aggro 스킬보다 한 차원 위의 기술이었다. 인류와 마물은 팽팽하게 대립하고 있는 콘란드 대륙의 두 축이었고, 인간들간의 문제에 마물의 힘을 빌릴 수 있다면 공짜로 추가 전력을 얼마든지 공급할 수 있다는 뜻도 되었다.

마물끼리의 싸움에서도 그리 다르지 않을 것이다. 몬스터라는 거대한 군세는 통솔되지 않는 자연 재해와 일부 닮아 있었고, 막대한 힘을 낼 수 있는 마물술사는 거대한 SP를 사역하는 대마법사와 다를 바 없다.

마물과 SP로 이루어진 초상술이 다른 점을 들자면, 마물이 조금 더 구체화되어 있으며 그래도 생물로서 물질계에 본위가 있고 자유로운 습성과 행동들이 있다는 점이었다.

그 습성을 잘 파악한 뒤에 적당한 자리에 풀어 놓으면, 어부지리로 상당한 군략을 성공시킬 수 있었다.

"그게 참 말이지……."

걷고 있는 와중에 하기 어려운 말들이었다. 그 다음에 로웰 드버가 스스로 생각한 말들은 말이다.

운트 작힘 백작이 보낸 감시인들이 그들을 관리하고 있었으니.

로키 캐슬이 잘 보이는 곳에서 작전 실행을 준비하려는 중요한 순간이다. 이럴 때 이 의뢰 자체가 그다지 마음에 들지 않는다느니, 부정적인 소리를 해서 의뢰주에게 밉보일 필요는 없었다.

로웰 드버는 오래 살고 싶었고, 그러기 위해서 불필요한 원한을 많이 쟁여 놓지 않는 게 중요한 삶의 원칙이었다.

그건 의뢰의 대상이 되는 목표물, 암살 대상이 속한 집단도 마찬가지거니와 의뢰를 주는 공격자들의 원한 역시 마찬가지였다.

적당한 중간자 자리를 잘 차지하다가, 오래오래 무병장수하는 것. 그것이 로웰의 속내이자 목표이다. 그것들이 흔들릴 즈음이 되면 로웰은 그 자리에서 벗어나고 싶어지는 강렬한 욕망이 생겨나고는 했다.

길드장과의 의리나, 세슈칸 시티의 지배자에게서 직접 온 의뢰라는 점이나, 뭐 여러가지 조건들이 합쳐서 이 자리까지 걸음하기는 했지만….

로멜리아 가는 영락한 말단 귀족 가문이라고 해도, 그리고 그 암살 대상이 아무런 권세도 힘도 없이 떠돌다시피 하고 있는 후계자와 그 호위 무사 몇 명이라고 해도…. 귀족가는 귀족가였고, 산슈카에서 사대고가가 차지하는 상징적인 영향력은 상당하다.

그런 것들에 괜히 손을 대어서 나중에 산슈카의 정신 따위를 논하는 어느 급진적인 사상가가 자신에게 창날을 겨눌 수도 있는 것이 삶이었고…….

사실 로웰은 들고 있는 여러가지 생각들을 누르느라 고생이었다.

개중에는, 지금 당장 일을 때려치고 운트 작힘 백작의 손이 닿지 않는 타국으로 갈까, 혹은 일을 마친 뒤 로멜리아 가를 비롯해서 산슈카의 역사를 중요시하는 전통주의자들의 눈이 없는 타국으로 갈까, 시점에 대해 논하고 있는 고민도 있었다.

…….

그냥 내뺄 셈이라면, 산슈카에서 쌓아온 그의 모든 지위나 보금자리, 삶의 안락한 형식들을 버릴 것이라면 그냥 일을 치르기 전에 도망가는 것이 낫지 않을까?

핏값이 더 무거운 원한이 될 테나, 혹은 운트 작힘이라는 사이코패스 대영주의 심기를 거슬렀다는 게 더 큰 뒤탈이 될 것이냐.

로웰은 왜 산슈카에 하필 들러서 길드장을 또 만났지, 하고 자신이 늘 하던 행동 패턴마저 짜증스럽게 생각하기 시작했다.

그러나 지난 과거를 탓해봤자 현실의 상황을 바꿀 수 있는 것도 아니다.

애매한 단어들을 고르던 로웰이 입을 연다.

"뭐… 아무튼. 나로서는 자네들이 부럽구만. 나는 영 몸이 빈약하고 허약해서 말야. 이리저리 움직일 때도 늘 숨이 차고 고생을 해야 하는 처지라네.

자네들처럼 육체 계열의 초인들이라면 어디를 갈 때도 제 마음대로 훌쩍 떠나기가 좋겠지. 나같은 술사들은 영… 어딜 가나 몸조심 해야 하는 신세지."

"…그렇긴 하겠수."

호아킨의 답이었다.

로웰이 늘어 놓는 신세 한탄 같은 소리에 적당한 말을 궁리하고 있었다. 잠깐 머리를 굴려 본 호아킨은, 그런 일은 자신한테 어울리지 않는다는 걸 금새 깨달았다.

무엇보다, 귀찮았다. 연기를 다양하게 하는 건 어려운 일이었다.

여기에서의 선택과 말도, 바깥에서 실제 그로서 살아가는 삶도 그다지 다를 건 없다. 설령 이것이 아주 고도의 연극이나 쇼와 마찬가지인 게임이라 하더라도.

"그 왜, 그래서 불만이오? 당신 지금 처지가?"

"어허."

로웰은 호아킨의 말에 짐짓 무슨 소리냐는 듯 헛기침같이 뱉었다. 부정의 제스쳐였으나, 명확하게 말로 부인하지 않는 점이 그의 깊은 속내를 대변했다.

"하긴 골치 좀 썩긴 하겠소, 늘. 마물술사라면 이런 일에 동원되기 일쑤일 테니. 용병들 중에서, 금강급 중에서도 사실 가장 빈번하게 불려 다니겠지."

"후우우……."

그 한숨이 곧 긍정이었다. 로웰은 고개를 조금 숙여 자신이 걷고 있는 흙바닥, 나뭇잎이나 가지, 뭐 그런 것들이 여기저기 널브러진 산길을 보았다.

제대로 된 산책로도 아니었고, 감지술사들이 인도하는 대로 따라가고 있는 데슈칸 산맥 내부의 원시림 속이었다. 로키 산은 초입이며 비교적 위험도가 덜하다고는 하지만 마음 놓고 다닐 만한 곳은 분명 아니다.

그의 곁에 있는 많은 용병이나 기사들은 로웰의 움직임을 구속하는 동시에 지켜주고도 있었다. 얄궂은 일이다.

그런 로웰의 기색을 살피던 호아킨, 의 너머로 그 왼쪽에서 나란히 길을 걷던 릿샤가 고개를 빼꼼 내밀었다. 그녀는 단발머리를 찰랑거린다.

이따금씩, 본인의 개인 기호가 그렇다는 듯 동물귀 아이템 따위를 머리에 착용하고 다니기도 하지만 TPO를 맞춰서 복색을 가꾸고는 있었다. 진지한 분위기의 시나리오 퀘스트를 할 땐 아무래도 이상한 꼴을 보여서 변수를 더 만드는 게 멍청한 짓이었다.

그렇게 잘 돌아가고 늘 계산적으로 살아가는 그녀의 머릿속에 한 가지 사실이 떠올랐다.

굳이 로웰 드버가 자신들에게 다가와 이런 속사정을 털어놓고 있는 이 상황은, 어쩌면 의도된 퀘스트의 분기점일지도 모른다.

사실 비련의 시나리오 온라인은 디지털임과 동시에 한없이 아날로그, 그러니까 현실 세계와 비슷하게 만들어낸 물건이라 그 내부의 선택지는 거의 무한에 가깝게 자유롭다.

분기점이랄만한 것이 딱히 정해지지 않았고 플레이어가 벌이는 모든 미친 짓거리가 다 퀘스트 상의 변수가 될 수 있다.

그럼에도 불구하고, 일정한 양식 정도는 있었다. 별다른 호기심이나 기행성, 광기가 없는 플레이어들도 어쨌든 일반적으로 플레이 할 수 있는 최소한의 게임 형태는 있어야지 않겠는가.

그런 가이드 라인 같은 몇 가지 양식들이 있었고, 시리즈 시나리오 형의 긴 연계 퀘스트를 진행하다 보면 원래 짜여진 듯한 몇 개의 큰 선택지들이 눈에 들어오곤 한다.

그런 선택지에서 어느 한 쪽을 고르는 것도 개인의 자유였고, 선택지를 무시하거나 못 볼 수도 있다는 점이 비련의 시나리오의 현실성이었다.

그녀는 지금 이것이 운트 작힘 백작 쪽의 의뢰를 받은 플레이어들이 겪는 시나리오의 변곡점이라고 생각했다.

"……."

릿샤는 자신의 주변에 있는 이들을 살폈다.

다같이 로키산을 사이좋게 등산하고 있는 처지이지만 정말 그렇게 친근한 관계들은 아니었다. 릿샤, 호아킨, 로웰을 제외하고 그들 앞에서 걷고 있는 용병이 6명이었다.

용병들 중에서는 선두로 걷고 있는 감지술사가 넷이었고, 둘은 릿샤와 호아킨 앞에 있다. 릿샤를 비롯해 호아킨, 로웰이 용병들 중에는 뒤에서 걷고 있고.

중간에 있는 둘은 호아킨, 릿샤와 마찬가지로 전투직 클래스의 용병들로 사실상 암살에 직접적인 역할을 하기 위해 고용된 처지들이다.

전투직은 금급 하나, 은급 하나였고 감지술사는 금급 셋, 은급 하나였다.

그리고 기사들이 릿샤의 뒤에 셋, 맨 앞에 셋이 있어서 용병들을 앞 뒤로 포위하듯 진형을 짠 채 움직이고 있다.

기사의 수가 더 적긴 하지만, 하나하나 기세가 만만치 않았다. 호아킨을 제외하고는 근접 거리에서 기사들이 칼을 빼들었을 때 제대로 반응할 수 있는 사람이 얼마나 될지 잘 모른다.

릿샤 역시 만만치는 않았지만, 나머지 인원들 중 근접 전투가 가능한 인간은 릿샤를 포함해 넷 뿐이다.

감지술사들도 금, 은 급의 용병이니만큼 나름의 수단은 있겠지만 작정하고 달려드는 중견 급 기사의 칼솜씨는 더욱 만만치 않다.

만일 용병들이 반항을 하기 시작했을 때, 최악의 경우를 상상한다면 여섯 개의 기력술이 담긴 칼날이 날아와 로웰을 비롯해 감지술사까지 네 명 정도가 순식간에 죽는 것이다.
뒤에 있는 기사 셋의 칼날 중 릿샤와 호아킨은 그걸 막아설 수 있었다. 로웰의 목숨까지 보장해 줄 수 있을 지는 모르겠다.

호아킨이 작정하고 전투력을 내보인다면 모르겠지만, 한 순간 삐끗하면 목이 날아갈 가능성이 있는 것까진 어쩔 수 없다.
그리고 앞에 선 세 기사의 칼놀림을 막을만한 자가 없으니, 가장 선두에 선 감지술사 중 셋이 죽을 테다.

거기서 불길한 상상을 릿샤는 계속해본다.

릿샤와 호아킨은 금급 중에서도 상당히 강력한 부류였다.
세슈칸은 중수 정도의 플레이어들이 모이는 곳이었고, 보통 레벨이

100정도를 넘어가는 순간부터 고수라고 분류하기 시작한다.

최정상급, 랭커라고 불리는 이들의 레벨 구간은 300도 훨씬 넘는 수준이었지만, 위로 올라갈수록 플레이어 숫자가 적어지고 그렇게 해서 위로부터 쭉쭉 내려와 세자리 수 레벨에 그 정도 전투력을 갖고 있다면 고수라고 충분히 불리는 것이다.

70정도의 레벨에 평균적인 그 레벨 대보다는 강력한 전투력을 갖고 있다고 생각한다, 릿샤와 호아킨은.

여러가지 희귀 칭호들을 모은 것이나, 가리지 않고 격한 선투를 벌여온 경험이 그 생각을 증명한다. 스킬과 스텟, 아이템 중이서 그다지 빠지는 것 없이 잘 갖춰온 이들이었고 NPC들과 경쟁을 한다고 해도 강력한 부류다. 이렇게 영주의 사병으로 쓰일 수 있는 수준의 이들이라면 그 둘을 완벽히 제압하는 건 불가능하다.

대강 60에서 80정도.

릿샤가 느끼는 기사들의 레벨대였다.

80언저리에 있는 자가 가장 선두에 걷고 있는 기사였고, 아마 그가 이들 중에서 대장이리라.

운트 작힘 백작 아래에 있는 자들 중 가장 실력자인지는 모르겠지만.

중부 대륙의 작은 나라, 그곳에 있는 한 영주의 사병 실력이라고 한다면 뭐, 적절한 수준이었다. 아마 조금 더 고위 귀족이나 왕실로 가서 찾아본다면 더 뛰어난 기사들이나 능력자들이 많을 테였고.

거기다 양식화 된 검술이나 정형화된 전투법을 사용하는 사병류의 NPC들이라면, 릿샤나 호아킨이 보이는 다양한 전투 방법에 능동적으로 대처하지 못할 확률이 높았다. 플레이어들이라면 이미 이 세상이 게임인 것을 인지하고 다양한 경험을 통해서 온갖 스킬들을 익히는 반면, NPC들의 창의성은 그보다는 못하니까.

NPC들이 삶을 대하는 깊이감을 따진다면 플레이어들보다 나아서, 최상위권으로 간다면 그들이 조금 더 압도적이라는 사실은 부정하기 어려웠지만 말이다.

어쨌거나 릿샤가 대강 머리를 굴려서 알 수 있는 사실들을 토대로 상황을 재조합해 보았을 때,
그 다음 순간에 일어지는 격돌로 둘은 뒤에 있는 세 명의 기사들을 얼추 누를 수 있을 것이다. 후방 진형은 삼 대 이의 상황이지만 둘의 실력이 객관적으로 더 높고, 예측하기 어려운 스타일이다.
호아킨이 변신술을 쓰고 릿샤가 암기를 날린 뒤, 초상 스킬을 갈겨대기 시작하면 그리 오래 버티지 못하리라.

선두에 선 운트의 기사들이 뒤로 오기까지, 감지술사나 남은 용병들이 거치적 거릴 테였다. 그들 앞, 중간 진형에 선 전투직 용병 NPC들도 자신들의 목숨이 아까우니 도망이야 가고 싶겠지만, 난전이 벌어지면 그도 쉽지 않을 테다. 기사들은 필사적으로 놓치지 않으려 할 것이고.

그 시간에 후방을 정리하고, 기사들을 향해서 초상 스킬을 뿌리고 도망을 가도 좋고, 조금 더 여유를 부려본다면 포션으로 일시적 스텟 상승을 만든 뒤 싸우는 것도 나쁘지 않았다.

그들은 능숙한 유격전의 달인들이었고, 기동성이나 공격 방법의 다양성을 이용해서 멍청한 다수를 요리하는 일에 아주 능숙한 전사들이었다. 릿샤와 호아킨 콤비는.

뭐… 시간이 있다면 둘은 살 것이다. 애초에 전투를 상정하고 온 터라 장비나 아이템도 아주 넉넉하고 풀 세팅이었다.
그리고 나서 남은 자들을 얼마나 살릴 수 있을 것인가가 관건인데…….

릿샤는 옆에서 걷고 있는 로웰의 면상을 흘끗 바라본다.

30대 정도로 보이는 남성으로, 금발에 붉은 눈동자를 가지고 있었다. 타오르는 듯 붉은 눈동자이지만 그 눈매의 기세는 연약하므로 이리저리 방황을 한다.

로웰 드버는 나름대로 중부 지역의 플레이어들 사이에서 알려져 있을 정도의 NPC였지만, 그 성격이나 행동은 종잡을 수 없는 면이 있었다.

릿샤가 잠시 직접 살펴본 바로는, 뛰어난 능력을 가졌지만 불안감이 높고 자기 안위에 대한 것이 1순위인 성향처럼 보였다.

그렇다면 주변 눈치를 살피면서 기행을 벌인다거나, 갑자기 도망을 간다거나, 뭐 그런 식의 행동이 튀어나오는 것도 그리 이상하지는 않다. 애초에 전선에 영향을 줄 정도의 마물술사라면 그를 잡아두는 것도 쉬운 일은 아닐 것이고.

이번 퀘스트 중의 저런 말이나 분위기 역시 그런 심리에서 비롯된 것이겠지.

릿샤가 말했다.

"호아킨."
"어."

파티원의 말에 그가 답했다.

“‘사자’형形은 문제없지?”

“어……. 그렇지. 갑자기 왜?”

“아니, 그냥. 드버의 이야기를 듣다보니 떠올랐어.”

“그렇구먼.”

‘?’

릿샤의 말에 호아킨이 성실히 답했다. ‘사자’형이란 사자의 모습으로 변신할 수 있느냐, 는 물음이었다. 여러가지 변신술을 사용하며 전투를 풀어나갈 수 있는 변신술사인, 호아킨이다.

개중에서 ‘사자’의 모습으로 변하는 걸 물어보는 일은, ‘전투’에 대한 그들만의 암어暗語였다. 지금 혹시 싸울 준비가 되었느냐, 고 릿샤가 물은 것이고 호아킨이 아무렇지 않게 답했다.

로웰은 그 이야기를 들으면서 뜬금없는 말처럼 느꼈고, 자신이 이해하지 못하는 것에 대해 깊이 생각하지는 않았다.

호아킨은 변신술의 여러 스킬들 중 외형 대변신(물질)을 익히고 있는 변신술사였다. 이전에 ‘코미어’라는, 거대 고양이로 변신한 변신술사의 스킬보다 한 단계 높은 종류였다. 외형 변신(환상)은 물리적 실체는 변함이 없지만 그저 시각적 변화만 주는 것이었고,

외형 변신(물질)은 코미어가 그러했듯 실제로 물리성을 가진 실체의 변화였지만 스텟의 변화는 없었다. 그리고 체적이

늘어난다고 해도 무게의 변화도 없었고.

반면 외형 대변신(물질)은 변신하는 대상의 성질을 조금 가져올 수 있었다. 만일 소형에 속한 사람이 중소형이나 중형처럼 그 이상의 거대함을 가진 생물로 변화한다면, 그 체중까지 고스란히 복제해 변신하게 된다.

어느 정도 대상의 특성을 가져올 수 있는 강력한 스킬이었고, 중형 이상의 생물들이 으레 그렇듯 본인의 거대한 체구를 유지하기 위해 신체 구조가 튼튼해야하므로, HP도 본래의 스텟에서 소폭 상승하는 효과가 있었다.

그 체중을 감당할 수 있는 물리 스텟이 없다면 계륵처럼 변해버리는 외형 대변신이었지만, 충분한 물리계열 스텟과 전략이 있다면 얼마든지 필살의 무기로도 쓰일 수 있는 확연한 유니크 급의 스킬이었다.

호아킨이 좋아하는 방식은, 거대한 크기에 무게감을 가진 대형 무구를 휘두르면서 변신술을 사용하는 것이었다. 야수의 힘으로 휘둘러지는 대형 무기는 그야말로 폭력적인 위력이었고, 기사류의 초인이라 할지라도 쉽게 감당하기 어려운 것이었다.

변신술이 이미 MP를 소모하는 행위였지만, 그에 더해 기력술을 중첩시킨다면 더욱 막강한 파괴력을 보인다.

호아킨은 릿샤의 말에 자신의 인벤토리를 열면, 가장 위칸에 어떤 무기가 있는지 가늠해보았다. 거대한 도끼였다. 양날 도끼로, 금박 장식이 군데군데 붙어 있는 고급스러운 놈이다. 5급 무기로 상당히 강력했고, 일정한 충격량을 축적하면 폭발을 일으킬 수 있는 아티팩트이기도 했다.

인간형의 몸으로 휘둘러도 나쁘지 않은 위력이지만 곰의 팔이나, 전신 형태 변신으로 휘둘렀을 땐 말못할 강력함이다.

“…….”

호아킨은 앞서 걸어가는 이들의 뒤통수들을 처다보았다. 그의 앞에 두 사내. 그보다 조금 떨어져서 네 명의 사내. 그리고 마지막으로 앞에 로브를 둘러쓴 칙칙한 기사 셋.

그들의 뒤에는 몇 걸음인가 떨어져서 천천히 따라오고 있는 마찬가지로 로브 차림의 기사 셋이 더 있다. 그들을 제하고는 별로 말을 하는 눈치들도 아니다. 대화 소리가 크지 않아서 보통이라면 듣지 못할 테다. 다만 거리감을 감안해도 기력술의 응용이나 초인적인 감각을 가졌을 수도 있으니, 조심하는 게 낫다.

“휘이이.”

호아킨이 가볍게 휘파람을 불었다. 그가 긴장을 할 때 하는 습관이었고, 그는 긴장을 딱히 피하는 편은 아니었다. 도리어 그 순간을 즐기지.

전투의 감각은 고양되는 것이었고, 비련의 시나리오는 현실이 아님에도 그에게 그런 감각을 일깨워주었다.

현실의 전쟁터에서 겪었던 기억은 트라우마가 될지도 모르는 순간들이었지만, 그것들을 이겨내고 털어내기 위한 발버둥인지 그는 이따금씩 그런 유사한 분위기를 제 발로 찾았다.

고양감과 두려움이 공존하던 그 시절의 추억들을 스스로 이겨내보려는 방어 기제인지도 모르고.

뜬금없는 휘파람 소리.

로웰 드버는, 어쨌든 말을 계속했다.

"그래서 말야… 자네들은 모아둔 돈들이 좀 있는가? 나는 세슈칸에 저택이 하나 있는데… 정작 그 집에서 쉬는 시간은 별로 없다는 말이지… 이 놈의 마물술사로서의 의뢰가 자꾸 들어오다 보면 편하게 세슈칸에 머물 틈이 영 나지를 않아…."

신세한탄과 함께, 그리고 약간의 머리굴림과 긴장감 속에서 릿샤와 호아킨은 길을 계속 걸었다.

그네들은 퀘스트 중이었고, '운트 작힘의 의뢰'라는 그 시나리오 속에 있는 유일한 플레이어 무리였다.

그 말은 그들이 상황을 결정할 주체라는 말이었으니.

릿샤는 여러가지 고민을 했고, 어느 길이 더 재미있을까- 혹은 게임적으로 훌륭한 보상이 나올까 따위를 재면서 작전 지역으로의 등산행을 계속 했다.

*

*

“그래서 말이네.”

킬 드로얀이 떠났다.

수도에서 파견된 법무부의 일원들, 그리고 치안대 소속의 노련한 기사들이 같이 말이다.

그리턴 자작의 인맥은 놀라운 편이었고, 수도 사르삿의 법무부차장관에게 직통으로 닿아 인원들을 보내줄 정도가 되었었다.

꼬이고 얽힌 상황의 자세한 내막을 듣던 그네들은 다른 방면의 정보들을 모으고 검토하기 위해 먼저 세슈칸으로 간 상황이다.

그들이 적절한 정보를 얻고, 운트 작힘 백작의 검은 속내에 대해 확실하게 안다면 아마 규탄과 함께 작힘 가가 보관하고 있는 아티팩트를 내놓도록 하겠지.

제냐는 생각보다 수월하고 유혈 사태가 벌어지지 않을 듯한 상황 전개에 만족했고, 최태현 역시 마찬가지였다.

개멋진나 최와 제냐 킴, 그리고 로멜리아 가의 일행과 그리턴 자작이 한 데 모여 있는 식사실에서 그리턴 자작이 입을 연 참이었다.

"그런데 말이네, 슬슬 세슈칸으로 옮겨 가봐야 하지 않겠나? 킬드로얀 경이 세슈칸으로 먼저 떠난지도 삼 일인데. 발빠른 준마를 가지고 곧장 지름길로 이동했을 테니 벌써 닿았겠지.

우리도 움직여서 그들의 일에 도움을 주고 적절한 순간에 작힘 백작을 압박하는 게 좋지 않을까, 하는 생각이라네."

"흐으음."

침음을 낸 것은 줄리앙 리스트, 로멜리아 가의 신실한 집사장이었다.

세슈칸으로 간다.

좋은 말이었지만, 운트 작힘이라는 작자가 어떤 행동을 할 지 예측할 수 없다는 것이 걸렸다. 그 뱀같은 인간이 만일 자신의 야욕을 꺾지 않고 대놓고 깽판을 친다면?

미치광이의 몸부림에 휘말려 가문의 후계자가 조금이라도 다친다면 작고한 전 남작을 생각할 낯이 없으리라.

"그럴까요."

줄리앙이 애매한 대답을 내놓았다. 그러며 처다본 것이 헤슈나였고, 그녀의 안색이었다. 헤슈나 로멜리아. 20세 무렵 정도가 된 듯한 블론드 헤어의 고운 미모를 가진 아가씨는 별다른 기색의 요동이 없다.

그저 줄리앙의 근처에 앉아 점심 식사로 나온 스프를 뜨고 있다. 줄리앙의 눈길에 노신을 잠깐 처다보았지만, 그 눈빛에 불안한 감은 없어 보인다.

“운트 작힘 백작에게 확실한 로멜리아 가의 입장을 밝히고 개탄스러운 일에 항의해야 한다고는 생각합니다.”

조금 뒤, 헤슈나가 스프를 천천히 떠먹고는 말했다. 그리턴이 고갤 끄덕거렸다.

“그렇지. 아무리 그래도, 중앙의 인사가 직접 파견을 나온 자리에서 작힘 백작이 특별히 수를 쓰지는 못하리라 생각하네.

왕실과 수도의 귀가 엄연히 살아있는데 일을 벌인다고? 더 이상 농담이나 눈가림으로 덮을 수 있는 일이 아니게 되니 말이야.”

산슈카에서 왕실, 중앙 정부의 위엄이 절대적이진 않다. 그러나 지엄함이 사라지지도 않았다. 적어도 백주대낮에, 그러니까 왕가의 눈이 살아있는 동안에 좌시할 수 없는 일을 벌인다면 중앙 권력 역시 적절한 대응을 해야만 했다.

나라 곳곳에 속속들이 영향을 미치진 못하지만 적어도 그들의 손길이 닿는 곳이라면 산슈카의 명예가 훼손되어선 안된다.

산슈카는 고국이었고, 오랜 전통과 현명한 법례들이 역사적 사실을 기록한 도서관에 고스란히 보관되어 있는 곳이었다.

사람의 상리에 따라, 상식을 갖고 행동하지 않는다면 법이 그에게 죄를 물으리라.

법무부는 행정부와 곧 닿아 있었고 치안대와 긴밀하게 협조 협력을 해낼 수 있는 강력한 기관이었다. 법무부차장관이라고 마음대로 권력을 유용할 수는 없지만, 그는 분명 수도의 실력자였고 그리턴 가가 배출한 고관 중 하나였다.

그리턴 자작의 사촌 동생이라고 마음대로 편의를 봐줄 수는 없지만, 적어도 법리에 따라 공정하게 판결을 내려줄 수는 있었다. 얼마든지 말이다.

적절한 증거와 상황 파악, 확보만 된다면.

산슈카의 역사를 기록한 서적에서 발췌한 문구들은 이미 보여주었다. 오랜 계약이어도 계약이었고, 그 증거는 당시 왕실의 기록서에도 남아 있다. 제국기의 말엽은 아직 로멜리아 가의 위세와 권위가 살아있을 때였으니까.

그 행보가 특별하게 기록되어 있대도 이상한 것은 아니다.

계약 건은 아마 문제 없이 처리될 것이다.

그 다음으로 살필 게 운트 작힘이 벌였으리라 생각되는 여러가지 암수暗手들이었다. 가깝게는 로멜리아 가 일행을 죽이려고 보냈던 강도나 뒷골목의 용병 패거리, 그리고 멀게는 애초에 여정의 시작이 되었던 전 남작의 죽음까지.

사건이 입증된다면 더 이상 제냐가 무언가 하지 않아도 좋을 정도로 쉽게 퀘스트가 끝날 것 같았다.

전근대의 시대라고 할지언정, 산슈카의 법리는 거대한 흐름에 있어서 현대의 그것과 닮아 있는 부분이 많았다. 보이지 않는 데서 눈가리고 아웅하듯한 비리나 불법이 있을지언정 적어도 대놓고 국격을 해칠만한 일은 벌이지 못하리라.

제냐는 최악에서 한 발짝 더 최악의 경우를 상상했었다. 얼마 되지 않는 동료들과 함께 운트 작힘 백작의 모든 사병들과 전면전을 벌이는 상황 말이다.

그도 아니라면 세슈칸의 회색 성채, 산슈카의 제국기에는 로멜리아의 것이었던 그 성의 담을 뛰어넘고 운트 작힘 백작에게 달려가 그를 제압한다거나.

둘 다 정면 충돌이었는데, 전자는 소수 정예로 한 기습이 잘 안풀렸을 때고 후자는 계획이 조금 잘 풀렸을 때이리라.

목적이 있고 상대가 전쟁을 방불케 하는 무차별적 태도로 나온다면, 제냐 역시 그런 수단을 취할 수 밖에 없었다. 전투를 준비하며 질리언과 페이브를 단련시킨 것이기도 했고.

그리턴 자작가의 인맥이 생각보다 막강했다. 제냐는 고개를 끄덕거렸다.

“저는 산슈카의 사정은 잘 모릅니다만. 부디 그렇다면 좋겠군요.”

중앙 권력이 실종되고, 어떤 최소한의 법리마저 상실된 채 야만화된 나라들도 얼마든지 있다는 투의 말이었다. 제냐의 말은. 산슈카의 사정이 그런 곳들과는 달랐으면 좋겠다는 뜻이었으니. 제냐가 콘란드 대륙에서 다녀 본 곳은 산슈카 국내가 전부였지만, 플레이어로서 들어서 아는 경우들이 더러 있다.

NPC들이 발생시키는 퀘스트와, 플레이어가 선택하는 행동들이 서로 최악의 시너지를 내서 이미 나라가 엉망이 된 사례들도 몇 있었다.

플레이어들은 외부의 지식을 갖고 내부에 들어온다. 아직까지 학문도, 정치 체제도 그렇게까지 견고하지 못한 콘란드 대륙의 평균은 ‘외부의 것’을 온전히 받아들이기에 허술한 구조를 갖고 있었다.

다양한 종류의 개혁을 일으켜서 나름대로 명예 점수를 쌓고 전 대륙적인 변화를 만들려는 생각들은 여기저기서 있어왔다.
플레이어 혼자서 어떤 위업을 달성하는 것보다, 전 대륙의 NPC들을 규합해서 일을 만든다면 역사서에 적힐 행보를 이어나가는 것도 그리 어렵지 않을 테다.

그렇게 여러가지 방식으로 메인 스토리 급 퀘스트의 발생과 클리어를 노렸던 이들 중 많은 이들은 과도기적 단계에서 포기하게 되었고, 대륙 한 지방의 나라나, 크게는 여러 개국이 악영향을 받아 해당 지역의 플레이 난이도가 더 올라가는 결과도 많았다.

제냐는 산슈카의 변방, 피스 시에서 시작했지만 이 나라를 바꿀 의도나 마음은 전혀 없었다. 그저 흘러가는대로 흘러가다가, 자신이 할 수 있는 걸 할 뿐이었다.
지금의 상황 역시 그가 일부러 물길을 바꿀 뜻은 없다. 가만히 있어도 이미 산슈카에 깊이 뿌리를 내린 그리턴 자작이나 로멜리아가의 실력자들이 알아서 진행을 해주는데, 그가 끼어들 것까지야.

"그리고… 이번에 움직일 때는 충분한 병력과 같이 하도록 하지. 미치지 않고서야 전면전을 벌이지는 않겠지, 운트 작힘도. 그리턴가의 기사단 중 정예 열 명이 함께 하겠네. 줄리앙 자네와 두 명의 호위… 제냐 킴 경도 함께 한다면 충분하지 않겠나.
초상술사 둘을 거기에 더하고."

기사 열에 초상술사 둘. 거기에 제냐와 줄리앙, 질리언과 페이브라면 차고도 넘치는 전력이기는 했다.

어지간한 마을 규모의 용병 길드와는 전면전을 벌여도 되리라.

물론 용병 길드가 하나의 기치로 모여 있는 군사 집단은 아니었지만, 만일 그에 속한 소속 용병들 전체와 싸운다고 쳤을 때 말이다.

기사급, 이라는 건 세슈칸같은 대도시에서도 용병이나 모험가 길드에 들이가 은급이나 금급 이상의 솜씨를 단번에 받을 수 있다는 말이었다. 기사의 전투력에도 물론 편차는 극심하고, 자기류의 싸움법을 익힌 용병들에 비해 기사가 조금 더 안정적인 전투 능력을 가지는 것이 보편적인 상식이기는 했다.

그러나 대강의 논리와 평균값으로 거칠게 가늠을 해보자면 그러하다.

기사들 중에서도 중견 기사들, 이제 막 기력술을 터득한 자들이 아닌 충분하게 자신의 기술을 가다듬고 많은 연전 끝에 일류 이상의 기세를 갈고 닦은 자들은 금급에서도 상위이거나, 혹은 금강 급에 비견할 수 있으리라.

세슈칸의 용병 길드의 관점에서 볼 때였고,

이런 비교는 많이 허술한 것이기는 했지만 말이다. 세슈칸 시티와 다른 곳의 용병 길드가 또 기준이 다를 테였고, 용병의 등급은 일괄적인 근접 전투 능력이 아닌 다양한 활용성에서 추가 점수를 얻는 기준이기에 그렇다.

개인의 신체 능력은 턱없이 낮더라도, 무언가 특별한 기술이나 솜씨, 지식을 갖고 용병 길드를 위해 헌신한다면 얼마든지 등급은 높아질 수 있다.

기사들이 당장 길드에 들어가 앞으로의 헌신을 약속할 시 받을 수 있는 등급이 그 정도라는 것 뿐이었다.

어쨌든 무장한 초인 16명은 어떤 전장에서도 유의미하게 쓰일 수 있는 전투 유닛Unit(전투에서 특정 임무를 위한 부대 단위)이다.

전쟁터에 통용될만한 수준이란 것은, 그들을 상대하기 위해 그런 규모의 접전이 벌어져야 한다는 말이었다.

세슈칸은 온갖 군데에서 사람들이 몰려드는 거대한 자유 도시였고, 산슈카에 막대한 세금으로 재정을 충당시켜주는 알짜배기 땅이었다.

그만큼 중앙에서 파견한 병력들이 수비대의 임무를 다하며 그곳에 몰리는 수많은 인원과 모험자들을 관리했고, 해외 인력들로 인해서 중부 대륙 내부의 자유 연맹 속 일이기는 하지만 국제 문제로까지 번질 수 있는 조심스런 곳이었다.

세슈칸의 영주이기에 운트 작힘 백작은 힘을 얻었고 권력을 휘두르며 오만방자하지만, 사실 세슈칸 시라는 특수성이 아니었다면 더욱 편하게 자신의 야욕을 드러냈을 지도 모르는 일이었다.

어마어마하게 많은 사람들의 이목이 집중된 대도시의 한복판에서 전쟁과 비슷한 일을 저지르기는 힘들 것이다. 그 수많은 인간들은 해외에서 온 모험가들도 포함하고 있었고, 그만한 수의 건장한 장정들은 혼란 속에서 폭도로 변한다 해도 그다지 이상하지 않았다.

어쨌든, 가능성이 있다는 말이다.

그렇게 되었을 때 세슈칸에 투입되어 있는 왕국 소속의 수비대가 움직이고, 국가적인 사태가 되리라.

운트 작힘이 그런 짓까지 벌이려고 할까.

고작해야 보이지 않는 곳에서 암습을 하려는 일이라면, 일단 그리턴 자작가로부터 보내주는 지원군으로 충분히 해결할 수 있으리라.

열 여섯을 무리없이 잡으려면 두 배는 가져와야 할 것이다. 작힘 백작가의 기사단 수가 50에서 60여 명이니, 기사단의 반절을 사용할 배짱이 있는가의 질문이 될 것이다.

"……알겠습니다."

줄리앙은 헤슈나의 눈치를 살피면서, 고개를 끄덕거렸다. 헤슈나는 별다른 의견을 내지 않았다. 줄리앙의 말에 자신의 뜻을 더한다는 이야기로 보였다.

조금 이른 점심 만찬을 즐기면서, 그들도 슬슬 로키 캐슬에서의 정비를 마치고 세슈칸으로 떠나기로 했다.

아드리안은, 주변 상황에 신경쓰지 않는다는 듯 자신 앞에 놓인 호박 스프를 빠르게 흡입하고 있을 뿐이었다. 제냐는 그 꼴을 재미있다는 듯 지켜보다가 그리턴 가의 요리장이 내놓은 훈제 오리 통구이를 발라 먹었다.

*

마차는 아름답게 조형된 물건이었다.

이것을 만드는 데 얼마만큼의 젠Jen이 들어갔을 지 알지 못한다. 아마 동량의 금으로 마차 표면을 칠하는 것이랑 비슷하지 않을까?

금은 아니지만, 그 외관과 내부 곳곳에는 아티팩트Artifact가 들어가 있었다. 아티팩트는 고급으로 갈수록 많은 경우 보석류를 이용하고 있기에, 금보다는 단위 당 가격에서 단연 앞서게 된다.

거기에 투입된 초상력(SP)과 장인의 솜씨, 아티팩트 메이커의 스킬 값까지 친다면 단순 계산으로 헤아리기 힘들다.

물론 아티팩트의 소재에도, 들어가는 솜씨에도 수준 차이는 있었다만.

금박으로 장식되어 있고, 그 마차를 몰고 있는 두 마리의 준마와 같은 털 색깔을 일부러 맞춘 것인지, 검은 톤에 고급스런 원목의 갈색 느낌이 섞여 들어간 마차이다.

얼핏 보면 알 수 없는 다양한 디테일에서 장인의 숨결이 느껴진다. 마차의 정확한 가치를 알아보는 건 안목이 필요한 일이었다.

제나는 물건에 그렇게 관심이 많은 편은 아니었고, 마차를 유심히 살필 일도 많지는 않았다. 중요한 것은 기능미였고, 현실적으로 그의 목적에 어떤 영향을 미칠 지였으니.
이제는 조금 달라 보이는 것이 사실이다.

마차의 생김새는 단순하게 지어진 것이 아니라 여러 종류의 아티팩트 내장 스킬이 얽혀 있는 것이며, 용법에 따라 사용한다면 능히 현대전의 전차처럼 이 세계에서 기능할 수 있다는 사실을 알아챈 뒤로부터 말이다.

이제 그의 눈에 마차가 조금 들어오기 시작했다.

한 낮.

로키 시티의 어느 마구간.

성채의 정문으로부터 그리 멀리 떨어지지 않은 곳에 말들이 머무는 숙소가 있었다. 지푸라기로 대충 깔아놓고, 시종일관 푸르릉거리는 말들이 머물고 자고 하는 곳이다.

목재로 가로막힌 각 칸마다 그리턴 가의 전력이 되는 준마들이 그 위용을 자랑하며 들어차 있었다. 그런 축사의 앞마당 부근에 마차 한 대가 서있고, 그것이 로멜리아 가에서 운용하는 '슈페리얼 2호'였다. 마차의 별명이다. 슈페리얼 1호는 남작 가에서 운용을 하다가 십 여 년 전 전투 때 망가져서 소실되었다.

총 세 대가 있고, 3호차가 로멜리아 령에 고이 모셔져 있었다. 요인을 태우고 이처럼 먼 거리를 여행할 때 쓰기도 하고, 거친 용도로는 무관 등의 간부가 탄 채로 전장터를 누비기도 한다.

1호차는 전 남작, 작고한 자힌 로멜리아가 그렇게 타고 몇 명의 기사들과 함께 전쟁터를 누비다 부숴먹었다.

만일 로멜리아 령 근처의 영주간 신경전이 격화되면 3호차 역시 비슷한 결말을 맞을 확률이 높다. 로멜리아 가는 왜소한 몸집을 가진 가문이었고, 지금 가문의 저력을 총동원해서 애를 쓰고 있는 상황이다.

"타시게."

줄리앙이 일행들을 이끌었다. 페이브와 질리언이 먼저 마차의 마부석에 탔다. 안쪽으로 아드리안과 헤슈나가 미리 타 있었고, 객실의 남은 자리에 줄리앙이 제냐를 권하는 것이다. 제냐가 고개를 저었다.

"리스트 경 먼저 타십시오. 제가 바깥에 앉았다가 돌아가면서 길을 보겠습니다."
"그럴텐가?"

별다른 말 없이 줄리앙은 훌쩍, 마차에 올라탔다.
왔을 때와 비슷한 행색들이었다. 아드리안과 헤슈나는 움직이기 편한 경장에 두께감이 있는 망토를 걸쳤고, 리스트 역시 양복에 비슷한 물건을 걸쳤다.

제냐는 늘 같은 모습이다. 전투가 임박하면 인벤토리에서 몇 가지 방어구를 더 꺼내서 살이 보이는 곳이 없도록 조금 더 신경을 쓴다. 그렇다고 신체 전부를 가죽판이나 쇠판으로 덮는 것은 아니었고. 중요 피격 부위와 타격 부위들 위주로 감싼다.

슈페리얼 2호에 앞서, 여러 마리의 말들이 얌전히 대기하고 있었다. 마차에서 조금 떨어진 자리에 가지런히 도열해 있는 갖가지 톤의 털색을 가진 준마들이다.

훈련받은 군마로 얌전히 기다리고 있는 짐승들 곁에는 제각기 주인이 있었다. 그 곁에 시립해 기다리고 있는 기사들로, 복색은 으레 전쟁터의 기사가 그렇듯 판금 갑옷을 입지 않았지만 나름대로 잘 갖추어서 채비를 마친 노련한 인원들이다.

너무 튀지 않도록 제각기 망토나 로브 따위로 장구를 가렸으나 잘 손질된 탄탄한 가죽, 합금, 사슬 갑옷 따위로 무장을 했다.

그리턴 가의 갈색 사슴 기사단은 제식화된 무기 형식이 있었지만 그것을 강요하지는 않는다.

일률적으로 사용하는 장비가 있고, 그에 추가해서 개인 장비를 몇 종 더 다루어도 되는 셈이다. 물론 기본적으로 지급되는 제식 장비에 대한 숙련도는 필수였다.

난전 속에서 진형을 갖추고 훈련된 합격 따위를 할 때 통일된 장비와 조직적인 움직임은 필수였으니 말이다.

군인이란 발맞추어 걷는 자이다, 라는 말처럼 기사들 역시 군대의 한 부속으로서 전장터에서 활약하려면 그런 노력이 필요했다.
 뛰어난 개인, 엘리트화되고 초인화된 전력은 분명 막강하지만 제식화된 초인 병력은 더욱 강력하다.

 그리턴 가의 정예들로 열 명을 뽑았고, 다시 초상술사 두 명이 합류했다. 그들 역시 다종의 실전적인 초상술을 다루는 전투 병사들이었고, 각기 그리턴 시티에서 몬스터들의 분포도를 낮추기 위해 애를 쓰던 특수 병종의 엘리트 군인들이었다.

 데슈칸 산맥의 말단인 로키 산은 사람들이 쉽게 접근하지 못하는 곳이다. 콘란드 대륙에 다양한 비소祕所, 심유한 비처가 많지만 데슈칸도 그에 못지 않은 인류의 활동 범위 외 지역이다.

 데슈칸의 심처는 아무래도 플레이어들조차 쉽게 다가가지 못하는 고레벨 사냥터였으니. 아마 호아킨과 릿샤가 잡았던 검은 용같은 것들이 여러 개체 있으리라.

 인류의 정복지에 데슈칸 산맥은 아직 전부 들어가지 않았고, 그곳에 자생하는 여러 종류의 신비한 동식물들은 그 자체로 천혜의 자원이라 할 수 있었다. 동식물 뿐만이 아니라 광물질 따위의 소재들도 마찬가지이다.

제국기를 지나 왕국기에 접어 들면서 로키 산을 본령으로 정한 그리턴 가는 천 여 년이 넘는 시간 동안 산맥을 지키며 적응해왔다.

많은 자원이 있었고, 그것들을 수집해 직접 활용을 하던 수도 사르샷 따위로 옮겨 팔던, 부족하지 않은 재화를 늘 수급해왔다.

그리턴 가의 병력이 탄탄하고 군마를 비롯해 그 외 재원들 역시 모자람이 없을 수 있는 이유였다.

“잘 다녀오시게들.”

마차의 곁에 그리턴 자작이 나와 있었다. 안주인은 몸이 좀 좋지 않다고 미리 저택에서 인사를 전했고, 바깥까지 마중을 나온 것이 하이샨 그리턴이었다.

슬하에 아드리안과 헤슈나 사이의 나이대인 귀여운 소년과 소녀를 자식으로 두고 있었지만, 머무는 동안 그리 깊이 친해지지는 못했다. 낯을 가리는 편인지 귀여운 금빛 눈동자를 데굴데굴 굴리던 두 아이들은 먼발치서 인사만 쭈뼛거리며 나누는 게 대부분이었다.

식사를 할 때도 아드리안이나 헤슈나의 기색을 살피면서 있다가 눈이 마주치면 멋쩍게 인사를 하는 정도였고. 사내 아이는 아마 아드리안을 좋아 할지도 몰랐다. 아드리안은 마치 인형처럼 생겼고, 잘 꾸며놓으면 그야말로 폭발적인 미모를 갖추고 있었으니.

두 남매 중 동생인 론 그리턴, 십대 초중반 정도의 녀석은 아드리안 앞에서 유독 바보처럼 굴었다.

여러 가신들이 그리턴 자작의 뒤로 나와서 떠나는 이들을 배웅하고 있었고, 그런 이들의 틈바구니에 섞여 남매도 빼꼼 얼굴을 내밀고 있었다. 제냐는 그 녀석들을 보고 피식 웃었고, 줄리앙이 마차에 오르자 뒤이어 객실칸에 탔다.

슈페리얼 2호가 출발 준비를 마쳤다. 질리언이 먼저 고삐를 잡았다. 모든 채비를 마치고, 앞서서 진형을 갖추었던 이들 역시 차례로 자신의 말 위에 올라탄다. 등자를 밟고 훌쩍 오르는 기사들의 몸놀림이 예사롭지 않다.

데슈칸의 실전 전투를 겪어낸 초상술사들도 그저 정신력 스텟만 올린 빈틈 많은 NPC들은 아니었다. 적절한 전투 능력을 함양한 전투술사들, 워 메이지 혹은 배틀 메이지라 따로 불러야 할 부류이리라.

밝은 낮.

다같이 아침을 든든하게 챙겨 먹고, 전날부터 시작된 여행의 준비와 행낭을 모두 실어 마무리하고, 점심까지 시간이 한참 남은 때 그들이 로키 캐슬을 떠난다.

세슈칸으로 간다.

여러 명의 지원군과 함께.

미리 도착했을 중앙의 인사들이 어디까지 운트 작힘에 대해 파헤쳤을 지 알 수 없었다. 운트 작힘 백작의 진정한 속내를 모두 알았더라면, 법무부의 양심적인 인원들이 과연 로멜리아 가의 편을 들지 않고 베길 수는 없으리라 생각했지만-(그리턴 자작은) 앞으로 벌어질 실제 상황이 어찌 될 지는 가봐야 아는 일이었다.

10명의 노련한 베테랑 기사와, 워 메이지의 칭호를 달아도 부족함 없는 초상술사를 붙여 주고도 하이샨 그리턴은 '병력이 조금 부족한가……'하고 생각했다.

약간 아쉬운 듯하지만, 로키 캐슬에서 제냐와 질리언, 페이브가 보여줬던 무용이 잘 잊히지 않는다. 저들이라면 아마 잘 해낼 것이다. 그러고 보니, 개멋진나 최… 라는 자도 있었고 말이다. 그리턴은 그 자를 넣어서 전력에 포함시키지 않은 걸 문득 깨달았다.

나중에 로멜리아 가 일행의 도우미같은 자인 제냐 킴의 동료라며 합류한 세시앙 인이었다. 대부분은 흑발 흑안에 다른 인종에 비해 얼굴 골격이 두드러지지 않은 편이었다. 개멋진나 최라고 하던 자는 흑발은 아니었고 약간 톤이 다른 회색빛 머리칼을 길게 늘어뜨린 궁술사이긴 했지만, 그 사소한 차이를 제외하면 제냐 킴과 거의 같은 생김새의 특징들이었다.

제냐 킴은 어릴 때부터 계속해서 모험과 방랑으로 중부 대륙을 떠돌며 살아왔기에 산슈카의 자세한 물정이나 사정, 그리고 귀족가의 격식에 밝지 않다고 했다. 실제로도 그런듯 보였고.

다만 개멋진나 최라고 하던 이는 그보다는 능숙하게 그리턴 자작인 자신을 대했고, 짧은 인사와 소개 이후에는 로키 산 그 숲 속에 숨어 혼자서 수련만을 반복하던 사내였다.

나름대로 로키 캐슬에서 머무른 시간이 있었지만 정작 처음 인사를 할 때 외에는 제대로 말도 해보지 못했고, 얼굴도 잘 익히지 못한 자이다.

그까지 해서 열 일곱. 가만 보면 마차의 앞에 만들어진 인마 행렬의 끄트머리에 어느새 몰래 끼어 있는 꼴이다. 그리턴은 멀리 있는 그를 보며 저도 모르게 입가에 피식, 웃음이 나는 걸 느꼈다.

'어떻게든 되겠지.'

그런 생각이 들었다. 그가 잘 알지 못하는 젊은 실력자들이 많이 있다. 신용을 할 수 있는가, 의 문제가 있기는 하지만 줄리앙 리스트가 믿어주는 사내라면 쉽사리 배신을 하진 않을 것이다.

그리고 실력적인 면에 있어서는, 두 낯선 모험가 모두 뛰어나다는 사실을 알았다. 제냐 킴은 말할 것도 없고, 개멋진나 최라는 궁술사 역시 얼핏 보여주는 기력술의 경지가 결코 낮지 않았다.

합동 대련을 할 때 슬쩍 실력을 보이는 모습을 지나가며 본 기억이 있다. 그리고 산림 속을 그리턴 가의 레인저 부대마냥 들쑤시고 다니더니 큼지막한 중형의 괴수들을 잡아서 로키 캐슬 내부로 끌고 오던 모습을 기억하면.

로키 산의 흉종凶種이라 할 수 있는 로키 그리즐리 베어가 있었는데, 어지간한 장정은 아이처럼 보이는 괴물을 잡아와서 성채 내의 인원들에게 마음대로 유용하라며 건네던 모습이 기억에 남는다.

젊은 실력자를 보는 일은 언제나 즐겁다. 자신이 미처 계산하지 못했던 새로운 일이 일어나는 것도.

로키 산 내부, 성채의 가주 좌座에 앉아 산슈카의 형국을 가늠하며 한탄만 하던 세월이 얼마나 되었는가.

나름대로 깊은 정을 나누었던 친구의 임종도 지키지 못했고, 심지어 알지조차 못했다. 그 흉수가 근처에 있다면 군을 다 일으켜서 복수를 해주고 싶은 마음도 있었지만, 산지기 가를 이끄는, 산슈카를 생각해야 하는 고가의 가주로서 함부로 전쟁을 벌일 수도 없었다.

쉽게 해결된다면 그것이 가장 좋다. 만일 최악의 경우가 온다면, 정말 왕실에 성토를 하면서 당장 그리턴 가의 정병들을 움직여야 할 지도 몰랐다.

사태가 최악으로 치닫는다면, 사대고가를 상징으로 하는 산슈카의 정통파 가문들과, 왕국기 이후 산슈카의 정세를 주도했던 많은 신진 세력들이 양갈래로 나누어져 전면전을 벌이는 일이 벌어질지도 모른다.

그런 일만은 일어나지 않길 바라면서, 그리턴 가의 가주는 오랜 친구의 신하와 두 딸들, 그 외 사내들을 성채에서 보냈다.

"이랴!"

선두에 선 기사들 중 책임자라 할 수 있는 로맥 칼버그 경이 선창하듯 기합을 내질렀다. 발치로 탄 말의 배 즈음을 툭 치면서 앞서 나가기 시작했고, 그 뒤로 말들의 행렬이. 그리고 마지막으로 슈페리얼 2호가 바퀴를 굴렸다.
마차를 끄는 로즈와 덴드의 기분이 좋은 듯 보였다. 즐겁게 꼬리를 흔들며 나아가는 두 마리 흑마의 궁둥이가 그래 보였다.

"곧 뵙겠습니다."

줄리앙이 마차 객실칸의 덧창을 열고 말을 전했다. 낮은 음성으로 말했지만 왜인지 멀리까지 뚜렷이 들린다.

노신의 갈색 눈동자를 바라보며, 그리턴은 말없이 손짓으로 배웅했다.

그러다 이내 답답함을 느꼈는지, 굴러가는 마차 속의 이들에게 말을 건낸다.

"모두 잘 될 거네."

꾸욱 눌러 강하게 발음하는 말소리가 줄리앙 리스트에게도, 그리고 그 내부의 이들에게까지도 들렸다.

그리턴의 목소리가 컸기에 주변에 섰던 가신들이나, 그리턴 가의 두 남매에게도 분명하게 들렸다.

잘 될 것이다. 모두.

*

30. 로웰 드버는 결심했다.

*

성문이 열리는 순간을 가장 먼저 알아챈 것은 누구일까.

로키 캐슬의 정문 말이다.

대감 집의 현관이 열리듯, 검은 톤으로 이루어진 거대한 건축물의 한 가운데에, 두터운 목재로 이루어진 대문이 열렸다.
그야말로 대大문이었다. 어지간한 인간을 네, 다섯 번 이상 쌓아 올리면 저 위에 닿을까. 그래도 3분의 2지점 정도에서 멈출 것 같은 위용이 있었다. 현대식의 건축물이 아닌 것에서 이런 장엄한 무게감을 느끼기 위해서는 많은 조건이 필요했다.
역사적으로 이름을 남긴 거대한 제국의 유산이던가, 혹은 이런 판타지 세계관에 있는 가상의 물건이던가 말이다.

이런 유산을 남겨놓고 역사서에 떡하니 자신의 이름을 박아넣지 않은 문명이 없을 것이다. 콘란드에서도 이 문명 유산의 전부는 아니었으나, 나름대로 이름은 남겼다. 산슈카 제국이라고.

제국기에 건조된 로키 캐슬은 왕국기에 들어서며 그리턴 가가 본인들의 본가로 삼았고, 오랜 왕국기 동안 증축과 변형을 거쳐 지금의 모양을 완성했다.

그리턴 가 이전에는 나름대로 이름 있던 제국의 산지기 가문이 있었다. 당시엔 데슈칸 내부까지 제국의 정복령이었고, 지금보다 인류의 영역이 훨씬 넓었으며 자유로웠다.

시간이 지나고 관리 부실과, 인적 자원의 부족으로 초입인 로키 산맥의 건축물만이 형상을 남기고 있다.

장엄한 건축물이 작동한다는 것은 말로 형용하기 어려운 감격스러움이 있었다. 멀리서 그것을 가만히 감상하고 있노라면 말이다.

마차의 열린 틈새로 넓게 펼쳐지는 로키 캐슬의 정문을 바라보고, 그 아래 쭉 뻗는 산책로를 구경하며 제냐 역시 그런 감정을 느꼈다.

현대에는 잘 없는 형식의 건축물이다. 피라미드니, 그런 것들이 있지만 굳이 보러 구경을 가야 했다. 또한 그런 류가 이토록 깔끔하게 남아서 거기다 움직이기까지 하는 모습을 보기는 불가능에 가깝다.

그야말로 현실을 1:1 비율로 옮긴 뒤 새로운 역사를 시뮬레이트

해서 묘사하는 비련의 시나리오 속에서나 구경하는 장관이다.

그렇게 마차를 타거나, 혹은 말들에 올라탄 채 로키 캐슬의 바깥으로 나서는 이들이 있었다.

그 문을 움직이고 있는 도르래병이나 인력과 기계의 힘만으로 작동하기 어려운 거체를 돕는 아티팩트 작동병 따위가 성문의 움직임을 가장 먼저 느끼고 알아챘을 것이다.

인지 이전의 단계로 가보자면 출정하듯 채비를 갖추고 나서는 이들을 배웅했던 그리턴 자작, 성문을 열라고 지시했던 지휘관들의 체계 속 인물들이 있을 것이고.

그러나 성문의 움직임에 직접 관여하거나 미리 계획을 알던 자를 제외하고는, 바깥에서 로키 캐슬의 동태를 가장 먼저 파악한 이들은 따로 있었다.

산책로 인근, 감시 체계에 걸리지 않도록 산림의 수풀 속에 모습을 감춘 채 오랜 시간 대기를 하던 '운트 작힘 백작'의 고용병들, 그리고 사병들이었다.

그들은 로키 캐슬의 전면부 전경이 감지술사들의 스킬에 잘 걸리도록 적당한 각도와 위치를 찾은 뒤 베이스 캠프를 다시금 꾸렸다.

이전에 분지에 차렸던 것보다는 훨씬 약식이었고, 간신히 몸을 누이거나 앉아서 쉴 정도에 불과하긴 했지만. 그래도 긴 시간을 버티려면 없는 것보다는 나았다.

로웰 드버는 기사들의 눈총에 못이기듯 작전 수행을 위해 인근 몬스터 분포도를 살폈다. 감지술사들의 도움이 있기에 스킬 활용이 더 쉬운 면이 있었다. 드버로서는, 그다지 달갑지 않은 조력이었지만 말이다.

그들도 마침 아침 식사를 건식으로 대강 때운 뒤 기다리고 있던 차였다.

로웰은 간이식으로 변형한 테이밍 스킬을 이용해서 인근의 고블린 떼와 갈색 오크 떼, 그리고 다이어 울프 무리를 몇 군데 나누어서 분포시켜 두었다.

일시적으로 괴물들의 주인이 되는 강력한 테이밍 스킬을 사용하면서 물약을 마셨다. 로웰 드버는 35,000이 넘는 MP를 보유하고 있었고, 강력한 의지력을 가지면서 자신이 활용하는 스킬의 최대 위력을 발휘 가능한 인간이었다.

수준이 떨어지는 초상술사에 비해 동량의 MP로 훨씬 막대한 일을 일으킬 수 있었고, 금강 급의 용병, 마물술사가 펼치는 테이밍 스킬에 로키 산의 몬스터들은 순식간에 현혹되었다.

보다 지속적이며 견고한 테이밍Taming을 위해서는 그 또한 해야 할 밑작업들이 많기는 했다. 그러나 아주 단발적인 복속, 한 가지 짧은 행위를 위한 것이라면 어디서든 순식간에 해낼 수 있는 것이 로웰 드버가 가진 특성이었다.

그와 비슷한 추정 레벨을 가진 마물술사라 할 지라도 로웰 드버만큼의 힘을 내지는 못할 경우가 많으리라.

그 개인이 가진 마물술사로서 천부적인 패시브 스킬들이 특성으로 붙어 있었고, 그 외에 초상술사로서도 일류의 솜씨를 가졌기에 가능하다.

로웰 드버는 본디 초상술사로서의 길을 가던 인간이었고, 도중에 진로를 변형했다. 테이밍 류의 스킬들이 자신에게 완벽하게 어울리며 가장 잘 다룰 수 있는 힘이라는 걸 깨달은 순간부터.

그의 인생 여정 여러 곳에서 천운이 따랐기에 테이머들, 마물술사에게 필요한 희귀한 장비들 역시 많이 얻었고, 그런 아티팩트의 도움으로 능력은 배가된다.

세슈칸 시티 정도의 수준에서 이런 마물술사는 강력한 개인 군단이나 다름 없다. 몬스터는 기본적으로 흉포하며, 인간을 바라보고 달려들기에 적군의 본령 근처에 마물을 이동만 시키더라도 나머지는 그 몬스터의 공격성이 알아서 일을 하는 것이다.

지금은 공격의 시기는 아니었고, 다만 그들이 자리 잡은 근처에 알맞은 때에 움직일 수 있도록 몬스터 무리들을 배치해놨을 뿐이다. 위치를 조정당한 몬스터들은 그 자리를 지키고 있었다.

오크나 고블린, 늑대같은 놈들은 의외로 변화를 그렇게 사랑하지 않았다. 테이밍 스킬에 의한 일시적인 현혹이라고 하더라도 옮겨진 자리를 자신들의 영역으로 인식하고 크게 벗어나지 않는다.

로웰은 기다림의 시간동안 그런 일을 몇 번을 반복했고, 자신이 한 번에 부릴 수 있는 몬스터의 양을 가늠하면서 최대치를 맞춰갔다.

테이밍 스킬이라는 건 MP를 다루는 일과도 흡사했다. 다른 조건을 포기하면 일부 조건을 강화시킬 수도 있었다. 파이어 볼을 형성할 때 폭발력 대신 지향성을 높인다거나, 열량을 높인다거나 하듯이 말이다.

테이밍의 지속성과 또 행동 명령의 세세한 지시 사항들을 포기한다면 다른 요소에 힘을 실어줄 수 있었다. 테이밍에는 아주 다각적인 힘 분배가 필요했고, 테이밍은 고등 스킬이었다. 설령 엘리트 몬스터들을 만드는 쪽이 아니라고 하더라도 말이다.

말 그대로 몬스터들의 흉포함은 그들의 근본 그 자체였고,

테이머의 말을 듣고 정확하게 전략대로 행동하게 하기 위해서는 많은 신경이 필요하다. 짜여진 진형으로 안전하게, 정해진 장소까지 이동하는 데 들어가는 점들이었다.

정해진 장소에 풀어놓고 나서 마음껏 날뛰게 할 때는 그다지 상관이 없었지만.

로웰 드버는 MP도 넉넉하게 있었고, 아티팩트로 추가되는 MP도 있었으며, 무엇보다 의지력이 매우 강력한 인간이었다.

한 번은 MP가 동이 나도록 사용을 해도 다시금 최대 MP량까지 채워주는 정신력 계열의 기사회생 아티팩트조차 있었다.

보통 자신의 전체 MP량에서 10분의 1정도를 다루어내면 훌륭하고 준수한 의지력이었는데, 로웰은 본인의 한계치보다 한참은 높은 지휘력을 가진 지휘관이었다.

지휘력은 의지력이며, 지휘관이 다루는 병사들은 곧 MP를 말한다.

로웰은 기형적인 의지력의 소유자로, 자신의 전체 MP 과반수 이상을 단번에 다루어낼 수 있는 유형의 술사였다.

그 정도로 강력한 MP능력자이기에 금강 급 이상에 랭크될 수 있던 것이기도 하고 말이다. 육체적인 근접 전투 능력이 부족함에도.

"로웰."

그들이 차린 베이스 캠프, 라고 할 것은 그리 대단찮은 물건이었다. 산 중에 잘 드러나지 않게 그냥 가림막, 위장막 따위를 걸치고 자리를 만들어 누울 곳을 꾸몄을 뿐이다.

초상술사들이 있으니 약간의 색적 방해 스킬이나 알람 스킬로 방비를 조금 하고. 그 정도만 하더라도 인적이 드문 숲 속, 누가 살피지도 않는 자리에 숨기에는 충분하고도 남는 준비였다.

감지술사들이 먼저 정문이 열리는 것을 알았다. 그들의 낌새가 변하자 용병들의 동태를 살피던 기사들이 다음 차례로 알아챘고, 감지술사들의 보고로 확실시되었다.

사람들이 움직이기 시작했다. 굳이 누군가 소리치지 않더라도 눈짓이나 조용한 말만으로 계속해서 염두에 두던 작전이 슬그머니 시작되는 지점이었다.

그런 사이, 암살의 핵심이라 할 수 있는 로웰에게도 무언의 지시가 있었다. 기사들의 눈치에 그가 움직이려 했고, 그 때 그를 소리내어 부른 건 근처에 있던 호아킨이었다.

거대한 육신 탓인지, 어딘가 곁에 있는 사람에게 듬직한 느낌을 주곤 하는 호아킨 팍스다. 그의 옆에 늘 있는 릿샤도 여전히 모습이 보인다.

"어?"

로웰이 멍청히 답했다. 자신을 부를 줄은 생각하지 못하던 찰나에 들은 소리라 그렇다. 그는 아직까지도 계속해서 고민을 하고 있었고, 타성에 젖은 행동주의로 그저 작힘 백작의 병사들의 말을 따르고 있을 뿐이었다.

아마 이대로 있다면 두 가지 선택지 중, 로멜리아 가의 후손들을 파멸로 몰아넣고 작힘과의 관계를 건사한 뒤, 외국으로 튀는 결정이 되리라. 로멜리아 가의 이름 정도는 그도 들어본 적이 있었다.

차라리 의뢰의 내용을 끝까지, 조금도 몰랐으면 좋았을 걸. 아니… 그랬다간 알지도 못한 채 복수의 칼날에 언젠가 횡액을 당했을까.

로멜리아 가는 분명 약소한 가문이지만 사대고가에 대한 이야기는 산슈카에 사는 자로서 들어본 바가 있었다. 상징적인 의미로 제국기 이전부터 이미 나라를 지탱하던 집단은 명예만은 남아 있었다.

지금은 유명무실하지만, 나중에 귀족가들의 심기가 뒤틀려서 구실을 삼고자 하면 얼마든지 얽혀들어서 희생양이 될 수도 있었다. 로웰이 말이다. 그다지 실질적인 결속, 실리나 관계를 다져오지도 않았으면서 정치적 명분으로는 얼마든지 활용될 수 있는 이름이었다.

사대고가의 이름은 그런 종류의 소재로는 최고이리라. 바로 그 점이 로웰 드버가 걱정하는 먼 미래의 불행의 근거다.

산슈카를 벗어나고, 중부 대륙 자유 연맹의 먼 나라로 가거나 아니면 아예 먼 지방으로 가얄 테였다.

의뢰를 수행하든 수행하지 않든, 산슈카의 오랜 알력 다툼에 끼어든 이상 대가가 필요했다.

호아킨의 부름은 고심하던 로웰의 뇌리에 종소리처럼 현실을 일깨우는 무엇이었다.

그가 둥그렇게 붉은 눈을 바로 뜨며 바라본다.

금발 백인이 멍청하게 자신을 보자 호아킨은 생각했다.

'이게 맞는가 모르겠군.'

릿샤의 아이디어와 그녀가 생각한 타이밍이니 뭐 크게 틀리진 않을 것이다. 꼭 맞다고 볼 수는 없지만, 그래도 나름 최적이라 생각한 이유가 있을 테지. 호아킨은 릿샤의 판단이나 머리를 신뢰한다.

호아킨도 비슷하게 느낄 때가 많고.

자신보다 디테일하게 계획을 수립하는 일에 머뭇거림이 없고 익숙한 편이다. 호이킨은 머리가 복잡하면 부딪히는 편이고. 대개의 일에 그런 용단과 행동성이 유용하게 먹히기는 한다. 워낙 신체적 능력이 좋아야지.

"고르시게."

'뭘' 이라고 로웰이 입을 열어 묻기도 전에 이어 말했다.

"자네 생각을 편하게 말해."

어쩔텐가, 라는 표정으로 그가 물끄러미 본다. 순식간의 일이라 주변 일행들이 알아채고 있지는 못한다. 기사들도 잠시 흘끗거릴 뿐이고.

로웰은 머리가 좋은 편이다.

잠시 잠깐의 언질이나 암시만으로 모든 의도를 파악할 수 있을 정도인지는 모른다. 릿샤가 입술을 옆에서 달싹거렸다. SP가 움직인다. 자연계에 존재하는 것을 초상력SP이라 하고, 사람에게

종속되어 그 내부에 머물다 쓰이는 소유주가 있는 종류를 MP라 바꿔 말한다.

포괄적인 의미에서 MP에 SP가 포함된다.

릿사의 운용이 참으로 절묘했다. 릿샤도 나름의 천재였고, 그녀는 한 가지 스킬이라도 자신만의 방식과 모양으로 완벽하게 써내는 일을 연습한 시간이 많다, 비련의 시나리오 온라인 내부에서.

마치 가느다라며 '한미'하다라는 수사가 어울릴지도 모를 정도의 미세한 실이 움직이듯 했다.

허공을 뱀처럼 가로지르는 희끗한, 반투명한 작은 실 한 가닥. 그것은 MP의 움직임을 감각하는 초인의 시선으로 봐도 그렇게 잡기 어려운 형체라는 말이었다.

일반적인 눈으로 본다면, 아무것도 보이지 않고 그저 뒷목이 싸늘한 한기가 느껴진다면 아주 예민한 부류이리라.

어수선하고 좋은 타이밍이었다.

사냥꾼의 주의력이 가장 떨어지는 순간은 아이러니하게도 사냥감이 눈 앞에 있고, 달려들기 직전의 그 때였으니.

온 관심이 순간 그곳에 가 있는 자들은 다른 방면의 감각이 극단적으로 떨어진다.

모두가 일어서서 연습했던 자신의 행동을 하기 위해 머리를 굴릴 때 릿샤와 호아킨은 준비했던 다른 계획을 움직이고 있었고, 덕분에 방해 없이 짧은 얘기를 나눌 수 있었다.

그 희끄무레한 MP의 실은 소리의 전달로였다. 뱀처럼 허공을 유영한 실이 금세 로웰에게 닿았다. 로웰의 어깨 즈음에 붙은 실의 끝자락이 그대로 로웰의 로브에 붙었다.

초상력의 실을 타고 릿샤가 달싹거리는 말이 전음傳音되었다.

'전음傳音' 스킬이다. 레어 급이었으나, 릿샤 개인의 소양이 높고 스킬 숙련도도 높아서 더욱 효과적이었다.

[로웰 드버. 세슈칸의 마물술사. 선택해. 이 자리에서 암살 대상이 되는 귀족가를 도울지, 아니면 세슈칸의 영주인 작힘 백작의 명령에 따를지.
우리도 이 의뢰는 그다지 마음에 들지 않던 차야. 마물들을 데리고 로키 캐슬에서 나온 자들을 잡으나, 여기에 있는 기사들을 물리치나 위험도는 비등할 것 같은데.
당신 선택에 따라 우리도 어떻게 할 지 달라져. 암살 대상을 돕겠다고 한다면 우리도 돕지. 운트 작힘은 그리 믿을만한 평판의 영주가 아니거든.]

릿샤는 말이 아주 빨랐다. 전음 스킬을 사용하는 경력이 오래되어 노하우가 늘어서 더 속사포로 얘기를 전달할 수 있을지도 모른다. 빠르게 웅얼거리는 그녀의 입이 자신과 호아킨의 속내를 전달한다.

로웰은 눈에 띄게, 그 붉은 눈을 크게 뜨며 동요했다.

애초에 철석간담을 가진 작자는 아니었다. 로웰 드버Rowell dver는.

NPC의 대략적인 속내는 릿샤가 빠르게 캐치했다. 호아킨이 느끼는 것보다도 더 상세하고 신속하게 규격화해낸 드버의 성격은 주변에 영향을 잘 받고, 자신의 안위를 위해 얼마든지 의뢰 상황을 바꿀 수 있는 자라는 것이었다.

운트 작힘은 표독스러운 맹주였고, 신의는 그다지 없는 자였다.

세슈칸에서 오래도록 활동해 온 용병들이라면 그리 어렵지 않게 알 수 있었다. 대외적으로는 온유하며 인자한 영주를 연기하지만, 작힘 가의 심기를 거스르는 평민들이 대개 어떤 마지막을 맞이했는가, 에 대한 이야기는 세슈칸의 불문율처럼 전해지는 교훈이었다.

운트 작힘을 쉽게 신뢰하지 말고, 그의 곁에서 허점을 보이지 말라고 말이다.

아마 세슈칸이 지금처럼 대도시에, 어느 정도 외력이 작용하는 장소가 아니었다면.

산슈카의 변방 쪽에 위치하며 중앙 정부나 외국의 시선이 닿지 않는 폐쇄된 영지였다면 운트의 행패는 더욱 적극적이며 공개적이었을 수 있었다.

세슈칸의 시민들은 영주에 대해 그리 신경을 쓰지 않는다. 그의 눈길 근처에 닿는 것조차 좋아하지 않았고, 가급적 피할 수 있다면 피하는 데만 애를 쓰는 편이다.

운트 작힘은 자신의 야욕을 어떤 식으로든 실현시키기 위해 성채 내에서, 혹은 세슈칸의 뒷거리를 통해 늘 악의적인 계략을 꾸미고 실행하고 있었고.

은근히 도는 많은 소문들은 세슈칸의 중심지에서 오래도록 살아온 이들의 눈과 귀, 입과 손을 통해 알음알음 전파되어 나름대로 요긴한 정보로서 쓰였다.

수도의 급파원인 킬 드로얀 역시 그런 소문의 역학 관계를 좇다 보면 운트 작힘의 실체에 의외로 금방 다다를 수 있을 지도 모를 일이다.

지금 막 로키 캐슬을 떠나려는 그리턴 가의 기사들, 로멜리아 일행들, 또 세슈칸에서 임무를 받고 여기까지 온 암살단의 사람들은 확인할 길 없는 이야기였지만.

릿샤는 지금이 뚜렷한 기점이라고 생각했다.

로웰 드버가 애매한 자신의 속내를 드러냈을 때부터 예견했던 퀘스트의 분기점.

자신이 전음으로 말한 내용처럼, 운트 작힘은 확실히 믿을만한 인간은 아니었다. 퀘스트의 내용을 조금 더 살펴보고, 진행 상황을 지켜보겠다는 호아킨의 판단에는 동의했지만 끝까지 운트 작힘의 의뢰대로만 움직일 것이냐고 물었을 땐, 릿샤는 살짝 부정적이다.

자신의 혼돈, 악 수치가 중요하듯이 함께 일하는 NPC의 성향 수치또한 중요하기 때문이다. 이쪽이 단순히 의뢰를 수행하고 신의를 지킨다고 저쪽에서도 그렇게 나오리란 법이 없었다.

약간 수세에 몰려 있더라도, 대영주를 배신한다고 하더라도 차라리 걱정 없이 한 배를 탈 수 있는 쪽을 선택하는 게 나을지도 몰랐다.

'공정성'이라는 가치는 비련의 시나리오 온라인을 관통하는 중요한 주제였다.

릿샤 애드윈은 그걸 누구보다도 분명히 깨닫고 있었다. 이 게임은, 온갖 심미적인 요소, 개발진의 취향, 쓸 데 없이 불편함을 강조하는 게임성, 플레이어의 행동에 따라 달라지는 극악한 난이도

편차 등 파악하기 어려운 재료가 섞여 만들어낸 복잡한 하모니였지만 그 모든 것들을 아우르는 주제 의식이 있음이 분명했다.

전체적으로 사회-도덕적인 기준에서 벗어나지 않으려고 하는 일관된 게임 시스템의 방향성이 있었고, 절대적인 가치, 그러니까 거의 모든 역사와 공간에서 공통적으로 지키고 있는 상식적인 보편성을 따르는 노력이 있었다.

인생과 마찬가지로. 현대화된 사회에서의 삶이 마찬가지로, 함부로 행동하다가는 말못할 패널티를 껴안고 게임 오버까지 직행할 수도 있었다.

혹은 단순한 게임 오버보다 더 괴로운 플레이 타임이 될 수도 있었고.

인생은 게임이 아니기에 인생을 알려주기 위한 의도라면, 훌륭하다고 볼 수 있었다.

어쨌건 그런 개발진들의 의도는 뚜렷하고 이해하기 쉽다. 퀘스트의 난관을 뚫을 때, 혹은 개인적으로 플레이의 기로에 서 있을 때. 어느 쪽 길을 골라야 하는가 생각할 때 이 세계가 어떤 의도로 만들어졌는가 깨닫고 고른다면 결국 답에 가까우리라.

그건 시험 출제자의 의도를 파악하는 수험생의 태도와도 같은 것이었다.

보편적인 세상의 법칙을 먼저 아는 자가 승리한다. 그리고 그 보편적 법칙이란, 그 때 그 선배들이 '왜 그렇게 살았는가'에 대한 답이 된다. 늘 후배들, 팔로워Follower들이 나중에 깨닫게 되는 지혜들이었다. 왜 그 양반들이 그토록 무식하고 미련하게 살았는가에 대한 대답들.

릿샤는 자신이 머리가 좋다고 한 게 거짓이나 과장이 아니었다.

게임의 한 구간이 아니라 전체 구조를 파악하고 플레이한다면, 좋은 편이라고 할만했다.

직관에 따라 릿샤가 고른 것이다. 로웰에게 대답을 강요하는 지금 이 돌발 행동은.

"으……."

로웰은 신음소리 같은 걸 내었다.

머리가 과열될 정도로 고민하는 탓이다.

어디가 더 안전할까, 로웰 드버가 생각했다.

호아킨이 눈 앞에 있었다. 로웰에 비해 머리통이 몇 개 더 있는 것 같은 거한이다. 구릿빛 피부의 사내가 씨익 웃었다.

아메리카 원주민같은, 그런 느낌의 사내가 입꼬리를 말아 올리자 로웰은 생각했다. 로웰은 지구의 아메리카 원주민 인종에 대해서 알지는 못했지만, 콘란드의 역사와 요소들은 지구의 것의 재조합이었고, 그의 눈으로 보아도 호아킨은 강인한 전사다.

'……쯥. 이 작자가 도와주는 쪽이 결국 제일 안전한 거 아닐까.'

누구를 믿어야 하는가. 어차피 콘란드 대륙에서의 삶은 파도 위에서 날아다니는 부표나 비슷한 것이었다. 금강 급의 용병이라고는 하지만 세슈칸 시티에서나 이름을 날린 것이었고, 도리어 그 널리 퍼진 이름때문에 지금처럼 골머리를 썩는 경우도 있었다.

로웰은 전략적으로 큰 가치를 지니지만 자신의 몸을 보호할 수단은 생각보다 부족할 때가 많다. 지속적으로 몬스터를 테이밍 해서 끌고 다니도록 스킬을 익히지도 않았고, 한 마리를 특별히 강화할 기술이 부족하기에 어찌저찌 군대를 끌고 다닌다면 일상적인 삶을 포기해야 할 것이다.

군주가 될 수 없다면 개털이나 마찬가지인 스킬 셋Set이었다. 그리고 그의 수준은 아직, 어느 지방에서나 군주가 되기엔 한참이나 모자란 역량이다.

어느 영주의 눈에 밉보여서 기사단이라도 움직였다간 꼼짝없이 목이 날아갈 정도. 기습적인 공격이 가능하고 유연하게 대처 가능하다는 점이 그의 가장 큰 장점이다.

로웰의 눈길이 호아킨과 그 너머 릿샤의 얼굴을 번갈아 쳐다본다.

흔들리던 그의 눈동자가 형태를 바로했다.

로웰은 표정을 굳혔다.

"…도와주겠소?"

정말, 이라는 강조어가 빠진 말이었다. 거기까지는 작힘의 기사들이 들었다고 해도 문제 없는 말이었다. 어차피 중요한 내용은 릿샤가 전음으로 말한다.

기사와 용병들이 앞서 나가며 정신이 없다. 후방에 있던 자들도 감지술사들의 보고에 자신들의 위치를 재확인한다. 로웰과 호아킨, 릿샤가 서로 눈짓을 하며 지체되는 게 테이밍 스킬을 쓰느라 시간이 조금 걸리는 줄 알 뿐이다. 실제로 그리 오랜 시간이 지나지도 않았고.

릿샤가 다시 말했다. 로웰의 표정은 많은 정보를 담고 있었다.

그것으로 충분한 대화가 되었다.

그녀의 붉은 입술이 움직인다. 얇은 편이다. 앵두같다, 라는 고리타분한 관용어가 어울리리라.

[얼마든지. 선택만 해, 드버 씨. 우리로서는… 당신이 파격적인 결정을 내려주는 게 달갑겠는걸. 미래를 생각하자고. 세슈칸은 벗어날 수 있어. 하지만 작힘 백작의 뜻에 따라 딱히 잘못도 없는 귀족을 처죽였다간 그 원한이 어디까지 따라올 지 모르지. 신을 믿나?]

릿샤는 꽤나 달변이었다. 옳은 쪽을 선택해라, 그리고 아마 운트 작힘은 불의한 쪽에 가까울 확률이 높다, 고 말하는 내용의 정리로 마지막 문장은 탁월했다.

산슈카에도 종교와 신앙은 있다. 비단 산슈카 뿐 아니라 중부 대륙, 나아가 콘란드 대륙의 여러 나라들에 뿌리내린 종교가 있었다.

아직 콘란드에서 종교는 역사적으로 강력한 단체를 조직하지 못했다. 그저 고래로부터 이어져 온 신앙의 명맥이 여러 형태로 각국의 문화에 스며들어 있을 뿐.

그 신앙에 대해 공부해 본 자라면 안다. 릿샤 역시 궁금해서 찾아봤었고. 그 신앙의 율법이나 교훈들은 결국, 말했듯 개발진이 계속해서 의도하는 '보편적이며 상식적인 선善'의 가치에 의거했다.

게임 속에, 어지간하면 똑바로 살아라, 고 이스터 에그인듯 아닌듯 몇 마디 문장을 삽입해 둔 것이나 마찬가지였다.

신앙에 의거하여,

그 율법에 따른 어떤 종교적인 신실함을 평생 그리 가져본 적은 없었지만 혹은

자신의 양심에 의거하여,

제대로 의뢰의 내용과 사연을 알리지 않고 세력적으로 약자로 보이는 가문의 집단들을 무작정 죽이라고 한 운트 작힘 백작에게 자연스런 의심을 품어서

로웰은 결심했다.

그가 두 사람을 보며 고개를 끄덕거렸다. 호아킨이 릿샤를 보았다. 릿샤는 그들의 고갯짓에 이야기를 덧붙였다.

[좋아. 움직이자고. 말한대로 마물술사로서 마물들을 끌어 모아. 뒤통수를 치려면 사냥감 바로 앞에 있는 사냥꾼들을 치는 게 좋겠지.

다 몰아서 처박고, 그 순간에 마물들을 제어해서 기사들을 잡아. 우리도 도울테니까.]

'용병들은?'이라고 호아킨이 눈치로 물었다. 그의 표정이나 소리없이 달싹거리는 입술에 릿샤가 말한다.

호아킨에게는 전음이 가지 않았지만, 지난 작전 준비 기간 동안 서로 나누었던 얘기들이 있었기에 바로 파악할 수 있었다.

로웰의 동요를 미리 짐작했기에 어떻게 하면 운트 작힘의 뒤통수를 잘 칠 수 있을까 고민하고 둘이서 궁리해 보았었다.

또, 호아킨은 릿샤가 자주 전음을 쓰는 걸 알았기에 독순술讀脣術(입술의 움직임만으로 말을 알아듣는 기술)을 얼추 익히고 있었다. 위급 시, 그러니까 이럴 때 아주 유용하게 써먹는다. 몇 번 현실에서도 연습하고 게임에서도 사용하니 스킬로까지 생겨서 더 확실하게 소통할 수 있었다.

[일단 기사들을 무력화. 용병들은, 기사 편에 서서 우리를 공격하는 자들만 친다. 어차피 다 고용된 놈들이라 그다지 의욕은 없을 거야. 세슈칸의 백작이 얼마나 망나니인지 다들 알 테고. 은금이면.]

사람 사는 생리나 중요한 정보같은 건, 잔뼈가 굵은 베테랑들이라면 모두 알만치 알 것이었다. 세슈칸에서 삶에 필요한 정보란 운트 작힘 백작의 인격이 거지같다는 점이었고.

로웰은 천천히, 그러나 확실히 고개를 끄덕거렸다. 그리고 입술을 열었다.

"서두르지. 놓치겠군."

결정을 하니 움직임이 빠르고, 적응도 잘 한다. 마치 기사들과 함께 준비했던 작전의 수행인양, 로웰 드버는 천연덕스럽게 달음박질하며 동시에 거대한 MP를 사역해 테이밍 스킬을 발동하기 시작했다.

그가 정확한 좌표도 알고, 또 근거리에 둔 마물들의 무리를 향해 스킬이 발사되었다.

알아보기 힘든 반투명한 투사체의 형태로 발동하는 테이밍 스킬은 약 200m 정도 거리까지 날아간다. 숲 속의 장애물 따위에 구애받지 않고 직선상으로 뻗는 투사체의 행로가 거침없다.
최초의 한 마리에 마치 릿샤의 전음용 실처럼 가 닿는다면, 그 개체를 중심으로 주변에 전염되듯 지배력이 퍼져나간다.

강력한 초상력은 마치 어느 지독한 식물이 뿜어내는 환각 물질처럼 마물들의 정신을 혼미케 하고, 그것들의 본질을 일그러뜨린다.

누구의 지배도 받지 않고 인류를 적대하고, 그저 강포할 뿐인 놈들이 한 명의 말을 듣기 시작한다. 그것들은 일시적으로 테이머Tamer인 로웰 드버를 상위 개체로 인식한다. 자신들을 이끄는 오크 우두머리, 대장 고블린, 다이어 울프 무리의 가장 강한 수컷처럼 느끼는 것이다.

사람의 모습을 하고 그가 내리는 명령 또한 몬스터의 본래 지능보다 훨씬 높은 수준의 행동이었지만 그런 사소한 문제는 MP라는 초법적인, 마법의 힘이 해결한다.

콘란드 대륙은 신비의 에너지가 횡행하며 실재하는 판타지 월드였다.

먼저 뒤돌아 스킬을 사용한 로웰의 시점에서 멀리 왼쪽에 있는 것이 고블린 무리다. 그의 MP가 뭉텅이로 빠져나갔다. 그러나 아직 끝이 아니다. 거대한 고블린 군집을 컨트롤하기 위해 지속적으로 천천히 소모된다.

거기다 다른 무리의 테이밍을 위해서 다시 한 번 투명한 투사체, 희끄무레하고 잘 보이지 않는 화살표 모양의 손부채 만한 크기의 스킬Skill이 날았다. 부유하는 초상력체體가 끄트머리엔 로웰로부터 시작되는 실선을 꼬리로 달고 부웅 움직인다.

육안으로 보일 정도의 속도였지만 그래도 제법 빨랐다. 얼마

지나지 않아 로웰의 시선 정면 부근에 있는, 다이어 울프 무리의 한 수컷에게 가 닿았다.

다시금 MP가 상당량 빠져나가는 걸 느낀다. 현기증의 전조 현상이 왔지만 로웰은 이를 악물었다. 그의 의지력은 상당하고, MP의 과용으로 인해 오는 고갈 상태는 아주 익숙하다. 정신력 스텟에 그의 인생을 모조리 투자했기에 어쩔 수 없는 일이었다. 그걸 견디는 일에도 내성이 있는지는 모르겠지만, 로웰은 제법 견딜만하다고 생각했다.

MP를 다루는 의지력 뿐 아니라 정신적인 의미의 실제 의지력 역시 강한지 몰랐다. 단번에 수 천 단위의 MP가 사라지고 또 수 백 단위가 지속적으로 빠져나간다. 다이어 울프 무리는 약 삼십 여 마리 정도였다. 가장 거대한 놈은 소와 비슷한 덩치를 지닌 괴물들이었다.

기사류의 초인들을 막아서고 혼란을 유도하기 위해선 어쩔 수 없었다. 고블린 군집은 500 여 마리에서 조금 부족할 것이다. 그 크기래봐야 소년 정도의 체격이지만 독살스럽고 집요하다. 약간의 교활함마저 악의 넘치게 갖고 있어서 오래도록 상대하고 있다면 피폐해지기 딱 좋은 몹들이었다.

어떤 자들은 이런 고블린이나 오크, 인류에게 가장 보편적으로 해악을 끼치는 세계관 내의 몬스터들만 집중적으로 잡고 청소하듯 사냥하는 자들도 있었다. 그런 이들은 슬레이어Slayer, 천적, 전문 사냥꾼 따위의 칭호를 받는다.

마지막으로 로웰의 손짓에서 출발한 반투명한 투사체가 가 닿은 곳은 그의 시선에서 오른쪽 대각선으로 멀게 뻗은 자리였다. 산림에 생성된 공터나 혹은 빼곡한 나무들 사이 자리에 더욱 빼곡하니 자리를 차지한 몬스터들.

갈색 오크 떼거리.

나무 껍질과 비슷한 톤의 피부를 가지고, 그 어금니가 툭 튀어나왔고, 멍청한 듯 혹은 흉악스러운 광포함을 숨기는 듯 초점없는 눈빛을 가진 거구의 괴물들이었다. 2m를 넘고 2m50cm 안쪽에서 정리되는 그것들의 체장은 위압감을 주기에 충분하다. 잘못 얼핏 본다면, 나무로 빼곡히 가득찬 이상한 공간이라고 착각할 지도 몰랐다.

데슈칸 산맥에서 오래도록 기거하며 이따금씩 찾는 인류의 수제품을 빼앗아 자신의 장비로 삼은 것들이다. 오크의 손에 들어간 무기들은 생각보다 오래 버틴다. 결합이 헐거워 보이고 녹슬어 보일지라도 말이다. 게임적인 안배였는데, 보통 사람의 무기를 빼앗아 제것으로 쓰던 몬스터를 잡아 죽이면 전리품으로 그와 유사한 무기를 얻기에 그러했다.

언젠가 사냥꾼이 그것을 잡고 전리품으로 선물을 받게 하기 위해서 게임적인 설정이 그렇게 되어 있었다. 어떤 오크의 손에서 무기나 장비들은 아주 오랜 시간을 버텼다. 한 마리의 개체가 수명을 다하고 다른 개체에게 넘어가서 사용되는 경우마저 있다.

멀거니 서 있거나, 앉아 있거나. 혹은 누워서 잠을 청하기도 하며 이끌린 자리에서 얌전히 대기를 하던 오크 떼에게 로웰의 스킬이 도착했다.

한 마리의 명치에 닿았고, 그 흰 화살표는 그대로 안개가 흩어지듯 형체가 사라져 해당 오크의 신체 전체로 퍼져나갔다. 흰 연기가 오크의 몸을 감싸안듯 굴었다. SP를 감지하지 못하는 오크들의 눈에는 모양이 보이지는 않을 것이다.

기력술을 익힌 자들의 감각에 반투명하게 움직임이 보이리라.

그 연기는 마치 포자, 유해한 가루가 흩뿌려지듯 주위를 떠돌더니 오크의 신체 내부로 흡수되었다. 정말 유독한 식물의 독이 동물에게 해를 가하듯한 연출 효과였다. 오크의 눈빛에 붉은 광기가 돌았다. 그 오크 한 마리의 변화를 시작으로, 다시 흰 연기가 뿜어져 나가며 주변의 것들에게 닿는다

완벽하게 로웰의 지배 하에 들어온 한 마리를 중심으로 테이밍이 연속해서 이루어졌다.

그의 손아귀에 강력한 군단이 들어오기까지 그리 오랜 시간이 걸리지 않았다. 시간으로 잰다면 한 수 분 여 정도. 그만한 군대를 공짜로 얻었다고 하기에는 말도 안되는 소요 시간이다. 물론 공짜는 아니지만. 그 몬스터들을 상대해야 하는 자들이 느끼기에는 한없이 불합리하게 느껴지는 효율이다.

멀리, 자신의 일행들과 있는 로웰 드버가 손짓하며 입술을 움직였다. 자신만이 아는 시동어를 읊었고, '마물Monster 테이밍 고급' 스킬이 그의 의지력에 따라 더욱 분명하게 발동한다.

유일 급의 스킬(유일 급 스킬의 경우, 정말 유일하지는 않다. 비슷한 이름과 효과를 가진 스킬들이 결국 여러 종류 게임 내에 배포되어 있기에. 비유나 과장의 의미로, 희귀 급 이상의 희귀함을 가졌다는 뜻이었다)을 가진 그는 순식간에 20,000이상의 MP를 소모했고, 그가 가진 아티팩트 하나가 웅웅거리며 발동 준비를 마쳤다.

단숨에 과량의 MP를 쏟아내는 로웰의 스킬 특성 상, 만성적인 MP 고갈에 시달릴 수 밖에 없는데 그럴 때 도움을 주는 아티팩트였다. 플레이어가 아닌 NPC들은 훨씬 비싼 값에 포션을 사게 되는데, 유저들은 기본 상점에서 무한의 재고를 가진 기본 물약들을 사용할 수 있었으니 어쩔 수 없는 일이었다.

NPC들은 현실의 대륙을 살고 있었고, 그에 맞추어 포션 가격 또한 책정되었다. 플레이어들처럼 물처럼 쓰지는 못했고, 로웰 드버가 가진 MP 회복 아티팩트는 그런 점에서 더욱 값졌다.

그가 로브 안쪽으로 매고 있는 갈색의 가죽 허리띠가 로웰의 사정에 따라 호응했다. 테두리와 버클이 보석으로 장식되고 만들어진 물건으로, 흉포한 몬스터의 가죽을 가공해서 장인이 제작한 아티팩트였다. 4급의 물건이었고, 급수 이상의 유용성을 가졌다.

막대한 MP를 체내에 머금고 토해내던 원시림의 거수巨獸로부터 기인한 가죽이다. 가공 시에 추가된 보석류도 보통 비싼 것이 아니다.

순식간에 로웰의 MP량이 15,000이하로 떨어졌지만 아직 아티팩트의 효과를 온전히 보기엔 모자랐다. 그는 한계까지 기다렸다가 사용하기를 늘 원했다.

MP 보강, 기사회생의 아티팩트가 쓸모가 있는 건 하루에 한 번 뿐이다. 매일 아침마다 새롭게 사용할 수 있었다. 하루 중에 써먹지 않고 아낀다고 가용 횟수가 누적되지도 않는다.

최대한 이점을 보기 위해선, 테이밍 스킬을 한 번 더 운용하고 난 다음이 좋으리라.

"……오라!"

로웰이 낮고 강하게 끊어 외쳤다. 그 말이 근처에 있는 사람에게는 어떤 영향도 주지 못한다. 그러나 기사들은, 용병들은 그 단호한 명령에서 강력한 MP의 유동성을 느꼈다. 로웰과 연결된 수많은 몬스터의 무리들은, 그것들의 대장이 이끄는 것처럼 명령을 들었다.

소리가 들릴 턱이 없는 거리였지만 초상력의 끈은 전음의 실이 그러했듯 그의 지시를 정확하고 명료하게 전달했다.

숲 사이, 나무들의 틈바구니를 지나 수 백이 넘는 몬스터 무리가 저돌적으로 전진해오기 시작했다.

*

*

기사 안드레 챈은 뒤를 돌아보았다. 기감이 활성화되고 있었으나 기사들의 감지술이 눈보다 더 뚜렷한 수준은 아니었다. 자신을 동심원으로 해서 반경 수 미터 정도. 그 정도 영역 내의 움직임을 체크할 수 있을 뿐이다. 물체의 형태나 색깔, 디테일한 외곽 따위를 모두 알기는 어렵다.

그는 선두에 섰던 기사였다.

선두라 함은 일행의 선두를 말했다. 안드레는 운트 작힘의 기사 중 한 명이었고, 지금은 백작의 명령을 받아 멀리까지 외근을 나와 있는 상황이었다.

몇 명의 용병들과 함께 무리를 꾸리고 데슈칸Deshukant의 로키 산에 있었다.

일행의 목적은 단순하고 분명했고, 운트 작힘 백작이 바라는 대로 '로멜리아' 가문의 후예들을 암살하는 암살단이 그들의 정체성이었다.

세슈칸의 용병 길드장을 윽박지르듯 해서 얻어낸 상위급의 용병들이었고, 세슈칸에서 돈으로 살 수 있는 병력 중에서는 가장 질이 좋다고 할 수 있었다.

금급 이상의 용병들은 기본적으로 기력술에 대한 능력이 있었고,

기사들에 비견해도 그리 뒤지지 않았다.

기사들 중에서도 수준 차이는 있었지만, 낭인처럼 다니는 자들이 엘리트 훈련을 받으며 키워진 이들과 견줄 수 있다는 게 대단한 점이었다.

낭인들, 그래 낭인들이긴 했다.

운트 작힘 가에서 파견된 여섯 명의 기사들은 감지술사 넷, 그 외 전투직 용병 넷, 그리고 마물술사 하나를 관리하기 위해서 애를 써왔다.

작힘 백작의 위세는 대단하며 그가 의뢰금으로 지불한 대금 또한 어마어마한 액수였다. 하지만 용병 나부랭이들은 계약으로 얽혀 있는 존재였고, 자신의 신변의 위협을 감당한다면 얼마든지 그 내용을 바꿀 수 있는 자들이기도 했다.

대로에서는 용병, 황야에서는 강도라는 옛 속담이나 농담이 괜히 나온 것이 아니다. 주변 사회망의 억제 체계가 없다면 용병과 의뢰주와의 관계는 확실히 한결 헐거워진다.

현대에 와서 그런 일이 많이 없기는 했지만, 완벽하게 신뢰할 수는 없었다. 그들이 맡은 일이 중요한 것일수록 말이다.

각 지역의 용병 길드나 모험가 길드가 공고하게 서 있었고, 몇 개 지역의 길드들은 서로 본부와 지부로 나뉘어서 공조하는 형태로 일을 하기에 또한 그러했다. 원활한 정보 전달은 일방적으로 계약을 파기하고 범죄를 저지른 용병을 수배범으로 몰고 가기도 한다.

콘란드 대륙의 치안 병력은 상당히 수준이 높은 편이었고, 또한 집요한 편이기도 했다.

다만 그들의 위엄과 위용이 대륙 모든 작은 땅까지 미쳐 있다고는 할 수 없었지만.

게다가, 한 가지 불안 요소는 그들이 하고 있는 일이 암살이라는 점이었다.

안드레 챈은 상식적인 눈을 갖고 있었다. 운트 작힘의 아래에 있었지만 말이다. 자신이 보아도 딱히 로멜리아 가는 잘못이 없었다. 그는 작힘 백작의 심복까지는 아니었지만 나름, 그레이 하운드 기사단의 중견으로 여러 명의 십인장 중 한 명이기는 하다.
작힘 백작의 오랜 계획이나 그가 뻗친 미수에 대해 다 알지는 못하지만, 대략적으로 사정은 파악한다. 작힘 백작이 로멜리아 가로부터 빌린 무언가를 그냥 꿀꺽하기 위해 암살을 시도하고 있는 중이라고.

산슈카의 지엄한 국법이 살아있는 현대에 귀족 살해는 치명적인 죄였지만, 그는 알 바 아니라는 듯 굴었다.

국법은 살아있으되 그 눈이 닿지 않는 곳은 참으로 많았고, 그 법을 지켜낼 손이 닿는 곳도 변방이나 구석으로 가면 잘 없었으니 말이다.

이렇듯 산슈카 국내에 있는 험지, 데슈칸에서 사고로 당한 것처럼 꾸민다면 그다지 할 말이 없을 것이다. 로멜리아는 한미한 가문이었고, 사대고가의 하나로 이름은 남아 있으나 그들을 당장 신경 쓰는 자들은 없었다.

정통파 귀족들이 자신들의 실리를 위해서 그 이름을 내걸 수는 있겠지만, 애초에 그런 문제를 만들지 않으면 되는 것이었고. 운트 작힘은 용병들을 사용해 일을 저지르고 모르쇠로 일관할 생각이었다.

용병 길드장은 세슈칸에 터전을 두고 있으니, 반 협박조로 비밀 엄수를 지킬 테고 다른 용병들도 마찬가지이겠지.

수틀리면 암살에 참여한 이들조차 백작가의 기사들을 이용해 목을 벨 지도 모르기는 한다.

그런 작힘 백작의 일처리 방식이나 속내가, 혹여나 용병들에게 영향을 미치지 않을까 해서 여태껏 노심초사한 것이다.

그는 뒤를 돌아본다.

산지기 가문의 성채에서 목표물이 나왔다는 감지술사의 보고가 있었고, 그들이 머물던 베이스 캠프에서 튀어나가듯 일어나 움직였다.

한 달까진 아니었지만 그래도 오랜 기간이었다. 지긋지긋할 정도로 산 속에서의 생활이 익숙해져가던 차에, 여태껏 준비하던 작전 수행을 위해 움직일 타이밍이었다.

작전의 핵심이라 할 수 있는 마물술사, 로웰이 무엇을 하는지 그가 본 것이다.

뒤쪽에는 기사들이 또 있었다. 감지술사들이 앞서 나가며 더 정확한 위치를 잡기 위해서 애쓴다. 감지 술식의 범위를 좁히고 목표물을 정확히 추적하기 위해서 MP를 운용하는 중이다.

그 뒤에 있는 전투직 용병 둘. 평범한 체격의 두 사내는 감지술사들의 뒤쪽으로 따라붙는다. 그들은 팀이라고 할 수 있었다. 전투가 벌어지지 않는다면 감지술사들과 붙어서 호위하듯 움직인다.

전투가 벌어지면, 그러니까 암살 대상과 마주하면 호위는 생각치 않고 대상의 죽음을 위해 달리면 될 뿐이다.

작힘 백작가의 시선으로 봤을 때 용병들의 안위는 그다지 중요한 게 아니었다. 목적만 달성하면 그걸로 좋다.

그전까지는 혹시나 있을 변수 때문에 감지술사들이 제 역할을 해내지 못할까 봐 보호하는 것이었고.

그 뒤에 있는 인원은 마물술사 하나에 전투직 클래스 두 명이다. 마물술사, 로웰 드버는 금강 급 용병이자 이런 류의 일에 최적화된 강대한 능력자였다. 그에 비해 신체 능력이 약해서 기사 같은 전투직 능력자가 붙어서 호위를 해주어야 일이 원활하게 된다.

용병 길드장이 추천한 신성新星 두 명이 그의 호위를 맡았다.

일이 터지자 잠깐 머뭇거리는 듯도 하다. 로웰 드버의 마물술, 테이밍 스킬은 명성이 자자하지만 그 실제 모습을 본 적은 없다. 강대한 스킬을 사용하기 위해 얼마간 시간이 걸리는 것은 어쩔 수 없는 일이리라.

그 곁에 있는 용병 둘은 호아킨 팍스와 릿샤 애드윈, 많은 돈을 들여 고용한 데슈칸의 검은 용 살해자들이다.

저들끼리 이야기를 하는 듯하는데 잘 들리지는 않는다. 입술을 달싹거리는 것으로 보아 말을 하는 것 같긴 한데…….

안드레 챈은 눈썹을 꿈틀거렸다. 조금 더 행동이 늦어지면 소리를 칠 수도 있었다. 마물술의 매커니즘에 대해서 잘 알지는 못하지만 어쨌든 그는 이 암살단의 책임자이자 주장이었다.

그를 따르는 백작가의 다섯 기사가 있었고, 또 용병들을 제 때에 통제해내야 한다. 일이 그르쳐졌을 때 목이 날아가는 순서는 그부터일 테니까. 운트 작힘은 참으로 모시기 어려운 상관이었다.

작힘 백작의 책임 추궁이 정말 자신한테 와서, 목이 베일 때가 되면 자신이 어떻게 행동할 지는 스스로도 모르긴 했지만.

다른 용병들과 기사들이 먼저 산책로의 근처로 움직였다. 미리 준비한 망토, 후드 로브 따위를 다들 둘러썼다. 혹시 모를 그리턴의 감시 체계에 걸릴까 봐서였다. 그런 식의 간단한 준비가 나중의 일처리를 돕는다. 대놓고 시각 저장 장치에 그들의 모습이 남는다면 변명할 길이 많지 않다.

심증적으로 완벽한 논리를 가져온다 하더라도 그런 망토 하나가 있으면 어쨌든 우길 수 있다. 그의 주군과 속한 집단은 세슈칸의 대영주와 그 가문이었으니까. 대개의 경우 운트 작힘이 더 높은 권세를 갖고 시비를 가릴 때 우기듯 따져서 이길 수 있는 위치였다.

수도, 왕실에서 어느 깐깐한 고관이 파견이라도 나와서 책임을 따져 묻지 않는다면 말이다.

운트 작힘은 수도에도 연줄을 갖고는 있었지만 아직은 행동이 조심스러웠다. 작힘 가에 퍼져 있는 은연중의 소문에 의하면, 작힘 백작은 언제고 나라를 뒤엎을 계획조차 갖고 있다고 하는데… 그것이 사실일지, 혹은 언제가 될 지는 아무도 몰랐다.

아마 그런 일이 터지면 운트 작힘 혼자만의 일이 아니라 나라를 양분하는 정통파 귀족들과 왕국기의 산슈카를 책임진 신진파 귀족들 전체의 다툼이 될 테였다.

안드레는 거기까진 바라지 않았다. 엘리트 중의 엘리트인 기사였고, 개중에서도 강력하며 노련한 솜씨를 자랑하고 있는 십인장이었으나 그는 하루살이처럼, 하루 하루 무사히 지나가기만을 바랐다.

오늘도 그런 바람이 잘 이루어질 지는 알 수 없었다.

상황은 복잡하고, 급박하게 흘러간다.

"……오라!"

로웰이 안드레가 느끼기에 한참이 걸려서 무언가 MP를 운용하는 듯하더니, 낮게 소리를 쳤다. 그의 귀에도 분명히 들리는 그 명령과 함께 막대한 SP의 유동이 느껴졌다.

기사로서 그런 에너지를 느끼는 것은 당연한 일이었는데, 범상치 않은 규모의 MP였다.

안드레는 과연 초상술사로서 일류의 경지에 닿은 작자였다.

멀리로부터, 마치 산이 진동하듯 거대한 무리들의 진군이 소리로 먼저 느껴졌다.

*

제냐가 얻은 스킬 중에 쓸만한 것은, '칼날 위에 선 검객'이라는 다소 이해하기 어려운 네이밍의 기술이었다.

레어 급 기술이었고, 평소에는 패시브로 보정 효과가 캐릭터에게 부여되나 이따금 발동형으로 사용할 수도 있었다.

기본적으로 감각을 예리하게 해주고 감지계 스킬들에 위력을 더해주는 보조용 스킬이다. 그에 더해 발동형으로 나타나는 위력은 '직감'이라는 단어로 가장 흡사하게 설명할 수 있었다.
난전과 연전, 죽음을 넘나드는 사투를 벌인 근접 전투 클래스가 간혹 얻게 되는 스킬이었다.

정확한 입수 조건은 플레이어들에게도 알려지지 않아서, 그저 HP의 한계에 다다를 정도의 위험한 전투를 벌이다 보면 얻을 때도 있고 그러지 못할 때도 있다고 공개되었을 뿐이다.
중요한 것은 집중력이었고, 게임 오버까지 간당간당한 그 지점에서 플레이어가 어떤 마음가짐으로 싸우느냐에 달려 있었다.

비련의 시나리오는 고작해야 소프트웨어였고, 사람의 마음가짐을 잴 수는 없었지만 적어도 그 행동 원리로부터 추리할 수는 있었다.

죽음의 근처에 선 검객이 한 발 더 그쪽으로 나아가 생로를 뚫어내느냐, 마느냐.

투지를 잃고 검을 놓는 자들은 결코 얻을 수 없었고, 게임 오버도, 비련의 시나리오도 상관없이 그저 주욱 이어지기만 하는 집중력을 가지고 전투에 몰입할 때 얻고는 한다.

그건 단순히 게임과 게임 오버의 관점에서 전투를 인식하고 플레이하는 수준이 아니라 마치 실제 인생의 전쟁을 치르듯한 질감으로 게임을 대할 때 얻을 수 있는 것이었다.

간혹 게임에 미쳐버린 광狂들이 그런 몰입감을 가지고, 스킬을 얻는다.

제냐는 한 치의 흐트러짐 없이, 수치나 데이터의 한계에 노심초사하지 않고 그저 고블린 굴에서 또 다이어 울프 무리의 한복판에서 검을 휘둘렀다.

질리언과 페이브를 보고 배운 전투의 자세였고, 비스트 슬레이어는 그 이름대로 무수한 짐승들의 피를 내고 그 목을 갈취했다.

비스트 슬레이어는 한 단계 진화가 더 가능한 종류의 물건이었다. 아이템 자체에 내재되어 있던 기능인 듯했다. 그 이름 그대로, 짐승 류, '야성' 속성을 지닌 몬스터들을 수없이 베어내자 칼날이 피를 머금는다는 말처럼 녹빛을 띄던 검신이 변했다.

짙은 푸른색 비슷한 물건이 되었고, 물감을 섞었을 때 나오는 색의 변화와 일치하지는 않았지만 어쨌든 더 분위기 있는 아이템이 된 건 사실이다.

아이템 희귀도 급수도 6급으로 한 단계가 올랐다.

제냐가 느끼기에 검신은 그의 MP에 조금 더 잘 반응하게 되었고, 둔탁하던 느낌의 베는 맛에서 보다 예리한 감각으로 변했다. 제련된 철과 같은 외피를 지닌 짐승조차 어렵잖게 가를 수 있을 듯한 손맛이었다.

레벨도 무수한 전투로 쏟아지는 경험치를 얻을 수 있었다. 40대 중반까지 증가했다. 레벨의 상승과 함께 밀도 높은 사투를 경험했기에 스텟 역시 만만찮게 올랐고. 높은 것이 30대 후반에 이르렀으니, 결국 게임 오버에 가까운 플레이를 하는 것이 이 비련의 시나리오에서 가장 빠르게 성장할 수 있는 길일지도 모르겠다.

어쨌든 성장한 제냐는 마차 내부에서 칼날 위에 선 검객 스킬이 발동하는 것을 느꼈다. 사용자의 위기 감지 능력을 일깨워주는 스킬이었고, 자신에게 내재된 여러 가지 스킬 효과들 중에 그것이 스스로를 일깨우자 제냐는 스킬의 인도에 집중했다.

의도적으로 발휘된 칼날 위 검객 스킬은 주변의 변화에 민감하게 반응했다.

로키 캐슬의 정문을 넘어, 잘 정비된 산책로를 따라 여유롭게 내려가고 있던 중이었다. 그리 길지 않은 여정이었고, 세슈칸까지로의 길의 시작에 불과했다.

백 미터 달리기라고 치면 한 걸음을 내딛었을 뿐이었는데, 전조가 좋지 않았다.

전조가 정말 좋지 않았다.

제냐는 시야가 좁아지면서 한 점에 집중되듯, 감각이 모이며 저 먼 거리에서 벌어지는 어떤 사건에 대한 예감에 강렬하게 사로잡혔다.

스킬이 이토록 그의 감각을 지배하고 이끄는 건 그 스킬이 만들어진 발동 원리에 정확하게 부합될 때이리라.
위기 감지 스킬이니만큼, 명백하게 위기라고 생각될 때 말이다.

"어?"

다만 제냐는 그 스킬의 발동에 대해서 제대로 아직 다 알고 있진 못했다. 칼날 위에 선 검객이 빨간색이라고 제냐에게 말을 해주어도, 그것이 빨간색이라고 인지를 못한다면 영 정보 전달 도구로서는 역할을 못 해내는 꼴이 된다.

노란색인가 초록색인가. 제냐는 감각의 변화를 낯설게 받아들였고 무언가 심상치 않다고 생각했지만, 정확하게 어떤 일인지 몰랐다.

멍청하게 객실 내에서 소리를 내며 주변 사람들의 이목을 모았을 뿐이다.

“왜,”

라고 줄리앙이 먼저 물었다. 그의 옆에 탄 노인이었다. 마차는 아무런 불편함없이 마부의 손에, 두 마리 흑마의 발걸음에 이끌려 나아가고 있었다. 앞 선 그리턴 가의 정예병들은 조금 더 가벼운 발걸음으로 여정을 선도하고 있었고.

줄리앙의 갈색 눈동자가 데굴 굴러 제냐를 보았고, 뒷말은 채 하지 못했다.
제냐의 표정이 자못 심각해 보였기 때문이다.

무언가 고민이라도 있는 모양이지?

라고 줄리앙이 가늠했다. 헤슈나와 아드리안 역시 마찬가지였다.

제냐는 미간을 찌푸렸다.

불편한 이물감 따위가 느껴지는 듯, 자신의 감각이 제대로 통제되지 않았고, 어느 한 점을 노려보는 것처럼 원거리를 감지하는 기감이 자꾸만 움직인다.

스킬의 작용이라는 건 알았고, 그것이 아마 새롭게 얻은 감지 보조 스킬 '칼날 위에 선 검객'의 효과라는 것도 알았다.

제냐의 상상력이 둔했고, 미처 상황을 인지하지 못했다.

생각보다 일이 수월하게 풀리리라 느꼈기에 조금 방심을 했는지도 모른다.

칼날 위 검객 스킬이 말하는 불안한 미래에 대한 초월적인 직관이라는 게, 정확히 어느 시점을 말하는 지도 몰랐고 어떤 장소를 가리키는 지도 알 수 없었다. 어떤 형태로 오는 위기인지, 얼마만큼의 정확도를 가진 '직관성'을 부여하는 스킬인 지는 더욱이 알 수 없었고.

제냐는 잠시간 부드럽게, 규칙적으로 움직이는 객실 내부에서 미약한 두통을 느끼며 말없이 있다가, 일단 되는대로 감지 계열 스킬을 사용해보기로 했다.

어쨌든 스킬이 말하고자 하는 바, 그러니까 시스템이 정해둔 효과와 메커니즘이 있을테니 하나하나 알아보자는 뜻이었다.

제냐는 막연한 불안감을 스킬로 인해서 유도되어 느꼈지만 이성이 뚜렷이 느끼지 못했고, 감지 스킬이 발휘되며 주변 시야를 넓게 가지자 슬슬 그 불길함이 구체화되는 걸 깨달았다.

"억."

그리턴 가에서 지원해준 열 명의 기사들은 감지 계열 스킬을 갖고 있지는 못했다. 줄리앙 리스트가 특별히 수많은 경험을 거치고 온갖 전장에서 살아나기 적합하도록 능력을 갖춘 것에 불과했다. 모든 기사가 그와 같지는 않다.

두 명의 초상술사는 색적보다는 공격과 직접 전투에 더욱 쓸만한 스킬 셋을 갖춘 인물들이었고, 일행이 늘어났지만 결국 직접 눈을 가진 건 줄리앙과 제냐였다.

로키 캐슬을 나서자마자, 그리턴 가의 앞마당에서, 그리고 뻔히 감시 체계가 살아있는 산책로를 지나고 있을 때 일이 벌어지리라 생각하는 건 여간해선 어려운 일이었다.

제냐 역시 그 정도로 경계심을 발휘하지는 못했고. 온전히 우연이다. 위기 감지 류의 레어 스킬을 얻어낸 건.

너무 온전한 우연이라서 분명한 께름칙함을 느끼고도 반응이 늦었다.

아직 체화한 실력이 아니다보니.

밝은 낮.

점심도 되지 않은 시간.

아직 여행의 시작을 제대로 했다고 말하기도 민망한 거리.

그리턴의 영역이라 할 수 있는 로키 산의 가도 중턱에서 하산하던 마차와 인마의 행렬 근처로

두두두두두두,

산림을 울리듯 소리를 내며 다가오는 군대의 소리가 점점 커져왔다.

"이런 씨발. 줄리앙!"

뭔진 몰라도 대충 뭔지 알았다. 제나는 영문을 몰랐지만 그들을 덮칠만한 놈은 운트 작힘 백작이라는 새끼라는 걸 안다. 어떤 수작을 벌였고 계획인지 몰랐지만, 가장 마지막에 그들에게 찾아왔던 협곡 위 강도단보다 조금 더 용의주도한 수작이었다.

이번에는 확실히 지근거리까지 깨닫지 못했다. 그때보다 사정이 나아졌고 능력이 발전했음에도 그렇다.

제나는 자신이 그리턴 시티와 로키 캐슬에 있는 동안 퀘스트의 진행면에 있어서는 도리어 안일했음을 깨달았다.

죽자사자 전투 능력을 올려놓으면 무엇 하는가. 남이 다 해줄 것이라고 여기고 마음을 편히 먹으면 이 놈의 게임은, 인생을 아주 흡사하게 닮도록 만들어 놓은 비련의 시나리오는 뒤통수를 쳐온다.

방심하는 자에게 고난이 찾아오기 쉬운 법이었다.

운트 작힘의 악의는 생각보다 더 대단하고 분명했으며, 뒷거리의 불량배같은 놈들이나 강도를 넘어서 어마어마한 몬스터 떼로도 이루어져서 달려들었다.

"…질리언! 페이브! 슈페리얼 2호를 켜라!"

마차를 켜라는 말이 얼마나 어색하고 이상한 지는 안다. 그러나 그것 외에 달리 표현할 말이 없는 것도 사실이다. 객실에서 비명처럼 터진 외침에 질리언과 페이브가 반응했다.

그들 행렬이 모두 느낄만치 주변의 전조가 이상했다. 앞서가던 인마 역시 불안감을 표했다. 기사들은 조용히 말들의 속도를 늦추며 검 손잡이로 손들을 가져갔다.

벌컥, 제나는 일단 바깥으로 튀어나갔다. 고개만 뒤돌며 빠르게 외쳤다.

"바깥에서 원호하셨습니다!"
"이런 미친."

줄리앙도 드물게 거친 감정의 표현을 해냈다. 노신이 평정을 잃는 일이 생각보다 자주 있었다, 요즘은. 근 십 여 년간을 나누어서 느낄만한 감정의 거센 파도가 한 시기에 몰아닥치는 것 같았다.

아드리안과 헤슈나는, 연약한 아가씨들답게 두려움을 느꼈으나 그것에 사로잡히지만은 않았다. 그들을 보호하는 이들의 굳센 의기를 깊이 깨닫고 있는 까닭이다.
'이번에도 어떻게든 되겠지'라는 생각에 가까웠다.

그리고 그건 보호받는 처지에서, 꽤나 괜찮은 태도이기도 했다.

순전하게 믿어준다는 건 앞서서 싸워 나가야 하는 입장에서 참 달가운 지지요 응원이었다.

줄리앙은 드륵, 하고 거칠게 마차의 덧창을 밀어 열었다. 바깥 광경이 보였다. 그는 객실 의자 아래에 고이 모셔두었던 기계식 석궁을 다시금 꺼내들었다. 마차의 짐칸은 몇 구획으로 나누어져 있는데, 객실 바닥과 이어진 칸이 따로 있었다. 그는 그곳에서 무기와 함께 석궁의 화살다발을 꺼내 올렸다.

두두두두,

하고 멀리서 요란스럽게 북을 치는 소리를 수십 개 쯤 연이어 붙여 놓으면 들릴법한 달갑잖은 소리가 들려온다.

기사들은 자신들이 듣고 있는 소리나 머릿속에 떠오르는 짐작이 상상이나 망상에 그치지 않고, 현실이라는 결론을 내릴 수 밖에 없었다.

말들 위에 선 그리턴의 정예 기사들, 갈색 사슴 기사단의 정병들이 하나 둘씩 시키지도 않았지만 발검했다. 하나하나 상황 판단과 어떻게 움직여야 할 지 결단 정도는 내릴 수 있는 자들이었다.

말단이라도 기사의 신분인 자가 있다면, 병사의 지휘관이 없을 땐 기사가 지휘관을 맡게 된다. 이중에서 가장 높은 직위를 가진 자는 갈색 사슴 기사단의 부단장, 옌 마퉁Yen matoong 경이었다. 세시앙 인과 중부인의 혼혈이나 중부에서 태어났고, 오래도록 그리턴 가를 섬겨온 무인 가문의 장손이었다.

듬직한 체구에 검붉은 머리를 기른 사내다. 야성미 넘치는 헤어스타일. 그는 망토 안쪽, 허리춤에 두었던 검을 숨쉬듯 자연스럽게 꺼내며 말 위에서 치켜 들었다.

플레이어들의 기준으로 한다면 레벨로 80후반대에 다다르는 강력한 전투력을 지닌 사내다. 그는 눈앞에서 맞닥뜨릴 가능성이 있다는 걸 아직 모르지만, 로키 산에 마침 와 있는 그레이 하운드 기사단의 십인장과 비교해도 한 수 확실히 앞서는 실력자였다.

그가 자신의 머리칼 색과 비슷한 눈동자를 곧게 잡으며 정면을 바라보았다.

부단장의 의지는 곧 함께하는 기사들에게 쉽게 전해진다. 그의 행동이 기사들에게 있던 일말의 불안감을 지워버렸다.

요란스럽게 소리를 치고 또 마차에서 튕겨나오듯 바깥으로 나온 제나와 달리 기사단은 이미 임전 태세였다.

로키 산에서 살아가는 그들에게 몬스터란 언제 마주쳐도 이상하지 않은 존재들이다. 지금 이 타이밍에, 저런 소리의 규모와는 예상치 못하긴 했지만.

갈색 사슴 기사단이 해야 하는 일이 변하지는 않는다. 이번에는 그리턴 시티의 영지민이 아닌 벗이 되는 영지의 후계자들을 지키는 것 뿐이다. 검을 든다. 싸운다. 지킨다.

그뿐이 기사가 알면 되는 사명의 완수 조건들이다.

질리언과 페이브는 마차의 마부석 벤치 아래에 있는 버튼을 찾아 눌렀다. 누른 건 질리언이었고, 그가 기력술을 발동시켰다. 집사장의 비명같은 외침에 자신도 모르게 자연스레 그렇게 했다. 곧이어 얼마 지나지 않아 MP가 살아 움직이듯 작동했다.

슈페리얼 2호는 그 자체로 초상력 기구였고, 강력한 위력이다. 전쟁터에 나가도 될 정도였지만, 부서진다면 비용이 막심하기에 잘 나가지는 않는다. 본래 진정한 용도는 이처럼 요인을 보호하기 위함이었다.

마차나 그 위에 타고 있는 호위 무사들, 그리고 그 주변을 슬쩍 움직이며 둘러싸듯 진형을 침착하게 짜는 기사들.

그 후방으로 조심스레 물러나며 스킬의 사용을 준비하는 워메이지 두 명.

제냐는 마차의 지붕에 올라타 인벤토리를 읊조렸고, 눈 앞에 뜨는 반투명한 푸른 아이템 목록 중에 자신의 장궁을 손가락으로 긁어 꺼내들었다. 구체화된 장궁의 태가 아름답고도 매섭다.
시위에 철시를 걸고 날리면, 더욱 매섭다.

'아.'

제냐는 활을 꺼내들며 문득 생각이 나서,

최태현을 찾았다.

분명 인마의 무리에 섞여 기사들과 함께 앞서서 일행의 선두를 보고 있던 작자였다. 그는 능숙하게 마차 위주로 방진을 짜내는 그리턴 가문의 기사들에 행태에 감탄하면서, 구성인원을 살폈지만 '개멋진나 최'라는 웃기는 플레이 네임의 사내가 보이지 않았다.

몇 번 두리번거렸고, 그의 궁금증에 발맞추어 색적 스킬이 발동했고, 사냥감의 흔적을 뒤쫓던 사냥꾼의 감각처럼 주변 정보를 면밀하게 받아들이기 시작했다.
말발굽으로 만들어진 발자국 하나가 기사들의 행렬을 벗어나 뒤로 향한 게 보였다. 발자국들로 이루어진 궤적은 마차까지 넘어 뒤로 향한다. 산책로, 라 불리는 넓은 가도의 반대편 방향이다.

지금 사내들은 모두 그 대로에 멈추어서서 가도의 한쪽 경계를 바라보고 있었다. 내려가던 방향에서 오른쪽으로 몸을 틀어 주시하고 있다. 그쪽으로부터 몬스터들이 움직이는 듯한 지축을 울리는 소리가 계속 가까워지고 있기에.

"아브라. 마힌. 세다브라트."

알지 못할 말을 발음하며 중얼거리는 워 메이지들의 목소리가 작게 들린다. 이미 스킬을 발동하기 위해 준비하며 자신만의 시동어를 읊는 모양이었다. 실제로 MP가 그 NPC들 주위로 요동치는 것이 제냐의 예민한 기감에 뚜렷이 느껴졌다.

그 기감과 색적 스킬, 오감의 인도에 따라 조금 더 찾자 반대편 숲 속으로 사라진 발자국의 끝을 볼 수 있었다. 말 한 마리가 수풀 속에 몸을 감춘 채 있다. 조금쯤 그 몸체가 드러나 있어 가만히 지켜보면 우습기까지 하다. 자신보다 조금 작은 수풀로 몸을 가리느라 애쓰고 있는 터다.

그런 말의 근처, 우거진 로키 산의 산림 중 곧게 뻗은 나무 하나의 위를 자신도 모르게 문득 처다보았다. 궁수로서 그 나무의 위가 적당해 보였고, 또 최태현과 늘 호흡을 맞추던 싸움법이 그것이기에 말이다.

"……."

제냐는 그 위에서 어느새 화살을 뽑아들고 임전 태세로 기력술을 발동하고 있는 최태현의 모습을 보았다. 말도 없이 참 잘도 움직이는 양반이었다. 그리고 동시에 믿음직스러웠다.

제냐는 다시 앞을 보았다. 기력 감지술을 최대로 발휘했다. 먼 거리에서 오는 소리가 가까워졌고 커진다. 눈으로 보는 것보다 빨리 알아야 그것들에 대항할 수 있었다. 감지술의 범위에 소리의 발생처가 닿게 될 때까지, 숨죽인 기다림이 이어진다.

*

비련의 시나리오 온라인:Slowfantasy 2권, 끝